Psychologie du travail et des organisations

Shimon L. Dolan
Gérald Lamoureux
Eric Gosselin

Psychologie du travail et des organisations

**gaëtan morin
éditeur**

Montréal □ Paris □ Casablanca

Données de catalogage avant publication (Canada)

Dolan, Shimon

    Psychologie du travail et des organisations

    2e éd. –

    Publ. antérieurement sous le titre: Initiation à la psychologie du travail. 1990.

    Comprend des réf. bibliogr.

    ISBN 2-89105-589-6

    1. Psychologie du travail. 2. Personnel – Direction. I. Lamoureux, Gérald, 1951-   . II. Titre. III. Titre:
Initiation à la psychologie du travail.

HF5548.8.D64 1996   158.7   C95-941393-6

Montréal, Gaëtan Morin Éditeur ltée
171, boul. de Mortagne, Boucherville (Québec), Canada, J4B 6G4, Tél.: (514) 449-2369

Paris, Gaëtan Morin Éditeur, Europe
20, rue des Grands Augustins, 75006 Paris, France, Tél.: 33 (1) 53.73.72.78

Casablanca, Gaëtan Morin Éditeur – Maghreb S.A.
Rond-point des sports, angle rue Point du jour, Racine, 20000 Casablanca, Maroc, Tél.: 212 (2) 49.02.17

Révision linguistique : Monique Boucher
Caricatures : Jean Landry

Imprimé au Canada

Dépôt légal 2e trimestre 1996 – Bibliothèque nationale du Québec – Bibliothèque nationale du Canada

1 2 3 4 5 6 7 8 9 0   G M E 9 6   5 4 3 2 1 0 9 8 7 6

À Adela Maldonado, ma force,
mon énergie, mon amour.

Shimon L. Dolan

À Diane, partenaire à part entière
dans notre entreprise familiale
ainsi qu'aux trois magnifiques projets
qui en sont issus;
Marie-Ève, Simon et Philippe.

Gérald Lamoureux

À ma grand-mère,
Mme Rita Ross-Lahaie,
qui, par son courage, son optimisme
et sa détermination, m'a appris à vivre.

Eric Gosselin

Avant-propos

La psychologie du travail et des organisations est une discipline, ou un champ d'intérêt, en constante évolution. Ainsi, les constats que l'on propose à une certaine époque deviennent rapidement périmés, voire obsolescents, dès que les paramètres sociaux, dans lesquels ils ont émergé, se modifient ou se transforment. La présente décennie nous offre un flot considérable de bouleversements, redessinant d'autant la réalité du monde du travail. Les chambardements, tant structurels que conjoncturels, viennent redéfinir les enjeux économiques, politiques et sociaux de notre société contemporaine. Entre autres, la mondialisation des marchés, la résurgence du néolibéralisme et la quête de l'efficience modifient tant la nature que la portée des organisations d'aujourd'hui et de demain.

Un regard nouveau doit donc être posé sur la dimension humaine dans l'organisation. Bien que les postulats théoriques soutenant les conceptualisations d'antan demeurent effectifs, en fonction de leur intérêt pour la nature humaine, l'actualisation appliquée de nos connaissances ne cadre plus nécessairement avec les environnements de travail modernes.

C'est dans cette perspective que fut élaborée la seconde édition du livre *Initiation à la psychologie du travail*. Soucieux d'offrir un instrument d'apprentissage ancré dans la continuité de la réalité, il nous semblait opportun d'enrichir le texte et de revérifier la pertinence des conceptualisations discutées. De plus, comme le titre de la seconde édition l'indique (*Psychologie du travail et des organisations*), un désir d'intégration des thématiques actuelles (issues de la psychologie organisationnelle, de la psychologie industrielle et du comportement organisationnel) a guidé les transformations apportées aux divers chapitres ainsi qu'à la structure du livre. Les diverses modifications apportées permettront de mieux saisir la synergie existant entre chacun des sujets ainsi que la complexité de l'individu en milieu de travail.

Pour ce faire, le volume a été subdivisé en trois volets. Ces volets constituent une suite, un enchaînement logique permettant d'explorer tant l'aval que l'amont de la dynamique organisationnelle. Tout d'abord, nous étudions les micro-éléments du comportement des individus et des groupes. Ensuite, nous traitons des différents aspects liés au processus organisationnel. Pour finalement terminer notre tour d'horizon sur une discussion des thématiques contemporaines monopolisant l'intérêt et le souci des organisations.

Par la réédition de ce volume, nous poursuivions deux principaux objectifs. Tout d'abord, notre objectif premier était d'adapter le contenu du livre à un contexte qui a largement changé et où les intérêts se sont quelque peu déplacés. Il ne s'agissait naturellement pas de réinventer la roue, mais plutôt de donner un nouvel éclairage aux modèles traditionnels afin de mieux analyser et de mieux comprendre les travailleurs dans leur intégralité. Ensuite, nous voulions, par le biais de cette seconde édition, améliorer le soutien pédagogique offert par notre volume. Forts des commentaires de divers professeurs et de plusieurs étudiants, nous avons repensé tout le livre afin de favoriser le

VOLETS	THÈMES
I	**Le rôle des individus et des groupes dans l'organisation**
	Une introduction à la psychologie du travail et des organisations (chapitre 1)
	Le comportement humain, la personnalité et la perception (chapitre 2)
	La motivation au travail (chapitre 3)
	La dynamique des groupes en milieu de travail (chapitre 4)
II	**Le processus organisationnel**
	Les principes de communication dans l'organisation (chapitre 5)
	Le pouvoir et les conflits en milieu de travail (chapitre 6)
	Le leadership et ses conséquences organisationnelles (chapitre 7)
	Le processus de décision (chapitre 8)
III	**Les sujets contemporains**
	L'évaluation et la gestion du stress au travail (chapitre 9)
	L'orientation et la gestion de carrière (chapitre 10)
	La planification et la gestion du changement organisationnel (chapitre 11)
	Les nouvelles formes d'organisation du travail (chapitre 12)

transfert et l'intégration des connaissances. À ce niveau, notre priorité a été de vulgariser les concepts présentés par l'utilisation d'un langage simple, tout en limitant le nombre de références bibliographiques afin de ne pas alourdir indûment le texte.

L'actualisation du contenu

Afin d'enrichir le contenu de chacun des chapitres, nous avons porté une attention spéciale aux développements récents dans chacune des thématiques abordées. Qu'il s'agisse de la motivation, du stress ou encore de la communication, tous les chapitres font maintenant état des connaissances les plus actuelles, et cela en fonction de leurs dimensions tant théoriques que pragmatiques. Néanmoins, au delà de cette mise à jour généralisée à l'ensemble du volume, certains chapitres ont connu des remaniements plus fondamentaux.

Tout d'abord, afin de combler une lacune de la première édition, une thématique nouvelle portant sur la carrière a été intégrée à l'intérieur du volume. La carrière étant une préoccupation de plus en plus centrale, tant pour l'organisation que pour les travailleurs, il nous semblait primordial de consacrer un chapitre entier à ce sujet. Ce chapitre permet, entre autres, de circonscrire les dimensions individuelles et organisationnelles de cette thématique, de mettre en relief les problématiques contemporaines s'infiltrant dans la dynamique de la carrière, et d'envisager certaines pistes de solutions potentielles permettant de réunifier l'offre et la demande de carrière.

Ensuite, trois chapitres ont été complètement réaménagés afin de les enrichir et de les actualiser. Il s'agit du premier chapitre portant sur la définition du champ d'étude relatif à la psychologie du travail et des organisations, qui se voit enrichi d'une définition plus extensive et intégrative. Permettant de mieux cerner le lien unissant la psychologie « fondamentale » à la psychologie appliquée, ce chapitre présente l'avantage de situer la dimension humaine dans l'univers organisationnel, et ainsi de préciser la portée et l'étendue réelle de la psychologie du travail et des organisations.

Le chapitre 2 portant sur le comportement humain, la personnalité et la perception a lui aussi connu des ajouts majeurs. Entre autres, une attention particulière a été portée au processus générant les comportements, c'est-à-dire au processus de l'action. Ainsi, la personnalité, les attitudes, la perception et le pouvoir, qui représentent autant de constituants de ce processus, ont été l'objet d'un regard nouveau permettant à la fois de mieux les définir et de mieux les intégrer dans la logique comportementale.

De plus, le chapitre 12, traitant des nouvelles formes d'organisation du travail, a fait peau neuve par l'insertion d'une section complètement consacrée à la gestion par la qualité totale. Jouissant d'une présence accrue au sein des organisations, la qualité totale propose une redéfinition des paramètres organisationnels ainsi qu'un nouveau style de gestion. Par la définition des balises de cette nouvelle forme d'organisation, et par la démystification de ses composantes « psychologiques », cette section du chapitre permettra d'évaluer la pertinence réelle de cette innovation ainsi que les forces et les faiblesses qu'elle présente en fonction de la perspective des travailleurs.

Finalement, afin de compléter l'actualisation, nous avons intégré à la plupart des chapitres des allocutions provenant des ténors de la psychologie du travail et des organisations (Minzberg, Cooper, Kets de Vries, etc.). Ces allocutions, originales, brèves et concises, permettent de comprendre la vision actuelle proposée par chacun de ces auteurs (en fonction des thèmes discutés) et de prendre connaissance des dernières modifications ou ajouts apportés à leurs contributions respectives.

Les améliorations pédagogiques

Afin d'améliorer les aspects pédagogiques de ce volume, plusieurs instruments didactiques ont été insérés, facilitant ainsi le travail du professeur et l'apprentissage des étudiants.

Tout d'abord, chacun des chapitres est maintenant chapeauté par des objectifs d'apprentissage permettant de circonscrire l'étendue des connaissances devant être acquises par la lecture. Ces objectifs représentent les lignes directrices de chacun des chapitres et permettent, avant même d'entreprendre la lecture, de diriger l'attention du lecteur sur les aspects essentiels qui seront abordés.

De plus, on trouvera au début de chaque chapitre (à l'exception du chapitre 1), une allocution d'un cadre supérieur faisant état de l'importance de la thématique abordée dans la gestion quotidienne de son organisation. Ayant recruté, pour cette fin, les présidents et vice-présidents des plus importantes entreprises québécoises, nous offrons aux étudiants l'opportunité de prendre conscience de l'intérêt porté à la psychologie du travail et des organisations et de comprendre l'application de chacune des thématiques à l'intérieur même des organisations.

Afin de boucler la boucle pédagogique, deux types d'exercices ont été annexés à chacun des chapitres. Il s'agit d'une liste de questions de révision faisant le pont entre les objectifs d'apprentissage et le contenu des chapitres. Ces questions visent à vérifier l'intégration de la matière par les étudiants et, en ce sens, permettent de faire le point sur les connaissances réellement acquises et celles qui devraient idéalement l'être. Finalement, un exercice d'autoévaluation est présent à la fin de chacun des chapitres. Bien qu'ils puissent autant être utilisés en guise d'introduction qu'en guise de synthèse, ces exercices amèneront les étudiants à évaluer leurs propres caractéristiques personnelles, au fil de la lecture de chacun des chapitres. Nous croyons, en vertu de la nature humaine de la psychologie du travail et des organisations, que le meilleur élément de motivation et de rétention mnémonique est de confronter l'étudiant à sa propre position sur chacune des thématiques. Dès lors, il sera mieux à même de comprendre les liens sous-tendant les diverses thématiques, et ceci en fonction d'une comparaison des particularités de sa propre personnalité.

Somme toute, l'ouvrage que nous vous présentons ne se veut pas une remise en question des prémisses traditionnelles encadrant la psychologie du travail et des organisations. Il s'agit plutôt d'un livre d'introduction favorisant la conscientisation, des étudiants et des gestionnaires, à l'importance de la dimension psychologique à l'intérieur de la dynamique organisationnelle. Offrant des connaissances favorisant l'analyse et la compréhension des individus en milieu organisationnel, ce volume permet d'entrevoir des pistes de solutions aux problématiques contemporaines à caractère humain surgissant dans les milieux de travail. En ce sens, l'ouvrage se veut une base globale permettant d'initier les étudiants et les gestionnaires aux divers postulats théoriques de la psychologie du travail et des organisations.

Remerciements

L'écriture d'un livre se veut une aventure de longue haleine qui serait impossible sans le soutien et la participation d'une équipe importante de collaborateurs. Tout au long des deux dernières années, nombreux sont ceux qui nous ont aidés et encouragés, et sans lesquels cette deuxième édition ne serait encore qu'un vague projet.

Nous tenons tout d'abord à remercier notre maison d'édition, Gaëtan Morin Éditeur qui, par le biais des éditrices, Mmes Josée Charbonneau et Isabelle De La Barrière, de la responsable du projet, Mme Monic Delorme, et de la réviseure, Mme Monique Boucher, nous a offert l'encadrement et le soutien administratif ainsi que technique nécessaires au processus de réédition.

Notre gratitude va aussi à ceux qui ont participé directement à l'amélioration des textes, de la présentation et de la structure du livre. Nous sommes reconnaissants à Mme Guylaine Laganière qui s'est chargée de la tâche ardue et pénible de la saisie des textes, ainsi qu'à Mme Claire Mercier grâce à qui les allocutions des experts ont pu être accessibles en langue française. Nous aimerions aussi souligner la contribution de Mmes Anouk Collet et Sarah Landry qui ont participé à la mise à jour du chapitre portant sur le leadership. Et nous sommes redevables à M. Jean Landry qui, par ses caricatures, a su illustrer et égayer le contenu de chacun des chapitres.

De plus, nos remerciements les plus sincères vont à la quinzaine de cadres supérieurs qui ont aimablement contribué à cet ouvrage par le biais des allocutions qu'ils nous ont fait parvenir. Il s'agit, par ordre alphabétique, de:

- M. Jean-Jacques Bourgeault, premier vice-président général, Air Canada;
- M. John E. Cleghorn, président, Banque Royale du Canada;
- M. John R. Gardner, président, Sun Life Canada;
- M. Gary M. Comerford, vice-président, Sun Life Canada;
- Mme Maureen Kempston Darkes, présidente, General Motors du Canada limitée;
- M. Jacques Duchesneau, directeur, Service de police de la Communauté urbaine de Montréal (CUM);
- M. Jean-Marie Gonthier, vice-président exécutif – Qualité et Développement organisationnel, Hydro-Québec;
- M. Claude Gravel, président, Assurance-vie Desjardins;
- M. Jacques Hendlisz, directeur général, Hôpital Douglas;
- M. Charles Larocque, directeur des Ressources humaines, Bell Helicopter Textron;
- M. Gérald Larose, président, Confédération des syndicats nationaux (CSN);
- M. Robert Lavigne, ex-directeur général, Sûreté du Québec;

- M. John T. McLennan, président et chef de direction, Bell Canada ;

- M. Jean-Guy Paquet, ex-président, La Laurentienne Vie inc. ;

- M. Jean Phaneuf, directeur, Analys inc. ;

- M. Michel Trahan, vice-recteur aux ressources humaines, Université de Montréal.

Ces mêmes remerciements s'adressent aussi à tous les experts qui ont participé à cet ouvrage par le partage de leur vision personnelle. Ce sont, toujours en ordre alphabétique :

- M. Chris Argyris, Harvard University ;

- M. Bernard M. Bass, State University of New York (Binghampton) ;

- M. Cary L. Cooper, University of Manchester, Institute of Science and Technology ;

- M. Fred E. Fieldler, University of Washington ;

- M. Manfred Kets de Vries, European Institute of Business Administration (INSEAD) ;

- M. Abraham K. Korman, City University of New York ;

- M. Edward E. Lawler III, University of Southern California (USC) ;

- M. Edwin A. Locke, University of Maryland ;

- M. Henry Mintzberg, McGill University et INSEAD ;

- M. Edgar H. Schein, Massachusetts Institute of Technology (MIT).

Finalement, nous remercions les centaines d'étudiants, de l'Université de Montréal et de l'Université du Québec à Hull, qui, par leurs questions, leurs commentaires et leurs interrogations, nous ont permis de remettre en cause notre travail et de nous améliorer. Nous sommes aussi reconnaissants à nos collègues Anne Ménard, Abdelaziz Rhnima et Jules Carrière : nous les remercions pour leurs encouragements et leur confiance inconditionnelle ; leur appui nous a été indispensable dans les moments les plus difficiles de notre écriture.

TABLE DES MATIÈRES

Chapitre 5
Les principes de communication dans l'organisation **161**

1

Introduction à la psychologie du travail et des organisations

Plan

Objectifs d'apprentissage

Introduction

1.1 Les écoles de pensée en psychologie
    1.1.1 Le structuralisme
    1.1.2 Le fonctionnalisme
    1.1.3 La psychanalyse
    1.1.4 Le béhaviorisme
    1.1.5 La psychologie humaniste
    1.1.6 La psychologie cognitive

1.2 Le domaine de la psychologie du travail et des organisations
    1.2.1 L'organisation : définition et paramètres
    1.2.2 Les influences sur l'organisation

1.3 Un aperçu des modèles reliés au domaine
du comportement organisationnel
    1.3.1 Le modèle mécaniste
    1.3.2 Le modèle organique
    1.3.3 Le modèle contingent

1.4 Le modèle contemporain de la psychologie
du travail et des organisations

Conclusion

Questions de révision

Références

CHAPITRE 1 Objectifs d'apprentissage

Dans ce chapitre, le lecteur se familiarisera avec :

– la psychologie du travail et des organisations définie en fonction de diverses disciplines connexes ;

– les diverses écoles de pensée en psychologie et leur évolution ;

– la discordance et la complémentarité de ces écoles de pensée en ce qui a trait à leur objet d'étude, à leur technique d'investigation ainsi qu'à leur conception de l'être humain ;

– la réalité représentée par la notion d'organisation ainsi que les diverses influences actualisant sa dynamique ;

– les différences existant entre les modèles mécaniste, organique et contingent visant à définir la dynamique fondamentale d'une organisation ;

– les distinctions entre les différents modèles organisationnels en fonction de leurs conceptions théoriques particulières.

INTRODUCTION

La psychologie du travail et des organisations est une discipline relativement jeune ; elle a cependant connu un essor considérable au cours des dernières décennies. Les récentes perspectives dans ce domaine reflètent les nouveaux besoins des individus dans leur milieu de travail ainsi que ceux des organisations. Plus précisément, les tenants de cette discipline cherchent **à analyser et à expliquer les divers comportements physiques, émotifs et cognitifs des individus et des groupes dans leur milieu de travail, à expliquer leur apparition, maintien ou disparition, ainsi qu'à découvrir la nature et la signification du vécu des personnes en situation de travail**.

Dans ce chapitre, les auteurs ont pour objectifs de situer la psychologie du travail et des organisations en fonction de ses origines et d'en présenter les applications. Dans cette optique, ils donneront un aperçu des différentes écoles de pensée en psychologie, pour ensuite s'attarder aux concepts que l'on trouve en psychologie du travail et des organisations.

1.1 LES ÉCOLES DE PENSÉE EN PSYCHOLOGIE

La psychologie du travail et des organisations est apparue à la suite d'une longue évolution des différentes écoles de pensée en psychologie. Nous présentons, dans cette section, une brève description des principales écoles de pensée ainsi qu'une critique de chacune.

On situe habituellement les débuts de la psychologie en tant que science en 1879, alors que W. Wundt fondait le premier laboratoire de psychologie à Leipzig, en Allemagne.

Wundt tenta de définir le contenu de l'expérience consciente en décomposant celle-ci en sensations (par exemple, la vision et le goût), en émotions et en images (par exemple, les souvenirs et les rêves). Il croyait que les processus mentaux pouvaient être mieux compris en les décomposant et en analysant ensuite leurs interactions. Cette façon de procéder conféra à la psychologie son caractère scientifique, car il s'agissait de la même démarche que celle qui était utilisée en chimie et en physique. De plus, Wundt travaillait en laboratoire, comme le faisaient les chimistes et les physiciens. Il tenta d'enrichir les connaissances sur les processus mentaux en recueillant des informations observables et mesurables, plutôt qu'en se limitant à la spéculation philosophique.

1.1.1 Le structuralisme

Si le fait d'établir une relation mathématique entre la magnitude d'une stimulation et l'intensité des sensations avait constitué un début d'objectivation scientifique important, rendre objectives des émotions ou des images mentales constituait une tâche des plus difficiles à laquelle le structuralisme a tenté d'apporter quelques éléments de solution.

Le terme structuralisme est attribué à E.B. Titchener qui, après des études auprès de Wundt, installa un laboratoire de psychologie aux États-Unis. Il reprit essentiellement la démarche expérimentale de Wundt. En effet, il croyait lui aussi qu'il était possible d'acquérir des connaissances sur les processus mentaux en décomposant les expériences perceptuelles en sensations et en analysant ensuite leurs interactions, un peu comme un chimiste décompose l'eau en hydrogène et en oxygène. Il s'agissait d'explorer la relation entre l'expérience et la réalité. Il ne s'agissait pas de fournir une explication sur les causes du comportement humain mais plus simplement de décrire certains faits partiellement contrôlés, tout comme les anthropologues et les sociologues décrivent les vies et les coutumes de groupes humains. On souhaitait ainsi, par le biais de la convergence, la répétition et la généralisation d'observations, en arriver à distinguer certains principes organisateurs ou structurels du comportement.

Toutefois, si l'objectif était louable, les moyens pour l'atteindre recelaient certaines failles. Ainsi, pour obtenir des informations observables et mesurables, Titchener utilisait l'introspection, soit le compte rendu verbal des sujets, lesquels lui indiquaient ce qu'ils ressentaient ou pensaient lorsqu'ils étaient soumis à une expérience perceptuelle. Les chercheurs se sont vite rendu compte que les rapports verbaux des sujets étaient très différents, en dépit du fait qu'ils étaient soumis à la même expérience perceptuelle (par exemple, une mélodie).

De plus, ils ont observé que l'introspection, l'outil de travail le plus caracté-ristique de leur approche, avait pour effet de modifier le phénomène sous observation. Les chercheurs se sont heurtés, en psychologie, au même problème qu'ont rencontré les physiciens lorsqu'ils ont étudié le phénomène de la lumière. On doit, en effet, au physicien Heisenberg ce qu'il est convenu d'appeler « le principe d'incertitude d'Heisenberg », selon lequel la lumière nécessaire à l'étude du phénomène de la lumière modifie le phénomène observé.

La diversité des expériences internes (sensations, émotions, images mentales) est à l'origine des critiques formulées à l'endroit des travaux de Wundt et de Titchener. La difficulté d'objectiver ou plutôt d'établir un consensus temporaire sur la réalité des observations a fait en sorte que l'introspection ne pouvait être reconnue comme pratique scientifique. Cependant, ces chercheurs ont continué leurs études psychologiques en s'orientant davantage vers les phénomènes de discrimination perceptuelle.

La dernière critique vis-à-vis du structuralisme est encore très vivante de nos jours. En effet, plusieurs chercheurs ont taxé le structuralisme d'inutilité, en ce sens qu'il n'était pas pratique parce qu'il n'offrait pas de solutions aux problèmes quotidiens. Cette opinion, très répandue tant dans le domaine de la psychologie que dans les autres domaines scientifiques, entraîne un désintéressement de la recherche fondamentale au profit de la recherche appliquée.

1.1.2 Le fonctionnalisme

Le fonctionnalisme a pris naissance en réaction au structuralisme. Il a été fondé vers la fin du XIXe siècle par W. James, physiologiste à l'université Harvard. Ce dernier s'intéressait aux relations entre l'expérience consciente et le comportement. Le fonctionnalisme, comme son nom l'indique, met l'accent sur l'aspect fonctionnel et pratique des processus mentaux. Il s'intéresse à l'expérience et à la façon dont celle-ci permet à chacun de fonctionner plus efficacement dans son environnement.

Le postulat de base de cette approche a été emprunté à la théorie de l'évolution des espèces de Darwin. En effet, pour les fonctionnalistes, si les caractéristiques physiques de l'être humain (morphologiques et physiologiques : par exemple, l'opposition du pouce aux autres doigts de la main) sont passées de génération en génération parce qu'elles favorisent son adaptation à l'environnement et sa lutte pour la survie, il doit alors en être de même de la conscience, qui a évolué et a été transmise de génération en génération parce qu'elle favorise également l'adaptation et la survie de l'espèce. Les fonctionnalistes se sont donc intéressés au rôle fonctionnel ou adaptatif des processus mentaux. Bien qu'ils aient continué d'utiliser l'introspection, c'est surtout en recueillant des informations sur le comportement, tant animal qu'humain, qu'ils ont contribué à élargir le champ des connaissances en psychologie.

1.1.3 La psychanalyse

L'influence de la psychanalyse sur l'ensemble de la psychologie a été très profonde. S. Freud est probablement le principal responsable de l'évolution thérapeutique de la psychologie. Ce médecin autrichien a mis au point une théorie de la personnalité à partir de son expérience clinique auprès d'un grand nombre de patients souffrant de problèmes émotifs. Ses nombreuses recherches lui ont permis de modifier et de raffiner sa théorie, aujourd'hui mondialement diffusée.

La psychanalyse est particulièrement connue par l'aspect structural et dynamique de la personnalité. L'aspect structural permet de concevoir la personnalité selon trois instances psychiques : le ça, le surmoi et le moi (voir le tableau 1.1). L'aspect dynamique de la personnalité repose essentiellement sur l'utilisation de l'énergie psychique dérivée des forces instinctuelles et du rôle du moi quant à sa capacité de réagir adéquatement à l'anxiété. Les notions de frustration et de conflit découlant des efforts d'adaptation de la personne à son environnement jouent un rôle essentiel dans le processus de maturation.

TABLEAU 1.1
Les trois instances psychiques de la psychanalyse

Instance psychique	Description
Ça (*id*)	Il s'agit de pulsions instinctuelles essentiellement orientées vers l'assouvissement du plaisir.
Surmoi (*superego*)	Il s'agit d'un système de motivations régi par l'intériorisation des interdits moraux et sociaux.
Moi (*ego*)	Il s'agit de l'instance psychique qui a pour fonction de contrôler les pulsions instinctuelles du ça et les interdits du surmoi, afin d'établir compromis et équilibre entre les désirs et la réalité, c'est-à-dire de participer à l'adaptation de la personne à son environnement.

Ainsi, la psychanalyse met l'accent sur l'importance des motifs et des conflits inconscients dans la détermination du comportement. L'insistance mise sur les mécanismes inconscients de l'esprit et sur l'utilisation de l'introspection lui a valu de nombreuses critiques, mais il est indéniable que cette approche a favorisé l'évolution des connaissances reliées à la vie émotionnelle des individus. L'apport de la psychanalyse à la psychologie du travail se trouve notamment dans les recherches de Kets de Vries (1984, 1995). En effet, par ses recherches, cet auteur tente de démontrer que l'« acteur rationnel » présenté dans les théories administratives modernes ne peut être réduit à un ensemble de conduites déterminées et que le mythe de la rationalité organisationnelle doit être réexaminé à la lumière des connaissances accumulées sur le rôle de l'inconscient dans la détermination du comportement organisationnel.

1.1.4 Le béhaviorisme

Le béhaviorisme définit la psychologie comme étant **l'étude du comportement strictement mesurable et observable**. Bien que cette école de pensée ait été popularisée par B.F. Skinner, c'est J.B. Watson qui en fut le fondateur. Ce dernier a fondé le béhaviorisme en réaction à l'école fonctionnaliste, et ce à l'aide des mêmes arguments avec lesquels l'école fonctionnaliste s'était autrefois opposée

PROPOS DE

CHERCHEUR RENOMMÉ

MANFRED F.R. KETS DE VRIES

Mes recherches sur l'approche clinique en management sont fortement influencées par les travaux de Sigmund Freud. Freud a été le premier à comprendre que les êtres humains sont sujets à des contraintes intrapsychiques. Il a démontré que, dans la plupart des cas, la perception que nous avons de notre contrôle sur l'environnement n'est en fait qu'illusion et que notre rationalité se bute à des limites cognitives et émotionnelles.

J'ai constaté que ces observations sur la nature humaine pouvaient être extrapolées pour analyser le comportement humain dans les organisations. Au cours de la dernière décennie, un nombre toujours croissant d'étudiants en gestion ont compris l'utilité d'appliquer à l'environnement organisationnel des concepts cliniques (empruntés particulièrement à la psychanalyse, à la psychologie développementale, à la psychologie cognitive, à la théorie systémique et à la psychiatrie dynamique). Ces étudiants ne sont plus uniquement intéressés par le comment, mais se préoccupent aussi du pourquoi et veulent ainsi étendre leur compréhension au-delà de ce qui est directement observable. Ils veulent comprendre le lien qui existe entre certains patterns comportementaux et les gestes posés dans le milieu organisationnel. Ils cherchent à mieux saisir la dynamique interpersonnelle, de groupe et organisationnelle ainsi que l'interface personne-organisation. Ces étudiants en management reconnaissent que la gestion met davantage en jeu les personnes que les systèmes, les méthodes ou les modèles auxquels les manuels scolaires font si souvent référence.

L'approche clinique en gestion repose sur un certain nombre de prémisses, dont la plus importante stipule que tout comportement est déterminé d'une façon ou d'une autre. Pour comprendre les patterns comportementaux, il importe de tenir compte du fait que les processus intrapsychiques et interpersonnels déterminent nos actes et nos décisions. Les agissements qui, à première vue, semblent complètement irrationnels peuvent, à y regarder de plus près, renvoyer à une explication et à une justification plus profondes.

Chaque individu a son propre théâtre intérieur fondé sur des habitudes de conduite intériorisées. Ce théâtre intérieur se développe au fil du temps par le biais d'interactions avec des parents, des enseignants et d'autres personnes influentes. Il devient donc la matrice sur laquelle s'échafaudent les comportements et les actes. Il influence le

→

comportement de l'individu tout au long de sa vie et assure une continuité entre son passé, son présent et son futur. Des analyses approfondies ont démontré que les gens ont tendance à répéter les mêmes erreurs parce qu'ils sont incapables de reconnaître certains patterns comportementaux récurrents qui sont devenus dysfonctionnels. Ils sont prisonniers d'un cercle vicieux et ignorent comment s'en sortir.

Malheureusement, nous ne sommes pas toujours des « détectives » organisationnels hors pair ! Nous ne nous rendons pas toujours compte de nos désirs, de nos fantaisies et de nos patterns défensifs ; plusieurs de nos actions et de nos comportements découlent en effet de l'inconscient. Transposé dans un contexte organisationnel, cela signifie que les dirigeants ne sont pas les automates que décrit la théorie économique. Bien au contraire, leurs très différentes personnalités constituent un véritable kaléidoscope où chaque dirigeant a son propre théâtre intrapsychique bien à lui. Le contenu d'un tel théâtre intérieur peut avoir une incidence subtile sur les entreprises que dirigent ces cadres supérieurs, dans la mesure où leurs émotions, aspirations et fantasmes influencent leur gestion au quotidien. Certains styles de managers dits « neurotiques » se manifestent à répétition. Comme chacun sait pour en avoir subi la pénible expérience, un chef de direction dysfonctionnel peut non seulement empoisonner la vie de ses employés, mais aussi contribuer grandement au déclin de l'entreprise. Après tout, ce sont les cadres supérieurs qui permettent de démarquer l'entreprise de la concurrence. Véritables designers organisationnels qui conçoivent les structures et les procédés de contrôle, ils exercent une influence manifeste sur la vision et la mission de l'entreprise, définissent la culture organisationnelle et établissent la stratégie. La culture organisationnelle et la structure de gestion de l'entreprise peuvent donc être minées par des sentiments et des attitudes irrationnels. Une telle situation expliquerait que les gestionnaires d'entreprises conformes aux normes peuvent soudainement perdre le nord et se diriger tout droit vers le désastre. Freud disait que le rêve est la voie royale qui mène à l'inconscient. Pour ma part, j'en viens à la conclusion que le théâtre intrapsychique du leader est souvent la voie royale pour arriver à comprendre la dynamique organisationnelle.

La perspective clinique donne un aperçu plus subtil et plus réaliste du fonctionnement des organisations que les descriptions unidimensionnelles et mécaniques généralement mises de l'avant. L'approche clinique s'intéresse tant à l'inconscient qu'au processus interne du conscient qui influence plusieurs décisions et règles organisationnelles. Le recours à l'approche clinique en matière d'analyse organisationnelle (reconnaissance du rôle de la motivation inconsciente, de la réalité intrapsychique, des défenses sociales et des limites de la rationalité) permet d'abandonner les recettes magiques qui promettent des réponses éclair à d'épineux problèmes organisationnels. Le fait d'accepter que certains problèmes sont profondément enracinés et qu'il n'existe pas de remède miracle insuffle un vent de réalisme dans le système. L'entreprise en général ne

→

pourra éventuellement que bénéficier de cette façon de voir les choses. Comme le disait Charcot, célèbre psychiatre français : « La théorie, c'est bon, mais ça n'empêche pas d'exister ! » Le paradigme de l'approche clinique offre une vision complexe mais authentique de la vie organisationnelle. En plus de guider les dirigeants vers des modes plus efficaces de résolution de problèmes, l'approche clinique ouvre la voie à un leadership plus créatif.

Notice biographique

Manfred F.R. Kets de Vries est titulaire de la chaire Raoul de Vitry d'Avancourt en gestion des ressources humaines à l'Institut européen d'administration des affaires (INSEAD) en France. Il est professeur spécialisé en gestion et en leadership. Il a été reçu à un examen d'études de 3e cycle (econ. drs.) à l'Université d'Amsterdam (1966) et est titulaire d'un certificat ITP (1967) ainsi que d'une maîtrise (1968) et d'un doctorat en administration des affaires (1970) de la Harvard Business School. En 1977, il entreprend une formation en psychanalyse à l'Institut psychanalytique du Canada et devient en 1982 membre de la Société canadienne de psychanalyse ainsi que de l'International Psychoanalytic Association. Il exerce encore maintenant la profession de psychanalyste. M. Kets de Vries a enseigné à l'Université McGill et à l'École des Hautes Études Commerciales à Montréal ainsi qu'à la Harvard Business School.

L'interaction entre la psychanalyse, la psychiatrie dynamique et la gestion constitue le principal axe de recherche de M. Kets de Vries. Il a écrit plus d'une douzaine de livres dont voici quelques titres récents : *Organizational Paradoxes ; Clinical Approaches to Management*, 2e éd. (1994) ; *Handbook of Character Studies*, en collaboration avec S. Perzow (1991) ; *Organizations on the Couch* (1991) ; *Leaders, Fools and Imposters* (1993) et *Life and Death in the Executive Lane* (sous presse). Ses ouvrages et ses communications ont été traduits en plus de dix langues. En outre, M. Kets de Vries a publié près d'une centaine de documents scientifiques et de nombreuses études de cas, dont deux ont reçu le prix du meilleur cas de l'année. Il contribue régulièrement au journal national hollandais *NCR/Handelsbad* et agit à titre de consultant auprès de plusieurs compagnies américaines, canadiennes, européennes et asiatiques. Enfin, des publications prestigieuses de par le monde comme le *Financial Times*, le *Wirtshaftswoche* et *Le Capital* le reconnaissent comme l'un des plus grands gourous européens en gestion.

Note : Texte traduit de l'anglais.

à l'école structuraliste. Pour ce chercheur, l'étude des processus mentaux était une perte de temps, car l'introspection ne permettait pas une observation objective et rigoureuse des phénomènes de l'esprit. Il proposa de remplacer l'étude des processus mentaux par l'observation des relations entre les événements de l'environnement et le comportement subséquent de l'organisme, sans égard au fonctionnement interne de l'organisation ou à la manière dont les événements de l'environnement (stimuli) sont traités par l'organisme avant d'être transformés en comportements (réponses).

Cependant, ce type d'études a confiné les béhavioristes au laboratoire et ce n'est que vers 1950 que le béhaviorisme a commencé à connaître certains succès (Skinner, 1974), et ce par l'application des résultats de recherches aux problèmes cliniques. Si, en ce qui concerne la démarche scientifique, le béhaviorisme s'est d'abord opposé à l'école fonctionnaliste, ses succès cliniques lui ont permis, sur le plan thérapeutique, de s'opposer à l'école psychanalytique par le biais de la modification comportementale.

1.1.5 La psychologie humaniste

La psychologie humaniste, dans la foulée des recherches de A.H. Maslow et de C. Rogers, accorde plus d'importance à la personne et à son épanouissement. Elle est issue de la tradition introspective. Cette école de pensée souligne l'importance de la conscience humaine, de la connaissance de soi et de

l'aptitude à opérer des choix, plutôt que l'influence que peuvent avoir les événements de l'environnement (stimuli) sur le comportement, ou le contrôle qu'ont les pulsions inconscientes sur l'individu. L'accent est mis sur le présent, l'ici-et-maintenant, plutôt que sur les déterminants internes ou externes du passé. Selon cette approche, l'être humain est fondamentalement bon et tend à s'accomplir, c'est-à-dire à se réaliser et à actualiser son potentiel. La psychologie humaniste a connu énormément de popularité dans le monde du travail au cours des années 1960 et 1970.

Les partisans de l'école humaniste accordent beaucoup d'importance à l'attitude des individus et des groupes et, par le fait même, à l'application de techniques de relations humaines ayant pour effet d'accroître la satisfaction des individus et de hausser le niveau de productivité. À longue échéance, les objectifs de l'approche humaniste sont, entre autres, l'harmonie, le consensus, le climat social serein et l'absence de conflits. L'entente et les «raisons humaines» passent avant la productivité, laquelle est considérée comme résultant de conditions de travail favorables.

Rogers et Wood (dans Burton, 1974), deux adeptes de cette approche, insistent quant à eux exclusivement sur le vécu existentiel de la personne. Ils expliquent aussi qu'une philosophie centrée sur la personne n'est pas acceptée facilement dans un univers social orienté vers la technologie et l'efficience, où l'on valorise la reconnaissance des problèmes et des moyens précis pour les résoudre le plus rapidement possible, indépendamment de ce que vit et ressent la personne.

1.1.6 La psychologie cognitive

On peut voir l'objectivité scientifique comme un consensus temporaire sur la réalité et non comme la réalité elle-même. Aussi, l'évolution des connaissances et les limites des approches psychologiques antérieures ont favorisé l'émergence d'une nouvelle approche : il s'agit de la psychologie cognitive. Cette dernière a pour objet l'étude des processus mentaux qui avaient été mis de côté au début de la période béhavioriste.

Selon cette approche, le comportement est plus qu'une simple réponse aux événements de l'environnement, car ces derniers sont traités par l'organisme avant même d'être transformés en comportements. La pensée, le langage interne (ce que l'on se dit à soi-même) et la créativité sont autant d'objets d'étude de la psychologie cognitive. L'approche rationnelle-émotive mise au point par A. Ellis représente adéquatement cette tendance. Ellis (dans Burton, 1974) indique qu'il s'agit d'une approche qui s'inspire de la tradition humaniste – en ce sens qu'elle accorde beaucoup de valeur à la pensée existentielle –, mais aussi d'un empirisme solidement établi. Il souligne aussi qu'il s'agit d'un système théorique distinct et non d'une synthèse éclectique regroupant des informations ou des technologies empruntées à d'autres approches, et ce même s'il utilise les meilleurs aspects des autres approches.

Malgré l'apport indéniable des théories cognitives, il est encore difficile de distinguer si cette approche représente une école de pensée fondamentale ou si elle est un courant issu des autres écoles de pensée.

1.2 LE DOMAINE DE LA PSYCHOLOGIE DU TRAVAIL ET DES ORGANISATIONS

Comme on peut le constater, la psychologie du travail et des organisations n'est en elle-même qu'un aspect particulier du vaste champ d'application de la psychologie. Après un rapide survol de l'origine et de l'évolution de la psychologie, nous nous attardons maintenant à l'objet précis de ce chapitre, la psychologie du travail et des organisations.

Afin d'améliorer la satisfaction et le rendement au travail, la psychologie du travail et des organisations puise divers éléments dans les écoles de pensée mentionnées précédemment, ce qui lui permet d'expliquer le comportement humain au travail.

Le postulat de base de la psychologie du travail et des organisations est que l'on peut à la fois améliorer la satisfaction des travailleurs et augmenter leur rendement au travail. Tout au long de sa vie, l'individu est quotidiennement en rapport avec différents types d'organisations, et ce de l'enfance (établissements d'enseignement et organismes religieux) à l'âge adulte (entreprises de production de biens ou de services des secteurs privé ou public). Quelles sont les caractéristiques communes qui permettent de regrouper toutes ces activités sous l'étiquette générale d'«organisations»? Dans cette section, on pourra voir que la réponse à cette question n'est pas des plus simples.

1.2.1 L'organisation: définition et paramètres

Le concept d'organisation est bien souvent plus complexe qu'il ne le laisse paraître à première vue. Le rôle des gestionnaires, le rôle des travailleurs et les relations qui en découlent exigent une attention particulière et une certaine démystification.

Afin de cerner la véritable nature d'une organisation donnée, il est nécessaire d'en comprendre les différentes dimensions ou variables. Plusieurs définitions différentes du terme «organisation» ont été suggérées, et chacune de ces définitions reflète l'expérience pratique et le point de vue théorique de l'auteur. Ainsi peut-on définir l'organisation de la façon suivante: **l'ensemble des ressources humaines, matérielles, financières et informationnelles, organisées en fonction d'un but**.

Bien entendu, certains éléments fondamentaux se trouvent dans la plupart des définitions. L'une des conceptions les plus répandues consiste à voir l'organisation comme un système de transformation des intrants (voir le tableau 1.2). Les intrants représentent le matériel brut provenant de l'environnement externe, puis transformé ou modifié, pour être finalement retourné à l'environnement sous forme d'extrants ou produits finis. Bien qu'il y ait plusieurs types d'intrants pour une organisation (énergie, matière brute, information, etc.), les ressources humaines représentent l'ingrédient de base de toutes les organisations, et les relations sociales constituent le facteur de cohésion qui lie les intrants. Tout au long de cet ouvrage, l'accent sera mis sur l'individu, ressource vitale pour l'organisation; il s'agira de mettre en évidence ce que les psychologues du travail peuvent apporter aux responsables des organisations, en leur apprenant à utiliser leurs ressources humaines d'une manière qui, tout en optimisant la productivité, maximise aussi la satisfaction et la dignité de chaque individu.

TABLEAU 1.2
L'approche systémique de la psychologie du travail et des organisations

Intrants	Variables reliées au succès d'une organisation	Extrants	Buts visés
Ressources humaines	Acceptation des buts visés par les membres de l'organisation	Transformation des ressources en produits finis	Succès financier de l'entreprise et durée de l'organisation
Ressources matérielles	Système organisationnel approprié	Production de services	Productivité, satisfaction des employés au travail
Ressources financières			
Informations relatives à l'environnement	Acceptation de la structure hiérarchique par les membres de l'organisation		Meilleures relations interpersonnelles et adaptation de l'entreprise aux divers changements
	Leadership		Mobilisation des employés
	Processus adéquat: • de communication • de prise de décision • de motivation • de coordination • d'évaluation		Identification des employés à l'entreprise
	Environnement approprié aux relations interpersonnelles		

1.2.2 Les influences sur l'organisation

Les entreprises subissent, à titre d'organisations, de multiples influences tant de l'intérieur que de l'extérieur. Les interactions entre ces diverses influences varient d'une entreprise à une autre. Cependant, quelle que soit l'entreprise, ces interactions déterminent tant la productivité et le succès financier que la satisfaction et la qualité de vie au travail des employés.

Les **influences internes** comprennent essentiellement trois grands facteurs en interaction constante. Il s'agit de l'individu, du système organisationnel et, finalement, des groupes.

L'individu, avec sa personnalité unique composée de valeurs, de croyances, d'attitudes, de besoins, d'habiletés, de connaissances et de comportements, doit s'insérer dans un système organisationnel comportant une philosophie de gestion et une organisation du travail. De celles-ci découlent des règles et des procédés, des sanctions et des récompenses, une division du travail et une structure hiérarchique. La scène psychologique et sociale de cette interaction est constituée de différents groupes formels et informels se côtoyant au sein de l'entreprise. C'est là que s'exercent le pouvoir et les différents styles de leadership, que se jouent les conflits, que prennent forme les rôles et les statuts, que se transmettent les normes et que se vivent les décisions. En raison des compétences dont elle a besoin afin d'accomplir sa mission et d'atteindre ses objectifs, l'entreprise portera une attention particulière aux habiletés et aux connaissances dont dispose l'individu, car la concordance entre les compétences requises par l'entreprise et les habiletés et les connaissances de l'individu constitue la base de la performance tant individuelle qu'organisationnelle. Ainsi, c'est à partir de l'évaluation de cette performance que l'entreprise détermine l'avenir de l'individu au sein de l'organisation.

Par ailleurs, à l'intérieur de l'entreprise, l'individu ne se présente pas doté de ses seules habiletés et connaissances. Il se présente aussi avec un ensemble de besoins et de motivations que le système organisationnel tentera de combler.

C'est la concordance entre les besoins individuels et les moyens que prend l'entreprise pour y répondre qui détermine le niveau de satisfaction des individus. Ainsi, c'est à partir de l'évaluation de sa satisfaction que l'individu déterminera l'investissement personnel à consentir afin d'aider l'entreprise à atteindre ses objectifs (voir la figure 1.1).

L'entreprise est aussi soumise à des **influences externes**. Ces influences comprennent les gouvernements, les systèmes politiques et la législation, les groupes de pression et les centrales syndicales, la disponibilité de la main-d'œuvre, la clientèle, la concurrence, les valeurs culturelles et, bien sûr, la conjoncture économique. Tous ces facteurs influencent, à des degrés divers, la productivité et la capacité d'expansion, voire de survie de l'entreprise.

Comme on le verra plus loin, les tenants des différentes théories administratives reliées au domaine de la psychologie du travail basent leurs postulats sur les variables susmentionnées.

1.3 UN APERÇU DES MODÈLES RELIÉS AU DOMAINE DU COMPORTEMENT ORGANISATIONNEL

En psychologie du travail, l'accent est mis sur l'organisation du travail et l'utilisation des ressources humaines. Les prochaines lignes seront consacrées à la description sommaire des modèles d'organisation les plus importants.

Au fil des temps, différents modèles ont été privilégiés par divers auteurs, chacun cherchant à atteindre une grande performance organisationnelle. Afin de présenter ces modèles dans un certain ordre, nous utiliserons les concepts étudiés par Burns et Stalker (1961), soit l'opposition des modèles mécaniste et organique. Ces chercheurs, à la suite d'une étude effectuée dans une vingtaine d'entreprises anglaises, ont pu établir un lien entre l'environnement organisationnel et la structure même des organisations, ce qui les a amenés à concevoir un système à deux dimensions. En bref, et en guise d'introduction à cette partie, le tableau 1.3 présente les caractéristiques de ces deux modèles. Récemment, à ces deux premiers modèles s'est ajouté le modèle dit contingent que nous présenterons plus loin.

FIGURE 1.1
Les influences internes, la performance et la satisfaction au travail

Aspirations individuelles

INDIVIDU

Personnalité

Perceptions	Attitudes
Valeurs	Traits
Besoins et motivations	Habiletés et connaissances

Tâches et objectifs

Normes
Style de leadership
Cohésion
Prise de décision

Groupes

Stress
Communication
Conflits
Pouvoir

Satisfaction au travail

Performance au travail

Rôles et positions sociales

| Culture et climat organisationnels | Compétences requises |

Philosophie de gestion

Organisation du travail

Mission et objectifs

Carrière organisationnelle

ENTREPRISE

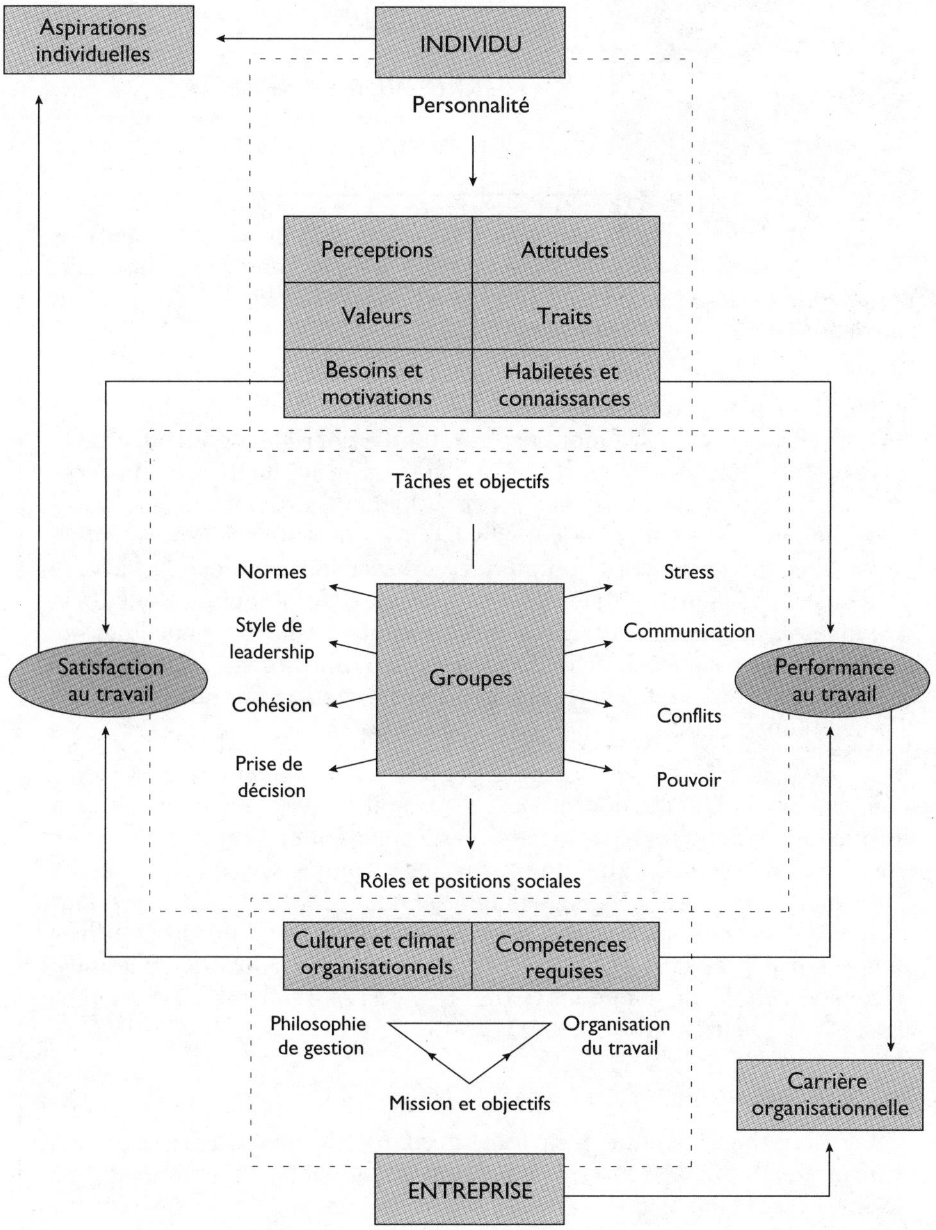

Source : Traduit et adapté de Wanous (1980), p. 11.

PROPOS DE

CHERCHEUR RENOMMÉ

HENRY MINTZBERG

Je suis un ardent défenseur des théories « plates » ! Nous avons bien cru découvrir la Vérité voilà quelques siècles : la Terre n'est pas plate, elle est ronde… Exit l'ancienne théorie, bienvenue la nouvelle !

Eh bien, tandis que mon avion atterrissait à l'aéroport Schiphol à Amsterdam il y a quelque temps, je regardais par le hublot et me demandais : « Peut-on vraiment croire qu'on a corrigé la courbure de la Terre en construisant cette piste ? » En d'autres termes, la thèse de la Terre plate demeure encore tout à fait acceptable dans certains cas pratiques. Évidemment, j'espère que le pilote n'y a pas eu recours pour notre vol en provenance de Gothenbur ! Pour faire voler les avions, la thèse de la Terre ronde n'est pas si mal… Mais elle n'est pas plus véridique que celle de la Terre plate, car si elle l'était, les avions arrivant à Genève depuis l'Italie se fracasseraient les ailes contre les rochers des Alpes (c.-à-d. que la Terre n'est pas parfaitement ronde, elle est accidentée ; en fait, elle n'est pas ronde du tout puisqu'elle s'allonge aux deux pôles).

Ce qu'il faut retenir ici, c'est qu'il est tout à fait présomptueux de tenir n'importe quelle théorie pour vraie, qu'elle soit nouvelle ou ancienne. (On dit que les chercheurs en sciences exactes s'appuient sur les acquis de leurs prédécesseurs, alors que nous, en sciences sociales, sommes totalement rivés à leurs enseignements !) En fait, toutes les théories sont fausses : elles ne sont que des mots, des annotations ou des chiffres alignés sur du papier. Les théories sont plus ou moins utiles – selon les circonstances. Ainsi, d'anciennes théories peuvent parfois s'avérer tout aussi utiles que les nouvelles.

Notice bibliographique

Henry Mintzberg occupe à la fois la chaire de gestion Bronfman à l'Université McGill, à Montréal au Canada, et une chaire d'organisation à l'INSEAD, à Fontainebleau en France. Ses travaux de recherche portent sur différents aspects des organisations et de la gestion en général. Henry Mintzberg étudie actuellement la nature du travail des cadres ainsi que leurs styles de gestion, en plus de préparer une monographie intitulée « Managing Government, Governing Management » et de poursuivre ses travaux sur les formes d'organisation et sur le processus d'élaboration des stratégies. Il dirige en outre une équipe formée de personnes issues de cinq universités à travers le monde, laquelle s'efforce d'élaborer un

→

nouveau type d'enseignement en gestion, et plus particulièrement un programme de 2ᵉ cycle pour la formation sur place des cadres en poste. Sur le plan de l'enseignement, il se limite à tenir des séminaires s'adressant aux cadres d'expérience et à œuvrer auprès d'étudiants au doctorat.

Après avoir obtenu un diplôme en génie mécanique de l'Université McGill, Henry Mintzberg a travaillé quelque temps en recherche opérationnelle au Canadien National avant de poursuivre ses études à la Sloan School of Management du MIT, qui lui a décerné une maitrîse et un doctorat en sciences. L'Université de Venise, l'Université de Lund, l'Université de Lausanne et l'Université de Montréal lui ont également décerné un grade honorifique. En plus d'avoir été président de la Strategic Management Society de 1988 à 1991, Henry Mintzberg fait partie de la Société royale du Canada (dont il est le premier membre issu d'une faculté de gestion), de l'Academy of Management et de l'International Academy of Management.

Henry Mintzberg a écrit plusieurs ouvrages: *The Nature of Managerial Work* (1973), *The Structuring of Organizations* (1979), *Power in and around Organizations* (1983), *The Strategy Process* (en collaboration avec James Brian Quinn; cet ouvrage en est à sa troisième édition), *Mintzberg on Management* (1989) et *The Rise and Fall of Strategic Planning* (1994). Il compte également à son actif quelque 90 articles dont deux lui ont valu un prix McKinsey de la *Harvard Business Review*, soit «The Manager's Job: Folklore and Fact X» (classé premier en 1975) et «Creating Strategy» (classé deuxième en 1987).

Note: Texte traduit de l'anglais.

1.3.1 Le modèle mécaniste

Les trois approches que nous présentons dans cette sous-section correspondent à l'approche mécaniste en gestion, basée essentiellement sur le concept de rationalité. Ces principes de gestion sont essentiellement représentés par la division stricte des tâches et des rôles, la reconnaissance légitime de l'exercice de l'autorité, l'obéissance aux principes d'unité de commandement et de communication selon la structure hiérarchique et, finalement, l'utilisation de règles et de méthodes strictes dans un cadre impersonnel où les travailleurs sont plus motivés par les gains économiques que par les relations interpersonnelles.

Le modèle de Taylor (l'organisation scientifique du travail)

En 1911, F.W. Taylor publie un traité intitulé *Principles of Scientific Management* (*Gestion scientifique du travail*). Essentiellement, cet auteur soutient que le principal objectif visé par la gestion est l'enrichissement des patrons et des travailleurs. Toutefois, ceux-ci sont si mal organisés qu'ils ont de la difficulté à

TABLEAU 1.3
Les caractéristiques des modèles mécaniste et organique

Modèle mécaniste	Modèle organique
Plus complexe, vu la décomposition des activités en tâches et la spécialisation des rôles	Plus décentralisé, vu la délégation d'autorité et le partage des responsabilités
Plus centralisé, vu la ligne stricte d'autorité et la définition précise des pouvoirs et des devoirs	Moins rigide quant aux tâches qui sont redéfinies selon les besoins de l'entreprise
Plus formalisé, vu les règles et procédés écrits	Favorisant la délégation de l'autorité selon l'expertise
Présent dans les entreprises de grandes dimensions	Axé sur la flexibilité et l'adaptation
Axé sur la surveillance et la supervision	Plus informel
Basé sur la loyauté des employés à l'entreprise et sur leur obéissance aux supérieurs hiérarchiques	Basé sur la participation des employés à l'atteinte des objectifs organisationnels plutôt que sur leur loyauté et leur obéissance
Privilégiant la communication de type vertical, soit selon l'échelle hiérarchique	Fournissant aux employés des informations plutôt que des instructions (plus de consultation que de commandements)
	Privilégiant la communication de type horizontal

atteindre leur objectif. Aussi Taylor prône-t-il une direction administrative et une division des tâches plus rationnelles. Spécialisation et rétrécissement des tâches sont les mots d'ordre de ce type d'organisation du travail – contrairement à l'élargissement des tâches plus populaire aujourd'hui.

On peut résumer la philosophie de l'école tayloriste en une expression simple : l'organisation scientifique du travail. Selon Taylor, trois éléments sont indispensables à une gestion efficace : la planification, la standardisation et la sélection des employés. Ces trois principes sont applicables au travail selon les méthodes suivantes :

- **L'analyse des tâches.** Selon Taylor, il n'existe qu'une seule bonne façon d'effectuer un travail dans un cas donné, et chaque individu devrait être spécialisé dans l'exécution d'un nombre restreint de tâches très bien délimitées ;

- **L'utilisation des méthodes scientifiques.** L'utilisation de celles-ci a pour but de déterminer la meilleure façon de travailler. On effectue des mesures de temps et de mouvement afin d'établir des standards de production. Une fois ces standards déterminés, il faut concevoir une stratégie afin d'en favoriser le dépassement ;

- **Le renforcement économique.** La principale stratégie permettant de dépasser les standards est le renforcement économique. Taylor soutient que la seule motivation des gens au travail est de nature pécuniaire. Il suggère, par conséquent, que le revenu gagné augmente proportionnellement à la productivité constatée.

Le renforcement économique est basé sur le principe du travail à la pièce. Au Canada, une proportion importante des employés œuvrant dans les industries du textile, du vêtement, du tabac et de la sidérurgie sont touchés aujourd'hui encore par des régimes d'incitation à la production.

Selon Taylor (1947), la spécialisation d'une tâche au maximum est la meilleure manière d'augmenter la productivité. Par conséquent, il est nécessaire d'effectuer une sélection des employés qui porte sur l'adéquation entre les habiletés des travailleurs et les exigences des tâches. De plus, Taylor préconise la formation des travailleurs par les superviseurs avant et pendant l'emploi pour favoriser une plus grande standardisation de l'exécution des tâches et une plus grande productivité.

Évidemment, la division des tâches entraîne aussi une distinction très claire entre superviseurs et supervisés, entre travail manuel et travail intellectuel.

Comme on le verra au chapitre 3, les adeptes du modèle de Taylor ont complètement ignoré les facteurs psychologiques et sociaux qui influencent sans contredit la motivation au travail.

Le tableau 1.4 souligne les avantages et les désavantages du modèle de Taylor, soit de l'organisation scientifique du travail.

Des applications du modèle

Les entreprises de restauration rapide constituent, à plusieurs égards, un bon exemple de l'organisation scientifique du travail. Chez McDonald's, par exemple, la standardisation du travail est maximale : un manuel détaillé régit les

TABLEAU 1.4
Les avantages et les désavantages du modèle de Taylor

Avantages	Désavantages
Augmente la productivité, l'efficacité des individus dans la réalisation de leurs tâches par la clarté des objectifs de production, par les multiples standards établis tant pour la rémunération que pour la promotion.	Favorise l'ennui, la monotonie, l'insatisfaction, l'aliénation et la perte de motivation.
Réduit les coûts en raison des compétences minimales requises pour combler l'emploi, de la formation minimale à donner et du remplacement de main-d'œuvre plus aisé.	Augmente l'absentéisme, le roulement des employés, la tension entre employés et superviseurs.
	Favorise les accidents du travail par la diminution de la concentration des employés, vu le caractère répétitif des tâches.

règles d'accomplissement de chacune des activités de production, une université à Oak Brook aux États-Unis offre une formation de deux semaines aux futurs gestionnaires de cette entreprise, et chaque employé occupe un poste spécialisé – frites, gril, etc. La structure hiérarchique y est aussi très étendue; dans un même établissement, on peut en effet compter huit niveaux différents : l'équipier, l'instructeur, le chef d'équipe, le «*swing*» ou employé volant qui effectue toute tâche selon les besoins, le deuxième assistant, le premier assistant, le gérant et le superviseur. Les superviseurs et les supervisés sont, de plus, clairement différenciés par la couleur de leurs vêtements : gris pour les employés, bleu pour les superviseurs. Dans cette entreprise, on rencontre quelques problèmes pouvant s'associer au taylorisme, soit un fort taux de roulement des employés, du travail sous pression pour améliorer la productivité et des conditions de travail difficiles (salaire, bruit, horaire de travail, etc.).

Chez Ponderosa Steak House, autre chaîne de restauration rapide, la situation est sensiblement la même. On assiste à la spécialisation des tâches au maximum : commis-débarrasseur, plongeur, employé à l'enlèvement de la vaisselle lavée, hôtesse, employé aux commandes, cuisinier aux steaks, cuisinier à la préparation des assiettes, cuisinier aux frites, employé qui passe les assiettes préparées au comptoir, serveur et, finalement, caissier; une telle parcellisation du travail équivaut pratiquement à une chaîne de montage humaine. Les méthodes de travail sont aussi très standardisées.

Toutes les chaînes de montage, toutes les lignes d'assemblage mécanique sont également des exemples de l'application du taylorisme. La Brasserie Labatt, par exemple, offre des emplois très parcellisés : des employés travaillent à la sortie des bouteilles ou des boîtes, au lavage et à la désinfection des bouteilles, à l'installation de nouvelles divisions dans les boîtes, à l'installation de nouvelles étiquettes sur les boîtes, au remplissage des bouteilles, à la remise des bouteilles pleines dans les boîtes, à l'entreposage, etc.

En somme, dans ces entreprises, la formation est minimale, la sélection plus ou moins exigeante et la distinction entre superviseur et supervisé reconnue. Par ailleurs, la monotonie, l'absentéisme et la méfiance face au superviseur sont des problèmes fréquemment rencontrés. La rémunération y est cependant rarement à la pièce, car seules les industries du textile utilisent toujours ce mode de rémunération taylorien.

Le modèle de Fayol (les principes de l'administration scientifique)

Ce modèle a été élaboré à peu près à la même période que le précédent par des chercheurs allemands, anglais et français dont le plus connu est H. Fayol. Après une intéressante carrière à titre d'ingénieur et de chef d'entreprise, Fayol décida de prendre du recul face à son expérience et de tenter de dégager des principes d'administration qui permettraient aux ingénieurs de diriger avec efficacité les travailleurs et les entreprises. Il cherchait, en fait, à cerner les composantes d'un enseignement et d'une formation en administration.

Ainsi, il montra que toutes les activités dans une entreprise pouvaient se répartir selon six groupes, soit les activités techniques, commerciales, financières, de sécurité, de comptabilité et, finalement, les activités administratives. Selon lui, les cinq premiers groupes d'activités sont bien connus et appliqués dans les entreprises, alors que pour les activités administratives un effort de conceptualisation et de clarification est encore nécessaire afin d'en optimiser l'application. Pour administrer, il faut, selon Fayol (1950) :

- prévoir, soit scruter l'avenir et dresser le programme d'action ;
- organiser, soit faire fonctionner le personnel ;
- coordonner, soit relier, unir, harmoniser tous les actes et tous les efforts ;
- contrôler, soit veiller à ce que tout se passe conformément aux règles établies et aux ordres donnés.

Le dernier point soulève cependant une question particulière : quel serait le ratio supérieur-subalternes idéal afin d'assurer un contrôle efficace du travail ? La question, à l'image de ce modèle, s'avère pertinente mais trop simpliste parce qu'elle est beaucoup trop large. En effet, aucune « règle d'or » ne s'impose d'elle-même à ce sujet.

L'étendue du contrôle est directement reliée à la compétence des supérieurs et au degré d'autonomie des employés, le tout étant évidemment relatif aux types d'organisations.

Ainsi comprise, l'administration n'est ni un privilège, ni une charge personnelle confiée aux chefs ou aux dirigeants de l'entreprise ; c'est une fonction qui se répartit, comme les autres fonctions essentielles, entre la tête et les membres du corps social que constitue l'entreprise.

Par la suite, Fayol élabore quatorze principes d'administration pour aider les individus et les groupes à uniformiser et à maximiser la productivité dans l'entreprise. Toutefois, s'il utilise le mot « principes », il tient à le dégager de toute notion de rigidité car, selon lui, il n'y a rien de rigide en administration, en ce sens qu'on n'a presque jamais à appliquer deux fois le même principe dans des conditions identiques : il faut tenir compte des circonstances diverses et changeantes, des individus également divers et changeants et de beaucoup d'autres éléments variables. Ces principes d'administration sont (Fayol, 1950) :

- la division du travail ;
- l'autorité ;
- la discipline ;
- l'unité de commandement ;
- l'unité de direction ;
- la subordination des intérêts particuliers à l'intérêt général ;
- la rémunération ;
- la centralisation ;
- la hiérarchie ;
- l'ordre ;
- l'équité ;
- la stabilité du personnel ;
- l'initiative ;
- la cohésion du personnel.

Les quatre principes les plus connus sont certainement la division du travail, l'unité de direction – qui correspond à l'idée d'une départementalisation fonctionnelle – , l'autorité – allant de pair avec la responsabilité – et, finalement, l'unité de commandement selon l'échelle hiérarchique.

De grandes entreprises ont cherché à regrouper leurs activités pour s'aligner sur le modèle décrit par Fayol. Hydro-Québec et General Motors, entre autres, ont créé des postes et des services de planification, de contrôle et d'organisation.

Le modèle de Weber (les principes bureaucratiques)

Aujourd'hui, le terme « bureaucratie » est associé à « lenteur administrative ». Ainsi, lorsque l'on accole l'étiquette « bureaucratique » à une entreprise, il s'agit en fait d'une forme d'injure ou de moquerie. Toutefois, pour le sociologue allemand M. Weber, la bureaucratie était tout autre. Pour lui, elle correspondait à une organisation rationnelle du travail caractérisée par l'objectivité du processus décisionnel. Il est à noter que la très grande majorité de nos entreprises fonctionnent selon un processus d'organisation du travail qui est inspiré des principes de la bureaucratie rationnelle de Weber (1924) que voici :

- **La division du travail.** Selon Weber, la division des tâches permet d'accroître l'efficacité, et l'expertise se développe avec la répétition de la tâche ;

- **La structure hiérarchique.** La structure hiérarchique détermine les structures de communication et l'autorité. Les rôles de chaque employé se trouvant ainsi clarifiés, l'efficacité au travail augmente ;

- **La communication verticale.** La communication verticale est un concept controversé, comme on le verra plus loin. Elle représente un effort de coordination des activités de travail selon un modèle de communication destiné à acheminer l'information du haut de la structure hiérarchique vers le bas ;

- **Les normes écrites.** Les normes écrites réduisent les incertitudes et les différences d'interprétation. Selon ce concept, tout échange d'informations doit nécessairement s'effectuer par écrit ;

- **Le leadership.** Le niveau hiérarchique d'une personne dans l'entreprise ne détermine pas nécessairement son leadership. La présence d'un leader informel est non négligeable, et il survient assez fréquemment que le leadership dominant provient d'un niveau inférieur de la structure hiérarchique.

Les avantages et les désavantages de cette approche normative sont indiqués au tableau 1.5.

TABLEAU 1.5
Les avantages et les désavantages du modèle de Weber

Avantages	Désavantages
Les règles et les procédés accentuent la précision tout en limitant l'incertitude.	La surspécialisation entraîne des conflits d'intérêts.
Le cadre rigide d'autorité favorise la discipline et diminue les conflits au sujet des moyens et des buts à atteindre.	Une forte hiérarchisation entraîne l'inflexibilité.
Le système de promotion par la compétence assure une main-d'œuvre qualifiée.	Le caractère impersonnel et formaliste entraîne une diminution de la satisfaction au travail.
L'équité sociale découle implicitement de l'objectivité des processus décisionnels.	Les règlements deviennent des règles qui freinent le processus d'adaptation de l'entreprise.
	La formalisation entraîne une production minimale, c'est-à-dire celle prescrite par les règles.

Une application du modèle

En pratique, la bureaucratie concerne les grandes entreprises, les organisations rigides telles que la fonction publique et les établissements pénitentiaires ou encore les entreprises très structurées.

À la Faculté d'éducation permanente de l'Université de Montréal, la division des tâches est répartie selon les certificats offerts ; les individus travaillent donc pour un certificat donné, une clientèle cible, et ne subissent pas les problèmes inhérents aux autres certificats, même s'ils en ont connaissance. La structure hiérarchique y est très bien définie, les rôles et les statuts y sont importants, le leadership est formel et il est difficile d'outrepasser un niveau hiérarchique sur le plan de la communication organisationnelle. On utilise beaucoup de normes et de consignes écrites. Par ailleurs, on y décèle des problèmes de communication, de motivation, un sentiment d'iniquité, de l'absentéisme, etc.

Chez Bell Canada, la bureaucratie entraîne aussi de la lenteur en matière d'administration et de prise de décision, vu les nombreux procédés et règles à

respecter. Pour illustrer ce phénomène, donnons l'exemple du processus de paiement des factures qu'on décompose en neuf étapes : la réception de la facture, l'attestation des dépenses par le requérant, l'émission d'une formule 8110 (relevé de paiement), l'approbation des dépenses sur la formule 8110, l'envoi de la formule 8110 au service des comptes à payer, la vérification de la formule 8110, l'entrée des données de la formule 8110 dans l'ordinateur, l'émission du chèque et l'envoi du chèque au requérant. Le réseau de communication unidirectionnel, par ailleurs, crée de l'insatisfaction auprès des employés.

1.3.2 Le modèle organique

Le modèle organique représente la souplesse par comparaison avec le modèle mécaniste : la rationalité économique fait place aux considérations humanistes. La qualité de la relation entre l'individu et l'organisation devient ainsi une nouvelle préoccupation des gestionnaires et s'ajoute aux principes d'organisation du travail : le formel s'enrichit de l'informel.

Le modèle de Mayo, Roethlisberger et Dickson

En réaction à une trop grande formalisation et rationalisation des principes de gestion proposés par le modèle mécaniste auquel sont associés Taylor, Fayol et Weber, E. Mayo mène, entre 1927 et 1932, des expériences connues sous le nom d'études de Hawthorne (parce qu'elles ont été menées dans une usine de la Western Electric Company située à Hawthorne près de Chicago). C'est surtout à ces recherches qu'est associé le modèle organique. L'approche de Mayo ne rejette pas les principes d'organisation du travail développés par Taylor, Fayol et Weber, mais elle met plutôt en évidence l'existence des réseaux informels et de leurs influences sur la communication, les groupes et la structure du pouvoir.

Les études de Mayo cherchaient à déceler les facteurs influençant la productivité, plus précisément à établir le lien entre les conditions de travail, l'ambiance de travail et la productivité des employés. Une expérience particulière, sur l'éclairage des postes de travail, démontra que des variables psychologiques et sociales influencent davantage le rendement que les seules conditions d'éclairage. Par ailleurs, Mayo (1945) soutient que des variables telles que l'appartenance au groupe et le caractère informel de la vie organisationnelle peuvent se révéler plus importantes pour la productivité que des principes de gestion plus formels.

Les expériences de Mayo, analysées par Roethlisberger et Dickson à l'université Harvard n'ont pas démontré l'existence des groupes informels, car il était bien évident que les travailleurs se regroupaient aussi selon leurs affinités. Ce qui a été démontré par contre, c'est l'importance de ces regroupements pour les membres du groupe, et l'influence des normes du groupe sur la productivité. Par conséquent, l'analyse fait ressortir un ensemble d'éléments à saveur humaniste que l'administration ne peut négliger dans la poursuite de ses objectifs.

Le modèle de Merton, Selznick et Gouldner

R.K. Merton, P. Selznick et A. Gouldner, connus pour leurs travaux dans le domaine de la sociologie industrielle, ont conduit des études sur la bureaucratie. C'est Merton (dans Merton *et al.*, 1952) qui constate que la bureaucratie mène à l'affaissement du but final de l'organisation, parce que l'observation des règles devient une fin en soi. Selznick (1957), quant à lui, énonce des recommandations précises pour contrer les effets négatifs déjà observés dans une bureaucratie en insistant, entre autres, sur la délégation d'autorité qui, selon lui, devrait favoriser la coopération dans l'entreprise. Finalement, Gouldner (1954) insiste sur l'importance des variables environnementales quant aux possibilités d'implantation d'une bureaucratie. Il estime que certaines conditions physiques et psychologiques apparaîtraient favorables à sa réussite; il distingue ainsi trois types de bureaucratie selon les différents types d'environnement:

- **La fausse bureaucratie:**
  - l'application des règles n'est pas exigée par la direction et celles-ci ne sont pas respectées par les employés;
  - un faible niveau de conflit existe entre la direction et les employés;
  - la violation des règles est traitée informellement;

- **La bureaucratie représentative:**
  - les règles sont respectées par la direction et les employés;

– il y a peu de conflits entre la direction et les employés ;

– l'application des règles est assurée par l'assentiment informel, une participation mutuelle et l'éducation des deux parties ;

• **La bureaucratie centrée sur la punition :**

– les règles sont appliquées par l'une ou l'autre des parties ;

– il existe une grande tension et de nombreux conflits ;

– l'application des règles est imposée par la direction, reçoit l'assentiment informel des employés et s'accompagne de menaces punitives.

Jacques (1990) reprend certaines des hypothèses émises par Merton, Selznick et Gouldner. Il indique que, même pour les bureaucrates, le terme « bureaucratie » est un mot honteux et que, dans le monde des affaires, les structures hiérarchiques propres à la bureaucratie sont perçues comme tuant l'initiative et écrasant la créativité. Pourtant, après avoir étudié ce type d'organisation pendant trente-cinq ans, il est convaincu qu'il s'agit de la structure organisationnelle la plus efficiente et la plus naturelle pour les grandes organisations, même s'il est vrai que de nombreuses lacunes peuvent actuellement être observées. Selon lui, ces lacunes peuvent être corrigées en redonnant aux gestionnaires une réelle autorité encadrée par la notion d'imputabilité.

Les critiques formulées à l'endroit de Jacques rejoignent celles auxquelles doivent faire face Merton, Selznick et Gouldner en ce sens qu'elles font valoir que les personnes qui composent une organisation – supérieurs et subordonnés – ne se comportent pas selon la rationalité voulue par la structure organisationnelle bureaucratique. Ces personnes ne jouent donc pas leur rôle de la même manière que la théorie le voudrait. Les critiques reprochent d'ailleurs aux tenants du modèle de ne concevoir la personne que comme un instrument dans le grand jeu de la productivité, au lieu de miser sur son potentiel de réflexion et de créativité.

Le modèle de Likert

Si les travaux précédents ont favorisé l'émergence de la dimension sociale comme facteur de motivation au travail, les travaux de R. Likert (1961, 1967) ont jeté les bases d'un modèle administratif axé sur la participation.

Parce que les organisations de type mécaniste utilisent mal leurs ressources humaines, Likert préconise l'utilisation d'un modèle organique, axé davantage sur la participation des employés aux décisions et à la formulation des règles et des politiques, et ce afin d'améliorer leur satisfaction et leur productivité. Likert a d'ailleurs établi un ensemble de différences quant au processus administratif entre le modèle mécaniste et le modèle organique ; ces différences sont présentées au tableau 1.6.

Soulignons également que Likert a beaucoup travaillé à comprendre les groupes, les relations intra- et intergroupes, et plus particulièrement la nature des relations entre superviseurs et subordonnés.

TABLEAU 1.6
Les composantes du processus administratif des modèles mécaniste et organique

Composante du processus administratif	Modèle mécaniste	Modèle organique
Leadership	Absence de confiance entre superviseur et supervisés	Confiance entre superviseur et employés
Motivation	Physique, économique, sécuritaire	Méthodes participatives
Communication	De haut en bas, avec distorsions	De bas en haut, de haut en bas, latéralement, pas de distorsion
Interactions	Restreintes, influence minime des employés	Ouvertes, influence de tous les intervenants
Décisions	Centralisées au niveau supérieur	À tous les niveaux, décentralisées
Fixation des buts	Par le niveau supérieur	Participation de groupe
Contrôle	Centralisé, punition d'une erreur	Autocontrôle et résolution de problèmes
Performance	Basse, aucun engagement pour mettre en valeur les ressources humaines	Élevée, mise en valeur des ressources humaines

En résumé

Dans l'ensemble, les chercheurs associés au modèle organique ont tenté de redonner une certaine dignité au travailleur en lui permettant de répondre, d'une part, à des besoins de socialisation et, d'autre part, à des besoins d'actualisation. Toutefois, ils ont pris pour postulat de base la noblesse du comportement humain, alors qu'en réalité on ne peut nier que la paresse et l'utilisation égoïste du pouvoir font aussi partie de la nature humaine.

Ces chercheurs ont énormément influencé la conception du travail et du travailleur et ont permis, on le verra dans les chapitres suivants, une importante progression dans le domaine de la motivation au travail, de la communication organisationnelle, de l'influence des groupes et du leadership. Par ailleurs, en plus de la création de nombreux outils de diagnostic organisationnel (analyse socio-économique, questionnaires, inventaires, tests), on leur doit la mise sur pied de programmes axés sur la gestion par objectifs, l'enrichissement des tâches, la décentralisation de l'autorité et la participation à la prise de décision ainsi que différentes sessions de formation aux habiletés de gestion (*T-Group*, gestion des conflits, communication et style de leadership, etc.).

1.3.3 Le modèle contingent

Les critiques formulées à l'égard des modèles mécaniste et organique laissent entrevoir qu'il est difficile de trouver une structure organisationnelle parfaite. Aussi, un autre courant de recherche amène les spécialistes à réfléchir à l'utilisation d'une approche contingente (Lee, Luthans et Olson, 1982 ; Jones, 1995), soit le choix d'une structure organisationnelle en fonction de l'environnement interne et de l'environnement externe de l'entreprise.

Il devient donc possible que l'un ou l'autre des modèles soit efficace, selon les situations envisagées. Ainsi, différents services d'une même organisation pourraient fonctionner selon ces deux modèles opposés : on peut très bien concevoir, par exemple, un service de recherche et de développement fonctionnant selon le modèle organique, et un service de production, sous la même direction, adoptant le modèle mécaniste. Le modèle contingent est flexible et vise à adapter l'organisation à son environnement interne et à son environnement externe. Essentiellement, il s'agit de déterminer les circonstances situationnelles favorables à l'implantation d'une structure plutôt qu'une autre. Plusieurs recherches tentent de déterminer les facteurs permettant le choix de la structure organisationnelle la plus appropriée.

Dans le choix d'agencement des différentes composantes de la structure, soit d'une orientation vers l'un ou l'autre des modèles mécaniste, organique ou contingent, plusieurs facteurs importants sont à examiner. Toutefois, bien que les facteurs internes tels que la mission et la stratégie d'entreprise jouent un rôle important (Reitz, 1987), nous nous attarderons aux facteurs externes, plus particulièrement à la technologie et à l'environnement. Ces deux facteurs ont fait l'objet de plusieurs études que nous présentons brièvement ci-après.

La technologie

Rousseau (1979) définit la technologie comme **l'application des connaissances pour effectuer un travail**. Cette définition de la technologie peut être raffinée en décomposant la connaissance en paramètres conatifs, existentiels et opérationnels ; la technologie est alors définie en ces termes : **l'application du savoir, du savoir-être et du savoir-faire afin d'effectuer un travail**.

Cette définition peut paraître étonnante à première vue, car pour plusieurs personnes la technologie correspond exclusivement à la machinerie, aux outils et aux appareils utilisés par l'entreprise afin de fabriquer ses produits. Toutefois, les habiletés et les connaissances requises du travailleur font elles aussi partie de la technologie, car l'outil ne peut à lui seul assurer le résultat final.

Plusieurs chercheurs ont tenté de déterminer quels effets la technologie pouvait avoir sur la structure organisationnelle. Nous en présentons quelques-uns dans les pages qui suivent.

Les recherches de Woodward

J. Woodward (1965) a effectué des recherches dans cent entreprises manufacturières d'Angleterre, en vue d'observer dans quelle mesure la structure organisationnelle contribue à l'efficacité de l'entreprise. L'analyse des résultats de ces recherches l'a amenée à rejeter des facteurs tels que la taille de l'organisation, l'attitude des dirigeants et le secteur industriel comme éléments déterminants du succès d'une entreprise. Selon elle, c'est la cohérence entre les technologies de production et les formes d'organisation qui explique réellement le succès des organisations. Ses recherches ont ainsi permis de mettre en lumière trois types de technologies, soit :

- la production d'unités, ou production en petite quantité (par exemple, les locomotives) ;

- la production de masse, ou production en grande quantité (par exemple, les lignes d'assemblage) ;

- la production en procédé continu (par exemple, les raffineries de pétrole).

De plus, Woodward a dressé la liste des caractéristiques propres à chacune de ces technologies :

- Pour la technologie de production d'unités et la technologie de production en procédé continu :

  - la flexibilité ;

  - la communication verbale ;

  - l'expertise scientifique ;

  - le contrôle de production ;

- Pour la technologie de production de masse :

  - la spécialisation et la formalisation ;

  - la communication écrite et formalisée ;

  - les gestionnaires spécialisés ;

  - la supervision et la production.

Les recherches de Woodward permettent de conclure que le modèle mécaniste correspond davantage à une technologie de production de masse, tandis que le modèle organique s'apparente plus aux deux autres technologies, soit à la production d'unités et au procédé continu.

Les recherches de Perrow

C. Perrow s'intéresse particulièrement à l'aspect routinier de la technologie. Il différencie les types de technologie selon le degré de routine qu'ils comportent (Perrow, 1967). Dans ses recherches, il définit quatre types de technologie, soit :

- la technologie artisanale, où les extrants sont assez standard et les problèmes difficilement identifiables (par exemple, l'ébénisterie) ;

- la technologie routinière, où les extrants sont standard et les problèmes facilement identifiables (par exemple, les lignes d'assemblage) ;

- la technologie non routinière, où les extrants sont variés et les problèmes difficilement identifiables (par exemple, dans les hôpitaux, en recherche) ;

- la technologie de l'ingénierie, où les extrants sont variés et les problèmes peu identifiables (par exemple, dans la construction).

Selon Perrow, plus la technologie utilisée est routinière, plus les règles et les procédés sont détaillés ; plus l'autorité des cadres est délimitée et plus les employés tirent leur satisfaction de facteurs extrinsèques. Bref, plus la technologie est routinière, plus la structure organisationnelle s'apparente au modèle mécaniste. Par ailleurs, moins la technologie est routinière, plus l'organisation est décentralisée, plus les cadres disposent d'un pouvoir discrétionnaire, plus les règles et les procédés sont flexibles et plus les employés tirent leur satisfaction de facteurs intrinsèques. Finalement, moins la technologie est routinière, plus la structure organisationnelle s'apparente au modèle organique.

L'environnement

Puisque les organisations ne fonctionnent pas en vase clos, il est réaliste de croire que l'environnement dans lequel elles évoluent influera sur leur structure. Toutefois, cette influence peut être très variable d'une organisation à l'autre et même d'une division ou d'un service à l'autre à l'intérieur d'une entreprise. La variabilité de l'environnement se rapporte à la quantité de changements auxquels fait face l'organisation aussi bien qu'au caractère prévisible ou imprévisible de ces changements. Plusieurs chercheurs se sont penchés sur ces questions ; dans les paragraphes suivants, nous présentons les résultats de recherche de certains d'entre eux.

Les recherches d'Emery et Trist

F.W. Emery et E.L. Trist (1963) distinguent quatre types d'environnement qu'ils représentent sur deux segments : de stable à dynamique et de simple à complexe. Le croisement de ces deux segments aboutit à quatre types de modèles organisationnels possibles (voir le tableau 1.7). La structure simple est celle adoptée par les petites entreprises, nouvelles sur le marché, centralisées, peu formalisées et standardisées. La bureaucratie mécaniste est appropriée pour des organisations de plus grande taille, moins récentes sur le marché, centralisées et formalisées. La bureaucratie professionnelle ne correspond pas à une taille ou à une période d'existence précise de l'entreprise : les organisations qui y adhèrent sont peu formalisées, décentralisées, mais standardisées. Finalement, l'adhocratie correspond à des entreprises décentralisées, peu formalisées et peu standardisées.

TABLEAU 1.7
Le modèle organisationnel selon les types d'environnement

	Environnement simple	**Environnement complexe**
Environnement stable	Bureaucratie mécaniste	Bureaucratie professionnelle
Environnement dynamique	Structure simple	Adhocratie

Selon ces auteurs, il est inutile d'étudier les facteurs environnementaux indépendamment les uns des autres. Les facteurs sont interreliés et doivent être envisagés simultanément. Pour faire face adéquatement au changement, il faut tenir compte de quatre types de relations : la relation entre les variables internes à l'organisation, soit la compétence de la main-d'œuvre eu égard à la technologie ; l'effet de l'organisation sur l'environnement, par exemple la pollution ; l'effet de l'environnement sur l'organisation, par exemple la disponibilité du personnel et des matériaux ; et, finalement, la relation entre différents facteurs externes à l'organisation, comme les facteurs politiques ou économiques.

Les recherches de Lawrence et Lorsch

Pour P.R. Lawrence et J. Lorsch (1967, 1969), l'environnement est le facteur déterminant quant au choix de la structure organisationnelle la plus appropriée pour conduire l'entreprise vers l'atteinte de ses objectifs. Le choix d'une structure organisationnelle devient, par conséquent, une réponse stratégique de l'entreprise dans ses efforts d'adaptation à un environnement turbulent.

Toutefois, ces chercheurs reconnaissent que différents services ou divisions d'une même organisation présentent des environnements différents, et que, par conséquent, il est réaliste de croire que les entreprises les plus efficaces seront celles dont les services sont organisés de manière à faire face adéquatement aux particularités de leur environnement ou de leurs sous-environnements. C'est ainsi qu'ils en viennent à parler de **différenciation**, soit de la segmentation du système en sous-systèmes dans le but de répondre aux exigences de l'environnement particulier qui entoure ce système. Par exemple, les services de marketing, de production et de recherche et développement ne présentent pas les mêmes environnements. Aussi, la stratégie de l'entreprise pourrait être, au sein de chacun de ces services, de diviser le travail et de répartir les tâches et les responsabilités d'une manière différente. Par conséquent, cette différenciation des tâches et des responsabilités entraînera chez les employés de chacun de ces services une attitude et des comportements différents.

Cependant, cette différenciation poussée à l'extrême peut entraîner une certaine anarchie au sein de l'entreprise, rendant difficile, voire impossible, l'atteinte des objectifs organisationnels. Les chercheurs proposent donc le concept d'**intégration**. Il s'agit du processus par lequel on accomplit un effort d'unité entre les différents sous-systèmes. Différents types d'intégration sont possibles : par règles et procédures, par planification, par un leadership important, etc. En effet, pour arriver à mettre au point, à produire et à vendre un produit, les différents services doivent collaborer et coordonner leurs efforts.

Les chercheurs ont testé leurs hypothèses auprès d'entreprises américaines des secteurs du plastique, de l'alimentation et de l'emballage. Ils en ont choisi certaines dont la rentabilité économique était forte et d'autres dont la rentabilité était faible. Ils ont découvert que, dans les entreprises efficaces, il y avait une forte adéquation entre le degré de différenciation et les moyens d'intégration. En ce sens, les études de Lawrence et Lorsch sont importantes parce qu'elles démontrent une étroite relation entre l'environnement, la structure organisationnelle et l'efficacité.

1.4 LE MODÈLE CONTEMPORAIN DE LA PSYCHOLOGIE DU TRAVAIL ET DES ORGANISATIONS

Le modèle contemporain de la psychologie du travail et des organisations ne repose pas sur une seule philosophie. La psychologie du travail, telle qu'elle est vue de nos jours, est plutôt une discipline éclectique où l'insistance est mise sur la diversité des modalités comportementales du travail, et ce tant chez l'individu que chez le groupe. Les concepts de la psychologie du travail et des organisations recoupent plusieurs principes d'administration, plus particulièrement les principes de gestion des ressources humaines (Dolan et Schuler, 1995).

La notion de culture appliquée à l'organisation et tout le symbolisme qui découle de l'interprétation des comportements déplacent la conception de l'organisation vers une réalité construite par l'esprit humain plutôt que vers une réalité objective enrichie de vécu existentiel. Sims et Gioia (1986) ainsi que Weick et Daft (1987) illustrent bien ces phénomènes dans leurs travaux.

CONCLUSION

Les individus, les groupes et les organisations sont des sujets qui ont toujours été privilégiés par les chercheurs des sciences sociales. Cependant, le comportement en milieu de travail a particulièrement retenu l'attention des psychologues du travail. Les différentes disciplines scientifiques se distinguent beaucoup plus par leur objet que par leur sujet d'étude. Bien que la psychologie sociale et la psychologie clinique (pour n'en nommer que deux) portent aussi leur attention sur les individus et les groupes, leurs moyens d'investigation et leurs champs d'intérêt sont beaucoup plus restreints que ceux de la psychologie du travail. En effet, les psychologues du travail sont plus éclectiques, car non seulement s'intéressent-ils à la compréhension des comportements individuels et collectifs ainsi qu'à ce qui les motive, mais ils sont aussi préoccupés par les processus organisationnels tels que la communication, le leadership et la prise de décision. De plus, leur champ d'intérêt s'est élargi pour inclure des sujets traditionnellement reliés au domaine administratif tels que la gestion du stress et les problèmes de structure et de changements organisationnels.

CHAPITRE 1 Questions de révision

1. Décrivez l'évolution des différentes écoles de pensée en psychologie «fondamentale» en mettant l'accent sur les discordances concernant l'objet d'étude de chacune des écoles.

2. L'école de pensée humaniste est souvent considérée comme une synthèse des idéologies l'ayant précédée. Justifiez et argumentez cette affirmation.

3. Qu'est-ce qu'une organisation? Étoffez votre réponse en vous appuyant sur les diverses influences auxquelles est soumise cette structure sociale.

4. Quelles sont les principales différences entre les modèles mécanique et organique de gestion organisationnelle? Pourquoi est-il plausible de croire que le modèle organique facilite l'épanouissement personnel des travailleurs?

5. Quelles sont les caractéristiques fondamentales du modèle contingent et quelle est son utilité relative comparativement aux modèles mécanique et organique?

6. Pourquoi affirme-t-on que la psychologie du travail et des organisations est un champ d'étude multidisciplinaire? Quelles sont les principales disciplines l'entourant?

Références

BURNS, T., et STALKER, G.M. (1961). *The Management of Innovation*, Tavistock Publications, London.

DOLAN, S.L., et SCHULER, R.S. (1995). *La gestion des ressources humaines: au seuil de l'an 2000*, Éditions du Renouveau Pédagogique, Montréal.

ELLIS, A. (1974). «Rational Emotive Theory», dans A. BURTON, *Operational Theories of Personality*, Brunner/Mazel, New York, 421 p.

EMERY, F.W., et TRIST, E.L. (1963). «The Casual Texture of Organizational Environment», *Human Relations*, n° 18, p. 20-26.

FAYOL, H. (1950). *Administration industrielle et générale*, Dunod, Paris.

GOULDNER, A.W. (1954). *Patterns of Industrial Bureaucracy*, Free Press, New York.

JACQUES, E. (1990). «In Praise of Hierarchy», *Harvard Business Review*, janvier-février, p. 127-133.

JONES, G.R. (1995). *Organizational Theory*, Addison-Wesley, Don Mills, Ontario.

KETS DE VRIES, M.F.R. (1984). *The Irrational Executive, Psychoanalytic Studies in Management*, International Universities Press, New York, 497 p.

KETS DE VRIES, M.F.R. (1995). *Leaders, fous et imposteur*, Eska, 160 pages.

KOONTZ, H., et O'DONNELL, C. (1990). *Management: principes et méthodes de gestion*, McGraw-Hill, Montréal.

LAWRENCE, P.R., et LORSCH, J. (1967). «Differenciation and Integration in Complex Organizations», *Administrative Science Quarterly*, juin, p. 1-47.

LAWRENCE, P.R., et LORSCH, J. (1969). *Organization and Environment*, Richard D. Irwin, Homewood, Ill.

LEE, S.M., LUTHANS, F., et OLSON, D.L. (1982). «A Management Science Approach to Contingency Models of Organizational Structure», *Academy of Management Journal*, septembre, p. 553-566.

LIKERT, R. (1961). *New Patterns of Management*, McGraw-Hill, New York.

LIKERT, R. (1967). *New Human Organization: Its Management and Value*, McGraw-Hill, New York.

MAYO, E. (1945). *The Social Problems of an Industrial Civilization*, Harvard University Press, Cambridge, Mass.

MERTON, R., *et al.* (1952). *Reader in Bureaucracy*, Free Press, New York.

PERROW, C. (1967). «A Framework for the Comparative Analysis of Organizations», *American Sociological Review*, vol. 32, n° 2, p. 192-206.

REITZ, J. (1987). *Behavior in Organizations*, 3ᵉ édition, Richard D. Irwin, Homewood, Ill.

ROETHLISBERGER, F., et DICKSON, W. (1947). *Management and the Worker*, Harvard University Press, Cambridge, Mass.

ROGERS, C.R., et WOOD, J.K. (1974). «Client Centered Therapy», dans A. BURTON, *Operational Theories of Personality*, Brunner/Mazel, New York, 421 p.

ROUSSEAU, D.M. (1979). «Assessment of Technology in Organizations: Closed versus Open Systems Approaches», *Academy of Management Review*, octobre.

SELZNICK, P. (1957). *Leadership in Administration*, Harper and Row, Englewood Cliffs.

SIMS, H.P., et GIOIA, D.A. (1986). *The Thinking Organization*, Jossey-Bass, San Francisco.

SKINNER, B.F. (1974). *About Behaviorism*, Knopf, New York, 256 p.

TAYLOR, F.W. (1947). *The Principles of Scientific Management*, Harper and Row, New York.

WANOUS, J.P. (1980). *Organizational Entry*, Addison-Wesley, Reading, Mass.

WEBER, M. (1924). *Économie et société*, Plon, Paris.

WEICK, K.E., et DAFT, R.L. (1987). «Toward a Model of Organization as Interpretative Systems», *Academy of Management Review*, vol. 9, n° 2, p. 284-295.

WOODWARD, J. (1965). *Industrial Organization: Theory and Practice*, Oxford University Press, London.

CHAPITRE

2

Le comportement humain, la personnalité et la perception

Plan

CHAPITRE 2 Objectifs d'apprentissage

Dans ce chapitre, le lecteur se familiarisera avec :

– l'influence des caractéristiques individuelles et sociales sur la structuration d'un schème comportemental ;

– le lien étroit existant entre la personnalité et les comportements d'un individu ;

– la dynamique sous-jacente au développement des attitudes ainsi que l'importance de ces dernières en fonction de la propension à agir ;

– le processus ainsi que la structure permettant l'émergence de distorsions perceptuelles dans l'interprétation de la réalité ;

– la nature des erreurs de perception les plus communes ;

– les paramètres intrinsèques de l'attribution des causes et des conséquences d'un comportement précis ;

– l'enchaînement s'opérant entre le comportement humain, la personnalité, les attitudes et la perception.

POINT DE VUE
D'UN GESTIONNAIRE

JEAN PHANEUF,
directeur
Analys inc.

La personnalité, le comportement et la perception

Le volet de la personnalité et des comportements prend de plus en plus d'importance pour les postes de direction et d'encadrement. La synergie entre l'individu et le milieu organisationnel met en relief l'importance de bien identifier l'adéquation entre la personnalité et les comportements de l'individu et les besoins et contraintes de l'organisation. L'analyse de cette adéquation s'effectue de plus en plus par le biais des principes psychologiques régissant la dynamique individu et environnement de travail.

La gestion des ressources humaines ne repose pas, à titre d'exemple, sur les mêmes règles que la gestion des systèmes financiers ou la gestion du matériel de production. Les paramètres de la gestion des ressources humaines comprennent davantage d'impondérables. C'est pourquoi les organisations font appel à des cabinets-conseils tels que le nôtre pour diminuer les risques d'erreur dans la gestion des compétences humaines et les qualifications prévisionnelles des fonctions clefs de l'entreprise.

De nos jours, presque tous les gestionnaires sont aux prises avec le fait qu'ils doivent accomplir plus avec moins. Les succès organisationnels sont ainsi largement dépendants des forces et des limites du personnel. La performance au travail dépend ainsi, pour une part importante, des caractéristiques de personnalité et de comportements de l'individu et de la perception d'autrui. La somme des caractéristiques personnelles des membres de l'équipe de direction au même titre que leurs expériences antérieures sur les plans scolaire et professionnel définissent le cadre perceptuel qui régit les décisions quotidiennes et les orientations stratégiques d'une organisation.

Dans le passé, l'évolution des systèmes, des exigences de travail et des compétences s'effectuait plus lentement, le choix professionnel de carrière d'un travailleur ainsi que les orientations organisationnelles pouvaient alors se faire pour la durée de vie active d'un individu. Toutefois, de nos jours, les exigences des fonctions ainsi que les contraintes auxquelles sont confrontées les entreprises évoluent de manière quasi exponentielle dans la majorité des secteurs d'activités. La rapidité des changements constitue ainsi une variable additionnelle qui influencera la perception de l'environnement et la pertinence des comportements humains et organisationnels qui en découlent.

De plus en plus d'organisations définissent un ensemble de comportements mesurables, un profil de compétence ou de personnalité

→

qui satisfont ou tout au moins illustrent leurs besoins et attentes par rapport aux besoins et enjeux économiques et humains de l'entreprise. L'organisation effectue ces choix en fonction de sa perception de la situation actuelle et de son évaluation du développement de ses besoins à moyen et à long terme.

Une solide compréhension des facteurs humains s'avère une variable cruciale pour l'entreprise qui désire gérer de manière proactive les enjeux de demain. La survie et la croissance des gestionnaires reposent ainsi en partie sur leur capacité à prendre en main leur développement et sur la capacité de l'organisation à soutenir ces efforts.

Le fait qu'un individu possède les habiletés mentales, les connaissances requises et les habiletés exigées n'assure pas qu'il sera efficace et en mesure de s'intégrer à l'organisation, même s'il demeure possible de pallier ou de compenser les facteurs de personnalité par une compétence technique plus marquée.

La personnalité déterminera en partie le niveau de satisfaction et de performance et sera particulièrement importante dans les fonctions qui exigent des contacts interpersonnels et des prises de décisions dans un environnement en constante évolution. L'évaluation des caractéristiques de la personnalité et des comportements constitue donc une approche unique et valable pour diagnostiquer, corriger ou catalyser l'impact des individus et des groupes de travail sur la performance de l'organisation.

Les entreprises cherchent à évaluer de manière objective les caractéristiques de personnalité et de comportements jugées d'importance pour satisfaire aux exigences de la fonction ou aux défis organisationnels. Les demandes se regroupent sous diverses catégories : en contexte de sélection pour une fonction précise à des fins d'orientation de carrière, de planification stratégique, ou dans le cadre d'une intervention de développement. Les besoins de remplacement quant aux plans de relève et de prévision des besoins de la main-d'œuvre se trouvent aussi au cœur des préoccupations des gestionnaires des ressources humaines.

Pour juger de la qualité d'une candidature ou d'un employé, les entreprises prendront en considération un ensemble de critères mesurables ou qualitatifs obtenus entre autres lors d'entrevues, d'évaluations de rendement, d'évaluation des connaissances et des expériences de travail et de la performance. De notre côté, afin de satisfaire les besoins d'une évaluation objective, de l'individu ou de l'équipe de gestion, des tests de personnalité, d'aptitudes, d'habiletés et d'intérêts, associés à une entrevue et, le cas échéant, à des outils de simulation, peuvent être mis à contribution. Les corrélations et les interactions entre les variables de la personnalité et le style de gestion sont ensuite établies.

Les firmes de consultants sont appelées à aider les organisations à prendre des décisions éclairées en ce qui a trait à la gestion du potentiel humain. Ce type d'intervention permet de réduire les risques et conséquemment le coût et les inconvénients de sélectionner ou de promouvoir les mauvaises stratégies de gestion du potentiel humain ou les mauvaises candidatures. L'assistance apportée au gestionnaire ou à un

$\rightarrow$

groupe de travail vise à permettre d'atteindre ou de développer le potentiel de croissance, soit en éliminant des comportements contre-productifs ou en capitalisant sur des forces latentes ou existantes.

Somme toute, l'évaluation de la personnalité doit avant tout s'insérer dans une perspective descriptive et réaliste des comportements du gestionnaire. Il ne doit pas s'y trouver de jugement de valeur ou de prénotion sur ce qu'un gestionnaire devrait « idéalement » être sans égard au contexte organisationnel dans lequel il évolue. Seule l'adéquation entre, d'une part, les comportements attendus dans le cadre du poste ou le contexte organisationnel et, d'autre part, le profil du candidat devrait servir à juger de la pertinence et de la valeur de la contribution potentielle ou actuelle du gestionnaire.

Le profil devrait fournir un portrait actuel de l'individu et permettre également de reconnaître son potentiel en fonction des défis qui sont offerts au sein de l'organisation.

L'inscription « connais-toi toi-même » de l'oracle de Delphes demeure ainsi toujours d'actualité ; il est aussi pertinent de souligner que Sun Tzu reconnaît non seulement l'importance de se connaître mais aussi celle de connaître son adversaire et le terrain sur lequel on est appelé à évoluer en vue de s'assurer la victoire. Nous vous invitons donc à lire le présent chapitre ainsi que les autres avec célérité et enthousiasme afin de découvrir et d'intégrer les fondements à la base de la personnalité, des comportements et de la perception pour mieux cerner et comprendre la dynamique de la vie organisationnelle.

INTRODUCTION

Au chapitre précédent nous avons présenté les théories majeures en psychologie. Ces théories, en plus de fournir des principes qui tentent d'expliquer le comportement humain, proposent un paradigme de changement qui favorise le passage d'une personnalité et de comportements inadaptés à la réalité à une personnalité et à des comportements plus fonctionnels. Toutefois, on pourrait se demander ce qu'est la réalité hors de la perception qu'on en a. En fait, la notion de comportements adaptés ou inadaptés est indissociable de la perception de soi, des autres et des situations. La personnalité n'est-elle alors que la tentative de synthétiser par des mots-étiquettes un ensemble de comportements et d'attitudes? Par exemple, lorsqu'on entend dire de quelqu'un que c'est un bourreau de travail, on imagine tout de suite un ensemble de comportements et d'attitudes caractéristiques de cette étiquette. Toutefois, les comportements et les attitudes au travail de chacun permettent de nuancer la perception initiale. Ainsi, la perception que les gens ont d'eux-mêmes et de leur environnement de travail peut être complètement différente voire à l'opposé de celle des gens de leur entourage.

Une image vaut mille mots : la caricature ci-dessous, bien qu'elle ne fût pas directement exécutée dans un contexte de psychologie du travail, peut aisément y être rattachée vu les lourdes conséquences psychologiques, sociologiques, économiques et politiques qu'elle recèle. En effet, elle illustre avec une économie de moyens remarquable comment le résultat de la conception, fœtus ou enfant, peut être perçu différemment selon que la

grossesse est désirée ou non, et comment la perception, les attitudes et les comportements sont susceptibles de varier d'une personne à l'autre au regard d'un même événement.

Dans de nombreux champs d'intérêt, le comportement humain demeure un des sujets les plus complexes à analyser. Tenter d'en cerner toutes les composantes en un seul modèle relève de l'impossible. L'approche que nous avons retenue tend à illustrer les principaux éléments du comportement et, plus particulièrement, du comportement en milieu de travail.

Dans un premier temps, nous aborderons la notion de comportement, pour ensuite en définir les principaux aspects, soit la personnalité, les attitudes et le processus perceptuel. Par ailleurs, puisqu'il est impossible de traiter ces concepts comme des entités complètement indépendantes, les liens les unissant seront mis en évidence.

2.1 LE COMPORTEMENT HUMAIN

La complexité du comportement humain rend difficile l'élaboration d'un cadre de référence unique permettant de rassembler tous les éléments essentiels à sa description et à sa compréhension. En effet, on ne peut comprendre entièrement une autre personne, parce qu'il est impossible de partager complètement ses pensées, ses sentiments et ses motivations. Mark Twain souligna d'ailleurs que chacun, comme la lune, possède un côté caché qu'il ne montre jamais.

Lewin (1947), quant à lui, affirme que le comportement humain dépend des nombreux facteurs qui caractérisent la personnalité des individus, auxquels s'ajoutent divers facteurs environnementaux. On peut représenter cette affirmation à l'aide de l'équation suivante : $C = f(P \times E)$, c'est-à-dire que le comportement (C) est fonction des facteurs de personnalité (P) et des facteurs d'environnement (E). Cette équation réduit à sa plus simple expression l'explication du comportement humain et regroupe sous le concept «personnalité» d'autres facteurs tels que les attitudes et le processus perceptuel. Il en est ainsi parce que la personnalité des individus facilite l'établissement d'une certaine cohérence entre ces divers facteurs. En effet, l'étude de la personnalité aide à comprendre, à expliquer et, ultimement, à prévoir le comportement des individus dans diverses situations.

Certains éléments pris individuellement, et ensuite regroupés, jettent de la lumière sur l'ensemble du comportement humain. Il est ainsi nécessaire d'envisager une étude globale de la personne en utilisant un modèle intégré et général (voir la figure 2.1) qui tient compte de l'environnement.

Dans ce modèle de comportement humain, les stimuli ou les situations (S) sont caractérisés par les objets, les événements, les personnes côtoyées, les occasions de réussite, d'obtention de pouvoir et de changement de poste, ainsi que par les groupes d'appartenance. La personnalité (P), quant à elle, est composée de facteurs héréditaires, sociaux et psychologiques qui sous-tendent le comportement. La flèche bidirectionnelle du modèle, entre la situation et la personnalité, indique que S agit sur P et que P agit sur S ; cette action réciproque

FIGURE 2.1
Les principaux éléments du modèle de comportement

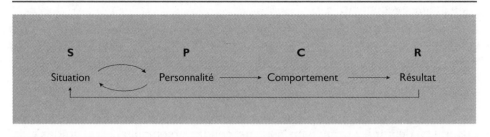

explique le comportement. Enfin, le comportement (C) constitue un acte que l'être humain exécute afin de s'adapter à une situation qui l'influence, et le résultat (R) est la conséquence du comportement qui crée une situation nouvelle ou modifie la situation actuelle. Ce modèle s'applique à n'importe quelle activité. Le tableau 2.1 présente un exemple d'application du modèle inspiré du monde du travail.

Dans cet exemple, on peut constater que la personnalité influence la perception de la situation et le comportement adopté par l'individu. En effet, si Robert Bastien n'était pas hautement motivé par l'avancement, il aurait pu percevoir la demande de son supérieur comme une surcharge de travail

TABLEAU 2.1
Une application du modèle de comportement humain

Éléments	Détail de la situation
Situation → Personnalité	Jean Denis, vérificateur à la compagnie Astro, demande à Robert Bastien, employé extrêmement compétent, d'étudier l'effet financier sur l'entreprise de l'acquisition d'une nouvelle pièce d'équipement.
Situation ← Personnalité	Robert Bastien est fortement motivé par l'avancement, mais il n'est pas comptable. Il sait que Jean Denis cherche un assistant et que les cinq comptables de l'entreprise sont intéressés par le poste. La personnalité de Robert Bastien l'amène à interpréter ou à percevoir la tâche que Jean Denis lui a confiée comme un test de ses capacités et de son potentiel.
Comportement	Robert Bastien travaille jour et nuit pour réussir la meilleure analyse possible.
Résultat	Le rapport est excellent et est approuvé par Jean Denis.
Situation ← Résultat	L'accomplissement de Robert Bastien a augmenté ses chances d'avancement.
Personnalité ← Résultat	Robert Bastien y gagne plus d'estime de soi et de confiance en lui-même.

écrasante, plutôt que comme une occasion exceptionnelle de dépassement de soi. Il est donc évident que le comportement humain est déterminé par l'interaction de facteurs tels que la personnalité, les attitudes, les diverses perceptions des individus ainsi que par les situations dans lesquelles ceux-ci évoluent. Par ailleurs, il ne faudrait pas conclure de cet exemple que la motivation est plus importante que la compétence.

2.2 LA PERSONNALITÉ

Bien que l'on utilise souvent le mot «personnalité», on se rend compte, lorsqu'on veut le définir, qu'aucune réponse ne vient facilement. Les experts du domaine ne s'entendent même pas sur la définition. Toutefois, deux aspects semblent faire consensus, soit la relative stabilité des traits de personnalité à travers l'histoire du développement de l'individu et l'uniformité de la conduite dans différentes situations.

L'origine même de la personnalité a toujours provoqué une certaine controverse chez les chercheurs et théoriciens, car ces derniers ne parviennent pas à déterminer avec précision quels aspects de la nature humaine résultent de dispositions innées ou héréditaires, et quels aspects sont le résultat de l'acquis ou de l'environnement. En fait, cette difficulté de discernement fait que l'on suppose généralement que, dans la majorité des aspects du comportement humain, l'inné et l'acquis sont probablement tous les deux présents ; ce sont des facteurs qui influencent simultanément et de façon continue l'individu.

Par ailleurs, les traits de personnalité qui caractérisent un individu ne sont pas toujours faciles à déterminer. On mesure aisément les traits physiques tels que la taille et le poids, mais la mesure des traits psychologiques comme l'intelligence, l'insouciance ou l'hostilité s'avère beaucoup plus difficile. Et si, en plus, on essaie d'expliquer le plus précisément possible ce qui entraîne tant de diversité d'attitudes et de comportements au travail, on se rend compte alors de la complexité de la tâche. Afin de jeter un peu plus de lumière sur cette complexité, voyons tout d'abord les principaux déterminants de la personnalité.

2.2.1 Les principaux déterminants de la personnalité

Les principaux déterminants de la personnalité sont l'hérédité, la culture, la famille, le groupe et les rôles, ainsi que les expériences de vie (voir la figure 2.2). Les multiples combinaisons de ces déterminants de la personnalité expliquent pourquoi les personnes sont si différentes les unes des autres. Dans une situation donnée, les caractéristiques individuelles d'une personne amèneront celle-ci à adopter un comportement qui lui est propre. Étant donné la multitude de possibilités d'agencement des caractéristiques individuelles, il sera possible d'observer plusieurs réactions différentes dans un même contexte. C'est ici que le concept de personnalité entre en jeu. Définissons donc la personnalité comme **l'intégration dynamique que fait l'individu de l'ensemble des traits d'origine héréditaire et appris, qui sont relativement stables chez l'adulte et qui déterminent les particularités et les différences dans les attitudes et dans les comportements**.

PROPOS DE

CHERCHEUR RENOMMÉ

CHRIS ARGYRIS

J'ai toujours pensé que les problèmes, les défis et les dilemmes auxquels les hommes font face ont leur importance pour les aider à vivre et à gérer leur existence. Mon intérêt s'est particulièrement porté sur les individus et les organisations. À mon sens, les uns et les autres peuvent revendiquer le droit d'être gérés sainement en vue d'actualiser leur potentiel et leur mandat respectifs. Des entreprises et des employés performants sont nécessaires à l'établissement et au maintien d'une société saine et équilibrée, et l'absence de ces atouts peut mener à la déroute.

Je m'intéresse spécialement aux problèmes persistants qui accablent les êtres humains. Je trouve fascinante l'étude d'un problème qui existe depuis plusieurs années, de nature répétitive et dont l'existence est protégée par des normes qui maintiennent le *statu quo*. C'est un peu comme si, en tentant de résoudre le problème, je contribuais à secouer les chaînes qui entravent les êtres humains dans la vie sociale. Ces problèmes se manifestent à un double niveau : il y a le problème en soi et il y a cette persistance du problème alimentée par le *statu quo*.

Mon analyse rétrospective me mène à croire que l'une des caractéristiques intéressantes des problèmes répétitifs et protégés par le *statu quo* tient au fait que ces problèmes sont souvent liés à une déresponsabilisation délibérée. Qui plus est, cette déresponsabilisation délibérée est souvent un mécanisme sociétal qui vise à maintenir l'ordre et qui, paradoxalement, renferme en son sein tous les éléments nécessaires pour mener lentement mais sûrement au chaos.

La recherche et la mise en application de solutions pour résoudre ces contradictions internes revêtent beaucoup d'intérêt à mes yeux. C'est d'ailleurs pourquoi j'ai toujours été davantage intéressé par l'apprentissage « à double boucle » plutôt qu'« à simple boucle ». Cette deuxième forme d'apprentissage conduit à des changements qui surviennent en pleine action, alors que la première suppose des changements au cœur des programmes sous-jacents qui touchent les individus et la société et qui viennent d'abord en orienter les actions.

C'est principalement à un événement mémorable que je dois la poursuite de ma carrière universitaire en étude des organisations. Vers la fin de la Seconde Guerre mondiale, j'occupais le poste d'officier en charge de quelques vastes dépôts de Signal Corps à Chicago. Mes compétences de leader en matière de performance technique et d'efficacité ont alors été

→

soulignées à quelques reprises par des récompenses officielles. Après mon mandat, je suis allé visiter les dépôts en tant que civil. Je me suis alors aperçu que les employés s'étaient sérieusement interrogés quant à mes compétences sur le plan relationnel. Conformément à l'éducation que j'avais reçue de mes parents, j'ai réagi en me disant que je devais approfondir la connaissance que j'avais de moi-même. Lorsque j'ai repris mes études universitaires, je me suis donc inscrit en psychologie et en administration. Au cours de ces années, j'ai rencontré Roger Barker, Fritz Heider et quelquefois Kurt Lewin du MIT. Bien que chacun de ces interlocuteurs ait été très différent, ils partageaient tous cette même vision que la vie quotidienne constitue un terrain propice à la découverte de problèmes en vertu desquels peut être inférée une théorie.

Notice biographique

Chris Argyris est titulaire de la chaire James Bryant Conant et enseigne au cycle supérieur en administration et en éducation à la Harvard University. Il a obtenu son baccalauréat de la Clark University, sa maîtrise de la Kansas University et son doctorat de la Graduate School of Labor and Industrial Relations de la Cornell University. De plus, M. Argyris a reçu des doctorats honorifiques des établissements d'enseignement suivants : IMCB, à Buckingham en Angleterre (1987), Paul University (1987), École d'études économiques de Stockholm (1979), Université de Louvain en Belgique (1987) et Université McGill au Canada (1977). Il a publié près d'une trentaine d'ouvrages, dont *Actionable Knowledge : Especially for Changing the Status Quo* (1993) ; *On Organizational Learning* (1992) et *Overcoming Organizational Defensive Routines* (1990).

Chris Argyris a également publié près d'une centaine d'articles scientifiques et plus d'une cinquantaine de documents à l'intention des praticiens. Par ailleurs, il a siégé au sein du comité de rédaction de onze revues scientifiques, dont *Administrative Science Quarterly, Journal of Occupational Behavior* et *Organizational Dynamics*. Par ailleurs, il a agi à titre de conseiller spécial pour des questions de perfectionnement et de productivité des cadres supérieurs auprès d'instances gouvernementales en Angleterre, en France, en Allemagne, en Grèce, en Hollande, en Italie, en Norvège et en Suède. M. Argyris a aussi été consultant pour de nombreuses entreprises privées.

Source : Traduit d'Argyris (1993).

FIGURE 2.2
Les déterminants du développement de la personnalité

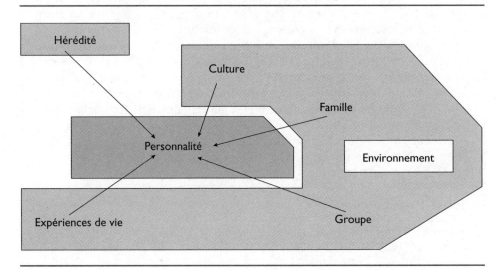

Examinons-en donc maintenant plus en détail chacun des principaux déterminants.

L'hérédité

Nous avons tous été témoins un jour ou l'autre d'une situation où un enfant est comparé à ses parents : « Il est aussi grand que son père » ; « Il a les mêmes yeux que sa mère. » Lorsque l'enfant est plus vieux, les comparaisons portent sur les attitudes et les comportements : « Il est aussi colérique que sa mère » ; « Il est aussi timide que son père. »

L'hérédité est un aspect qui influence directement et indirectement la personnalité. En effet, les gènes peuvent influencer d'une façon directe certains facteurs intrinsèques qui deviennent une partie inhérente de la personnalité. On n'a qu'à penser à l'agressivité, à l'aptitude musicale, à la facilité pour les mathématiques ou à la morphologie. Toutefois, il ne faut pas oublier que, même si l'hérédité peut influencer la morphologie et certaines aptitudes, l'environnement peut moduler le message des gènes : par exemple, la taille de l'individu peut aussi être fonction de la qualité de l'alimentation. Donc, les facteurs d'environnement peuvent influer sur le bagage génétique qui nous accompagne malgré nous. Ceci est particulièrement vrai en ce qui concerne les traits de personnalité. Bien qu'une prédisposition puisse être présente, les expériences de vie nuanceront son développement. Ainsi, l'hérédité peut déterminer la présence de certains traits de personnalité, mais c'est l'expérience de vie qui détermine comment ils se manifestent.

Aussi, les spécialistes ne prennent pas une position extrême lorsqu'il s'agit de débattre de ce qui est inné ou acquis par l'expérience chez la personne.

La culture

La culture a également une influence marquée sur le développement de la personnalité. On peut définir la culture comme étant **l'ensemble des valeurs qui conditionnent les comportements et les attitudes acceptables ou non des membres d'une société**. Le succès de l'industrie japonaise, par exemple, est en partie attribuable aux traits communs des travailleurs japonais, c'est-à-dire à leurs valeurs, à leur esprit d'équipe et au respect commun qu'ils ont de l'autorité.

Les stéréotypes véhiculés sur certains peuples sont d'ailleurs des exemples courants de la manière dont la culture peut agir sur les individus qui y sont exposés ; on parle par exemple du flegmatisme britannique et de la galanterie française. Si la culture a une influence sur certains aspects généraux du comportement, il faut tout de même être conscients que les différences individuelles continuent d'exercer une influence prépondérante sur la personnalité ; tous les Anglais ne sont pas flegmatiques et tous les Français ne sont pas galants !

La famille

La famille, pour plusieurs raisons, a une grande importance sur le développement de la personnalité. Les premiers contacts significatifs de l'enfant surviennent avec des membres de sa famille. Les parents, les grands-parents, les frères, les sœurs, les oncles et les tantes ont tôt fait de lui enseigner ce qu'ils considèrent des attitudes ou des comportements appropriés, et ce sans tenir compte de ses prédispositions particulières. Les valeurs et les croyances qui sont inculquées à l'enfant ont un impact majeur sur le développement de sa personnalité.

L'influence des parents est par ailleurs déterminante parce que ceux-ci servent de modèles à l'enfant. L'enfant imite ses parents. Les enfants calquent aisément la manière d'exprimer les émotions et reproduisent fidèlement le langage non verbal. C'est d'ailleurs ces imitations qui font que l'on entend des commentaires du genre : « C'est tout le portrait de son père. » Les parents ont aussi une influence considérable sur le développement de la personnalité de l'enfant lorsqu'ils tentent, par des renforcements et des punitions, de lui enseigner ce qui est bien et ce qui ne l'est pas.

À la notion de famille sont aussi associés le niveau socio-économique, le niveau d'éducation et le lieu de résidence des parents.

Par ailleurs, l'influence de la famille se reflète dans le comportement au travail. Souvent, il nous a été donné d'entendre, de la bouche de certains employeurs, qu'il valait mieux laisser les problèmes familiaux à la maison. Il est évident que les changements familiaux peuvent influencer la personnalité d'un individu à un point tel que son comportement et son attitude au travail peuvent en être modifiés. C'est le cas du professeur d'âge moyen, enseignant à un établissement collégial qui, à la suite de l'entrée d'un de ses enfants au cégep, développe soudainement une tendance altruiste envers ses nouveaux élèves.

Toutefois, indépendamment du rôle primordial de la famille dans le développement de la personnalité, il ne faudrait pas oublier que cette influence

s'exerce sur un canevas de traits innés qui prédisposent déjà l'individu à se comporter d'une certaine manière.

Le groupe et les rôles

Comme la famille, les groupes jouent un rôle prépondérant quant au développement de la personnalité. Rapidement, les enfants font partie de groupes sportifs, de groupes de loisirs ainsi que de différents groupes à l'intérieur de l'école. Chaque groupe définit ses règles de comportements en récompensant ce qui est jugé approprié et en sanctionnant les comportements qui dévient de la norme. Les normes d'un groupe et les rôles y étant associés favorisent le développement de certains traits de personnalité. Cet aspect sera abordé plus en détail au chapitre 4.

L'appartenance à un groupe se distingue de l'influence sociale exercée par la culture du fait que les groupes élaborent des systèmes distincts de règles et de normes et du fait également qu'ils peuvent rallier les individus de différentes cultures. Ainsi, les membres d'un groupe construisent, au fil du temps, des schèmes d'interactions qui leur sont propres, ce qui a pour conséquence d'engendrer chez les individus des caractéristiques communes de même que des comportements similaires.

Les expériences de vie

Chacun, selon sa personnalité, a cristallisé un bagage de connaissances, d'expériences heureuses ou malheureuses, de succès et d'échecs qui constitue le canevas de l'image qu'il se fait de lui-même.

Par exemple, une personne qui a connu de nombreux échecs peut manifester un manque de confiance qui l'empêche de relever des défis et de se créer un bagage d'expériences positives. D'autre part, une personne qui obtient beaucoup de reconnaissance pour ses efforts et qui, concrètement, connaît du succès développe une bonne confiance en soi.

2.2.2 La personnalité et le comportement au travail

Dans la section précédente, nous avons présenté les principaux déterminants de la personnalité. Celle-ci est liée au comportement en ce sens que nous inférons que certains ensembles de comportements sont la résultante de la personnalité. Par exemple, on dit de quelqu'un qu'il est colérique (un trait de personnalité) parce qu'il engueule (comportement) ses employés pour des fautes mineures.

Plusieurs traits de personnalité agissent sur le comportement, et les psychologues ont mis au point des tests et des instruments de mesure afin de déceler ceux qui ont un impact sur le comportement au travail. Nous présenterons dans cette section cinq traits de personnalité couramment évalués en comportement organisationnel.

L'estime de soi

Par estime de soi, nous désignons l'opinion que les gens ont d'eux-mêmes. Cette opinion se développe par exemple par l'évaluation que l'individu fait de lui-même de ses comportements, de son apparence, de son intelligence et de son succès social, et par l'évaluation faite par les autres.

En général, les gens qui ont une faible estime d'eux-mêmes n'ont pas tendance à avoir confiance en leurs habiletés et ne s'accordent pas beaucoup de valeur.

L'estime de soi a une influence sur le type d'emploi recherché par une personne. Par exemple, une personne ayant une estime de soi élevée prend plus de risques au travail et tend à rechercher des emplois plus élevés dans l'échelle hiérarchique ou des emplois comportant de nombreux défis. Une estime de soi élevée a aussi une influence sur le rendement en ce sens que ceux qui la possèdent sont peu sensibles à la critique, se fixent des buts élevés et sont prêts à fournir beaucoup d'effort pour atteindre leurs objectifs.

Par ailleurs, l'estime de soi est influencée par les facteurs situationnels. Une personne qui subit plusieurs échecs sent son estime diminuer, alors que, à l'inverse, une personne qui expérimente plusieurs succès sent son estime augmenter. De plus, l'estime de soi dépend, en partie, de l'opinion des autres. En conséquence, un supérieur doit offrir des défis réalistes à ses subordonnés afin qu'ils expérimentent des succès plutôt que des échecs, et afin qu'ils développent une bonne estime d'eux-mêmes et un sentiment de compétence.

Le lieu de contrôle

La notion de lieu de contrôle fait référence à la croyance que possède une personne à propos de l'influence qu'elle a sur sa vie. Le lieu de contrôle peut être interne ou externe. Les gens qui ont un lieu de contrôle interne croient que ce sont eux qui sont les principaux artisans de leur devenir, alors que ceux dont le lieu de contrôle est externe croient que ce qui leur arrive est principalement le fruit de la chance, du hasard ou la conséquence des gestes d'autrui.

Les spécialistes estiment qu'au travail une personne dont le lieu de contrôle est interne manifeste plus de contrôle sur son comportement, est socialement et politiquement plus active, tend à influencer le comportement des autres et est plus orientée vers l'accomplissement et la réalisation de soi et des objectifs. À l'inverse, une personne dont le lieu de contrôle est externe préfère un supérieur structuré et directif et est plus facilement influençable.

En déterminant le lieu de contrôle des subalternes, on peut ainsi améliorer leur motivation et leur satisfaction. Par exemple, il est souhaitable de faire participer à la prise de décision les employés dont le lieu de contrôle est interne et de leur offrir plus d'autonomie, alors qu'il faudra structurer davantage le travail d'un employé dont le lieu de contrôle est externe.

L'introversion et l'extraversion

Quand on accole à une personne le qualificatif d'« introvertie » ou d'« extravertie », on veut décrire sa manière de se comporter dans une situation sociale. L'extraversion est associée à un comportement verbal et non verbal expressif, alors que l'introversion fait référence à un comportement retiré et timide.

Ainsi, l'introversion peut être définie comme une tendance générale de l'individu à se tourner vers lui-même. Par ailleurs, les introvertis semblent avoir une plus grande sensibilité aux idées abstraites et aux émotions. L'extraversion, pour sa part, est la tendance de l'individu à se tourner vers les autres, les événements et les objets.

Dans le monde du travail, on constate que les gestionnaires sont souvent extravertis, et ce en raison de leur rôle qui consiste à trouver, avec la collaboration d'autres employés, des solutions aux problèmes de l'entreprise. Finalement, soulignons que les extravertis ont un meilleur rendement dans un environnement animé, grouillant de gens et d'activités, alors que les introvertis ont un meilleur rendement dans un environnement plus calme.

Le dogmatisme

Une personne dogmatique se caractérise par la rigidité de ses opinions et de ses croyances. Elle a tendance à percevoir l'environnement comme menaçant et considère l'autorité légitime comme un pouvoir absolu. Une personne très dogmatique accepte et rejette les personnes selon des critères peu nuancés qui trouvent leurs fondements dans les valeurs les plus couramment acceptées.

Les gens très dogmatiques fonctionnent mieux lorsqu'ils relèvent de figures d'autorité dominantes ayant un style de leadership directif. Ils doivent alors fournir moins d'effort pour trouver l'information menant à la prise de décision. Les gens dogmatiques fonctionnent mieux dans un groupe très structuré.

L'efficacité personnelle

L'efficacité personnelle est atteinte lorsqu'une personne croit en ses habiletés et aptitudes à accomplir une tâche. Plus une personne se situe à un niveau élevé d'efficacité personnelle, plus elle croit disposer des habiletés nécessaires à l'accomplissement d'une tâche et plus elle a confiance qu'en produisant un effort elle atteindra ses objectifs malgré les obstacles qu'elle rencontrera.

L'efficacité personnelle est importante au travail parce que plus on croit en ses habiletés, plus les chances de réussite augmentent. L'efficacité personnelle peut être acquise par l'apprentissage, si on offre aux employés visés des défis réalistes et qu'on les jumelle à d'autres qui peuvent leur servir de modèles.

2.2.3 La personnalité et la dimension politique

Dans le contexte organisationnel, le comportement politique, de groupes ou d'individus, se décrit comme **un processus d'influence sur le comportement des autres et sur le cours des événements afin de protéger ses propres intérêts et d'atteindre ses objectifs personnels**. Si on décortique cette définition, on en arrive à la conclusion que pratiquement tous les comportements ont une connotation politique. Cependant, quand on qualifie un comportement de « politique », on insiste plutôt sur le fait que ce comportement permet d'obtenir un avantage au détriment d'autres personnes ou même au détriment de l'organisation. Il devient alors évident que ce ne sont pas tous les comportements qui peuvent être associés à la dimension politique.

Certaines personnes sont plus sujettes que d'autres à s'investir dans des comportements politiques. Cette tendance dépend de certains traits de personnalité que nous décrirons dans les paragraphes suivants.

Le besoin de pouvoir

Une personne qui a besoin de pouvoir peut être décrite comme quelqu'un qui a un désir intrinsèque d'influencer et de diriger les autres. De plus, elle a un désir de contrôler son environnement. En conséquence, il paraît évident qu'une personne qui a besoin de pouvoir investira davantage dans des activités ou des comportements politiques simplement parce que les activités politiques mènent au contrôle de l'environnement et des autres.

Il est intéressant de noter que les gestionnaires qui ont du succès ont souvent un besoin élevé de pouvoir. Prenons note qu'un gestionnaire peut désirer deux formes de pouvoir : le pouvoir personnel et le pouvoir organisationnel. Les gens qui cherchent à obtenir un pouvoir personnel ont besoin de dominer les autres, et de s'attacher la loyauté des autres indépendamment de l'organisation. Au contraire, les gens qui sont intéressés au pouvoir organisationnel font preuve de loyauté envers l'organisation et encouragent les autres à faire de même ; par ailleurs, ils créent un climat efficace de travail. La notion de pouvoir sera étudiée plus en détail au chapitre 6.

Le machiavélisme

Le terme « machiavélisme » fait référence à un ensemble de comportements initialement décrits au XVIᵉ siècle par Niccolò Machiavelli, dans un ouvrage intitulé *Le Prince*. Dans l'ensemble, les comportements machiavéliques tournent autour de l'acquisition et de l'utilisation du pouvoir. Selon Machiavelli, la meilleure manière d'acquérir et d'utiliser le pouvoir est de manipuler les autres.

Les gens machiavéliques disposent généralement d'excellentes habiletés pour influencer les autres ; ils participent ainsi souvent à des activités politiques. D'autres caractéristiques liées au machiavélisme sont la fourberie, la méfiance et l'absence de respect à l'égard des règles morales. De plus, les gens machiavéliques approchent les situations d'une manière logique et réfléchie, ils sont capables de mentir pour protéger leurs intérêts et ils considèrent la loyauté ou l'amitié comme des nuisances à leur avancement.

Le tableau 2.2 permet d'évaluer son propre potentiel de machiavélisme.

TABLEAU 2.2
Les tendances machiavéliques

Afin de déterminer si vous avez des tendances machiavéliques, répondez par vrai ou faux aux énoncés suivants :

1. La meilleure façon de négocier avec les gens est de leur dire ce qu'ils veulent entendre.

2. Faire pleinement confiance aux autres est source de problème.

3. Une personne ne doit pas révéler ses véritables intentions dans la poursuite de ses objectifs, à moins que le fait de les révéler puisse être utile.

Si vous avez répondu « vrai » à au moins deux des énoncés précédents, vous avez probablement un bon potentiel de machiavélisme. (Nous vous suggérons cependant de ne considérer ce diagnostic que comme une hypothèse, car les psychologues exigent habituellement plus d'informations avant de prononcer un diagnostic.)

L'empressement à prendre des risques

Certaines personnes recherchent activement des situations à haut potentiel de risque, alors que d'autres font tout ce qu'elles peuvent pour éviter de telles situations.

Il semble que les gens qui recherchent les situations risquées ont aussi tendance à s'engager dans des activités politiques. Il va de soi que les activités politiques peuvent comporter de nombreuses situations risquées. Par exemple, l'engagement dans des activités politiques peut engendrer une rétrogradation, des évaluations de rendement insatisfaisantes et une perte d'influence auprès d'individus et de groupes. Ainsi, puisque les activités politiques ne mènent pas nécessairement au succès, les gens peu empressés à prendre des risques s'en tiennent souvent loin.

En résumé

Pour conclure cette sous-section, il faut rappeler que les différences de personnalité expliquent pourquoi deux personnes confrontées à une même situation réagissent différemment. En fait, plus un gestionnaire est en mesure de tenir compte des différences de personnalité, plus il peut prédire les comportements de ses employés et mettre l'environnement de travail en conformité avec ceux-ci pour optimiser le rendement.

2.3 LES ATTITUDES

Le comportement étant l'objet de ce chapitre, il est maintenant important de saisir le lien étroit entre la personnalité, que nous venons de décrire, et les attitudes, deux facteurs intrinsèques à tout comportement dans le milieu du travail.

La notion d'attitude est étroitement associée à la notion de sentiment favorable ou défavorable éprouvé envers quelqu'un ou quelque chose. D'ailleurs, le mot «attitude» est généralement accompagné d'un qualificatif comme «positive» ou «négative». Quand on dit que l'on aime ou n'aime pas une personne, on exprime une attitude. Par ailleurs, quand on affirme que l'on n'aime pas l'attitude d'une personne, on veut dire que l'on n'aime pas l'inclinaison de cette personne à penser ou se comporter d'une certaine manière.

Par définition, une attitude est **l'impression, le sentiment ou la croyance stable qu'une personne éprouve envers autrui, un groupe, une idée, une situation ou un objet**. Elle est constituée de trois principales composantes interreliées :

- **La composante cognitive.** L'aspect cognitif d'une attitude comporte les croyances et les opinions d'une personne vis-à-vis d'un objet ou d'une classe d'objets. Plus simplement, la composante cognitive fait référence aux conditions antérieures à la formation de l'attitude. Cette composante est influencée par les expériences passées, les amis, la famille, etc. Par exemple, André s'est fait mordre par un gros chien lorsqu'il était jeune. Depuis, il a développé une prédisposition négative à l'égard des gros chiens. Cette prédisposition négative correspond à l'aspect cognitif de l'attitude ;

- **La composante affective.** Cet aspect fait référence aux émotions, aux sentiments ou aux états d'âme face à une personne, à une idée, à un événement, à un objet ou à une classe d'objets. La composante affective correspond à l'état actuel de l'attitude. Reprenons l'exemple précédent. En se promenant dans la rue, André aperçoit un gros chien qui, à son tour en l'apercevant, se met à grogner. André éprouve instantanément un sentiment de dédain pour le chien. Ce sentiment représente la composante affective de l'attitude ;

- **La composante comportementale.** La composante comportementale correspond à l'intention de la personne de se comporter d'une certaine manière en réaction à l'émotion qu'elle ressent. La composante comportementale découle de l'attitude. Il s'agit d'une prédisposition à se comporter d'une certaine manière. André, par exemple, peut avoir le goût d'affronter le chien ou de partir à courir.

2.3.1 Les attitudes et les comportements

Les sociopsychologues affirment que les attitudes sont des prédispositions stables qui guident nos comportements. Par ailleurs, les psychologues du comportement affirment que les attitudes sont tout simplement des déclarations verbales de nos comportements, qui sont, pour leur part, contrôlés par des stimuli externes et qui correspondent, par conséquent, à des apprentissages. De nos jours, de plus en plus de psychologues définissent les attitudes comme des prédispositions stables et apprises.

Cependant, il est important de retenir que les attitudes constituent un phénomène fort complexe. En effet, face à une même personne, on peut développer des attitudes différentes, se rapportant aux divers aspects qu'elle présente. Ainsi, on peut adopter des attitudes favorables quant à la manière dont une personne analyse un problème, gère son personnel et transmet ses ordres, tout en ayant des attitudes défavorables quant à la manière dont elle s'habille, parle à ses collègues et rédige ses rapports. Lorsque la somme des attitudes partielles est positive, l'attitude d'ensemble sera vraisemblablement positive, à moins que le poids accordé à une attitude partielle soit assez important pour déterminer l'attitude globale. Un certain degré d'ambivalence peut exister quant aux attitudes face à des objets, à des personnes et à des situations, mais généralement cette ambivalence n'entraîne pas une inertie comportementale.

Donc, on ne peut pas dire que l'attitude d'une personne permet de prédire son comportement. Par exemple, il est possible d'affirmer que lorsque l'on n'aime pas une personne, on évite de lui parler; sauf que si cette personne est le professeur, on lui parlera tout de même. Ainsi, bien qu'il existe une pré-disposition négative envers le professeur, on ne peut pas se comporter en cohérence avec cette prédisposition. Il faut donc souligner le fait qu'une variété de facteurs influencent la cohérence entre les attitudes et les comportements.

La spécificité de l'attitude

Plus l'attitude est spécifique, plus le comportement a de chances de se produire. Prenons l'exemple de Charles et d'André. Charles n'a pas beaucoup d'intérêt pour les animaux; si un chien l'approche, il se laisse renifler et peut même le flatter. André, quant à lui, n'aime pas les chiens; les autres animaux ne le dérangent pas, mais les chiens oui; en conséquence, il a mis au point toute une gamme de comportements qui lui permettent d'éviter le contact avec les chiens. Son attitude est donc très spécifique, contrairement à celle de Charles.

L'importance de l'événement

L'importance de l'événement a une influence certaine sur la composante comportementale de l'attitude d'un individu. En d'autres mots, si le résultat a de l'importance, le comportement d'un individu sera plus probablement en accord avec son attitude. Prenons l'exemple d'un étudiant dont la poursuite des études est liée à l'obtention d'un prêt-étudiants et qui entend, à la radio, le ministre de l'Éducation annoncer qu'il veut réduire les montants alloués au Programme de prêts et bourses de 50 %. Ce discours fera certainement naître chez l'étudiant une attitude négative envers ce ministre. De plus, puisque cette compression budgétaire revêt pour lui une grande importance, l'étudiant se comportera fort probablement d'une manière cohérente avec son attitude en s'abstenant de voter pour le parti de ce ministre. Par ailleurs, si ce ministre annonce plutôt qu'il veut couper dans la masse salariale du personnel non enseignant des établissements d'enseignement universitaires, l'étudiant peut tout de même ne pas être d'accord avec l'idée et développer une attitude négative envers le

ministre, mais il est fort probable que le discours n'aura pas une influence directe sur ses intérêts personnels ; son comportement de voteur peut alors ne pas correspondre à son attitude.

La contingence

Le temps qui s'écoule entre le moment de la formation de l'attitude et le moment où l'on peut observer un comportement a une influence sur la cohérence entre cette attitude et ce comportement. Plus le temps est court entre le moment où l'attitude est mesurée et le moment où le comportement est observé, plus le comportement pourra être prédit par l'attitude. Par exemple, un sondage effectué le 25 septembre 1995 prédira mieux le résultat de l'élection du 30 septembre 1995 qu'un sondage semblable effectué le 5 septembre 1995.

Les normes sociales

Les contraintes sociales et les normes influent sur la relation entre les attitudes et les comportements. Par exemple, des étudiants de certains pays africains ou de pays arabes ont une attitude négative envers les femmes qui occupent des postes administratifs parce que, dans leur pays d'origine, les femmes n'occupent pas de fonctions qui leur confèrent du pouvoir. Si ces étudiants étaient toujours dans leur pays d'origine, ils pourraient adopter des comportements qui viseraient à manifester leur hostilité envers les femmes qui détiennent un poste administratif. Cependant, puisqu'au Québec les femmes sont reconnues à part entière et qu'elles sont encouragées à embrasser des carrières administratives – norme socialement acceptée par la population en général –, il est peu probable que ces étudiants manifestent des comportements hostiles envers les femmes détenant des postes administratifs.

Les croyances quant aux conséquences du comportement

Il arrive que l'on a une attitude négative envers certaines personnes ou certaines situations et que l'on aimerait se comporter de manière cohérente avec son attitude, mais que l'on évite de le faire à cause des conséquences que son comportement pourrait entraîner. En fait si l'on croit que son comportement peut entraîner des conséquences nuisibles, on décidera probablement de se comporter différemment de ce que son attitude dicte. Considérons l'exemple précédent. Il se peut, malgré les normes sociales du Québec face aux femmes qui occupent des postes administratifs, que certains étudiants étrangers aient quand même le désir de manifester leur hostilité. Cependant, ils savent bien que s'ils la manifestent, ils seront réprimandés. Aussi, cette connaissance quant aux conséquences de leur comportement les incitera à se comporter d'une manière qui ne correspond pas à leur attitude.

2.3.2 Les attitudes et le comportement au travail

Jusqu'à maintenant nous avons expliqué que les attitudes peuvent influencer le comportement mais qu'elles ne le prédisent pas nécessairement. Nous parlerons ici de quelques-unes de ces attitudes en fonction de l'influence qu'elles ont sur le comportement au travail. Nous nous attarderons plus particulièrement sur la satisfaction au travail et sur l'identification à l'entreprise. Par la suite, nous examinerons les différentes façons de modifier les attitudes.

La satisfaction au travail

Dans l'ensemble, on peut décrire la satisfaction au travail comme un état émotif positif qui résulte de l'opinion personnelle d'un travailleur envers son travail ou envers le climat de travail. Cette attitude revêt une grande importance pour les gestionnaires parce que ceux-ci estiment qu'un travailleur satisfait sera plus performant. Toutefois, Fisher (1980) a démontré que ce lien est plus que ténu.

Alors pourquoi s'intéresser à la satisfaction au travail ? Selon Schneider (1985), la raison en est simple. Il semble qu'il y ait un lien direct entre la performance au travail et l'insatisfaction au travail, comme le montre la figure 1.1 du chapitre 1. Ainsi, les employés qui ressentent de l'insatisfaction au travail risquent davantage d'éprouver des symptômes physiques ou psychologiques et de s'absenter. C'est pourquoi la mesure de la satisfaction au travail est utile pour les gestionnaires, car elle leur permet de déterminer les aspects du travail ou de l'organisation du travail qui mériteraient d'être modifiés.

La satisfaction au travail peut être mesurée dans son aspect général ou selon des aspects particuliers. Dans le second cas, on mesure par exemple la satisfaction en fonction de la rémunération, des tâches et responsabilités, des possibilités de promotion, de la qualité de la supervision et de la qualité des relations avec les collègues. Concrètement, on utilise comme instruments de mesure les questionnaires ou les entrevues structurées.

L'identification à l'entreprise

Schermerhorn *et al.* (1992) définissent l'identification à l'entreprise comme une attitude en vertu de laquelle une personne partage les valeurs de l'entreprise et s'identifie à sa raison d'être. Il y a deux sortes d'identification à l'organisation qui influencent le comportement d'un employé. Nous les appelons « identification affective » et « identification de convenance ». Lorsqu'une personne est sous l'influence de l'**identification affective**, elle demeure dans l'entreprise parce qu'elle le désire fortement. Cette personne démontre les caractéristiques suivantes :

- elle partage les buts et les valeurs de l'entreprise ;
- elle fournit les efforts nécessaires pour la bonne marche de l'organisation ;
- elle désire personnellement être associée à l'entreprise ;
- elle est loyale et intéressée au bien-être de l'organisation.

Lorsqu'une personne est plutôt sous l'influence d'une **identification de convenance**, elle demeure dans l'organisation tout simplement parce qu'elle ne peut se permettre de faire autrement. Elle craint de perdre les avantages ou les privilèges acquis avec le temps et ressent une éventuelle démission comme une balance défavorable entre ce qu'elle perd et ce qu'elle pourrait gagner.

L'identification à l'entreprise suscite l'intérêt des gestionnaires en raison de son influence positive sur les comportements au travail. À talent égal, les employés qui démontrent une forte identification à l'entreprise seraient plus productifs, produiraient un travail de qualité supérieure et s'absenteraient moins souvent. De plus, ces employés fourniraient plus d'effort à l'accomplissement de leurs tâches tout en étant moins enclins à quitter l'entreprise. Un exemple de cela est fourni dans le monde du sport, plus particulièrement celui du hockey, lorsque, pour expliquer la performance hors de l'ordinaire d'un joueur qui n'est pas une vedette, on dit de ce joueur qu'il a le « CH » (*Canadian Hockey Club*) tatoué sur le cœur. Cette expression laisse supposer que la performance de l'athlète est en grande partie expliquée par sa fierté d'appartenir à l'organisation du club de hockey les Canadiens de Montréal.

Certaines conditions de travail facilitent l'identification à l'entreprise. Ainsi, les organisations qui favorisent la participation à la prise de décision et qui insistent sur la sécurité des travailleurs augmentent l'identification à l'entreprise. Des emplois intéressants associés à l'autonomie et à la responsabilité influencent aussi positivement l'identification à l'entreprise.

La modification des attitudes

Les employés qui ont une attitude négative envers leur travail sont une menace pour l'organisation parce qu'ils peuvent influencer négativement leurs collègues. C'est pourquoi les gestionnaires se demandent s'il est possible de modifier les attitudes et comment.

Les experts s'entendent pour dire que les attitudes peuvent être modifiées par la persuasion. Cependant, pour modifier avec succès les attitudes, celui qui persuade, le message et celui que l'on doit persuader doivent répondre à certaines conditions.

Celui qui tente de persuader doit être perçu comme un expert. Des agences de publicité l'ont compris depuis longtemps, car elles associent souvent un expert à un produit. Par ailleurs, la personne doit être perçue comme crédible et désintéressée ; elle doit de plus avoir un physique attrayant et une allure sympathique. La majorité des annonces publicitaires de bière, de liqueur douce et de gomme à mâcher mettent ainsi en scène des acteurs possédant ces caractéristiques.

La personne que l'on tente de persuader le sera plus facilement si son estime d'elle-même est faible. Dans ce cas, elle aura moins confiance en elle et sera plus perméable aux idées des autres. Très souvent, les annonces publicitaires font d'ailleurs un lien direct entre l'utilisation du produit annoncé et le sentiment de bien-être, la prestance et la confiance en soi. De plus, l'intensité de l'attitude influence la persuasion. Si l'attitude envers un produit, une personne ou une situation est très forte, il sera difficile de la modifier. L'état d'âme dans lequel la personne se trouve la rend plus ou moins perméable à la persuasion. Une personne qui est de bonne humeur est plus facile à persuader qu'une personne qui est de mauvaise humeur. On a tous déjà entendu la phrase suivante : « Ce n'est pas le temps d'aller lui demander une faveur… »

Le message quant à lui ne doit pas contenir de menace, car bien que le comportement désiré puisse être émis, l'attitude risque de se cristalliser dans la direction opposée. Par exemple, un adolescent qui nettoie sa chambre simplement parce qu'un de ses parents l'a menacé de couper son allocation ou un autre privilège ne développera probablement pas une meilleure attitude envers le ménage. Le message aura plus de chances d'influencer une personne si elle comprend les aspects positifs de la situation.

2.4 LE PROCESSUS PERCEPTUEL

On définit la perception comme étant **le processus de sélection et d'organisation des stimuli issus de l'environnement**. En présence d'une réalité sans cesse changeante, l'être humain identifie, discrimine, reconnaît et juge l'information reçue par ses sens. La perception représente toutefois beaucoup plus que ce que les sens permettent d'appréhender, car l'information reçue est organisée afin que l'expérience sensorielle soit vécue de la façon la plus cohérente possible. En somme, la perception est un processus qui a pour effet de relier l'individu à son environnement.

Par ailleurs, l'individu qui perçoit les stimuli de l'environnement construit une expérience unique et personnelle en relation avec les événements auxquels il participe (voir la figure 2.3). Ses sens l'informent de ce qui se passe autour de lui : il voit des choses et des gens, il entend des bruits et des mots et il perçoit d'autres stimulations sensorielles grâce au toucher, au goût et à l'odorat. La perception est donc un processus subjectif plutôt qu'objectif, puisque chacun perçoit de façon personnelle, dans un cadre de référence unique, l'univers dans lequel il évolue.

Ainsi, le comportement humain dépend de la perception que possède chaque individu de la réalité, de la manière dont il organise cette information

FIGURE 2.3
La perception

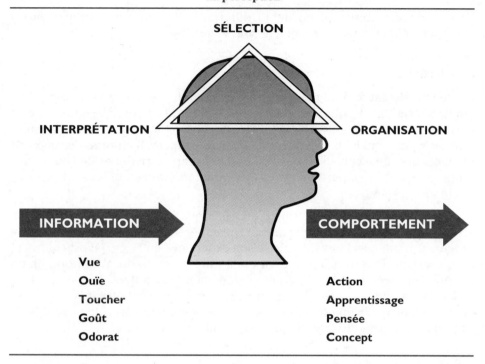

perceptuelle afin de créer l'image qu'il se forme du monde et, finalement, de l'expérience qu'il tire des événements. En effet, lorsque l'on aborde le thème de la perception, on saisit toute l'ampleur des différences individuelles et des conséquences qui en découlent dans le contexte d'une organisation.

La perception est immédiate, sélective et stable. Elle est immédiate puisque c'est le processus par lequel les données sensorielles sont filtrées et organisées. Par exemple, deux personnes qui regardent un film reçoivent un grand nombre d'images différentes par le biais de leurs yeux, mais elles perçoivent spontanément et instantanément un mouvement continu. Par ailleurs, la perception est sélective parce que si un individu portait attention à tout ce que ses sens lui permettent de percevoir dans une salle de cinéma, il ne parviendrait pas à suivre le film. Finalement, la perception est stable, parce que l'esprit humain corrige les sensations reçues sur la rétine pour favoriser la constance de la perception; ainsi, un adulte très grand vu de loin sera interprété comme un adulte très grand même si l'image sur la rétine est plus petite que si l'adulte était proche.

La perception possède également un sens et une structure. Elle a un sens, car la signification apportée à un comportement variera selon le contexte et la situation. Ainsi, une secrétaire qui embrasse son patron le jour de son anniversaire ne sera pas jugée de la même façon que si elle l'embrasse quand elle lui apporte son courrier! Enfin, la perception a une structure parce qu'elle permet d'organiser les stimuli sensoriels en un tout repérable plutôt qu'en un ensemble d'éléments incohérents.

2.4.1 Les caractéristiques de la perception

Voyons donc maintenant en détail différents éléments qui influencent la perception d'un individu, sa façon de voir le monde.

La sélectivité

L'être humain est assailli par une foule de stimuli provenant de l'environnement. S'il tentait de percevoir tous ces stimuli, il serait vite dans un état d'excitation frôlant la folie. En effet, l'être humain est incapable d'emmagasiner tous les stimuli qui lui proviennent de l'environnement. Il en retient seulement quelques-uns, qu'il choisit en partie d'après les caractéristiques de l'objet (facteurs externes) et en partie d'après des caractéristiques qui lui sont propres (facteurs internes).

C'est ce choix, cette sélection d'informations, qui fait de la sélectivité, ou attention sélective, la caractéristique première de la perception. C'est le processus par lequel l'individu divise son expérience entre ce qui est central et ce qui est périphérique. Il pourra ainsi faire porter son attention sur un phénomène précis et oublier momentanément les autres événements se produisant simultanément. Les mineurs, par exemple, sont attentifs aux bruits de la machine qu'ils font fonctionner, mais demeurent généralement sourds au ronronnement des ventilateurs qui les alimentent en oxygène.

Les facteurs externes

Comme nous l'avons mentionné précédemment, certains facteurs externes touchent le choix perceptuel et influencent la perception. Ainsi, certains aspects d'un objet ou d'une personne ont la propriété d'augmenter leurs chances d'être perçus. La figure 2.4 illustre quelques-uns d'entre eux.

L'intensité

L'intensité correspond à la force d'émission d'un stimulus perceptuel : plus un stimulus est intense, plus il attire l'attention. Ce principe est fréquemment utilisé en publicité. En effet, certains auront remarqué que la plupart des messages publicitaires à la radio et à la télévision sont présentés à un niveau de volume sonore plus élevé que celui des émissions courantes.

Le même principe trouve plusieurs illustrations dans la vie organisationnelle. Par exemple, si plusieurs employés convoquent le directeur du personnel pour protester contre une décision qui les touche, il est presque inévitable que celui-ci répondra d'abord aux intervenants qui parlent le plus fort.

L'intensité permet à un stimulus ou à un groupe de stimuli de se détacher des stimulations ambiantes de telle sorte que la personne qui le perçoit y porte plus facilement attention et, par conséquent, en subit l'influence.

Par ailleurs, il ne faut pas oublier que l'intensité n'est qu'une des caractéristiques du stimulus. D'autres facteurs interviennent simultanément et peuvent influencer la perception.

FIGURE 2.4
Les facteurs externes qui influencent la perception

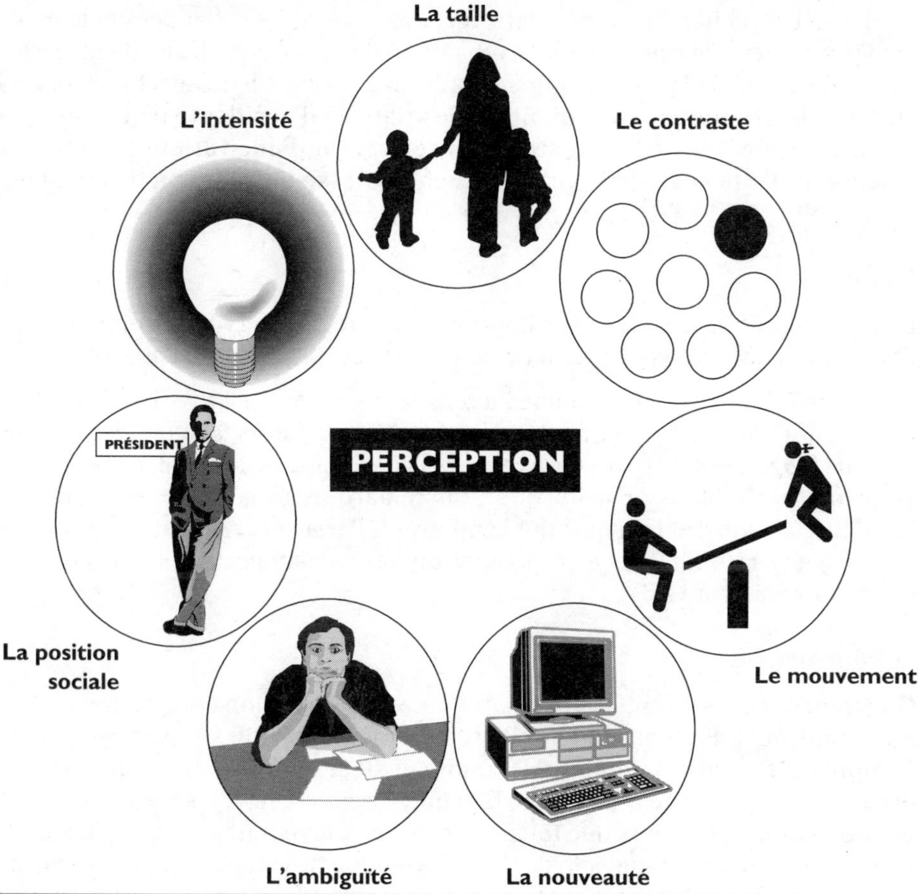

La taille

L'intensité

Le contraste

PERCEPTION

PRÉSIDENT

La position sociale

Le mouvement

L'ambiguïté

La nouveauté

La couleur et le décor

Le couleur et le décor de l'environnement physique influencent l'humeur et le comportement des individus. Certaines couleurs ont pour effet de réchauffer l'atmosphère, d'autres irritent ou encore reposent. L'ameublement et l'aménagement peuvent également provoquer un sentiment de chaleur ou de froideur, inciter au travail ou favoriser le repos.

Chaque couleur possède des propriétés positives et négatives ; tout dépend de l'individu qui la perçoit. Par exemple, un individu perturbé ou névrosé aura tendance à ressentir les effets négatifs des couleurs, tandis qu'un individu équilibré jouira des effets positifs. Ainsi, selon Birren (1978), le vert inspire généralement la tranquillité, le confort et le calme ; il provoque toutefois chez certaines personnes l'ennui et l'agacement. Le bleu favorise le calme et la sérénité chez la majorité des gens ; il entraîne toutefois un état dépressif, un sentiment de solitude et la mélancolie chez certains. Le rouge, par ailleurs, stimule et excite l'individu équilibré ; il fait naître l'agressivité et la méfiance chez la personne perturbée. Le choix de la couleur rouge pour les banquettes des voitures du métro de Montréal avait d'ailleurs suscité, à l'époque, passablement de critiques. On avait alors prétendu que ce choix de couleur contribuerait à l'augmentation des comportements agressifs...

Plusieurs recherches ont été effectuées afin d'évaluer l'effet des couleurs de l'environnement de travail sur la productivité des employés. L'une d'entre elles a démontré que dans une entreprise l'utilisation des couleurs avait concouru à stimuler la production ou à diminuer les risques d'accidents de travail. Par ailleurs, il semble que les hôpitaux qui se servent d'une variété de couleurs améliorent l'efficacité des chirurgiens et la vitesse de guérison des patients (Day, 1980).

La taille

La taille d'un objet exerce, sur la perception, le même type d'influence que l'intensité : dans ce cas-ci, plus il occupe d'espace, plus il attire l'attention.

Toutefois, la taille est, comme l'intensité, tout à fait relative. L'influence de la hauteur et de la grosseur peut être annulée par d'autres facteurs. Un homme de taille moyenne qui se trouve au centre d'une équipe de football, par exemple, sera fort probablement celui que l'on remarquera. Sa taille est pourtant inférieure à celle des hommes qui l'entourent. Par ailleurs, l'effet de contraste peut amener les individus à surestimer ou à sous-estimer la taille de certains objets (voir la figure 2.5).

Le contraste

On a tendance à s'adapter et à s'habituer aux stimulations courantes de son environnement. Par conséquent, l'attention d'un individu sera attirée par les stimuli inattendus ou inhabituels. Dans plusieurs entreprises minières, par exemple, il est facile de reconnaître les superviseurs : ceux-ci portent un casque de protection blanc, alors que tous les autres employés en portent un jaune. De même, un professeur peut, afin d'attirer l'attention des étudiants, parler plus ou moins fort ou encore présenter sa matière debout, en mouvement, plutôt qu'assis.

FIGURE 2.5
L'illusion de Titchener

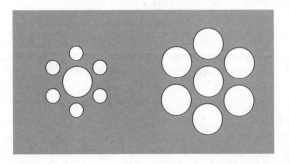

Le cercle central de la configuration de gauche paraît plus grand que celui de la configuration de droite alors qu'ils sont égaux.

Source : Tiré de Delorme (1982). Reproduit avec la permission de l'auteur.

La nouveauté

La nouveauté est reliée au facteur de contraste. En effet, tout comme une stimulation inhabituelle, un nouveau stimulus retient davantage l'attention qu'un stimulus routinier ou familier. Au travail comme à la maison il y a plusieurs objets que l'on ne voit plus. Par exemple, la photographie ou le tableau que l'on vient d'accrocher au mur retiendra l'attention quelques semaines, mais, après un mois, on l'oubliera totalement! C'est ainsi que l'être humain s'adapte aux stimuli ambiants. En effet, il a tendance à reléguer dans l'oubli ce qui lui est familier et habituel.

Comme le phénomène de nouveauté influence la perception de l'individu et, par conséquent, son comportement et sa motivation au travail, plusieurs entreprises favorisent un système de rotation des tâches. En déplaçant les employés d'un poste à l'autre, on favorise ainsi l'effet de nouveauté et on évite qu'émergent des sentiments de routine et d'ennui.

La répétition

Un stimulus attire beaucoup plus l'attention s'il est répété plus d'une fois. Ainsi, l'avantage de la répétition est double : premièrement, un stimulus répété a plus de chances d'être perçu dans le cas où l'attention tend à faiblir et, deuxièmement, la répétition augmente la sensibilité au stimulus. Encore une fois, les publicitaires ont bien compris ce phénomène puisque leurs annonces sont présentées de manière répétée.

Toutefois, lorsqu'un même stimulus est répété trop souvent, il provoque une adaptation et on en vient à l'ignorer. Les publicitaires tiennent aussi compte de ce phénomène ; c'est pourquoi ils renouvellent leurs messages pour présenter le même produit.

Le mouvement

La perception humaine est plus sensible aux objets qui bougent dans le champ visuel qu'aux objets immobiles. Un conférencier, par exemple, qui se déplace durant son exposé réussit davantage à maintenir l'attention de ses auditeurs que celui qui demeure immobile et qui lit calmement son texte. En effet, le conférencier qui se déplace couvre, découvre et recouvre successivement différentes parties de l'arrière-plan, ce qui stimule l'attention. De plus, la perception qu'a l'auditoire est différente selon l'angle et la position relative du conférencier.

La position sociale

La façon de se présenter, la situation sociale et le prestige qui y est associé influencent souvent la façon de percevoir une personne. Ce principe s'applique habituellement à tout contexte de travail. Ainsi, un employé qui voit son patron s'avancer vers lui s'affairera beaucoup plus à ses tâches que s'il perçoit l'arrivée d'un subalterne.

Par ailleurs, le choix entre l'utilisation des pronoms « tu » et « vous » dépend en grande partie de la perception de la position sociale de la personne à qui l'on s'adresse.

Finalement, le recours à des politiciens, des artistes de renom, des savants ou des gens «riches et célèbres» pour véhiculer un message se fait dans le but d'influencer la perception de ceux à qui le message s'adresse.

L'ambiguïté

Il est évident que les stimuli complexes, bizarres ou étranges retiennent l'attention et requièrent plus de concentration de la part de celui qui perçoit et qui tente de donner une signification cohérente, avec sa vision du monde et ses expériences perceptuelles antérieures, à ces stimuli. On peut par exemple penser aux tableaux d'artistes tels que Escher ou Dalí qui, par leur étrangeté, retiennent l'attention et forcent l'observateur à corriger continuellement sa perception des éléments configuraux.

Les facteurs internes

Les caractéristiques de l'objet agissent sur la perception de l'individu, mais elles n'expliquent qu'en partie le fait que son expérience perceptuelle soit unique. En effet, indépendamment de l'acuité des cinq sens, certaines caractéristiques propres à chaque individu influencent également le processus perceptuel. Ce sont les facteurs internes de la perception, et ils sont tout aussi importants que les facteurs externes. Nous les présentons dans les paragraphes qui suivent.

L'expérience et les connaissances

L'expérience et les connaissances d'un individu influent grandement sur la signification qu'il donne à ses perceptions. Les perceptions sont souvent erronées et correspondent aux distorsions que chacun leur fait subir afin de les concilier avec ce qu'il sait déjà. Ainsi, parce qu'il possède une expérience de vie et des connaissances qui lui sont propres, chaque individu a tendance à voir les choses de façon particulière, en fonction de ses propres schèmes de référence. L'exemple suivant illustre l'influence de la connaissance et de l'expérience sur la perception.

En fonction de son expérience et de ses schèmes de référence, on peut percevoir à la figure 2.6 soit une jeune femme soit une femme âgée. Leeper (1935) a démontré que la jeune femme est généralement perçue la première par les sujets à qui on a préalablement montré un visage de jeune femme, alors que la vieille femme est perçue d'emblée par les sujets à qui on a d'abord montré un visage de vieille femme. Ainsi, le fait de montrer préalablement un visage de jeune femme ou de vieille femme semble créer un cadre de référence qui favorise la perception d'objets similaires.

Les attentes

Les attentes sont caractérisées par la tendance qu'ont les individus d'agir selon leur interprétation de la réalité. Ainsi, les attentes d'un individu envers son travail orientent ses expériences perceptuelles de sorte qu'il percevra ce qu'il s'attend à percevoir.

Il est évident que deux personnes qui évoluent dans un même environnement ne perçoivent ni ne décodent les choses de manière identique; en effet, chacune découpe la réalité en fonction de ses attentes du moment.

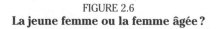

FIGURE 2.6
La jeune femme ou la femme âgée ?

Kahn (1952) a illustré les différences de perception entre les gestionnaires et leurs employés en fonction des attentes de chaque groupe. Selon lui, les gestionnaires surestiment l'importance que les employés accordent aux salaires élevés. L'étude qu'il a effectuée démontre que seulement 28 % des employés accordent au salaire une grande importance, alors que 61 % des gestionnaires perçoivent les salaires comme étant très importants pour les employés. Par ailleurs, cette même étude a démontré que les dirigeants sous-estiment l'importance des besoins sociaux et psychologiques des employés. Plus récemment, une étude menée par Dumont (1987) auprès de 2 500 fonctionnaires rapporte que ceux-ci, en dépit de la mauvaise réputation que leur font les journaux, continuent de montrer une motivation très importante à l'égard de leur travail et des services qu'ils offrent au public.

Ainsi, malgré le fait que les médias d'information véhiculent une image d'inefficacité, de démotivation et d'insatisfaction des fonctionnaires, tout en laissant croire que le seul intérêt de ceux-ci réside dans leur sécurité d'emploi, leur rémunération et leurs possibilités d'avancement, cette étude démontre qu'au contraire les principaux éléments de motivation des fonctionnaires sont associés à l'intérêt pour leurs tâches, à leur autonomie et à leurs responsabilités. Cette dichotomie entre la perception qu'ont les fonctionnaires de leur travail et la perception qu'offrent les médias du travail des fonctionnaires restera difficile à harmoniser tant que les médias véhiculeront cette image et contribueront à créer des attentes négatives vis-à-vis des fonctionnaires.

La motivation

La motivation (voir le chapitre 3) exerce une influence prépondérante sur la perception. En effet, comme nous l'avons souligné au sujet des attentes, l'individu perçoit ce qu'il veut percevoir. Ainsi, ce sont en partie les besoins qu'il ressent ponctuellement qui influencent ses perceptions.

Il faut également noter que lorsque le degré de motivation est très élevé, ou encore que l'individu a fortement besoin d'agir et que la situation l'en empêche, la perception peut être faussée par l'imagination ou, dans certains cas extrêmes, par des hallucinations.

Les sentiments

Les stimuli qui ont une connotation émotionnelle positive sont généralement mieux perçus que ceux qui n'éveillent aucune émotion. Par ailleurs, les stimuli qui éveillent des émotions négatives favorisent la défense perceptuelle ou, au contraire, la sensibilisation perceptuelle. La défense perceptuelle rend le stimulus plus difficilement perceptible, alors que la sensibilisation perceptuelle facilite la perception du stimulus.

La culture

La culture des individus influence leur perception, et les différences culturelles illustrent les différences perceptuelles qui existent entre les peuples. La fonction des objets, la familiarité et les systèmes de communication sont autant de facteurs culturels qui ont une influence sur la perception puisqu'ils contribuent à la sélectivité perceptive (voir la figure 2.7).

2.4.2 La structure de la perception

Lorsque l'on perçoit visuellement des objets, on a tendance à les organiser en unités, c'est-à-dire que l'on tente de former un tout à partir de divers éléments

FIGURE 2.7
Les différences perceptuelles et la culture

Certains peuples africains ont interprété cette image comme étant une danse, tandis que d'autres y ont vu une scène de combat.

Source: Tiré de Delorme (1982). Reproduit avec la permission de l'auteur.

distincts. Plusieurs principes expliquent cette organisation perceptive. Dans les pages suivantes, nous traiterons des cinq principes suivants : la distinction figure-fond, la proximité, la similitude, la continuité et la complémentarité, et nous terminerons cette présentation en expliquant comment les principes d'organisation perceptuelle peuvent provoquer une distorsion de la réalité.

La distinction figure-fond

À observer la figure 2.8, on peut voir ou bien un vase ou bien deux profils humains. Les individus qui perçoivent un vase identifient la partie noire de l'image comme étant le fond, alors que la partie blanche constitue la figure. Au contraire, ceux qui perçoivent deux profils choisissent une figure noire sur un fond blanc.

FIGURE 2.8
La figure ambiguë de Rubin

Cette distinction figure-fond est fondamentale à toute perception d'objet. C'est grâce à elle que l'on parvient à observer et à distinguer un objet précis dans un environnement complexe. Ainsi, tenter d'observer les deux profils en même temps que le vase est un exercice des plus difficile parce que la distinction figure-fond sert à la perception de l'une ou l'autre des images. Le même principe s'applique lorsque l'on observe les cavaliers de Escher (voir la figure 2.9). Il est en effet facile de percevoir simultanément les rangées X et Z (cavaliers blancs), mais très difficile de faire de même avec les rangées X et Y (cavaliers blancs et cavaliers noirs).

Les deux exemples que nous venons de présenter reposent sur des figures ambiguës permettant de choisir volontairement les parties qui constituent le fond et celles qui constituent la figure. La réalité de tous les jours est tout autre. En effet, il va de soi, par exemple, d'identifier une table comme un fond et les tasses qui s'y trouvent comme une figure ; le contraire serait incohérent. La figure 2.10 illustre cette nécessité de distinguer logiquement le fond et la figure.

Cette image doit être observée en considérant un fond noir duquel se détache une figure blanche. De cette façon, on peut y lire le mot « sous ». Si l'on tente d'inverser le fond et la figure, l'image n'a plus de signification logique.

FIGURE 2.9
Les cavaliers de Escher

Source : Tiré de Delorme (1982). Reproduit avec la permission de l'auteur.

FIGURE 2.10
La distinction figure-fond

Certains traits distinguent la figure du fond : la figure a un caractère d'objet, tandis que le fond a un caractère de substance ; la figure nous paraît plus proche que le fond ; le fond semble se continuer derrière la figure ; la figure possède un contour, alors que le fond n'en possède pas (Delorme, 1982).

La proximité

La tendance à organiser ses perceptions en regroupant les objets qui sont les plus rapprochés les uns des autres est appelée la proximité. Les objets qui se trouvent près les uns des autres sont en effet plus facilement perçus comme formant un ensemble uniforme, même si objectivement il n'y a aucun lien entre eux. Par conséquent, la disposition relative des stimuli peut grandement influer sur la manière dont on organise ses sensations en perceptions. Cette relation est habituellement illustrée par des exemples qui font appel au sens de la vision. Toutefois, on peut observer que les sons dans une mélodie ou un rythme musical sont également regroupés en fonction de la proximité. La figure 2.11 montre que la simple proximité produit un regroupement. Ainsi, dans les exemples A et B, on a tendance à regrouper les éléments par paires, tandis que dans l'exemple C la proximité favorise un regroupement par ensembles de trois. Enfin, dans l'exemple D, le principe de proximité incite à effectuer des arrangements par rangées (regroupements horizontaux), plutôt que par colonnes (regroupements verticaux).

FIGURE 2.11
La proximité

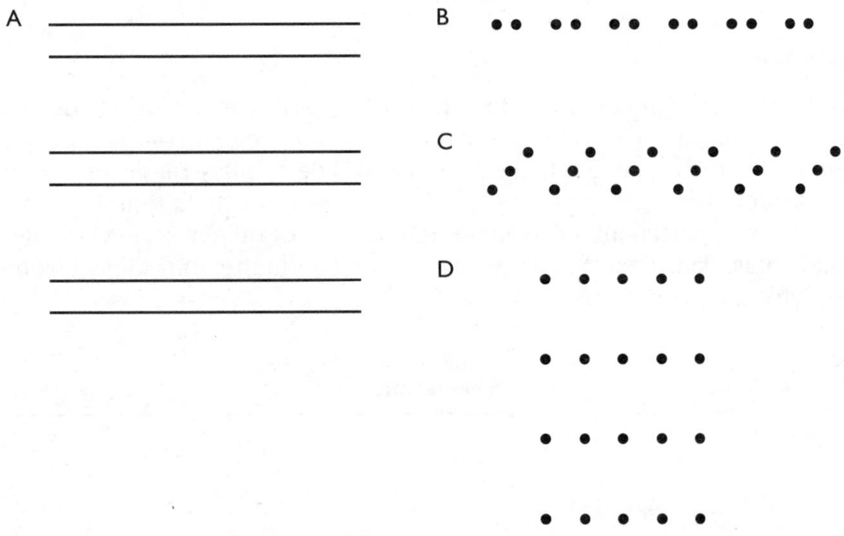

Source : Les exemples B, C et D sont tirés de Delorme (1982) et reproduits avec la permission de l'auteur.

La similarité

La similarité est un principe d'organisation perceptuelle selon lequel un groupement d'objets est perçu comme un ensemble uniforme en raison de la ressemblance relative des objets individuels. Les objets, les personnes ou les événements possédant des caractéristiques semblables tendent donc à être regroupés. Plus les ressemblances sont grandes, plus les tendances au regroupement s'accentuent. Ce principe joue certainement un rôle important dans la genèse des stéréotypes.

Cette loi de la similarité ou de la similitude fait que l'on a tendance à percevoir comme un tout les choses qui sont similaires, même si celles-ci ne constituent pas réellement un tout. Ainsi, à la figure 2.12A les cercles noirs se détachent du fond et forment un X. Le principe de la similitude entraîne également un regroupement par rangées dans l'exemple B et un regroupement par colonnes dans l'exemple C.

FIGURE 2.12
La similarité

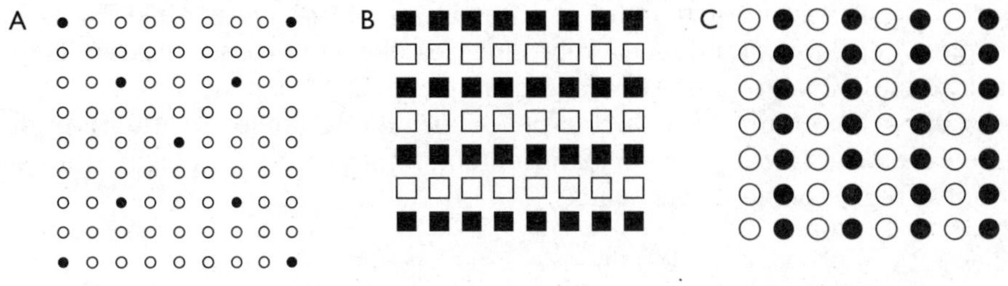

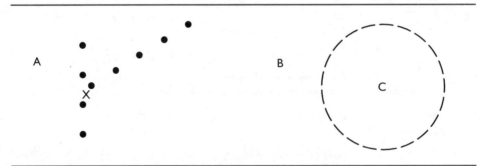

Source: Les exemples B et C sont tirés de Delorme (1982) et reproduits avec la permission de l'auteur.

La continuité

La continuité est définie comme la capacité de percevoir les objets de façon continue ou uniforme. La continuité est donc cette capacité de rattacher chaque élément à celui qui le précède et à celui qui le suit de manière qu'on les perçoive comme des configurations continues. Ainsi, le point X de la figure 2.13A est perçu comme appartenant au segment oblique, plutôt qu'à la série verticale de points. De plus, dans l'exemple B, le principe de continuité nous incite à voir un cercle plutôt qu'un ensemble de traits.

FIGURE 2.13
La continuité

Source: L'exemple A est tiré de Delorme (1982) et reproduit avec la permission de l'auteur.

La complémentarité (la loi de la fermeture)

Les processus perceptuels tendent à organiser les sensations de façon que l'on perçoive des touts complets et non des parties disparates. C'est-à-dire que lorsqu'un stimulus est incomplet, l'organisme le complète. On peut donc facilement percevoir un tout même s'il n'existe pas physiquement. Par définition, la complémentarité est donc la tendance à compléter les objets confus afin d'obtenir une image claire et stable.

Concrètement, prenons l'exemple suivant pour illustrer le principe de la complémentarité. Au volant de sa voiture, par une belle journée ensoleillée d'hiver, un individu arrive à circuler sans trop de problème même si les véhicules qui précèdent le sien projettent de l'eau souillée sur son pare-brise et que le soleil est éblouissant. En effet, bien que la visibilité soit réduite, il arrive à compléter l'information visuelle nécessaire à l'identification des voitures, des piétons ou des lampadaires.

La distorsion

Les différents principes d'organisation perceptuelle n'ont pas que des avantages. S'ils ont le mérite de faciliter la perception, ils ont aussi des limites en ce sens qu'ils peuvent fausser la lecture de la réalité, soit entraîner des distorsions perceptuelles. Ces distorsions ont un effet d'une importance primordiale sur les comportements subséquents.

Dans le monde du travail, il importe de prendre conscience de ces phénomènes et, dans la mesure du possible, de tenter de les éliminer afin d'éviter de fausser les décisions et d'intervenir de façon inéquitable auprès des employés. Nous présenterons donc les éléments de distorsion les plus fréquents, soit les stéréotypes, la première impression, l'effet de halo, la projection, la dissonance cognitive et les attentes.

Les stéréotypes

Les stéréotypes sont des idées préconçues et non fondées au sujet d'un individu, d'un groupe ou d'une population. Ils ne tiennent pas compte des différences individuelles et prêtent aux individus des croyances, des attitudes et des comportements généralisés en se basant sur des considérations telles que l'âge, le sexe, la profession ou la nationalité. Les stéréotypes entraînent des erreurs perceptuelles en incitant les individus à ne tenir compte que de certaines caractéristiques des personnes qui les entourent au détriment des différences individuelles et des traits de personnalité.

Si les stéréotypes étaient exacts, on aurait alors avantage à en tenir compte. Par exemple, si le stéréotype selon lequel les femmes sont de mauvais conducteurs était vrai, les compagnies d'assurances pourraient en bénéficier en ajustant leurs primes en conséquence.

En fait, un stéréotype est rarement vrai, et plus souvent qu'autrement il fait ressortir une caractéristique négative d'un groupe aisément identifiable. À de rares occasions toutefois, il est positif. Par exemple, on a tendance à considérer les personnes attrayantes comme chaleureuses et sensibles.

La première impression

Le phénomène de la première impression est très important dans le monde du travail et plus particulièrement dans le contexte des entrevues de sélection.

En effet, des recherches ont prouvé que les trois à cinq premières minutes d'un entretien sont déterminantes (Mayfield, Brown et Hamstra, 1980). Elles suffisent pour qu'un intervieweur se fasse une opinion de la personne interviewée. Le temps qui suivra sera principalement consacré à chercher des éléments pour appuyer cette opinion. Plusieurs expériences, dont celles de Asch (1952) et de Sherif (1935), indiquent que quiconque veut se faire aimer, se faire accepter, devrait s'efforcer de faire une bonne impression dès les premiers instants.

Malheureusement, un individu ne peut pas à tous coups compter faire une bonne première impression, car sa réputation le précède parfois.

L'effet de halo

L'effet de halo peut être décrit comme la tendance à se baser sur un trait particulier de la personnalité d'un individu pour se former une impression, négative ou positive, de son comportement général. Webster (1964, 1982) rapporte qu'il s'agit de l'un des principaux problèmes liés à l'entrevue de sélection.

Si la caractéristique retenue est positive, alors l'impression globale au sujet de l'individu sera positive. Par contre, si la caractéristique retenue est négative, celle-ci sera suffisante pour reléguer dans l'ombre les caractéristiques positives de l'individu et contribuer à la formation d'une impression globale négative. L'intervieweur qui valorise l'ambition, par exemple, et qui rencontre un candidat ambitieux, intéressé aux possibilités de carrière dans l'entreprise, peut être amené à interpréter favorablement l'ensemble des informations livrées par le candidat, en créant une distorsion de l'information dans laquelle il verra constamment des signes d'ambition.

Autre exemple, celui-ci tiré du milieu scolaire. Un étudiant qui voit que son voisin de pupitre a obtenu 90 % lors de l'examen de mi-session se fera une image de lui comme étant un excellent étudiant, alors que sa performance est peut-être médiocre dans un autre cours.

Ainsi, tout comme les stéréotypes, l'effet de halo camoufle les caractéristiques d'un individu.

La projection

La projection est la tendance d'un individu à attribuer à autrui ses propres fautes. Qui n'a jamais rencontré un étudiant qui explique ses mauvais résultats scolaires par les faibles qualités pédagogiques de son professeur, ou encore un employé qui explique son incapacité d'atteindre les objectifs fixés par le manque d'encadrement, de structure ou de méthode de son supérieur ? Quand une personne agit de la sorte, elle juge les autres à partir de ses propres croyances, émotions, tendances, motivations ou besoins. Par exemple, un gestionnaire qui valorise beaucoup son pouvoir de prise de décision peut croire que ses employés ont le même besoin. Pour partager ce pouvoir, il décide de modifier les descriptions de tâches de ses subalternes, sans vérifier si ceux-ci veulent vraiment participer à la prise de décision. Le gestionnaire a donc créé des emplois qui satisfont ses propres besoins en les projetant sur ses employés qui n'avaient pourtant aucun désir de participer à la prise de décision : par conséquent, la motivation et la satisfaction des employés ont alors diminué. Les gestionnaires doivent donc être prudents afin de ne pas projeter leurs désirs sur leurs employés.

La dissonance cognitive

Idéalement, une personne qui recherche l'efficacité fera preuve d'une certaine cohérence dans son comportement. Elle obtiendra ainsi la reconnaissance de ses pairs et deviendra de cette façon une personne fiable dont on recherche la présence. Cette cohérence se traduit par la recherche d'un équilibre entre les croyances, les attitudes et les comportements. La très grande majorité des gens font de cette cohérence un symbole de leur efficacité personnelle et même de leur santé psychique. Sentir que l'on se comporte en accord avec ce que l'on croit est nettement plus valorisant que se rendre compte que ses comportements sont en total désaccord avec ses croyances. Il peut donc arriver que des personnes se sentent mal à l'aise du fait que leur comportement est en contradiction avec leurs valeurs morales.

Selon Festinger (1957), cette contradiction est intolérable pour l'individu qui la vit. Pour rétablir l'équilibre, la personne doit apporter une modification à ses valeurs, à ses attitudes ou à ses comportements (voir la figure 2.14).

Un étudiant qui croit, par exemple, que la réussite de son cours de statistiques est fonction de l'effort – plutôt que le fruit du hasard – et qui ne fournit aucun effort pour réussir est en situation de dissonance cognitive. Pour atténuer cette dissonance, l'étudiant peut modifier ses comportements et fournir les efforts requis. Par ailleurs, il peut modifier ses croyances en se disant que, par son intelligence, il réussira ce cours sans fournir les efforts qu'il croyait nécessaires auparavant. Pour appuyer cette nouvelle croyance, il peut aussi faire de la sélection perceptive en s'identifiant à un ou deux autres étudiants qui réussissent bien sans trop fournir d'effort et, par le fait même, oublier ceux qui doivent travailler fort pour avoir du succès. Face à des résultats qui ne correspondent pas à ses attentes, il peut aussi modifier son attitude à l'égard des études et se dire qu'il est possible de réussir dans la vie sans l'obtention d'un diplôme.

FIGURE 2.14
Une illustration de la dissonance cognitive

Principe

Il faut venir en aide à quelqu'un qui tombe. → **Dissonance cognitive** ← **Comportement**

Quelqu'un a fait une chute et je ne l'ai pas aidé.

Solution : La personne a fait une chute. Elle n'avait pas vraiment besoin d'aide. Je ne l'ai pas aidée.

Les attentes

Schermerhorn *et al.* (1992) définissent les attentes comme la tendance à percevoir dans une situation ou chez un personne ce que l'on s'attend à trouver. En fait, tout le monde a déjà approché une situation en s'attendant à ce que certaines choses se produisent ou en s'attendant à ce que des personnes se comportent d'une certaine manière. Ces attentes ont une grande importance sur la manière de percevoir le monde. Voyons un exemple simple qui illustre cette affirmation. Quand on demande à quelqu'un « Comment ça va ? », on s'attend à ce que cette personne réponde « Très bien, merci » ; si, en fait, c'est ce qu'elle répond, mais avec la tête basse et l'air piteux, on aura tendance à ignorer cette information non verbale, parce que ce n'est pas ce à quoi on s'attendait. En conséquence, on conclura que la personne va très bien, ce qui n'est probablement pas le cas dans cet exemple.

Un des effets intéressants des attentes est ce que l'on appelle la prédiction prophétique (*self-fulfilling prophecy*). La prédiction prophétique peut être définie comme l'action de s'attendre à ce que certaines choses se produisent chez une personne, altèrent son comportement de telle sorte que ces choses se produisent.

Prenons l'exemple d'un gestionnaire qui croit qu'un de ses employés s'ennuie dans son travail et, par conséquent, qu'il quittera l'entreprise sous peu. Aussi le gestionnaire se préoccupe-t-il alors peu de cet employé en lui donnant le minimum d'attention et en attribuant aux autres employés les tâches intéressantes. En conséquence, l'employé finit par quitter l'entreprise même si, au départ, il n'en avait nullement l'intention.

2.5 L'ATTRIBUTION

L'attribution est le processus par lequel on tente de trouver les causes de son comportement ou de celui des autres personnes. Chacun se souvient certainement de plusieurs occasions où il a tenté d'expliquer son comportement ou celui de quelqu'un d'autre. En fait, chaque fois que l'on essaie d'expliquer le comportement de quelqu'un d'autre, on fait une attribution.

Les attributions ont une grande influence pour les gestionnaires et les employés. Entre autres, les évaluations du rendement sont souvent influencées par les attributions. Plus particulièrement, lorsque les gestionnaires procèdent aux évaluations, ils prennent souvent en considération les causes du comportement des employés qu'ils évaluent. La compréhension des causes du comportement est bien utile pour expliquer des comportements improductifs ou des situations conflictuelles.

Ainsi, dans le processus d'attribution, il est essentiel de déterminer comment celui qui perçoit explique le comportement : celui-ci est-il le résultat d'une cause interne ou d'une cause externe ? Si la cause est interne, on présume que la personne contrôle son comportement, alors que si la cause est externe, on présume qu'un facteur hors du contrôle de la personne provoque le comportement. Par exemple, si un étudiant dit qu'il a échoué à son examen parce qu'il n'a pas étudié, la cause est interne puisqu'il contrôle la quantité de temps et d'énergie qu'il alloue aux études. D'autre part, s'il affirme qu'il a échoué à son examen parce qu'il était trop difficile, la cause est externe : il ne contrôle pas le niveau de difficulté de l'examen.

Le psychologue H. Kelley (1992) a élaboré une théorie qui suggère que les gens déterminent si la cause d'un comportement est interne ou externe en observant le comportement des autres personnes. Cette observation permet d'évaluer le comportement selon trois paramètres, soit le consensus, la spécificité et l'uniformité de la conduite. Cette évaluation se fait à l'aide des questions suivantes :

- Pour l'évaluation du **consensus**, l'observateur se demande : «Est-ce que d'autres personnes placées dans la même situation se comporteraient de la même manière ? » ;

- Pour l'évaluation de la **spécificité**, l'observateur se demande : «Est-ce que cette personne se comporterait de la même manière si elle était placée dans une autre situation similaire ? » ;

- Pour l'évaluation de l'**uniformité de la conduite**, l'observateur se demande : «Est-ce que cette personne s'est déjà comportée de cette manière ? ».

Si l'évaluation indique que le comportement est hautement spécifique, fait un consensus et n'est pas uniforme, l'observateur attribuera une cause externe au comportement. Au contraire, si la spécificité et le consensus sont faibles et que l'uniformité est élevée, l'observateur attribuera une cause interne au comportement.

L'attribution d'une cause interne ou externe dépend de facteurs situationnels et personnels. Par exemple, à certaines occasions, les examens sont vraiment trop difficiles. Dans d'autres occasions, des facteurs personnels entrent en jeu. Ainsi, les gens qui ont une faible estime de soi attribuent davantage leurs échecs à des causes internes et leurs succès à la chance ou à la facilité de la tâche. Au contraire, ceux qui ont une haute estime de soi attribuent leurs succès à des causes internes.

De plus, le lieu de contrôle influence le type d'attribution. Les personnes qui ont une cote élevée sur le lieu de contrôle interne attribuent leur comportement à des causes externes. Il a aussi été démontré que les personnes qui ont un fort besoin d'accomplissement ont tendance à attribuer leurs succès à leurs habiletés et leurs échecs au manque d'effort. Ce sont deux causes internes. De plus, les gens qui s'attendent à échouer ont tendance à attribuer leurs échecs au manque d'habiletés. Ce dernier type d'attribution engendre souvent un sentiment d'incompétence et un état dépressif.

Très souvent, les employés font des attributions au sujet de leur rendement, et ces attributions mettent en évidence les causes suivantes : habileté, effort, difficulté de la tâche et chance. Les exemples suivants illustrent comment se présentent ces attributions au travail :

- **L'habileté :** «J'ai fait une excellente présentation parce que j'ai un talent naturel pour m'exprimer en public » ;

- **L'effort :** «J'ai fait une excellente présentation parce que je n'ai pas ménagé mes efforts pour me préparer » ;

- **La difficulté de la tâche :** « Mon rapport aurait été plus complet si j'avais eu plus d'expérience en gestion financière » ;
- **La chance :** « J'ai raté mon entrevue parce que je n'ai pas de chance. »

On peut noter que les attributions relatives aux habiletés et à l'effort sont internes parce que le rendement est sous le contrôle de l'individu. Au contraire, les attributions relatives à la difficulté de la tâche et à la chance sont externes parce que le travailleur n'a pas le contrôle sur ces événements. Lorsque l'on a du succès, on attribue sa réussite à des causes internes (« j'ai réussi parce que je suis bon, intelligent, débrouillard, etc. ») ; si l'on échoue par contre, l'échec sera associé à des causes externes (« j'ai échoué parce que l'examen était trop difficile » plutôt que « j'ai échoué parce que je n'ai pas assez étudié »). Souvent les employés vont expliquer leurs insuccès en blâmant leur supérieur ou leurs collègues, ou en les imputant aux déficiences du système. Ce comportement peut facilement créer des conflits et altérer le travail d'équipe.

CONCLUSION

Le comportement humain et la perception sont des phénomènes complexes déterminés entre autres par la personnalité, les attentes, les attitudes, les besoins, les états émotifs et les valeurs des individus. Le comportement est également influencé par la perception. Ainsi, il y a interrelation entre plusieurs des facteurs qui expliquent le comportement humain et la perception. La personnalité influence le comportement et, en même temps, elle a un effet sur la perception. La perception influence également le comportement.

La personnalité peut influencer la perception en créant une distorsion ou une mauvaise lecture de la situation. Le degré de distorsion varie selon certaines conditions : la distorsion perceptive sera vraisemblablement importante quand la situation est ambiguë ou quand une personne est mentalement malade. Ce dernier cas est illustré par la personne paranoïaque qui perçoit comme menaçants les objets et les gens, et qui réagit avec crainte. La perception est donc un sujet complexe.

Dans ce chapitre, nous avons donc essayé de présenter un résumé de la problématique du comportement humain, de la personnalité et de la perception dans ce qu'ils ont de plus complexe. Il existe une interrelation entre ces éléments et, pour comprendre le comportement des individus au travail, il faut tenir compte de tous les facteurs qui l'influencent. Chaque individu a sa propre vision du monde, sa propre personnalité, ses propres besoins, ses propres perceptions, ce qui le conduit à se comporter différemment selon les situations dans lesquelles il évolue et selon la perception qu'il en a. Pour arriver à cerner la problématique du comportement humain en milieu de travail, il faut connaître l'ensemble des facteurs présentés dans ce chapitre.

2 Questions de révision

1. Chaque individu possède une personnalité qui lui est propre et particulière. De quelle façon peut-on expliquer ce phénomène?

2. Quel est le lien existant entre la personnalité et le comportement? Ce lien permet-il de prédire le comportement d'autrui en fonction de la connaissance de certains traits de personnalité?

3. Qu'est-ce qu'une attitude? Utilisez les diverses composantes de cette notion ainsi que les interrelations les unissant afin de construire votre réponse.

4. Qu'est-ce qu'une perception? Utilisez les éléments influençant la perception de la réalité afin de construire votre réponse.

5. Nommez trois distorsions perceptuelles en les illustrant par un exemple concret.

6. Selon Kelley, pourquoi le comportement des autres est-il important dans la justification de ses propres comportements?

7. Expliquez brièvement l'enchaînement existant entre le comportement, la personnalité, les attitudes et les perceptions.

2 Autoévaluation

Jusqu'à quel point contrôlez-vous l'image que vous projetez ?

Lisez chacun des énoncés ci-après et encerclez la lettre V (vrai) ou F (faux) selon qu'il s'applique ou non à votre comportement.

1. J'ai de la difficulté à imiter
   le comportement d'autrui.   V   F

2. Lors d'une fête ou d'une réunion amicale,
   je n'essaie pas de faire ou de dire
   ce qui plaira aux autres.   V   F

3. Je ne peux défendre que les idées auxquelles
   je crois déjà.   V   F

4. Je peux faire un discours improvisé même
   sur un sujet que je connais à peine.   V   F

5. Je suppose que je joue la comédie
   pour impressionner ou divertir les autres.   V   F

6. Je serais probablement un bon acteur.   V   F

7. C'est rarement sur moi que se concentre
   l'attention à l'intérieur d'un groupe.   V   F

8. J'agis fréquemment d'une manière très différente
   selon les circonstances et selon les personnes
   avec lesquelles je me trouve.   V   F

9. Je ne réussis pas très bien
   à me faire aimer des autres.   V   F

10. Je ne suis pas toujours tel que je semble être.   V   F

11. Il n'est pas question que je change ma façon
    de voir les choses (ou ma façon d'agir) pour plaire
    aux autres ou pour gagner leur approbation.   V   F

12. J'ai déjà songé à être acteur.   V   F

13. Je n'ai jamais été très doué pour les jeux comme
    les charades, ou pour l'improvisation théâtrale.   V   F

14. J'ai de la difficulté à modifier mon comportement
    pour m'adapter aux gens et à la situation.   V   F

15. Au cours d'une fête, je laisse les autres faire
des blagues et raconter des histoires.   V   F

16. Je me sens un peu gauche en présence
d'autres personnes et je ne fais pas
une aussi bonne impression que je le devrais.   V   F

17. Je peux mentir à n'importe qui sans broncher
en le fixant droit dans les yeux (si c'est pour
une bonne cause).   V   F

18. Il m'arrive de duper quelqu'un en me montrant
amical envers lui alors que je ne l'aime pas du tout.   V   F

Accordez-vous un point pour chaque V que vous avez encerclé aux énoncés 4, 5, 6, 8, 10, 12, 17 et 18. De même, attribuez-vous un point pour chaque F que vous avez encerclé aux énoncés 1, 2, 3, 7, 9, 11, 13, 14, 15 et 16. Faites le total pour connaître votre résultat.

Si vous avez obtenu 11 points ou plus, vous contrôlez sans doute dans une large mesure l'impression que vous créez. Si vous avez obtenu 10 points ou moins, vous n'exercez qu'un faible contrôle sur l'image que vous projetez.

Source : Traduit de Snyder (1987). Reproduction autorisée.

Références

ARGYRIS, C. (1993). «Looking Backward and Inward in Order to Contribute to the Future», dans A. BEDEIN (sous la direction de), *Leaders in Management. Theory and Practice*, vol. I, JAI Press, Greenwich.

ASCH, S.E. (1952). *Social Psychology,* Prentice-Hall, Englewood Cliffs, New Jersey.

BIRREN, F. (1978). *Color in your World*, MacMillan Publishing Co., New York.

DAY, W.C. (1980). «The Physical Environment Revisited», *CEFP Journal,* mars-avril.

DELORME, A. (1982). *Psychologie de perception,* Études Vivantes, Montréal.

DUMONT, L. (1987). «Les motivations au travail des agents de la fonction publique», dans *Psychologie du travail et nouveaux milieux de travail, Actes du IVe Congrès international de psychologie du travail de langue française*, Presses de l'Université du Québec, Montréal, p. 360-367.

FESTINGER, L. (1957). *A Theory of Cognitive Dissonance*, Stanford University Press, Stanford, Calif.

FISHER, C.D. (1980). «On the Dubious Wisdom of Expecting Job Satisfaction to Correlate with Performance», *Academy of Management Review*, no 5, p. 607-612.

KAHN, R. (1952). *Attitudes and Opinions of Non-Supervisory Factory Employees*, Institute of Social Research, Ann Arbor.

KELLEY, H.H. (1992). «Attribution in Social Interaction», dans E. JONES (sous la dir. de), *Attribution : Perceiving the Causes of Behavior*, General Learning Press, Morristown, N.J.

LEEPER, R. (1935). «An Experiment with Ambiguous Figures», *Journal of Genetic Psychology*, vol. 46, p. 61-73.

LEWIN, K. (1947). «Frontiers of Group Dynamics», *Human Relations*, vol. 1, p. 5-41.

MAYFIELD, E.C., BROWN, S.H., et HAMSTRA, B.W. (1980). «Selection Interview in the Life Insurance Industry : An Update in Research and Practice», *Personnel Psychology*, vol. 33, p. 725-740.

SCHERMERHORN, J.R. Jr., TEMPLER, A.J., CATTANEO, R.J., HUNT, J.G., et OSBORN, R.N. (1992). *Managing Organizational Behavior : First Canadian Edition*, John Wiley and Sons, Toronto.

SCHNEIDER, B. (1985). «Organizational Behavior», *Annual Review of Psychology*, no 36, p. 573-611.

SHERIF, M. (1935). «A Study of Some Social Factors in Perception», *Archives of Psychology*, vol. 27, no 187.

SNYDER, M. (1987). *Public Appearances, Private Realities : The Psychology of Self-Monitoring*, W.H. Greeman and Co.

WEBSTER, E.C. (1964). *Decision Making in the Employment Interview*, Industrial Relations Center, Université McGill, Montréal.

WEBSTER, E.C. (1982). *The Employment Interview*, SIP Publications, Schomberg.

CHAPITRE

3

La motivation au travail

Plan

CHAPITRE 3 Objectifs d'apprentissage

Dans ce chapitre, le lecteur se familiarisera avec :

– les paramètres entourant le concept de motivation (besoins, pulsions, forces, etc.) ;

– le processus par lequel émerge la motivation et qui mène à l'adoption de comportements particuliers ;

– la distinction existant entre les théories de contenu et les théories de processus ;

– les parallèles et les différences existant entre les théories s'attardant à l'explication du contenu de la motivation ;

– les parallèles et les différences existant entre les théories s'attardant à l'explication du processus de la motivation ;

– les divers types d'applications auxquelles se prêtent chacune des théories expliquant les multiples facettes de la motivation ;

– certaines conditions d'application sous-jacentes aux conceptions théoriques, et qui résultent des forces et des faiblesses rattachées à la définition de la motivation.

POINT DE VUE
D'UN GESTIONNAIRE

JEAN-GUY PAQUET,
ex-président
Laurentienne Vie inc.

La motivation au travail, c'est important !

Dans sa dynamique de gestion des ressources humaines, la Laurentienne Vie a toujours considéré son personnel comme son moteur principal. Dans un contexte économique en perpétuelle mutation, les efforts d'efficacité, de productivité et de profitabilité ne peuvent se réaliser sans une motivation évidente des employés. Le niveau de celle-ci varie en fonction de trois facteurs :

- l'individu lui-même, qui en est le point de départ ;
- le milieu, qui en favorise le maintien par la mise en place de mécanismes appropriés ;
- l'interaction individu-milieu, qui rallie les besoins individuels et organisationnels.

Intrinsèquement reliée à la personne, la motivation repose sur un besoin à satisfaire. Elle prend donc sa source à l'intérieur de la personne qui agit. Le travailleur se doit de se prendre en charge dans un premier temps ; il est responsable de la satisfaction de ses besoins.

Le milieu, quant à lui, servira de catalyseur en aidant l'individu à identifier ce qui le motive et en lui proposant des éléments qui soutiennent sa motivation et mobilisent son énergie. C'est dans ce cadre que la mobilisation d'une organisation comme la nôtre prend tout son sens.

À la Laurentienne Vie nous considérons que la mise en place d'un cadre d'activités permettant aux employés de tirer satisfaction de leur travail, d'une part, de s'intéresser et de participer à la vie de l'entreprise, d'autre part, se traduira par une saine gestion et surtout un degré de mobilisation élevé.

Nous croyons qu'en jumelant les besoins des individus au travail (formation, progression de carrière, reconnaissance, valorisation de soi) à ceux de l'organisation, nous générons chez nos employés toute la motivation requise pour l'atteinte de nos objectifs d'affaires.

Un programme de communication interne soutenu et pratiqué bidirectionnellement est devenu un instrument privilégié de mobilisation. Maintenir des liens de communication empreints d'une grande ouverture et fondés sur la confiance mutuelle favorise le rapprochement, valorise l'individu au travail et entretient un fort sentiment d'appartenance envers une entreprise. Le journal d'entreprise, les rencontres d'informations et d'échanges sur les objectifs de l'entreprise, les réunions d'équipes de travail, les comités consultatifs, les cercles de qualité, etc., sont autant de mécanismes développés au fil des ans à la Laurentienne Vie et qui

→

génèrent l'initiative individuelle et collective. Un comité consultatif composé d'employés et un autre exclusif aux gestionnaires concrétisent le style de gestion participatif mis de l'avant et offrent des opportunités d'influencer les décisions.

Une préoccupation pour la formation continue constitue un outil privilégié d'appariement des besoins individuels et organisationnels. D'une part, des individus mieux formés sont normalement plus performants, répondant ainsi aux besoins d'efficacité, de productivité et de rentabilité de l'entreprise. D'autre part, la formation répond également au besoin de progression de carrière de l'individu, ce qui renforce d'autant sa motivation personnelle. Des programmes développés sur mesure pour combler les besoins identifiés préparent et stimulent le personnel à relever de nouveaux défis ou à s'adapter aux changements.

Afin de donner plus de visibilité aux initiatives de nos ressources humaines et à leur contribution aux succès de l'entreprise, un programme de reconnaissance a vu le jour. Ce programme organisationnel conçu pour favoriser l'excellence au travail procure aux gestionnaires un moyen efficace pour stimuler l'implication et, par voie de conséquence, la motivation des employés à un rendement supérieur et valorisant.

À ce programme de reconnaissance individuelle et collective s'ajoutent plusieurs autres initiatives pour signaler la contribution de nos ressources humaines et aussi apporter une attention particulière à leur bien-être, tels nos programmes-conseils de santé et d'aide aux problèmes de vécu personnel.

Entretenir la motivation de son personnel, le mobiliser autour du défi d'entreprise est exigeant autant pour la direction que pour les employés. Afin de générer et de rallier l'initiative et l'engagement des ressources humaines, il importe que les dirigeants stimulent et canalisent l'énergie de leurs gestionnaires qui feront de même avec leur personnel. La motivation qui en découle est l'affaire de tous et une affaire de tous les instants.

Bref, notre philosophie de gestion s'appuie sur les principes suivants :

Pour être motivé, il faut comprendre ce que l'on fait et y adhérer; ceci suppose communication et participation. Nous sommes motivés lorsque nous croyons en ce que nous faisons, avons confiance en ceux qui nous dirigent, avons le sentiment de nous développer et d'être reconnus.

INTRODUCTION

De tous les sujets abordés en psychologie du travail et des organisations, la motivation est de loin le plus important. Les chercheurs et les employeurs se sont toujours intéressés à la compréhension et à l'utilisation des facteurs qui expliquent pourquoi les individus offrent ou n'offrent pas le rendement que l'on attend d'eux. Un examen rapide de diverses organisations permet de constater qu'il existe de grandes fluctuations en ce qui a trait au rendement offert par les travailleurs. Comment est-il possible que certains individus possédant de remarquables habiletés fournissent un rendement nettement inférieur à celui de travailleurs en possédant moins ? Comment peut-on inciter un individu à fournir un rendement correspondant à son potentiel ?

C'est par l'examen du phénomène de la motivation au travail que nous tenterons de répondre à ces questions. Le présent chapitre traitera donc de la motivation au travail telle qu'elle est définie dans le cadre des théories de contenu et des théories de processus. Le tableau 3.1 fait état des différentes approches qui seront abordées dans ce chapitre.

Avant de passer à l'explication de ces différentes théories, nous tenterons de circonscrire globalement le phénomène de la motivation en regardant les différentes facettes, composant cette thématique très contemporaine.

TABLEAU 3.1
Une classification des théories de la motivation

Classification	Théories	Particularités
Théories de contenu	Théorie des besoins de Maslow Théorie des deux facteurs de Herzberg Théorie ESC d'Alderfer Théorie de McClelland	Ces théories ont pour objet d'énumérer, de définir et de classifier les différentes forces ou pulsions qui incitent un individu à adopter une attitude ou un comportement particulier.
Théories de processus	Théorie de l'expectative de Vroom Théorie béhavioriste Théorie de l'équité d'Adams Théorie des objectifs de Locke	Ces théories tentent d'expliquer de quelle façon les forces interagissent avec l'environnement pour amener l'individu à adopter un comportement particulier.

3.1 LE PHÉNOMÈNE DE LA MOTIVATION

3.1.1 Qu'est-ce que la motivation ?

Il existe de nombreuses définitions du terme « motivation ». Certaines sont très exhaustives alors que d'autres le sont moins, selon le point de vue adopté par l'auteur. Elles ont toutefois toutes en commun de définir la motivation comme **l'ensemble des forces incitant l'individu à s'engager dans un comportement donné**. Il s'agit donc d'un concept qui se rapporte tant aux facteurs internes (cognitifs) qu'externes (environnementaux) qui invitent un individu à adopter une conduite particulière.

Ainsi, dans certaines définitions, la lumière est mise sur les facteurs internes, alors que dans d'autres, ce sont les facteurs externes qui prédominent. On associe les facteurs internes aux motifs ou aux besoins qui poussent un individu à adopter un comportement précis. Si, par ailleurs, la personne est contrainte de faire quelque chose ou si on l'incite fortement à agir dans une direction prédéterminée, elle est amenée à réagir à des pressions qui sont associées à des facteurs externes. F. Taylor, par exemple, a misé sur les facteurs externes pour motiver les employés en les récompensant monétairement en fonction de leur rendement. De nos jours, même si on cherche encore à motiver les gens à l'aide de facteurs externes, on souhaite que des facteurs internes pousseront les employés à agir conformément aux besoins de l'entreprise, tout en satisfaisant leurs propres besoins.

Mais, malgré ces précisions, la motivation demeure difficile à définir concrètement. Il suffit de s'en rapporter aux diverses études publiées dans ce domaine pour constater la difficulté qu'ont les auteurs à saisir toute l'envergure de ce concept. Toutefois, du point de vue organisationnel, on semble s'entendre pour dire qu'une personne motivée persiste à fournir les efforts nécessaires afin d'effectuer convenablement une tâche et qu'elle adopte des attitudes et des comportements qui lui permettent d'atteindre conjointement ses objectifs personnels.

En ce qui a trait à la définition générale de la motivation, nous avons choisi celle de Lagache telle qu'elle est proposée par Piéron (1951, p. 286) dans son dictionnaire de la psychologie :

> *Prise dans son sens général, la motivation, selon Lagache, correspond à une modification de l'organisme qui le met en mouvement jusqu'à réduction de cette modification. C'est aussi un facteur psychologique prédisposant l'individu à accomplir certaines actions ou à tendre vers certains buts.*

De cette définition ressort la notion de force ou de pulsion qui incite les individus à adopter une conduite particulière. En fait, selon l'ensemble des auteurs dans ce domaine, cette notion constitue la pierre angulaire de la motivation. Ainsi, on peut associer la motivation à des forces et à des pulsions constantes qui favorisent l'apparition d'un comportement et qui le dirigent de telle sorte qu'il répondra aux besoins. Autrement dit, la motivation se développe par le biais d'une « énergie » (force ou pulsion) qui pousse les individus à adopter une conduite permettant l'élimination d'une certaine tension. C'est cette dynamique qui encourage l'employé à poursuivre son travail, et à satisfaire ses besoins physiques et psychologiques par l'action qu'il adopte. La motivation constitue donc un phénomène intériorisé (besoins, désirs, buts convoités) qui invite les individus à agir d'une manière particulière.

3.1.2 Pourquoi les gens travaillent-ils?

En 1960, D. McGregor tenta d'expliquer les raisons qui motivent les gens à travailler en élaborant les théories X et Y. Globalement, ces théories présentent la motivation des employés telle qu'elle est perçue par leurs supérieurs.

La théorie X postule que les gens, en général, n'aiment pas le travail, n'ont pas d'ambition et fuient toutes formes de responsabilités. McGregor soutient alors que les gestionnaires qui adhèrent à cette théorie croient qu'il faut modifier, contrôler et diriger le comportement de leurs subordonnés afin de satisfaire les besoins de l'organisation. Si les gestionnaires refusent d'exercer un contrôle strict et rigoureux, les employés risquent de ne pas adopter les comportements conduisant à l'atteinte des objectifs organisationnels. Ainsi, une surveillance étroite est indispensable afin de motiver les individus, lesquels, par nature, n'aiment pas travailler. Le renforcement positif, comme l'argent, représente dans un tel contexte un puissant élément motivant et explique, en partie, pourquoi ces individus travaillent.

Toutefois, dans la réalité, on constate que ce ne sont pas tous les individus qui détestent le travail. Plusieurs sont motivés à travailler, et ce indépendamment des menaces ou des punitions. Plusieurs personnes admissibles à la retraite, par exemple, préfèrent demeurer actives, que ce soit dans le monde du travail à proprement parler ou à titre de bénévoles au sein d'organismes communautaires. De plus, comment expliquer que des gens financièrement à l'aise préfèrent être actifs dans le monde du travail plutôt que mener une vie

oisive? Ces observations nous obligent à mettre en doute le postulat X de McGregor. En effet, la théorie X omet de tenir compte des facteurs intrinsèques qui peuvent alimenter la motivation au travail.

La théorie Y de McGregor vient néanmoins combler ces lacunes en cherchant à expliquer la motivation par des facteurs intrinsèques. Dans le cadre du postulat Y, les gens aiment travailler, c'est-à-dire qu'ils éprouvent du plaisir à l'intérieur de l'activité de travail. Par conséquent, le travail, comme le repos et les loisirs, représente un moment plaisant. Les gestionnaires qui adoptent ce point de vue considèrent que les travailleurs recherchent les responsabilités et l'autonomie, et qu'ils font preuve d'ingéniosité et de créativité dans l'accomplissement de leurs tâches.

Ce point de vue intéressant comporte toutefois lui aussi des limites. En effet, cette vision des employés est trop optimiste. D'un côté, la théorie X postule que tous les travailleurs sont paresseux et n'aiment pas travailler alors qu'à l'opposé, dans la théorie Y, on considère que tout le monde est dynamique et aime le travail autant que les loisirs. Une explication intermédiaire est plus plausible. On constate en effet que, dans la réalité, certaines personnes aiment travailler alors que d'autres préfèrent le repos et les loisirs. Les raisons qui motivent les gens à travailler diffèrent: certains travaillent pour gagner de l'argent, d'autres pour rencontrer des gens et quelques-uns par amour du travail ou par obligation. Ainsi, même s'il est intéressant, le point de vue de McGregor est trop réductionniste. La motivation au travail s'explique plutôt par une multitude de facteurs qui s'accolent à chaque individu de façon idiosyncratique.

3.1.3 La dynamique de la motivation

Motiver un individu n'est pas une tâche facile pour un gestionnaire, car il doit adapter ses efforts aux particularités de cet individu, fondamentalement différent de tout autre individu, en raison des attitudes, des comportements, des objectifs, des antécédents et, particulièrement, des besoins qui lui sont propres.

Les besoins consistent en des déficiences physiologiques, psychologiques ou sociales qu'un individu ressent ponctuellement. Ces déficiences, qui agissent isolément ou en combinaison, incitent l'individu à adopter une attitude ou un comportement particulier. Elles constituent donc la source des forces et des pressions qui motivent l'individu à adopter une conduite précise. Ainsi, selon certains théoriciens, la motivation est inférée de l'attitude ou du comportement manifesté par l'individu lorsqu'il s'efforce d'atteindre un objectif déterminé. L'atteinte de l'objectif viendra considérablement réduire l'inconfort résultant de la déficience ressentie, et l'intensité de la motivation diminuera parallèlement. Ainsi, dans cette logique, le rôle du gestionnaire est de favoriser la reconduction des besoins et d'offrir aux employés la possibilité de les assouvir.

Le modèle de base présenté à la figure 3.1 illustre la tendance des individus à atténuer l'inconfort provenant d'un besoin insatisfait. Les déficiences, se définissant principalement comme étant un écart entre un état actuel et un état désiré, déclenchent une recherche de moyens afin d'éliminer la tension émanant de l'écart ressenti. C'est alors qu'une action potentiellement efficace est retenue et qu'un comportement orienté vers l'objectif visé apparaît. Ce comportement sera naturellement suivi d'une conséquence (positive ou négative), laquelle sera évaluée en fonction de la réduction de l'écart et de la tension qu'elle propose. Donc, tout le processus de motivation au travail repose sur l'orientation des comportements en fonction de la manipulation des conséquences associées à chacun des comportements adoptés par les travailleurs.

Le modèle de base de la figure 3.1 servira de référence tout au long de notre exposé sur les différentes théories de la motivation au travail. Ce modèle se veut un point d'ancrage important permettant de comprendre la portée de chacune des théories ou conceptions relatives à la compréhension de la motivation.

3.1.4 Les caractéristiques de la motivation

L'effort, la persistance et l'orientation constituent les trois principales caractéristiques de la motivation. L'**effort** représente la force ou l'énergie (physique ou psychologique) fournie par un individu dans la poursuite de ses objectifs. La **persistance** renvoie à la notion de persévérance et de constance dont fait preuve un individu lorsqu'il adopte un comportement ou lorsqu'il accomplit une tâche. Enfin, alors que l'effort et la persistance se rapportent à la quantité d'énergie et de travail fournie, la dernière caractéristique de la motivation, l'**orientation**, renvoie à la qualité et à la pertinence des comportements adoptés ; en ce sens, l'orientation privilégiée par l'individu doit idéalement correspondre à l'orientation de l'organisation.

FIGURE 3.1
La motivation : un modèle de base

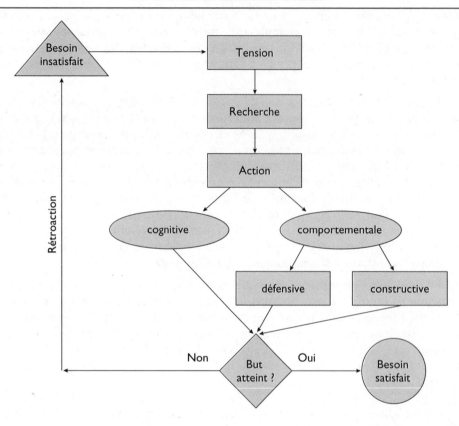

Il importe en effet qu'il y ait concordance entre les objectifs des employés et ceux de l'employeur. Bien qu'on ait longtemps pensé que ces deux types d'objectifs étaient diamétralement opposés, il semble évident aujourd'hui qu'il est possible de concilier les buts individuels et les buts organisationnels. Au-delà de l'intérêt porté à l'effort et à la persistance, il est donc essentiel que les gestionnaires soient attentifs aux besoins particuliers des travailleurs et qu'ils réussissent à les faire correspondre à ceux de l'organisation. Lorsque les besoins s'alignent dans une direction commune, l'effort et la persistance de la motivation sont alors d'autant plus faciles à contrôler.

3.2 LES THÉORIES DE LA MOTIVATION

Il est difficile de motiver une personne. En entreprise, la motivation du personnel exige de tenir compte d'un ensemble de variables dont certaines sont internes à l'organisation et d'autres externes, de sorte qu'on ne peut espérer un succès instantané. Aucune des théories que nous décrivons dans les pages qui suivent ne constitue une panacée vis-à-vis des problèmes de motivation rencontrés dans les entreprises. Sont présentées, néanmoins, des informations utiles afin d'améliorer le niveau de motivation des travailleurs.

Nous avons divisé cette section en deux grandes catégories : les théories de contenu et les théories de processus.

3.2.1 Les théories de contenu

Les théories de contenu portent sur les facteurs qui incitent à l'action. Elles présentent les divers besoins ressentis par les individus ainsi que les conditions qui les motivent à satisfaire ces besoins. Par ces théories, on tente donc d'expliquer ce qui motive une personne à se conduire d'une manière plutôt que d'une autre dans certaines circonstances.

La théorie des besoins de Maslow

La théorie de la motivation la plus connue est sans aucun doute la théorie des besoins conçue par A.H. Maslow. Ce chercheur reconnaît l'existence de cinq catégories de besoins s'organisant selon une structure hiérarchique. Il y a tout d'abord les besoins physiologiques, suivis des besoins de sécurité, des besoins d'appartenance, des besoins d'estime et, finalement, des besoins d'actualisation. Selon Maslow, ces besoins ne peuvent être ressentis simultanément chez un individu. Ils sont plutôt perçus successivement selon un ordre bien établi. La figure 3.2 illustre la séquence d'apparition des besoins définis par Maslow, les besoins étant ressentis successivement, partant de la base de la pyramide et allant jusqu'au sommet de cette dernière.

Attardons-nous maintenant à la nature de chacun de ces besoins.

Les besoins physiologiques

On n'arrive jamais à satisfaire entièrement tous ses besoins. À peine en a-t-on comblé un qu'un autre le remplace et demande à être satisfait. Le processus est continu et se perpétue tout au long de la vie.

Nous l'avons dit, sur la pyramide de Maslow, les besoins sont classés par ordre d'importance. Les besoins physiologiques, qui se trouvent à la base, deviennent vite, s'ils ne sont pas comblés, une préoccupation essentielle de survie. Ainsi, généralement et à moins de circonstances très particulières, les besoins physiologiques priment sur tout autre type de besoin. Comme exemples de besoins physiologiques, mentionnons la nourriture, le repos, l'exercice et la sexualité.

Par ailleurs, soulignons un principe souvent oublié : un besoin satisfait n'est plus nécessairement un facteur déterminant du comportement. L'air que l'on respire, à moins d'en être privé, n'aura aucun effet de motivation appréciable sur le comportement.

La société dans laquelle on vit oblige l'individu à travailler ou, à tout le moins, à se procurer de l'argent afin d'assouvir ses besoins physiologiques. Sans argent, il est difficile, voire impossible, de satisfaire ses besoins primaires.

Les besoins de sécurité

Lorsque les besoins physiologiques sont convenablement assouvis, les besoins de sécurité émergent et suscitent l'adoption de comportements visant leur

FIGURE 3.2
Les composantes de la théorie des besoins de Maslow

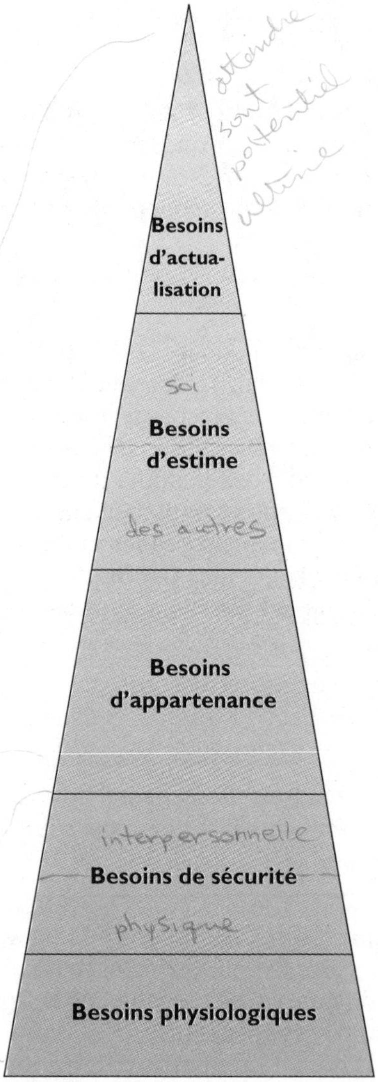

	Caractéristiques	Exemples
Besoins d'actualisation	Besoins d'actualisation de soi, de réalisation de ses projets, de perfectionnement, de création et de maximisation de son potentiel.	Permettre aux employés de relever des défis, de pouvoir utiliser pleinement leurs habiletés et leurs connaissances, et leur laisser une certaine autonomie dans l'exécution et la gestion de leurs tâches.
Besoins d'estime	Besoins d'estime de soi, de confiance en soi, d'indépendance, d'épanouissement, de compétence et de savoir. Besoins de reconnaissance, de prestige social, de considération et du respect de ses pairs.	Faire confiance aux employés en relâchant la supervision, offrir des marques de reconnaissance pour un travail bien accompli.
Besoins d'appartenance	Besoins de propriété, d'association, d'échange avec ses semblables, de partage d'amitié et d'amour.	Favoriser la syndicalisation et le travail en équipe pour les employés, encourager les relations de travail harmonieuses entre les collègues et les superviseurs.
Besoins de sécurité	Besoins de protection contre le danger, la menace, la privation et l'arbitraire.	Assurer aux employés une sécurité d'emploi, des plans d'assurances convenables, un milieu de travail sécuritaire, les traiter avec équité.
Besoins physiologiques	Besoins de nourriture, de repos, d'exercice et de logement.	Procurer aux employés un salaire convenable.

satisfaction. Les besoins de sécurité sont reliés à la protection immédiate et future de l'individu. Dans l'entreprise, il s'agit, par exemple, d'une certaine sécurité d'emploi, de plans d'assurances, d'un régime de retraite valable, d'un environnement de travail confortable, structuré, ordonné et sécuritaire. Il peut également s'agir d'une protection contre l'injustice, de la liberté d'association et de l'allocation d'un salaire décent. En fait, les besoins de sécurité consistent en tout moyen ou outil servant à protéger l'individu contre le danger ou la menace.

En général, l'individu n'exige pas la sécurité absolue. Tout ce qu'il désire, c'est de mettre toutes les chances de son côté. S'il croit avoir réussi, il consentira davantage à prendre des risques. Toutefois, selon McGregor (1957), le besoin de sécurité peut revêtir une importance considérable aux yeux de l'employé qui se sent en état de dépendance dans son entreprise. Des gestes arbitraires posés par la direction, un comportement qui fait naître l'incertitude quant à la sécurité d'emploi, le favoritisme et la discrimination peuvent en effet être des agents de motivation puissants en ce qui a trait aux besoins de sécurité des employés.

Ainsi, les besoins de sécurité des travailleurs sont en partie comblés lorsqu'ils occupent un emploi permanent, à temps complet. En effet, cet emploi leur fournit un salaire régulier qui leur permet généralement de se nourrir convenablement et d'avoir l'assurance de pouvoir se loger et se vêtir.

Dans certaines entreprises, la syndicalisation procure aux employés une certaine sécurité. La négociation d'un contrat de travail peut effectivement leur assurer, pour un certain temps, une sécurité d'emploi et un salaire leur permettant de respecter leurs engagements personnels. De plus, les employés syndiqués affirment que les règles de conduite contenues dans le contrat de travail collectif les protègent contre les décisions arbitraires que pourrait prendre l'employeur à leur égard. Ainsi, la convention collective assure aux employés un environnement à l'abri de changements soudains qui pourraient leur causer préjudice : cette stabilité de l'environnement et des conditions de travail leur procure donc un sentiment de sécurité.

Les besoins d'appartenance

Lorsque les besoins physiologiques et le bien-être ne sont plus une source d'inquiétude, les besoins d'affiliation et d'appartenance à un milieu social émergent. Cette nouvelle catégorie regroupe les besoins d'amitié, d'affiliation et d'amour, comme le désir de travailler en équipe et de nouer des relations avec son entourage. Le besoin d'affiliation et d'appartenance incite les gens à faire partie d'associations ou de regroupements et à collaborer avec les individus qui les entourent.

Les dirigeants d'entreprises connaissent aujourd'hui l'existence de ces besoins et les perçoivent souvent, à tort d'ailleurs, comme une menace pour l'organisation. De nombreuses études ont démontré qu'un groupe parfaitement cohérent peut, dans des circonstances favorables, se révéler beaucoup plus efficace qu'un nombre égal d'employés travaillant individuellement à l'atteinte des objectifs de travail (McGregor, 1960). Néanmoins, craignant que des employés groupés puissent s'opposer aux objectifs qu'elle vise, la direction s'applique souvent à contrôler et à diriger leurs comportements afin d'éviter toute forme de regroupement. Pourtant, lorsque les travailleurs se sentent frustrés face à l'impossibilité de satisfaire leurs besoins sociaux, ou tout autre type de besoins, ils sont susceptibles d'adopter des comportements qui nuiront au bon fonctionnement organisationnel, par exemple, une attitude de résistance, d'hostilité ou de refus catégorique par rapport à toute forme de participation.

Les besoins d'estime

Dans l'entreprise, les besoins d'estime sont satisfaits dans la mesure où, d'une part, les travailleurs ressentent un sentiment de fierté à la suite de la maîtrise des tâches qu'on leur confie et, d'autre part, ils reçoivent une reconnaissance de leurs pairs et de l'organisation en conséquence de cette maîtrise. Ces besoins, une fois satisfaits, devraient entraîner une meilleure qualité de production et, en ce sens, ils ont de l'importance aux yeux des dirigeants et des travailleurs.

Les besoins d'estime peuvent être partagés en deux catégories. Il y a d'abord les besoins qui concernent l'estime de soi, c'est-à-dire les besoins de confiance en soi, d'indépendance, d'épanouissement, de compétence et de savoir. Il y a ensuite les besoins qui touchent à la reconnaissance de la compétence par les collègues et par l'organisation. Cette reconnaissance peut se manifester par la considération, le respect, les promotions et la valorisation des titres professionnels.

Contrairement aux autres besoins, les besoins d'estime sont pratiquement insatiables, car lorsque l'individu se rend compte de ce qu'ils signifient pour lui, il les recherche inlassablement. Cependant, ils ne se manifesteront que lorsque les besoins physiologiques, de sécurité et d'appartenance auront été raisonnablement satisfaits.

Les employés situés aux paliers inférieurs de l'échelle hiérarchique trouvent peu d'occasions au sein de l'organisation industrielle typique de satisfaire leurs besoins d'estime. Les méthodes traditionnelles de gestion accordent en effet peu d'attention à cet aspect de la motivation humaine.

Les besoins d'actualisation

Au sommet de la hiérarchie des besoins prennent place ceux que l'on appelle les besoins de réalisation de soi ou d'actualisation. Il s'agit du besoin qu'éprouve une personne de réaliser ses aspirations, de se perfectionner et de créer, au sens le plus large du terme (McGregor, 1957).

Soulignons que les obligations rattachées à la satisfaction des besoins situés aux niveaux inférieurs de la hiérarchie obligent souvent les individus à remettre à plus tard les projets correspondant à leurs idéaux de réalisation de soi.

Maslow soutient que les gens qui ont satisfait les besoins les plus élevés de la pyramide ont une perception claire de la réalité. De plus, ces gens s'acceptent et acceptent les autres plus facilement. Ils se montrent plus indépendants, créatifs et apprécient sereinement le monde environnant. Ces gens entrent souvent dans une phase génératrice permettant à d'autres personnes de poursuivre leur cheminement vers l'actualisation de soi.

Une application de la théorie

Il y a un peu plus d'une décennie, un gestionnaire anonyme a tenté d'expliquer la montée au pouvoir du Parti québécois, alors dirigé par René Lévesque, à l'aide de la théorie des besoins de Maslow ; voici cette explication.

Dans les années précédant l'accession au pouvoir du Parti québécois, de nombreuses améliorations économiques et sociales (syndicalisation, hausse des salaires, accès à la propriété et à l'éducation, etc.) avaient entraîné la satisfaction des besoins de premier niveau des Québécois. Ainsi la conjoncture sociale et économique favorisait-elle alors ce parti qui offrait aux Québécois la possibilité de satisfaire des besoins d'ordre supérieur par le biais du nationalisme. Les besoins satisfaits n'offrant plus le même pouvoir d'attraction, les Québécois ont en effet majoritairement élu le parti qui leur offrait la possibilité de satisfaire de nouveaux besoins. Par la suite, la détérioration du climat économique a créé un climat d'insécurité qui a ramené la population vers la satisfaction des besoins physiologiques et de sécurité, tout en les éloignant des besoins qu'aurait pu satisfaire le nationalisme.

Ressortent de cette analyse les deux principes qui gouvernent les besoins : le principe du manque et celui de la progression. Selon le **principe du manque**, un besoin ne se fait sentir que lorsqu'il n'est pas satisfait, et un besoin satisfait perd son caractère motivant. Quant au **principe de la progression**, il détermine la séquence d'apparition des besoins. Ceux-ci ne peuvent surgir qu'en suivant un ordre particulier, soit celui établi dans le modèle de la hiérarchie des besoins de Maslow.

La théorie ESC d'Alderfer

C.P. Alderfer (1969) reconnaît que les besoins sont étroitement associés à la motivation. Cependant, ses recherches ne lui permettent pas d'établir une hiérarchie stricte des besoins, comparable à celle de Maslow, même si, dans certains cas, il admet qu'une progression a pu être observée. Par ailleurs, Alderfer classe les besoins en trois ensembles, constitués des besoins d'existence (E), des besoins de sociabilité (S) et des besoins de croissance (C), d'où l'appellation « théorie ESC » (voir la figure 3.3) ; en voici une brève description :

- **Les besoins d'existence.** Il s'agit des besoins primaires trouvant satisfaction par le biais, d'une part, de la nourriture, de l'air et de l'eau, et, d'autre part, du salaire, des avantages sociaux et des conditions de travail. En somme, cette catégorie correspond aux besoins fondamentaux d'une personne sur les plans physiologique et matériel. En ce sens, elle s'apparente aux besoins physiologiques et de sécurité de Maslow ;

- **Les besoins de sociabilité.** Ces besoins sont satisfaits lorsque l'individu établit des relations interpersonnelles significatives. Ils regroupent les besoins sociaux, les besoins de sécurité interpersonnelle et les besoins d'affiliation qui poussent une personne à développer des relations avec son

FIGURE 3.3
La théorie d'Alderfer

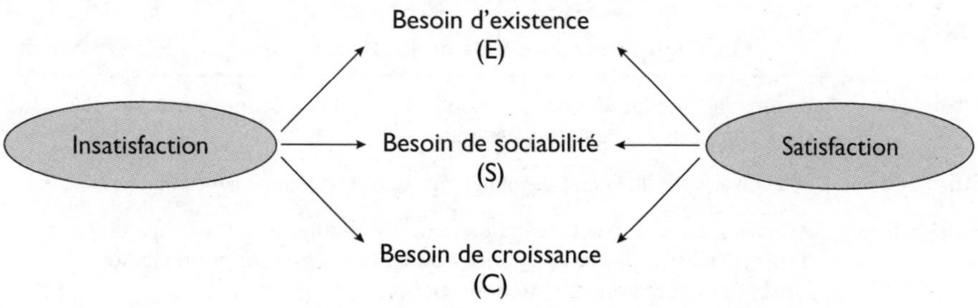

entourage et à rechercher la reconnaissance et l'estime. Cette catégorie de besoins s'apparente donc aux besoins d'appartenance et d'estime de Maslow, tout en chevauchant en partie les besoins de sécurité ;

- **Les besoins de croissance.** Ces besoins sont assouvis lorsqu'un individu parvient à créer ou à produire des contributions significatives en ayant le sentiment qu'il utilise son plein potentiel et qu'il réalise des projets concrets. Ces besoins s'apparentent aux besoins de réalisation ou d'actualisation de Maslow.

Essentiellement, la théorie d'Alderfer se différencie de la théorie de Maslow par le fait qu'elle rejette la rigidité de la préséance hiérarchique des besoins. En effet, contrairement à Maslow, Alderfer soutient qu'un individu peut aussi bien régresser que progresser dans la hiérarchie des besoins. Dans la même logique, aucun ordre prédéterminé d'assouvissement n'est imposé aux besoins. Ainsi, une personne qui est frustrée lorsqu'elle cherche à satisfaire ses besoins de réalisation peut canaliser ses énergies vers la satisfaction de ses besoins sociaux. Alderfer explique ce phénomène de régression par la frustration causée par l'impossibilité de répondre de façon satisfaisante aux besoins supérieurs.

La théorie des deux facteurs de Herzberg

La publication en 1959 de l'ouvrage de F. Herzberg, *The Motivation to Work*, a provoqué dans le monde de la psychologie industrielle et de l'administration une réaction rapide et de grande portée comme bien peu d'événements ont su le faire.

L'étude originale de Herzberg avait pour but de vérifier l'hypothèse selon laquelle certains facteurs étaient satisfaisants, tandis que d'autres facteurs provoquaient strictement l'insatisfaction. Les paramètres de cette étude sont présentés au tableau 3.2.

L'étude a montré que certains facteurs contribuent plus que d'autres aux moments d'intense satisfaction. Ces facteurs sont liés à la tâche elle-même et au sentiment d'épanouissement psychologique qu'éprouvent les individus. Ces **facteurs intrinsèques** sont désignés sous le nom de **facteurs motivationnels** ; ils comprennent la réussite, la considération, le travail lui-même, les responsabilités et l'avancement (voir la figure 3.4).

TABLEAU 3.2	
Les paramètres de l'étude de Herzberg	
Objectif	Déterminer les facteurs précis conduisant à des attitudes positives et ceux conduisant à des attitudes négatives.
Sujets	200 travailleurs de la compagnie américaine AT&T (ingénieurs et comptables).
Méthode	Au cours d'une entrevue semi-structurée, le sujet devait décrire une suite d'épisodes liés à des circonstances où il avait été exceptionnellement satisfait et exceptionnellement insatisfait.

FIGURE 3.4
La théorie de Herzberg

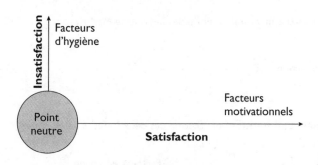

Par ailleurs, d'autres facteurs tendent à susciter l'élimination des attitudes négatives au travail sans, toutefois, entraîner un rendement supérieur et soutenu de l'employé. Ces **facteurs extrinsèques**, aussi appelés **facteurs d'hygiène** (ou facteurs de conditionnement), comprennent les politiques et l'administration de l'entreprise, la supervision (aspects techniques), le salaire, les relations et les conditions de travail.

De nombreuses études conduites par des chercheurs de différents pays sont venues appuyer les postulats théoriques de Herzberg.

En somme, selon cette théorie, il y aurait chez l'homme deux catégories de besoins. Premièrement, comme animal, il y a le besoin d'éviter les situations pénibles et la douleur. Puis, comme être humain, il y a le besoin de s'épanouir psychologiquement. Ainsi, il existe certaines similitudes entre les théories de Maslow, d'Alderfer et de Herzberg. On peut comparer les besoins de conditionnement (facteurs d'hygiène) de Herzberg aux besoins physiologiques et de sécurité de Maslow ainsi qu'aux besoins d'existence et de sociabilité d'Alderfer. Le besoin de s'épanouir psychologiquement défini par Herzberg (facteurs motivationnels) correspond aux besoins d'actualisation de Maslow et aux besoins de croissance d'Alderfer.

Il existe cependant une distinction fondamentale entre les trois théories. Maslow propose une hiérarchie des besoins agencée selon l'ordre de leur émergence. La personne cherche à satisfaire ses besoins actifs sans tenir compte des besoins inférieurs déjà satisfaits ou des besoins supérieurs qui n'ont pas encore fait leur apparition. Les besoins fondamentaux de Maslow agissent selon un continuum. Cette logique du continuum unique est aussi présente dans la conception que présente Alderfer. Par contre, les deux catégories de besoins de Herzberg agissent selon des continuums différents et sont comblés par deux groupes distincts de facteurs (voir la figure 3.5).

Le modèle traditionnel préconisé par Maslow et Alderfer soutient que tout ce qui n'est pas insatisfaisant est forcément satisfaisant, et vice versa. Si le salaire est bon, par exemple, on est satisfait; s'il ne l'est pas, on devient alors insatisfait. Pour Herzberg, cette réalité ne tient pas, et il existe obligatoirement

FIGURE 3.5
L'insatisfaction et la satisfaction

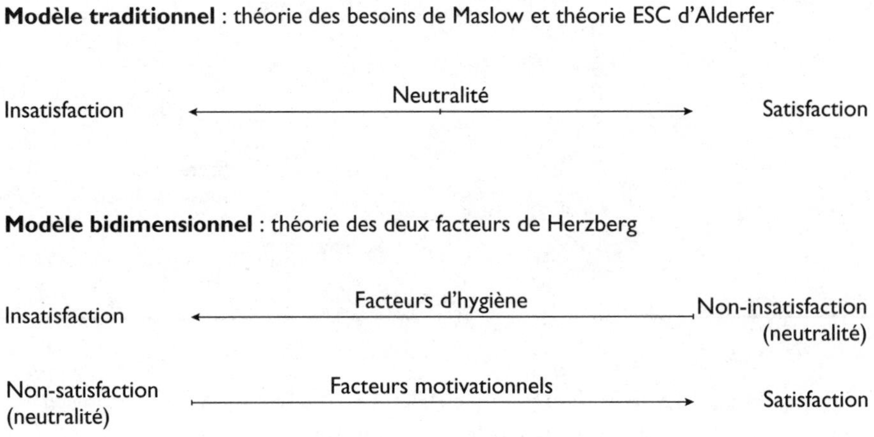

Modèle traditionnel : théorie des besoins de Maslow et théorie ESC d'Alderfer

Insatisfaction ←————— Neutralité —————→ Satisfaction

Modèle bidimensionnel : théorie des deux facteurs de Herzberg

Insatisfaction ←————— Facteurs d'hygiène ————— Non-insatisfaction (neutralité)

Non-satisfaction (neutralité) ————— Facteurs motivationnels —————→ Satisfaction

une dichotomie entre les facteurs et les éléments permettant d'atteindre la non-insatisfaction et ceux associés à un contexte de satisfaction au travail.

Démontrons maintenant, au moyen de quelques exemples, comment la théorie des deux facteurs de Herzberg explique certaines attitudes courantes dans un contexte de travail.

EXEMPLE 1

- **Les faits.** Jacques Picard ne reçoit aucune marque de considération pour le travail qu'il accomplit comme comptable;

- **Sa réaction.** La considération étant un facteur motivationnel, son niveau peu élevé n'entraînera pas d'insatisfaction, mais suscitera chez Jacques Picard un état de non-satisfaction.

EXEMPLE 2

- **Les faits.** Pierre Bigras travaille sous une surveillance étroite et sévère;

- **Sa réaction.** La surveillance étant un facteur d'hygiène, Pierre Bigras ressent un sentiment d'insatisfaction. Les facteurs d'hygiène, à un niveau peu élevé, déterminent un état d'insatisfaction.

EXEMPLE 3

- **Les faits.** Jean Lafortune est au service d'une entreprise qui a mis sur pied un excellent régime d'avantages sociaux pour ses employés;

- **Sa réaction.** Les conditions de travail constituent un facteur d'hygiène. Ce facteur, à un niveau élevé, détermine chez l'employé un état de non-insatisfaction. En ce sens, Jean Lafortune ne sera pas insatisfait.

EXEMPLE 4

- **Les faits.** Paul Lizotte occupe un poste à responsabilités, et il accomplit des tâches très intéressantes ;

- **Sa réaction.** Le travail lui-même étant un facteur de motivation, Paul Lizotte sera satisfait. Un facteur de motivation, à un niveau élevé, détermine un état de satisfaction.

En résumé, l'aspect le plus significatif des conclusions de Herzberg est que la personne possède deux groupes de besoins fondamentaux qui sont comblés par deux catégories différentes de facteurs, soit les facteurs d'hygiène – qui agissent selon un continuum qui va de l'insatisfaction à la non-insatisfaction – et les facteurs motivationnels – qui, eux, agissent selon un continuum qui va de la non-satisfaction à la satisfaction. Les facteurs motivationnels correspondent à la nature du travail, tandis que les facteurs d'hygiène sont associés au milieu de travail. Par conséquent, si un dirigeant désire améliorer la motivation au travail d'un employé, il doit en modifier le champ d'activité. Il faut adapter le travail de telle sorte qu'il engendre une satisfaction et une motivation plus grandes, d'où une amélioration probable du rendement et de la productivité.

La théorie de McClelland

D. McClelland est surtout connu pour ses importants travaux sur les besoins les plus élevés de la hiérarchie de Maslow. Toutefois, il n'établit pas de hiérarchie formelle des besoins. Son intérêt n'est pas de déterminer une séquence d'apparition des besoins, mais plutôt d'expliquer comment les besoins influencent le comportement en milieu de travail. Par conséquent, son attention s'est portée particulièrement sur trois besoins qui sont manifestement reliés au milieu du travail. Il s'agit du besoin de réalisation, du besoin d'affiliation et du besoin de pouvoir. Selon la théorie de McClelland, chaque individu manifeste une dépendance persistante envers l'un de ces besoins ; toutefois, selon les circonstances, il pourra également être influencé par les deux autres besoins (ou motifs). La force du besoin ainsi que les conséquences comportementales qui en découlent dépendront des caractéristiques de la situation. Si un besoin se fait sentir avec suffisamment d'intensité, il incitera l'individu à s'engager dans des comportements qui correspondront à un moyen de le satisfaire.

Une des particularités de cette théorie est de proposer que les besoins proviennent de la culture, des normes et des expériences personnelles. Par conséquent, de variable indépendante la motivation devient variable dépendante ; elle peut, en outre, être influencée par la formation et le perfectionnement (McClelland, 1961, 1971).

Ainsi, dans la théorie de McClelland, le **besoin de réalisation** se définit comme une forte tendance ou un fort désir d'exceller à l'intérieur des activités dans lesquelles s'engage l'individu. C'est un besoin qui pousse le travailleur à faire plus avec moins, qui pousse à l'efficience et à l'accomplissement.

Le **besoin d'affiliation** renvoie au désir que ressent un individu d'établir et de maintenir des relations d'amitié avec autrui. Certains recherchent l'approbation sociale ou aiment s'intégrer et se sentir appréciés dans un groupe. Il est réaliste de croire que les individus motivés par ce besoin seront beaucoup plus communicatifs et réussiront mieux dans des emplois où la qualité des contacts interpersonnels est importante.

Quant au **besoin de pouvoir**, il se rapporte au désir d'influencer les individus de son entourage. Malheureusement, ce terme est tellement associé à des abus de pouvoir qu'il est difficile, lors d'une entrevue de sélection, d'évaluer sans méfiance les candidats qui affirment avoir ce besoin. Pourtant, ces individus exercent une influence notable dans leur milieu parce qu'ils aiment contrôler les situations et influencer les gens. Ils aiment travailler et sont attirés par la discipline que le travail impose.

En résumé

Les quatre théories de contenu étudiées dans cette sous-section ont pour objet de cerner les besoins et leur rôle quant au démarrage d'un cycle de motivation. Les chercheurs qui ont élaboré ces théories ont tenté de décrire les facteurs qui poussent un individu à agir. Ces théories mettent davantage l'accent sur la détermination des besoins et des éléments qui motivent les individus que sur le processus de motivation en soi. Ainsi, Maslow et Alderfer soulignent les besoins susceptibles de motiver les employés et Herzberg ajoute que certaines variables organisationnnelles influencent également leur motivation. Pour sa part, McClelland révèle son originalité en stipulant que les besoins peuvent prendre naissance dans la culture, les normes et les expériences personnelles et que ces derniers agissent de façon parallèle. Le tableau 3.3 met en lumière les principales composantes de ces quatre théories.

TABLEAU 3.3
Une synthèse des théories de contenu

Théorie	Principales composantes
Théorie des besoins de Maslow	Cinq catégories de besoins motivent les individus : • physiologiques ; • de sécurité ; • d'appartenance ; • d'estime ; • d'actualisation. Les besoins sont ressentis selon une préséance hiérarchique stricte débutant avec les besoins physiologiques. Un seul continuum.
Théorie ESC d'Alderfer	Trois catégories de besoins motivent les individus : • d'existence ; • de sociabilité ; • de croissance. Une certaine progression est généralement observée dans l'apparition des besoins, mais on ne peut conclure à une hiérarchie stricte des besoins. Un seul continuum.
Théorie des deux facteurs de Herzberg	Deux catégories de facteurs motivent les individus : • d'hygiène ; • de motivation. Aucune progression, aucune préséance hiérarchique. Il s'agit de deux types de facteurs bien distincts agissant de façon indépendante. Deux continuums.
Théorie de McClelland	Trois catégories de besoins motivent les individus : • de réalisation ; • d'affiliation ; • de pouvoir. Aucune progression, aucune préséance hiérarchique. Ces trois types de besoins sont ressentis indépendamment de la satisfaction des autres, et cela en fonction des caractéristiques de la situation dans laquelle évolue l'individu. Trois continuums.

3.2.2 Les théories de processus

Comme nous venons de le démontrer, les théories de contenu tentent de cerner la nature des besoins ainsi que le rôle de ceux-ci dans le démarrage d'un cycle de motivation. Elles soulignent les facteurs internes qui dynamisent le comportement. Toutefois, ces théories présentent des modèles universels de la motivation, en ce sens elles présument que tous les travailleurs fonctionnent selon le même principe et que, par conséquent, il doit y avoir une façon unique

D'UN GESTIONNAIRE

CLAUDE GRAVEL,
ex-président
Assurance-vie Desjardins inc.

L'importance de la motivation au travail

Dans une entreprise, la motivation s'exprime à travers le comportement de ses employés. Un employé motivé est un employé qui désire réellement accomplir son travail de la meilleure façon possible et il le démontre par ses efforts, sa collaboration, sa ponctualité, son dévouement, etc.

La motivation peut se définir ainsi :

> *Motiver, c'est l'art d'utiliser les besoins et les stimulants pour que les employés accomplissent de bon gré ce qui doit être fait et qu'ils le fassent bien.*

Voilà pourquoi la motivation est importante, mais surtout fondamentale au succès d'une entreprise.

À l'Assurance-vie Desjardins inc., nous considérons que notre succès est tributaire de la motivation des ressources humaines. D'ailleurs, nous appliquons une philosophie de gestion essentiellement fondée sur la confiance et en vertu de laquelle nos cadres et nos employés sont traités comme des collaborateurs responsables.

Dans cette perspective, l'entreprise facilite la circulation de l'information et elle attribue les responsabilités de telle sorte que les décisions soient prises au plus bas niveau possible, chacun disposant de la latitude voulue pour exercer efficacement ses responsabilités.

Les employés sont invités à participer à l'élaboration de politiques qui touchent le milieu et les méthodes de travail, les avantages sociaux, ainsi que divers autres aspects de leur régime professionnel. Ils peuvent participer à des consultations et à des réflexions thématiques tenues dans le but de contribuer à modeler la culture de l'entreprise.

La notion de motivation a également été traduite dans les valeurs de l'entreprise :

> *L'employé, collaborateur compétent et responsable, est traité avec équité et est associé aux décisions qui le concernent. La philosophie de gestion de l'entreprise lui permet d'exercer pleinement ses responsabilités et de constater que sa contribution à l'atteinte des objectifs est reconnue, particulièrement la réalisation et le dépassement des attentes qui lui sont communiquées.*

→

La motivation est un élément essentiel à la réalisation de la mission et des objectifs de toute entreprise. Des employés motivés vivent au même rythme que leur entreprise et c'est ainsi que se bâtissent la fierté et le sentiment d'appartenance.

Enfin, une courte phrase du philosophe Edgar Morin traduit bien l'importance de la motivation au travail: «L'entreprise produit l'homme qui produit l'entreprise.»

et universelle de motiver tous les travailleurs. En somme, dans les théories de contenu, les facteurs internes de motivation ont été surestimés alors que les facteurs situationnels ont été sous-estimés.

Les théories de processus envisagent la motivation sous un autre angle. Dans ces théories, ce qui motive une personne dans une situation donnée peut être inapproprié pour une autre personne ou dans une autre situation. Tout en tenant compte des besoins et autres forces internes, les théories de processus s'attardent davantage aux aspects situationnels et à la relation entre les besoins et les divers aspects de l'environnement. Ces théories tentent de répondre à diverses questions dont les suivantes:

- Si les êtres humains partagent des besoins similaires, comment se fait-il que les comportements qui mènent à leur satisfaction soient si diversifiés?

- Pourquoi chez un même individu, et entre individus, certaines activités sont-elles accomplies avec intérêt, alors que d'autres activités semblent ne susciter que de l'indifférence?

- Pourquoi certaines personnes voient-elles dans les défis qu'on leur propose une occasion inespérée d'accomplissement personnel, alors que d'autres personnes, avec la même formation et le même bagage d'expériences professionnelles, fuient ces mêmes défis?

Afin de répondre à ces questions, voyons l'analyse qu'en fait chacune des quatre théories suivantes.

La théorie de l'expectative de Vroom

Selon la théorie de l'expectative, ou théorie des attentes, mise de l'avant par V.H. Vroom, le comportement individuel s'explique par la valeur perçue de ses conséquences. Cette théorie postule également que l'individu effectue un choix conscient et délibéré des moyens lui permettant d'atteindre ses objectifs de telle sorte que les efforts individuels ne sont pas consentis de manière routinière, mais plutôt selon une approche coûts–bénéfices (Vroom, 1964). Ainsi, l'individu réfléchit et évalue les options possibles, ce qui lui permet de prendre une décision fondée sur des considérations liées aux particularités de la nouvelle situation dans laquelle il se trouve.

La théorie de l'expectative se différencie donc des différentes théories de contenu par l'importance qu'elle accorde au choix rationnel des comporte-ments susceptibles d'engendrer certaines conséquences. Ainsi, selon cette théorie, les individus choisissent rationnellement les comportements qu'ils estiment les plus appropriés pour atteindre leurs objectifs plutôt que d'adopter automatiquement des comportements déclenchés par l'activation d'un besoin qui cherche satisfaction.

Dans sa forme la plus simple, la théorie de l'expectative est liée au choix d'une stratégie comportementale. Plus précisément, la théorie stipule que l'individu évaluera un ensemble de comportements et choisira celui qui est le plus approprié et qui lui permettra d'obtenir les récompenses auxquelles il attache une certaine importance ou une certaine valeur. Ainsi, si l'individu estime qu'un accroissement soutenu de la qualité de son travail lui procurera une augmentation de salaire et de meilleures possibilités d'obtenir une promotion, la théorie suppose que l'individu adoptera ce comportement. La figure 3.6 met en évidence les principales composantes de la théorie de l'expectative, qui se résume essentiellement comme suit : c'est la perception qu'a l'individu des relations qui existent entre son effort au travail, son rendement, et les récompenses susceptibles d'être obtenues. Notons que les capacités individuelles représentent une variable modératrice importante dans le modèle. Donc, en plus d'impliquer un choix rationnel de comportement, cette théorie soutient que les attentes, la valeur instrumentale et la valence détermineront la stratégie comportementale qui sera adoptée par chaque individu.

Ainsi, dans le modèle présenté à la figure 3.6, les attentes correspondent à la croyance qu'une augmentation des efforts provoquera une amélioration du rendement ou de la productivité. La valeur instrumentale, soit l'utilité, correspond à une estimation de la probabilité que le rendement visé produira des conséquences ou des résultats. Plus simplement, il s'agit d'évaluer quelles sont les chances de l'individu d'obtenir une récompense (par exemple, une promotion, une augmentation de salaire) s'il améliore son rendement. Enfin, la valence est associée à l'attrait ou à la valeur que l'individu attribue à la récompense ou aux conséquences finales. Ainsi, la valence est surtout déterminée par la croyance qu'a l'individu que les conséquences finales sauront

FIGURE 3.6
Le modèle général de la théorie de l'expectative

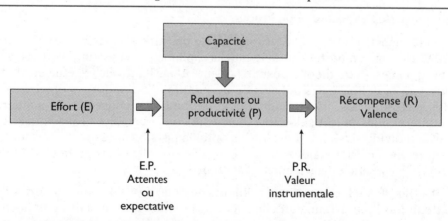

répondre aux besoins qu'il cherche à combler par l'adoption d'un comportement particulier. Plus précisément, dans la théorie de l'expectative, l'individu tente de déterminer de façon rationnelle si la récompense (ou conséquence) est proportionnelle à l'effort (au coût) à fournir; il fera un effort supplémentaire à la condition que la récompense le justifie.

En résumé, les attentes correspondent à la probabilité que les efforts entraîneront une amélioration du rendement, et la valeur instrumentale correspond à la probabilité que l'amélioration du rendement entraînera des conséquences. Les attentes et la valeur instrumentale peuvent varier selon une échelle graduée de 0 à 1. Quant à la valence, elle représente la valeur de ces conséquences pour l'individu; elle est évalué sur une échelle de -1 à 1 puisqu'une conséquence peut être jugée indésirable (négative), sans valeur (zéro) ou attrayante (positive), selon les besoins ressentis par l'individu et selon la situation dans laquelle ce dernier se trouve.

Une application de la théorie

On sait que c'est à partir de leur expérience et de leur jugement que les individus déterminent les conséquences de leur comportement. Prenons l'exemple suivant pour démontrer le raisonnement qu'effectuent les individus dans le but d'adopter une conduite particulière.

Pierre, qui travaille au service d'entretien d'une usine depuis quelques années, se demande s'il devrait fournir plus d'effort au travail. Il se pose alors certaines questions :

- Si j'augmente le niveau d'effort que je fournis au travail, quelle est la probabilité que j'améliorerai mon rendement? (Attentes);
- Si les efforts que je prévois fournir permettent d'améliorer mon rendement, quelles conséquences en retirerai-je? (Utilité);
- Quelle valeur puis-je attribuer à chacune des conséquences définies précédemment? (Valence).

Ainsi, sur l'échelle graduée de 0 à 1, les attentes de Pierre se situeront à 0 s'il croit que son comportement (amélioration du niveau d'effort) n'a aucune chance d'entraîner les conséquences (rendement) espérées. Au contraire, s'il croit que son effort peut provoquer une amélioration du rendement, ses attentes tendront vers le 1. De plus, si Pierre croit qu'il n'a aucune chance de recevoir une récompense à la suite de l'amélioration de son rendement, il attribuera un 0 à la valeur instrumentale de son nouveau comportement. À l'opposé, s'il croit qu'une amélioration de son rendement lui vaudra une ou plusieurs récompenses, la valeur instrumentale tendra vers le 1. Enfin, la valence, qui est évaluée sur une échelle de -1 à 1, pourra être négative si Pierre repousse les conséquences liées à une augmentation de l'effort et à une amélioration du rendement, ou être positive s'il désire recevoir les récompenses en question; Pierre peut également attribuer une valeur de 0 à la valence s'il est indifférent à ces récompenses.

Le raisonnement et la décision de Pierre s'expliquent par le calcul suivant : Attentes $\times$ Valeur instrumentale $\times$ Valence. Ce calcul est d'ailleurs effectué pour chaque conséquence qui peut résulter du comportement que Pierre prévoit adopter. On comprend aisément que si l'individu attribue la valeur 0 à l'un des facteurs, le résultat obtenu sera nul et l'individu ne sera pas motivé à adopter le comportement en question. Toutefois, puisque la plupart des comportements ne sont pas limités à une seule conséquence, Pierre effectue le calcul pour chaque conséquence du comportement, et c'est la somme des résultats obtenus qui détermine si le comportement sera adopté ou non. Dans notre exemple, si Pierre déploie plus d'énergie au travail en vue d'améliorer son rendement, il est possible qu'il recevra une augmentation de salaire ou une promotion (valence positive). Toutefois, Pierre peut également prévoir une diminution de la qualité de sa vie familiale ou un rejet de la part de ses coéquipiers (valence négative). C'est donc en évaluant l'ensemble des conséquences que Pierre pourra décider s'il accroîtra ou non l'effort qu'il fournit au travail.

Illustrée à la figure 3.7, la théorie élaborée par Vroom montre que la motivation de l'individu est fonction des attentes – soit de l'effort fourni afin de produire un rendement quelconque –, de la valeur instrumentale – soit de la probabilité perçue quant à la relation entre le rendement et la récompense – et de la valence – soit de la valeur ou l'importance relative accordée aux récompenses. Afin d'évaluer l'indice de la force de motivation de l'individu à s'engager dans un comportement particulier, on multiplie les attentes, la valeur instrumentale et la valence de la récompense. Selon la théorie, le comportement qui est associé à la force de motivation la plus grande deviendra le comportement choisi par l'individu dans la poursuite de ses objectifs.

FIGURE 3.7
Un modèle détaillé de la théorie de l'expectative

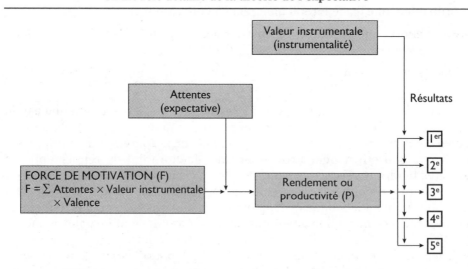

Le schéma présenté à la figure 3.8 représente une version plus complexe de la théorie des attentes. La situation montre un individu qui désire améliorer son rendement de 25 % et qui doit faire face à un certain nombre de conséquences et de résultats. Ceux-ci sont évalués en fonction de leur indice de force motivationnelle, calculée selon la formule présentée précédemment, soit :

F = Attentes × Valeur instrumentale × Valence. Dans le premier cas de la figure 3.8, où le résultat est la compétence, l'indice est de 0,36, soit 0,50 × 0,90 × 0,80 ; dans le deuxième cas (rejet), l'indice est de −0,07 ; dans le troisième cas (promotion), de 0,23 ; et, finalement, dans le quatrième cas (argent), de 0,27. Ainsi, c'est la compétence qui constituera, pour cet individu, le meilleur facteur de motivation.

On peut conclure en affirmant que, selon cette théorie, les gestionnaires et les spécialistes des ressources humaines devraient veiller à ce que, dans leur entreprise, l'effort soit stimulé par des récompenses au rendement qui sont accessibles et alléchantes, ainsi que par une diminution des coûts associés à l'effort.

FIGURE 3.8
Le modèle opérationnel de la théorie de l'expectative

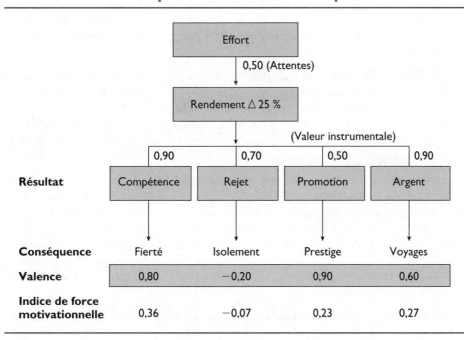

Le modèle béhavioriste (le conditionnement opérant de Skinner)

Le béhaviorisme a ceci de particulier que, contrairement aux autres modèles, c'est à partir d'expériences en laboratoire qu'il a vu le jour. L'approche expérimentale qui caractérise le béhaviorisme vise à prévoir un phénomène en déterminant les conditions qui permettent de le reproduire et de le contrôler. Dans ce contexte, l'observation du comportement d'un individu en interaction avec son milieu joue un rôle prépondérant.

Cette théorie, utilisée surtout pour expliquer le phénomène de l'apprentissage, peut aussi, par extension, servir à expliquer le phénomène de la motivation. Tout comme la théorie de l'expectative de Vroom dont nous venons de parler, le principe de base de l'approche béhavioriste est que le comportement est fonction de ses conséquences. Toutefois, plutôt que d'aborder cet aspect sous l'angle du choix individuel et rationnel des comportements, on l'aborde sous l'angle du contrôle des comportements par la manipulation des conséquences qui y sont associées.

Dans le béhaviorisme, on porte peu d'attention aux raisons ou motifs intrinsèques permettant d'expliquer un comportement. L'accent est mis sur les motifs extrinsèques qui expliquent comment, et non pourquoi, un comportement est adopté et répété.

Les béhavioristes accordent ainsi peu d'importance aux motifs intrinsèques parce que ceux-ci apparaissent indéfinissables et peu observables, alors que les comportements et leurs conséquences, eux, sont mesurables et observables. B.F. Skinner, l'une des figures dominantes de l'école béhavioriste, déclare à ce propos (1974, p. 51):

> *Nous disons d'une personne qu'elle est hautemenent motivée alors que tout ce que nous savons d'elle, c'est qu'elle se comporte énergiquement […] pour obtenir une conséquence positive ou pour éviter une conséquence désagréable.*

Aussi, contrairement aux théories du contenu démontrant que des besoins internes donnent naissance aux comportements, le modèle béhavioriste sous-tend que ce sont les conséquences externes qui déterminent le comportement. Il n'est donc plus nécessaire de s'attarder aux besoins internes de l'individu puisqu'on peut influer sur son comportement en modifiant les conséquences qui en découlent.

La théorie béhavioriste se distingue de la théorie de l'expectative d'une autre façon. On se souvient que la théorie de Vroom stipule que l'individu fait un raisonnement logique lorsqu'il évalue les conséquences que risque d'entraîner un comportement particulier. La théorie béhavioriste, quant à elle, ne soutient rien de tel. Au contraire, selon cette théorie, l'individu adopte automatiquement les comportements qui ont entraîné des conséquences heureuses dans le passé et il évite, un peu par réflexe, les comportements dont ont découlé des conséquences fâcheuses.

En adoptant le point de vue béhavioriste, il est possible d'expliquer la probabilité d'apparition des comportements par la loi de l'effet. Ainsi, puisque le comportement dépend de ses conséquences, il faut s'attendre à ce que les comportements dont les conséquences sont souhaitables aient plus de chances de se reproduire que les comportements dont les conséquences ne sont pas souhaitables. C'est en contrôlant les conséquences qu'on peut contrôler les comportements. L'essence de cette conception s'explique par le modèle du conditionnement opérant élaboré par Skinner.

Un conditionnement opérant existe lorsque l'émission d'un comportement ou d'une réponse (R), par un animal ou un individu, a un effet sur son environnement. Autrement dit, un stimulus, une conséquence ou un événement particulier (C) apparaît, demeure ou disparaît lorsqu'une réponse (R) ou un comportement particulier est émis (R → C). C'est cette relation entre la réponse (R) et la conséquence (C) qui détermine la probabilité d'apparition d'un comportement particulier (Ladouceur, Bouchard et Granger, 1977).

Le modèle béhavioriste comprend, de plus, un ensemble de techniques servant à modifier le comportement des individus, soit le renforcement positif, le renforcement négatif, la punition et l'extinction (ou la suppression) du comportement (voir la figure 3.9). Nous vous les présentons en détail.

Le renforcement positif

Quel que soit le comportement qu'il adopte, l'être humain s'attend à ce qu'il en découle un certain nombre de conséquences. Parmi celles-ci, certaines sont souhaitables pour l'individu, d'autres ne le sont pas. Le renforcement positif s'explique par les conséquences heureuses qu'entraîne pour un individu l'adoption d'un comportement particulier. Ainsi, les dirigeants d'entreprises qui adoptent la méthode du renforcement positif souhaitent favoriser l'apparition d'un comportement particulier en rendant ce comportement préalable à l'attribution de conséquences souhaitables. Par exemple, féliciter un employé à la suite de son travail ou lui offrir une augmentation de salaire sont des renforcements positifs.

Ainsi, plusieurs entreprises utilisent des programmes de renforcement positif dans le but d'encourager et de récompenser les employés qui fournissent un bon rendement. Dans ces entreprises, on félicite les membres qui ont atteint de bons résultats ou on leur témoigne de la reconnaissance en leur offrant, par exemple, des promotions ou des augmentations de salaire.

FIGURE 3.9
Les composantes du conditionnement opérant

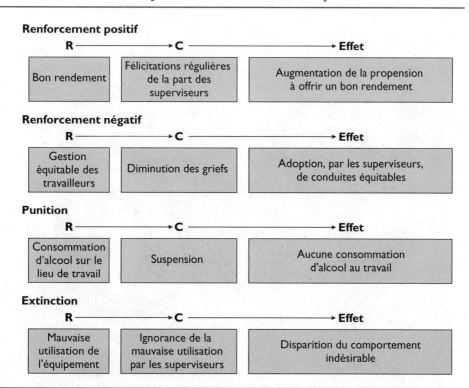

Toutefois, pour s'assurer que le programme de renforcement positif permet effectivement de modifier les comportements dans le sens voulu, l'employeur et ses représentants doivent respecter certaines règles. Tout d'abord, l'employeur doit déterminer et évaluer les comportements qu'il désire voir apparaître. Ces comportements doivent être mesurables, en plus d'être connus et compris des employés. Par exemple, on fixe une norme de production de 50 tonnes à l'heure, puis on en informe les employés et on s'assure qu'ils comprennent bien l'objectif fixé.

Par la suite, il faut bien clarifier le renforcement qu'on désire utiliser pour amener les employés à adopter les comportements définis au départ. En effet, pour être efficace, le renforcement doit être recherché et apprécié par les employés.

Troisièmement, il importe de s'assurer que le renforcement est très particulier et qu'il est alloué rapidement après l'apparition du comportement attendu. De cette façon, la relation entre le renforcement et le comportement devient évidente. L'allocation d'une prime de production individuelle calculée quotidiennement, par exemple, sera plus efficace que l'allocation d'une prime d'équipe calculée annuellement en fonction de la production totale.

Quatrièmement, il faut éviter d'utiliser un renforcement de façon routinière puisqu'il risque de perdre son effet avec le temps. Inviter les employés à un souper de Noël en guise de reconnaissance de leur effort, par exemple, peut avoir une influence positive sur la persévérance des employés à fournir cet

effort durant quelques années, mais, après plusieurs années, le souper en question peut être considéré comme un droit acquis, et n'incitera plus les employés à fournir de bons rendements.

Finalement, l'employeur doit décider s'il offre des renforcements continus ou des renforcements intermittents. Le renforcement continu est alloué chaque fois que le comportement attendu est adopté, tandis que le renforcement intermittent est alloué soit à intervalle fixe (par exemple, tous les vendredis), soit à intervalle variable (par exemple, en moyenne trois fois par semaine, mais il peut être alloué deux jours de suite ou être quatre jours sans être alloué), soit à ratio fixe (par exemple, chaque fois que trois chemises sont produites), soit à ratio variable (par exemple, en moyenne tous les 20 appels téléphoniques, mais il peut parfois être alloué après 10 appels et d'autres fois après 30 appels). Chacune de ces modalités de renforcement représente ce que l'on appelle le programme de renforcement ; le tableau 3.4 synthétise l'ensemble des options possibles.

L'énumération de ces règles illustre la complexité d'un programme de renforcement positif efficace. Les gestionnaires et les spécialistes de ressources humaines doivent porter une attention particulière à l'élaboration d'un tel programme s'ils veulent atteindre les objectifs visés. Il ne suffit pas de dire à un employé qu'il fournit un bon rendement. Il faut également savoir comment le féliciter, quand le féliciter et s'assurer qu'il comprend bien pourquoi on le félicite, afin d'établir une relation évidente (lien de contingence) entre le comportement attendu et le renforcement positif.

TABLEAU 3.4
Les programmes de renforcement

Programme de renforcement	Nature du renforcement	Effet sur le comportement lorsque appliqué	Effet sur le comportement lorsque retiré	Exemples
Intervalle fixe	Récompense attribuée à fréquence fixe	Entraîne un rendement moyen et irrégulier	Extinction rapide du comportement	Salaire hebdomadaire, mensuel, etc.
Ratio fixe	Récompense toujours associée aux résultats	Entraîne rapidement un rendement très élevé et stable	Extinction rapide du comportement	Système de paie à l'unité
Intervalle variable	Récompense attribuée à des intervalles irréguliers	Entraîne un rendement modérément élevé et stable	Extinction lente du comportement	Inspections et récompenses occasionnelles chaque semaine
Ratio variable	Récompense attribuée après un nombre variable de comportements	Entraîne un rendement très élevé et stable	Extinction lente du comportement	Vente à commission

Source : Traduit et adapté de Steers (1988), p. 225. Reproduit avec l'autorisation de HarperCollins Publishers Inc. (© 1991).

Le renforcement négatif

Le renforcement négatif est une autre technique qui vise à modifier le comportement d'un individu. Ainsi, en vue d'augmenter la probabilité d'apparition d'un comportement désiré, on élimine les conséquences désagréables associées à ce comportement. L'augmentation des griefs est une conséquence négative qui s'atténue ou disparaît lorsque le comportement des gestionnaires est équitable. Le renforcement est donc négatif lorsque le comportement permet l'élimination d'une conséquence non souhaitable.

Les divers programmes de prévention élaborés par les entreprises constituent des renforcements négatifs. Prenons par exemple les programmes qui visent la prévention des accidents de travail. De tels programmes illustrent clairement le renforcement négatif puisqu'ils ont pour but d'orienter le comportement des employés de manière à éviter des accidents éventuels et donc des conséquences négatives. En prévenant les accidents, l'entreprise élimine les conséquences néfastes associées à un accident de travail : il s'agit d'un renforcement négatif.

Autre exemple : un superviseur qui surveille constamment les employés qui n'atteignent pas un rendement satisfaisant utilise la méthode du renforcement négatif s'il cesse cette surveillance lorsque les employés obtiennent les résultats attendus. Les employés peuvent éviter une conséquence désagréable (surveillance constante) s'ils fournissent un rendement adéquat.

C'est donc la disparition d'une conséquence indésirable qui motive l'individu à adopter un comportement particulier et désiré. Les gestionnaires peuvent favoriser l'élimination de ces conséquences fâcheuses en s'assurant que le retrait est contingent, immédiat et compatible avec la réponse ou le comportement désiré.

La punition

Qu'il soit positif ou négatif, le renforcement augmente la probabilité que le comportement le précédant se répète. Toutefois, il arrive que pour augmenter la probabilité de manifestation d'un comportement on doive réduire la fréquence d'apparition d'un autre comportement. C'est ici qu'entre en jeu une technique vieille comme le monde : la punition. Cette technique peut s'exercer soit en n'accolant plus une conséquence positive à un comportement, soit en appliquant une conséquence désagréable. L'exemple le plus populaire de cette approche fait partie de notre folklore culturel et s'énonce de la manière suivante : «Si tu ne manges pas tes pommes de terre, tu seras privé de dessert» (retrait d'une conséquence positive) ou encore «Mange tes pommes de terre ou tu feras la vaisselle» (application d'une conséquence négative). Dans un contexte de travail, la réduction de salaire ou de privilèges tout comme l'application de mesures disciplinaires sont des punitions.

Malgré l'utilisation massive de la discipline (ou de la punition) dans les entreprises, peu de chercheurs organisationnels y ont porté attention (Arvey, Davis et Nelson, 1984). Les psychologues ont également ignoré plusieurs des occasions qui s'offraient à eux de vérifier les théories de la punition dans un contexte industriel (Wheeler, 1976). En effet, même si des recherches dans d'autres domaines (par exemple, le traitement de comportements pathologiques) ont révélé que la punition est efficace pour éliminer ou changer un comportement non désirable, les chercheurs organisationnels et les béhavioristes ont mis davantage l'accent sur les systèmes de renforcement positif pour modifier le comportement des employés (Arvey et Ivancevich, 1980). Toutefois, l'utilisation de la punition pour modifier un comportement demeure un phénomène très répandu en milieu organisationnel.

Les organisations utilisent fréquemment la discipline ou d'autres systèmes de contrôle aversif pour modifier les attitudes et les comportements des employés. En effet, selon Booker (1969), il semble que les organisations adhèrent généralement à l'hypothèse selon laquelle la discipline (ou la punition) est une méthode utile pour corriger ou supprimer les comportements déviants des employés. Pour ce faire, les gestionnaires adoptent et administrent une discipline formelle en utilisant, entre autres, les avertissements verbaux et écrits, les suspensions et les congédiements.

Pour être efficace, l'application d'une punition doit respecter certaines règles. Selon Church (1963), la sévérité de la punition ainsi que sa proximité dans le temps par rapport au comportement puni sont deux déterminants de l'efficacité d'une punition. Greer et Labig (1987) ajoutent qu'une punition sera plus efficace si l'on suggère à l'employé fautif une réponse ou un comportement de remplacement et si on lui explique les raisons de la punition qu'on lui inflige.

En résumé, les gestionnaires qui utilisent la punition comme technique de modification du comportement visent à éliminer ou à changer le comportement des employés qui se sont conduits de manière contraire aux règles, aux politiques ou aux normes de l'entreprise. Cette technique peut être définie par le retrait d'une conséquence positive (par exemple, la coupure d'une prime d'assiduité) ou par l'application d'une conséquence négative (par exemple, un avertissement verbal ou écrit, une suspension, un congédiement) résultant d'un comportement fautif.

L'extinction ou la suppression d'un comportement

Privé d'un renforcement positif ou négatif, un comportement tendra à disparaître. L'extinction ou la suppression d'un comportement s'apparente à la punition en ce sens qu'il y a apparition d'une contingence négative, mais elle s'en distingue parce qu'il s'agit d'une privation d'un renforcement positif ou négatif plutôt que de l'apparition d'une conséquence négative. Donc, en omettant de renforcer un comportement non souhaitable, on veut s'assurer qu'il disparaîtra.

Il arrive qu'un comportement non souhaitable fasse l'objet d'une attention positive des collègues de travail. Cette attention particulière a l'effet d'un renforcement positif et accroît ainsi la probabilité que le comportement non souhaitable se reproduise. On doit donc s'efforcer de supprimer l'attention accordée à ce comportement afin que l'individu adopte un comportement plus approprié. En somme, il est primordial de n'accorder une attention soutenue qu'aux comportements désirables.

En résumé, le modèle béhavioriste tente de modifier, de renforcer ou d'éliminer un comportement par le jeu des conséquences. L'individu auquel on applique un renforcement positif ou négatif, lors de l'adoption d'un comportement particulier, aura tendance à reproduire le comportement en question aussi longtemps que le renforcement durera. Au contraire, si le comportement adopté est puni ou si on omet de le renforcer, il disparaîtra. Comme on l'a vu, différentes techniques sont utilisées pour éliminer ou réduire l'occurrence de comportements non souhaitables (inappropriés).

Ainsi, dans l'entreprise, plusieurs renforcements positifs peuvent être appliqués. Il s'agit, entre autres, des félicitations, des promotions, de primes de production, des augmentations de salaire, etc. Les renforcements négatifs, quant à eux, peuvent se traduire par la diminution ou la disparition des

TABLEAU 3.5
Une synthèse des techniques se rapportant au modèle béhavioriste

Technique	Définition	Exemples
Renforcement positif	Fait de favoriser l'adoption d'un comportement précis par l'octroi de récompenses.	Féliciter un travailleur assidu ou lui offrir une prime d'assiduité. Offrir une promotion, une prime ou une augmentation de salaire à un employé dont le rendement respecte ou dépasse les normes de l'entreprise.
Renforcement négatif	Fait de favoriser le maintien d'un comportement désirable par l'élimination de conséquences potentiellement désagréables.	Ne pas diminuer le salaire d'un employé qui s'absente occasionnellement lorsque celui-ci en avertit son supérieur et qu'il présente une justification valable. Cesser de talonner un employé qui agit de façon responsable et autonome, et qui fournit un bon rendement.
Punition	Retrait de conséquences positives ou application de conséquences négatives lorsqu'un comportement non souhaitable est adopté.	Réduire le salaire d'un employé qui s'absente sans raison valable ou qui arrive en retard. Avertir ou suspendre un employé qui se présente au travail en état d'ébriété.
Extinction	Omission de renforcer positivement ou négativement un comportement que l'on veut voir disparaître.	Omettre de féliciter un employé qui a obtenu un bon rendement si, pour y parvenir, il a négligé certaines règles de sécurité. Ne pas nettoyer les salles à manger lorsque les employés laissent traîner leurs déchets.

réprimandes à l'endroit d'un employé lorsqu'il suit les règles et normes de l'entreprise. Quant à la punition, elle est appliquée, par exemple, lorsque l'employeur diminue le salaire d'un employé qui arrive en retard, ou lorsqu'un employé est suspendu ou congédié à la suite d'un comportement répréhensible. Enfin, la méthode de suppression du comportement est utilisée lorsqu'on omet totalement de renforcer le comportement d'un employé dans le but de le voir disparaître. Le tableau 3.5 présente une synthèse de ces quatre techniques.

En fait, la méthode la plus recommandée et la plus populaire en entreprise est celle du renforcement positif ou de l'octroi de récompenses. Toutefois, il ne faut pas minimiser l'utilité du renforcement négatif, de la punition et de la suppression d'un comportement. Toutes ces techniques sont très utiles pour expliquer le phénomène de la motivation.

Une application du renforcement positif

La compagnie XXY enregistrait, en 1992, un taux d'absentéisme de 5,4 %. Ce taux relativement élevé entraînait des retards considérables dans la production, causant ainsi des pertes importantes pour l'entreprise.

Devant cette situation, la direction de XXY décida d'implanter un programme de renforcement positif pour les employés assidus au travail. Le programme de prime d'assiduité octroyait une journée de congé payée aux employés qui ne s'absentaient pas durant quatre mois (donc une possibilité de trois journées de congé par année). Les employés assidus pouvaient prendre leur journée de congé quand ils le voulaient à la condition d'en aviser leur superviseur. Ces journées pouvaient être ajoutées aux vacances ou aux congés fériés.

Ce programme eut des effets très positifs sur l'assiduité au travail. En effet, l'entreprise enregistra une baisse considérable du taux d'absentéisme, et ce dès 1993. La figure 3.10 illustre les résultats du programme de renforcement positif.

La théorie de l'équité d'Adams

Certaines théories de la motivation soutiennent qu'un comportement est amorcé, dirigé et maintenu par l'effort que fournit un individu pour rétablir ou conserver un certain équilibre psychologique. Ainsi, c'est lorsqu'un individu ressent des tensions psychologiques ou un déséquilibre quelconque qu'il tente une action pour les réduire.

Cette vision de la motivation provient des théories de l'équilibre qui ont généralement été élaborées à partir des fondements de la théorie de la dissonance cognitive de L. Festinger (1962). Le modèle de Festinger est simple ; il stipule que lorsqu'un individu se trouve en présence de cognitions (idées) contradictoires, il ressent des tensions psychologiques désagréables qu'il tente de réduire en adoptant un comportement particulier. Les dissonances cognitives constituent donc les forces qui incitent un individu à agir ; ce sont elles qui motivent l'individu à adopter un comportement particulier.

Parmi les variantes de la théorie de la dissonance cognitive, il en existe une qui est plus connue. Il s'agit de la théorie de l'équité proposée par S. Adams

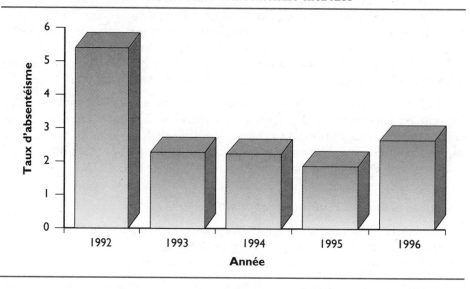

FIGURE 3.10
L'évolution du taux d'absentéisme chez XXY

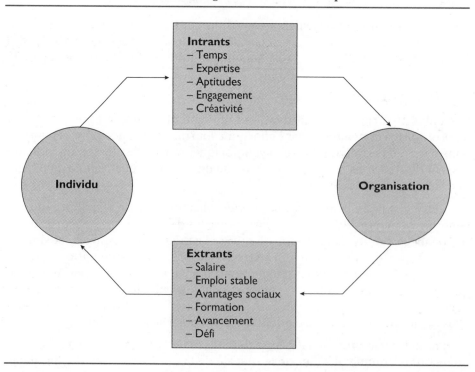

FIGURE 3.11
La notion d'échange de la théorie de l'équité

(1963, 1965). Ce chercheur affirme que les individus préfèrent en général une condition d'équité, soit d'avoir le sentiment d'être traités d'une façon juste et impartiale par rapport aux autres dans leur relation d'échange avec l'organisation. La notion d'échange qui s'établit entre l'individu et l'organisation est présentée à la figure 3.11.

La théorie de l'équité est basée sur le rapport intrants-extrants en milieu de travail. Les intrants sont représentés essentiellement par la contribution de l'individu à l'organisation, comme la scolarité, la compétence et le rendement. Les extrants correspondent à tout ce que l'individu reçoit de l'organisation en échange de sa contribution, comme le salaire, la reconnaissance et la progression de sa carrière. Ce que l'employé reçoit correspond donc à ses gains, alors que les efforts qu'il fournit en raison de sa formation et de son expérience représentent sa contribution.

Ainsi, un individu engagé dans une relation d'échange avec d'autres personnes ou avec une organisation évalue l'équité des gains qu'il retire de cet échange en comparant son rapport intrants-extrants à celui de ses collègues de travail ou à celui de toute personne ou groupe avec qui la comparaison est possible et logique. Lorsque le rapport de l'individu A correspond au rapport de l'individu B, un état d'équité existe. Toutefois, lorsque les rapports ne sont plus égaux, un état d'iniquité apparaît et l'individu peut croire, par exemple, qu'il est sous-payé ou surpayé. La figure 3.12 illustre les postulats de la théorie de l'équité.

FIGURE 3.12
Les postulats de la théorie de l'équité

Équité	$\dfrac{\text{Extrant A}}{\text{Intrant A}}$	$=$ $\dfrac{\text{Extrant B}}{\text{Intrant B}}$	Équilibre : l'individu ne ressent aucune tension et il n'est pas motivé à agir.
Iniquité	$\dfrac{\text{Extrant A}}{\text{Intrant A}}$	$<$ $\dfrac{\text{Extrant B}}{\text{Intrant B}}$	Déséquilibre : l'individu ressent une tension qui le motive à agir.
Iniquité	$\dfrac{\text{Extrant A}}{\text{Intrant A}}$	$>$ $\dfrac{\text{Extrant B}}{\text{Intrant B}}$	Déséquilibre : l'individu ressent une tension qui le motive à agir.

Ces postulats illustrent clairement les forces qui incitent les individus à agir. Il s'agit en effet du concept de dissonance cognitive et du processus de comparaison sociale. Ainsi, lorsqu'un individu se compare à ses collègues de travail, il se forme une idée assez précise de l'équité de la situation dans laquelle il se trouve. S'il perçoit un déséquilibre lors de son évaluation de la situation, l'individu sera motivé à entreprendre une action dans le but de rétablir l'équilibre qu'il recherche.

L'individu peut tenter de réduire l'iniquité au moyen de certains mécanismes. Dans le cas où l'individu se croit sous-payé, il peut, d'une part, augmenter son rendement en demandant une révision salariale ou, d'autre part, diminuer ses efforts et réduire son rendement. Il peut également envisager d'autres possibilités : démissionner, changer de personne de référence, réduire

l'iniquité par un processus cognitif. À l'inverse, lorsque l'individu est surpayé, il peut réduire ses extrants (par exemple : diminuer ses périodes de repos) ou augmenter ses intrants (par exemple, améliorer son rendement). Nous devons souligner que l'iniquité est plus vive et naturellement plus «motivante» lorsqu'elle est négative que lorsqu'elle est positive. Un employé est satisfait lorsqu'il ne perçoit aucune iniquité. Par conséquent, il ne tentera pas de changer la situation puisque celle-ci semble adéquate.

Ainsi, la théorie de l'équité fait ressortir qu'une récompense prend toute sa valeur aux yeux d'un individu lorsqu'il la voit comme un gain équivalant à ses contributions et comparable aux gains et aux contributions de son entourage.

La théorie des objectifs de Locke

Au cours d'une série d'expériences en laboratoire, E. Locke (1968 ; Locke et Latham, 1990) a démontré que le rendement et le comportement d'un individu sont influencés par les objectifs qu'il se fixe. Ainsi, ses expériences ont démontré clairement que les individus qui se fixent des objectifs difficiles à atteindre ont un niveau de rendement plus élevé que les individus qui préfèrent adopter des objectifs faciles à atteindre.

C'est en fonction de ces expériences en laboratoire qu'a été élaborée la théorie des objectifs. Cette théorie met en évidence la capacité de l'être humain à choisir les buts ou les objectifs qu'il désire atteindre, et stipule que les objectifs adoptés influencent fortement les cognitions et les comportements. Ainsi, pour motiver un employé, il suffit de l'encourager à se fixer des objectifs de rendement élevés ou du moins de l'amener à accepter les objectifs qui lui sont fixés. Une fois que l'individu a l'intention d'atteindre ces objectifs, il consentira à fournir les efforts requis pour y parvenir. La figure 3.13 illustre les conclusions de la théorie des objectifs de Locke.

FIGURE 3.13
La théorie des objectifs de Locke

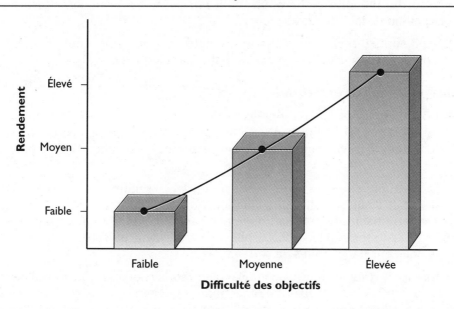

Il est à noter qu'au départ Locke fondait sa théorie sur seulement deux principes. En effet, il affirmait qu'un individu qui se fixe des objectifs atteint, premièrement, un meilleur rendement et, deuxièmement, de meilleurs résultats que ce qu'il atteindrait sans objectif précis. Toutefois, par la suite, Locke a enrichi sa théorie en y ajoutant les notions de spécificité, de difficulté et d'acceptation des objectifs.

La notion de **spécificité** fait référence à la clarté et à la précision des objectifs. Selon la théorie de Locke, plus les objectifs sont clairs et précis, plus il y a de chances qu'ils soient atteints (voir à ce sujet Latham et Yukl, 1975).

La notion de **difficulté**, par ailleurs, s'explique par le fait que plus les objectifs sont élevés ou difficiles à atteindre, plus le rendement est élevé.

Enfin, Locke affirme, par le biais de la notion d'**acceptation**, qu'il est primordial que l'individu intègre les objectifs fixés. En effet, seuls les objectifs acceptés et réalistes motiveront l'individu à fournir un rendement élevé. Ainsi, si l'individu rejette les objectifs, il sentira une baisse de motivation et n'atteindra pas des niveaux de rendement élevés.

Les propositions suivantes résument les principaux principes de la théorie des objectifs de Locke:

• Un individu qui se fixe ou adopte des objectifs a un rendement plus élevé que celui d'un individu qui ne poursuit aucun objectif;

- Un individu qui se fixe ou adopte des objectifs clairs et précis a un rendement plus élevé que celui d'un individu qui poursuit des objectifs mal définis ;

- Un individu qui se fixe ou adopte des objectifs difficiles à atteindre a un rendement plus élevé que celui d'un individu qui poursuit des objectifs faciles à atteindre ;

- Les objectifs difficiles que se fixe ou adopte un individu doivent être d'un niveau de difficulté réaliste afin qu'il consente à fournir les efforts lui permettant de les atteindre ;

- Les objectifs difficiles et réalistes conduiront à un rendement élevé à la condition qu'ils soient acceptés ou adoptés par l'individu.

Une application de la théorie

En 1975, Latham et Balder ont expérimenté la théorie des objectifs en entreprise. Leur étude fut menée en Oklahoma auprès de 36 chauffeurs de camions dont le travail consistait à transporter du bois à une usine de pâte à papier.

La coutume chez ces employés syndiqués et rémunérés sur une base horaire était de ne remplir leurs camions qu'à 60 % du poids permis sur les routes. Cette habitude réduisait donc l'efficacité d'exploitation ainsi que les profits de l'entreprise, mais elle s'expliquait par le vague objectif de rendement de l'époque qui était : « Faites de votre mieux. »

Face à ces résultats non souhaitables, l'entreprise pour laquelle travaillaient les chauffeurs décida de fixer un objectif de rendement précis et élevé, mais réalisable, afin de stimuler la motivation de ses employés. L'objectif fut fixé à 94 % du poids permis sur les routes. On avisa donc les camionneurs de cette nouvelle consigne en les assurant qu'il s'agissait de tenter une expérience et qu'ils ne seraient pas pénalisés ou punis si leur rendement ne respectait pas toujours l'objectif fixé.

Les résultats furent très satisfaisants. Durant le premier mois, les employés ont atteint des charges moyennes atteignant 80 % du poids permis. Par la suite, ils ont diminué leurs charges à 70 % du poids permis, probablement pour s'assurer que l'entreprise tiendrait sa promesse de ne pas les obliger à maintenir une charge d'au moins 80 %. L'entreprise a ainsi gagné la confiance des camionneurs en ne prenant aucune mesure disciplinaire. Dès le troisième mois, les employés ont atteint des charges de 90 % du poids permis, augmentant ainsi considérablement leur rendement. Par la suite, ce rendement a été maintenu et souvent dépassé, ce qui évita à l'entreprise d'avoir à acheter de nouveaux camions.

En résumé

Les théories de processus complètent les théories de contenu en ce sens qu'elles suggèrent d'aborder le concept de motivation en s'attardant aux cognitions de l'individu et aux conditions situationnelles qui l'incitent à agir, plutôt qu'aux modèles universels qui traitent de la notion des besoins et des facteurs internes semblables chez tous les individus. Ainsi, tandis que les

PROPOS DE
CHERCHEUR
RENOMMÉ

EDWIN A. LOCKE

Depuis trente ans, je m'intéresse avant tout à la motivation. Or, on peut étudier cette dernière au niveau du subconscient (à l'exemple de David McClelland) ou du conscient. J'ai quant à moi opté pour cette seconde possibilité. Mon approche repose sur la constatation que tous les êtres vivants agissent dans certains buts, le principal consistant à préserver leur existence. Chez l'homme, certaines de ces actions visant un but sont automatiques (telles que les battements du cœur et la digestion), mais les gestes que pose l'être humain tout entier ont un but précis et – comme l'a démontré la philosophe Ayn Rand – délibéré.

Mes collègues et moi avons concentré nos efforts sur la relation entre des objectifs conscients en matière de rendement et le rendement démontré au travail. Au cours des trente dernières années, plus de 500 études ont été réalisées sur l'établissement d'objectifs, études dont nous avons pu tirer de très solides conclusions [voir le texte]. Comment ai-je contribué à ce succès? 1) En ayant de bonnes assises philosophiques; 2) en faisant bon usage de l'introspection; 3) en consacrant plusieurs années au même sujet, un sujet qui me passionne; 4) en amenant certains collègues à s'y intéresser; et 5) en élaborant par induction une théorie conforme aux résultats obtenus.

Notice biographique

Edwin A. Locke enseigne l'administration des affaires et la gestion de même que la psychologie, en plus d'être directeur d'une faculté de gestion et d'organisation. Il a terminé ses études de premier cycle à la Harvard University en 1960 pour ensuite obtenir une maîtrise et un doctorat en psychologie industrielle à la Cornell University en 1962 et en 1964 respectivement.

Edwin A. Locke a écrit plus de 165 ouvrages, chapitres et articles spécialisés. Parmi ses plus récentes publications figurent *A Theory of Goal Setting and Task Performance* (écrit en collaboration avec G. Latham et publié en 1990) et *The Essence of Leadership* (un ouvrage collectif publié en 1991). M. Locke est un chercheur de réputation internationale dont les travaux sur le comportement sont présentés dans les manuels les plus reconnus et mentionnés dans les livres consacrés à l'histoire de la gestion. Il s'est intéressé entre autres à la motivation au travail, à la satisfaction retirée du travail, aux mesures de stimulation et à la philosophie des sciences.

Note: Texte traduit de l'anglais.

théories de contenu mettent en évidence des facteurs universels de motivation, les théories de processus envisagent la motivation sur une base individuelle.

Les quatre modèles les plus importants ont été présentés dans cette sous-section, soit la théorie de l'expectative (ou des attentes) de Vroom, le modèle béhavioriste, la théorie de l'équité d'Adams et la théorie des objectifs de Locke. Le tableau 3.6 présente sommairement les composantes des quatre modèles abordés.

TABLEAU 3.6
Un sommaire des théories de processus

Théorie de l'expectative (Vroom)	Modèle béhavioriste	Théorie de l'équité (Adams)	Théorie des objectifs (Locke)
Les individus font un choix rationnel des comportements qu'ils prévoient adopter pour atteindre leurs objectifs. Afin d'évaluer l'indice de la force de motivation de l'individu à s'engager dans un comportement particulier, on multiplie les attentes, la valeur instrumentale et la valence de la récompense. Motivation = Attentes × Valeur instrumentale × Valence. La force de motivation (F) influence l'adoption de comportements.	Les individus adoptent presque automatiquement les comportements qui ont été suivis de conséquences agréables dans le passé et évitent ceux qui ont été suivis de conséquences désagréables. Quatre techniques peuvent être utilisées pour modifier un comportement: – le renforcement positif; – le renforcement négatif; – la punition; – l'extinction.	Les individus sont stimulés par les iniquités qu'ils perçoivent lorsqu'ils comparent leur rapport intrants-extrants à celui d'autres personnes ou groupes. Plusieurs possibilités s'offrent aux employés qui désirent rétablir l'équité: – modifier les extrants; – modifier les intrants; – changer le référent de comparaison; – réduire l'iniquité de façon cognitive; – changer d'emploi.	Les individus auront un rendement plus élevé si les objectifs qu'ils acceptent de poursuivre sont difficiles mais réalistes. Donc, l'établissement d'objectifs incite l'individu à agir. Pour qu'un individu soit motivé: – il doit poursuivre des objectifs; – les objectifs doivent être clairs et précis; – les objectifs doivent être difficiles mais réalistes; – les objectifs doivent être acceptés par l'individu.

CONCLUSION

À la suite de l'exposé détaillé des différents modèles de motivation, une question fondamentale se pose: quel est le modèle le plus approprié pour augmenter de façon significative la motivation des travailleurs? Malheureusement, aucune réponse précise ne peut être fournie, puisque chaque modèle renferme des forces et des faiblesses, et ce compte tenu du contexte organisationnel où il est appliqué. Cependant, certaines lignes directrices permettent d'évaluer la pertinence de chacun des modèles en fonction de situations précises.

Premièrement, les théories de contenu sont plus appropriées lorsque l'on cherche à intervenir sur un grand nombre de travailleurs. Par la définition de certains besoins de base, identiques chez tous les travailleurs, ces théories permettent de mettre au point une stratégie d'intervention pour régler certains problèmes généralisés de motivation. En ce sens, bien que tous les modèles renferment des éléments explicatifs essentiels, il demeure que le modèle de Herzberg présente un cadre opératoire beaucoup plus poussé et facile à utiliser. De plus, la théorie bidimensionnelle de Herzberg se veut par nature une synthèse de différentes conceptualisations (principalement celles de Maslow et d'Alderfer) et permet d'incorporer les différentes composantes liées au contenu de la motivation à l'intérieur d'une intervention précise.

Lorsque le problème de motivation est restreint (un travailleur ou un petit groupe de travailleurs), les théories de processus permettent de rechercher plus en profondeur les causes de la lacune du point de vue motivationnel. Cependant, aucune prescription n'est de mise en ce qui a trait à la théorie la plus efficiente. Chacun des modèles s'intéressant au processus renferme une partie de la réalité de la motivation. Néanmoins, il semble logique de considérer que, selon le contexte ou selon la nature même du travail, certains modèles seront plus adaptés. Par exemple, le modèle béhavioriste semble plus approprié lorsque le problème de motivation est localisé chez les employés de la production, tandis que la théorie des objectifs s'applique plus facilement aux travailleurs cadres. Cependant, ceci ne constitue en rien un absolu et l'adoption de différents concepts relatifs à chacune des théories peut, dans plusieurs cas, s'avérer une formule gagnante.

Deuxièmement, le choix d'un modèle de motivation doit être ancré dans une observation judicieuse du milieu de travail. Ainsi, par la compréhension des travailleurs et par l'investigation des éléments de motivation passés, il est possible de détecter les rouages propres à une certaine population de travailleurs. Un tel exercice permet de reconstruire *a posteriori* une conception de la motivation des travailleurs et de tenter, par le choix d'un modèle de motivation, de diriger de façon *a priori* le comportement et le rendement futurs d'un travailleur ou de l'ensemble des travailleurs.

Somme toute, aucune technique motivationnelle ne se veut formellement plus efficace qu'une autre. Les différents modèles consistent en autant de facettes d'une même réalité qu'est la motivation au travail. C'est par le biais de l'analyse, de la compréhension et de la perspective qu'un gestionnaire réussira à adopter une stratégie qui contribuera à améliorer substantiellement la motivation de ses travailleurs.

3 Questions de révision

1. Définissez le processus de la motivation en indiquant bien les origines de ce dernier ainsi que l'influence directe qu'il a sur le comportement.

2. Distinguez les deux courants de pensée de la motivation au travail et commentez la synergie (complémentarité) existant entre ces deux visions de la motivation.

3. Démontrez les liens unissant la théorie des besoins de Maslow et la théorie des deux facteurs de Herzberg.

4. Identifiez et décrivez le paradoxe fondamental existant entre le modèle béhavioriste et la théorie de l'expectative (Vroom) en ce qui a trait au processus de la modification des comportements.

5. Faites une synthèse des diverses techniques se rapportant au modèle béhavioriste et donnez un exemple de leur application en milieu organisationnel.

6. Quelle est, selon vous, la théorie de la motivation la plus valide et efficace? Justifiez votre réponse en relevant les forces et les faiblesses apparentes de chacune des théories exposées dans le chapitre.

CHAPITRE
3 Autoévaluation

Une application de la théorie des attentes

Partie 1

Songez à une décision que vous devez prendre et qui revêt une certaine importance à l'intérieur de votre vie. Cette décision peut être centrale dans vos préoccupations (carrière, emploi, famille) ou relever d'une situation plus factuelle (abandon d'un cours, choix d'une automobile, rencontre). De plus, le stade du processus de réflexion relié à cette décision n'est pas important, ainsi votre décision peut être déjà prise (court terme) ou vous pouvez commencer seulement à y penser (long terme). Cependant, gardez en tête que cette décision fera l'objet d'une discussion de groupe, donc ne choisissez pas une décision qui pourrait vous placer dans une situation inconfortable.

Maintenant que vous avez déterminé cette décision, suivez les étapes suivantes.

1. Faites une liste de toutes les options possibles relativement à cette décision. Écrivez-les dans la colonne de gauche de la Table des attentes.

2. Pour chacune des options citées, déterminez les conséquences (extrants) possibles. Il est important de noter tant les conséquences positives que les conséquences négatives. Écrivez ces conséquences «potentielles» dans la Table.

3. Évaluez la puissance d'attraction de chacune des conséquences potentielles selon l'attrait qu'elles exercent sur vous. Pour ce faire, vous devez attribuer un pointage se situant entre –1 (conséquence que vous jugez très défavorable) et 1 (conséquence que vous jugez très favorable). Indiquez chacune de vos évaluations dans la colonne «Valence» de la Table.

4. Évaluez les probabilités relatives à chacune des conséquences désignées. Il s'agit de se poser la question suivante : «Si je prends une décision dans la direction de cette option, quelle est la probabilité d'apparition de chacune des conséquences lui étant associées ?» Ainsi, pour chacune des conséquences, vous devez déterminer une probabilité se situant entre 0 (certitude absolue que cette conséquence n'apparaîtra pas) et 1 (certitude absolue que cette conséquence apparaîtra). Indiquez chacune des probabilités dans la colonne «Utilité» de la Table.

5. Calculez vos résultats. Premièrement, multipliez la valence par l'utilité pour chacune des conséquences désignées. Et deuxièmement, additionnez l'ensemble des conséquences citées pour chacune des options choisies. Ceci vous permettra de connaître votre propension à l'action pour chacune des options se rapportant à la décision que vous devez prendre.

Partie 2

Une fois que votre table des attentes est complétée, groupez-vous en équipe de deux, préférablement avec quelqu'un qui vous est déjà familier. Chacun des participants doit alors présenter sa table à l'autre coéquipier afin de discuter du réalisme et de la pertinence des solutions et des conséquences citées en fonction de la valence et de l'utilité se rapportant à chacune d'elles.

Le rôle du coéquipier est de comprendre la dynamique de la décision à prendre et de discuter la logique sous-tendant l'évaluation de chacune des options. Cette deuxième partie se termine par une prise de décision pour chacun des deux coéquipiers.

TABLE DES ATTENTES

Option	Conséquences	Valence	Utilité	$V \times U$	Résultat

Source: Traduit de Lewicky *et al.* (1988), p. 14 à 16.

Références

ADAMS, S. (1963). «Toward an Understanding of Inequity», *Journal of Abnormal and Social Psychology*, n° 67, p. 422-436.

ADAMS, S. (1965). «Inequity in Social Exchange», dans L. BERKOWITZ (sous la dir. de), *Advance in Experimental Social Psychology*, 2ᵉ édition, Academic Press, New York, p. 202-210.

ALDERFER, C.P. (1969). «An Empirical Test of a New Theory of Human Needs», *Organizational Behavior and Human Performance*, vol. 4, p. 142-175.

ALDERFER, C.P. (1972). *Existence, Relatedness and Growth: Human Needs in Organizational Settings*, Free Press, New York.

ARVEY, R.D., DAVIS, G.A., et NELSON, S.M. (1984). «Use of Discipline in an Organization: A Field Study», *Journal of Applied Psychology*, n° 69, p. 448-460.

ARVEY, R.D., et IVANCEVICH, J.M. (1980). «Punishment in Organizations: A Review Proposition and Research Suggestion», *Academy of Management Review*, n° 5, p. 123-132.

BOOKER, G.S. (1969). «Behavioral Aspects of Disciplinary Action», *Personnel Journal*, n° 48, p. 525-528.

CARRELL, M.R., et DITTRICH, J.E. (1978). «Equity Theory: The Recent Literature, Methodological Considerations and New Directions», *Academy of Management Review*, n° 3, p. 202-210.

CHURCH, R.M. (1963). «The Varied Effects of Punishment on Behavior», *Psychological Review*, n° 70, p. 369-402.

FESTINGER, L. (1962). *A Theory of Cognitive Dissonance*, Stanford University Press, New York, 291 p.

GIBSON, J.L., IVANCEVICH, J.M., et DONELLY, J.H. (1988). *Organizations*, Business Publications Inc., Plano, Texas.

GOODMAN, P.S., et FRIEDMAN, A. (1971). «An Examination of Adam's Theory of Inequity», *Administrative Sciences Quarterly*, n° 16, p. 271-288.

GREER, C.R., et LABIG, C.E. (1987). «Employee Reactions to Disciplinary Action», *Human Relations*, n° 40, p. 507-524.

HERZBERG, F. (1959). *The Motivation to Work*, John Wiley and Sons, New York.

HOGUE, J.-P. (1971). «Les relations humaines dans l'entreprise», *Revue Commerce*, p. 8.

LADOUCEUR, R., BOUCHARD, M.-A., et GRANGER, L. (1977). *Principes et applications des théories béhaviorales*, Edisem inc., Saint-Hyacinthe.

LATHAM, G., et BALDER, T. (1975). «The Practical Significance of Locke's Theory of Goal-Setting», *Journal of Applied Psychology*, n° 60, p. 122-124.

LATHAM, G., et YUKL, G.A. (1975). «A Review of Research on the Application of Goal-Setting in Organizations», *Academy of Management Journal*, vol. 18, p. 824-845.

LEWICKY, R.J., BOWEN, D.D., HALL, D.T., et HALL, F.S. (1988). *Experiences and Management and Organisational Behavior*, 3ᵉ édition, John Wiley & Sons, New York.

LOCKE, E. (1968). «Toward a Theory of Task Motivation and Incentives», *Organizational Behavior and Human Performance*, n° 3, p. 157-189.

LOCKE, E., et LATHAM, G.P. (1990). *A Theory of Goal Setting and Task Performance*, Prentice-Hall, Englewood Cliffs.

MASLOW, A.H. (1954). *Motivation and Personality*, Harper and Row, New York.

McCLELLAND, D. (1961). *The Achieving Society*, Van Nostrand, New York.

McCLELLAND, D. (1971). *Assessing Human Motivation*, General Learning Press, New York.

McGREGOR, D. (1957). Extrait des délibérations de l'assemblée de l'École d'administration industrielle du MIT tenue à Cambridge le 9 avril 1957. Texte traduit par la Faculté de commerce de l'Université Laval, Québec.

McGREGOR, D. (1960). *The Human Side of Enterprise*, McGraw-Hill, New York.

PÉPIN, R. (1994). *Motiver et mobiliser ses employés*, Éditions transcontinentales, Montréal, 314 p.

PIÉRON, H. (1951). *Vocabulaire de la psychologie*, PUF, Paris.

PORTER, L.W. (1961). «A Study of Perceived Need Satisfaction of Bottom and Middle Management Jobs», *Journal of Applied Psychology*, février, p. 1-10.

PORTER, L.W., et LAWLER, E. (1968). *Management Attitudes and Performances*, Richard D. Irwin, Homewood, Ill.

RONEN, S., KRAULT, A.I., LINGOES, J.C., et ARANYA, N.A. (1979). «Nonmetric Scaling Approach to Taxonomies of Employee Work Motivation», *Multivariate Behavioral Research*, vol. 14, p. 387-401.

SKINNER, B.F. (1974). *About Behaviorism*, Knopf, New York.

STEERS, R.M. (1988). *Introduction to Organizational Behavior*, 3e édition, Scott, Foresman and Company, Glenview, Ill.

VROOM, V.H. (1964). *Work and Motivation,* Wiley, New York.

WERTHER, W.B., DAVIS, K., et LEE-GOSSELIN, H. (1985). *La gestion des ressources humaines*, McGraw-Hill, Montréal.

WHEELER, H.N. (1976). «Punishment Theory and Industrial Discipline», *Industrial Relations*, n° 15, p. 235-243.

CHAPITRE

4

La dynamique des groupes en milieu de travail

Plan

CHAPITRE

4 Objectifs d'apprentissage

Dans ce chapitre, le lecteur se familiarisera avec :

– l'importance et les avantages d'un groupe à l'intérieur d'une organisation ;

– les raisons justifiant la formation d'un groupe ;

– la distinction entre les divers types de groupes en fonction de deux classifications ;

– les étapes de l'évolution d'un groupe vers sa maturité ;

– l'influence de diverses variables sur la qualité de la cohésion existant entre les membres d'un groupe ;

– les effets positifs et négatifs de la cohésion sur l'efficience du groupe ;

– le conformisme et le déviationnisme dans la dynamique d'un groupe.

POINT DE VUE
D'UN GESTIONNAIRE

CHARLES LAROCQUE,
directeur des ressources humaines
Bell Helicopter Textron,
division de Textron Canada ltée

L'importance des groupes en milieu de travail

Dans l'environnement économique hautement compétitif dans lequel nous évoluons aujourd'hui, les entreprises ne peuvent plus compter uniquement sur les compétences techniques individuelles de leurs employés. Il leur faut mettre à contribution collectivement toutes les ressources humaines de façon à stimuler l'analyse de problèmes et la recherche de solutions novatrices en groupe. Si, jusqu'à il n'y a pas si longtemps, l'individualisme était valorisé dans le contexte nord-américain, principalement à cause de la spécialisation des tâches, cette valeur cède maintenant le pas à la synergie entraînée par le travail en équipe.

Confrontée au défi de créer une nouvelle entreprise au Québec vers le milieu des années 1980, Bell Helicopter a saisi l'opportunité de mettre en place toute une approche de gestion fondée sur les équipes de travail. Cependant, il ne s'agit pas de dire que l'on veuille travailler en groupe pour qu'automatiquement les choses se passent ainsi. Il a fallu concevoir une organisation nouvelle du travail et supporter le tout par un changement de mentalité et des systèmes de sélection et de formation appropriés.

Ce changement de mentalité implique de comprendre et d'accepter que, si les employés sont davantage impliqués dans la gestion de leur travail, la direction, pour sa part, doit déléguer l'analyse de certains problèmes aux employés. Ceci a pour conséquence une diminution du nombre de niveaux de gestion par rapport aux normes traditionnelles. Dans les premières étapes d'implantation, il faut s'attendre à ce qu'il y ait plusieurs ajustements à effectuer. Il doit s'établir un climat de partenariat entre direction et employés de sorte que les premiers projets soient d'envergure limitée, les petits succès promptement encouragés et les écarts de rendement corrigés positivement, sans remettre en question toute la philosophie du travail en équipe, mais en s'en servant plutôt comme une expérience d'apprentissage pour le futur.

Les employés doivent recevoir une formation sérieuse sur la méthode spécifique de travail en équipe valorisée par l'entreprise. Cette formation a d'autant plus d'impact si elle est dispensée sur les heures et lieux de travail, démontrant ainsi l'engagement et le sérieux de la direction dans l'approche du travail en groupe. La formation doit porter, entre autres, sur les différences de perception entre les individus, les obstacles à la communication, les moyens de les surmonter et une méthode d'analyse de problème et de prise de décision qui cadre avec les valeurs de l'entreprise. Certains programmes, tel celui implanté chez Bell Helicopter, comportent

→

même le développement d'habiletés concernant les méthodes de présentation efficace à la direction.

Outre les compétences techniques, certaines compétences interpersonnelles de base sont nécessaires. Ainsi l'ouverture au travail en équipe, une attitude positive et l'initiative sont des qualités qui prédisposent au succès du travail en groupe. Si ces qualités peuvent se développer chez les membres d'une organisation déjà en place par un climat de travail constructif, elles peuvent être évaluées chez les candidats qui doivent être embauchés, à l'aide d'une entrevue de sélection en profondeur. Dans ce type d'entrevue, l'individu doit démontrer qu'il a été capable, par le passé, de faire preuve de ces compétences dans des situations précises où il a été personnellement impliqué et qu'il a obtenu des résultats concrets grâce à ses actions. Ces situations peuvent être des événements de tous les jours.

Chez Bell Helicopter, le travail en équipe est, depuis maintenant dix ans, une réalité quotidienne. De plus, chaque matin, pendant quinze à vingt minutes, chaque équipe de travail se réunit dans l'usine. Au cours de ces réunions, les membres de la trentaine d'équipes de la fabrication (chaque équipe comporte une vingtaine de personnes) discutent de problèmes d'approvisionnement, de qualité, de production ou de sécurité. Ils échangent sur la façon dont ils les ont résolus ou vont les résoudre. Si des heures supplémentaires s'imposent, ils se les répartissent eux-mêmes, selon les exigences du plan de fabrication.

Cette philosophie de gestion en équipes semi-autonomes, où les équipes sont appelées à participer à la prise de décision à l'intérieur de certains paramètres, de même que la formation qui est dispensée, sont les fondements du processus d'amélioration continue de l'entreprise. Chez Bell Helicopter, la participation et la qualité ne sont pas des programmes ou des projets, avec une date de début et de fin, mais une façon de vivre.

Les résultats? Au cours des deux dernières années, les coûts associés au rejet des pièces non conformes ont chuté de 3,5 millions de dollars, soit de près de 30 %. La productivité s'est accrue d'environ 14 %, le chiffre d'affaires d'approximativement 66 % et la part de marché de près de 10 %, le tout au cours de la même période.

Aujourd'hui, l'entreprise fabrique 30 % de la production mondiale d'hélicoptères et exporte 90 % de cette production vers les marchés internationaux. Le travail en groupe est sans contredit l'un des facteurs clés du succès de Bell Helicopter Textron.

INTRODUCTION

Le phénomène de groupe a fait l'objet d'un nombre incalculable de recherches. En effet, une documentation abondante illustre l'ampleur de l'intérêt que les spécialistes des sciences humaines accordent à ce phénomène. Cet intérêt est d'ailleurs très justifié puisque les êtres humains sont presque constamment en interaction avec leurs semblables. Effectivement, «être humain», c'est appartenir à des groupes tels que la famille, le parti politique, le cercle d'amis, l'équipe sportive ou l'équipe de travail. Les groupes exercent une influence prépondérante sur chaque individu. En fait, le sort de la société repose sur des groupes puisque des décisions ayant un effet direct sur la vie des gens sont prises chaque jour par des comités, des associations, des partis et des ministères. Toutefois, malgré cette influence indéniable et même si les groupes occupent une place importante dans la vie de chacun, on prend rarement le temps d'observer ce qui se passe dans un groupe : comment les individus s'y comportent, comment les rôles s'y répartissent, comment le groupe influence l'individu et comment l'individu influence le groupe, pourquoi certains groupes sont plus efficaces, de quelle manière les conflits sont arbitrés, etc.

Devant autant d'interrogations, on devine facilement l'intérêt d'étudier ce phénomène en psychologie du travail et des organisations. Par conséquent, dans ce chapitre, nous traiterons principalement du phénomène de groupe en milieu de travail. Nous examinerons l'effet du groupe sur l'employé, qui, en raison de ses tâches et responsabilités, est souvent amené à collaborer avec d'autres membres de l'organisation. Car, en plus de rendre des comptes à son supérieur, l'employé entretient généralement des rapports avec ses collègues et avec ses subordonnés. Nous parlerons également de la manière dont le comportement d'un individu influence celui de ses collègues et de l'influence du groupe sur l'individu, sur le rendement général de l'entreprise, sur la satisfaction au travail, sur le taux de roulement et sur le taux d'absentéisme (Battenhausen, 1991 ; Hackman, 1990). Nous examinerons le phénomène de groupe sous diverses facettes reliées au milieu du travail. Mais avant d'aller plus loin, définissons d'une façon précise le phénomène de groupe. Le groupe est **un système organisé composé d'individus qui partagent des normes, des besoins et des buts, et qui interagissent de manière à influencer mutuellement leurs attitudes et leurs comportements**.

Dans cette définition du groupe, il est important de souligner la présence d'un élément clé. Comme nous venons de le mentionner, les membres du groupe partagent des normes, des besoins et des buts communs. Donc, un rassemblement d'individus ne constitue pas nécessairement un groupe. Les passagers d'un vol entre Montréal et New York, par exemple, ne forment pas un groupe, alors qu'une équipe de hockey, lorsqu'elle se trouve dans un avion nolisé, constitue bien un groupe.

4.1 LA FORMATION D'UN GROUPE

La question à laquelle nous tenterons de répondre dans cette section est celle-ci : pourquoi les individus se joignent-ils à un groupe ou qu'est-ce qui les incite à en former un ?

Il semble difficile de déterminer une raison unique qui motiverait l'individu à appartenir à un groupe. Les motifs les plus courants demeurent ceux reliés aux besoins de sécurité, d'appartenance sociale et d'engagement dans des tâches communes.

Les travailleurs peuvent faire partie d'un groupe afin d'accomplir une tâche ou de résoudre un problème : dans la majorité des cas, c'est alors la direction qui met sur pied un tel groupe. Par ailleurs, ce sont parfois les objectifs poursuivis par un groupe déjà formé qui incitent un individu à se joindre à ce groupe. Un contremaître peut adhérer volontairement à une association de cadres de son organisation, attiré par exemple par les activités de formation organisées régulièrement par cette association. Ce contremaître pourrait aussi s'unir à d'autres contremaîtres afin de former un groupe de pression. L'appartenance à ce groupe peut lui permettre de satisfaire un besoin d'appartenance sociale. La possibilité d'exercer du leadership au sein de ce groupe favorise aussi la satisfaction des besoins d'estime, de pouvoir et de réalisation.

Donc, les motifs qui amènent une personne à se joindre à un groupe sont très variés et peuvent permettre de combler plusieurs besoins. Il est toutefois rare que les besoins d'un individu soient comblés entièrement par un seul groupe. C'est pourquoi les individus appartiennent à plusieurs groupes : si un groupe ne parvient pas à satisfaire totalement les besoins d'un individu, ce dernier pourra cesser d'appartenir au groupe (Reitz, 1981) ou investira plus de temps ou d'énergie dans d'autres groupes.

4.2 LES TYPES DE GROUPES

De manière générale, la notion de groupe se rattache à l'idée de réalisation d'une tâche ou à l'idée d'interaction sociale. Ainsi, la plupart des auteurs s'entendent pour séparer les groupes selon des catégories précises illustrant cette différenciation. Certains auteurs subdivisent les types de groupes en trois catégories tandis que d'autres préfèrent n'en retenir que deux. Les tableaux 4.1 et 4.2 illustrent ces deux principales classifications.

TABLEAU 4.1
Une classification des types de groupes selon trois catégories

Catégorie de groupes et types en faisant partie	Exemples
1. Le groupe social Le groupe orienté vers une tâche	Le club de bridge L'équipe de travail
2. Le groupe formel Le groupe informel	Le service de marketing L'équipe de hockey de l'entreprise
3. Le groupe primaire Le groupe secondaire	La famille L'association de protection de l'environnement de la ville

TABLEAU 4.2
Une classification des types de groupes selon deux catégories

Catégorie de groupes et types en faisant partie	Exemples
1. Le groupe formel	Le conseil d'administration
Le groupe informel	Une équipe de baseball constituée d'employés de l'entreprise
2. Le groupe fonctionnel	Le service financier
Le groupe de tâche ou de projet	Le comité chargé de l'organisation de la fête de Noël
Le groupe d'intérêts	Le syndicat

Puisque la classification selon deux catégories se prête davantage à l'étude des groupes en milieu de travail, c'est sur cette dernière que nous mettrons l'accent. Voyons donc les caractéristiques de chacun des types de groupes de cette classification.

Première catégorie : les groupes formels et les groupes informels

Les directions d'entreprises établissent des groupes formels qui ont pour mandat d'exécuter les tâches qu'elles commandent en conformité avec les objectifs particuliers déjà établis. Afin de favoriser l'atteinte de ces objectifs, la direction détermine également des normes de rendement et le rôle des membres à l'intérieur des différents groupes.

Les groupes informels, quant à eux, se constituent spontanément, au fil du temps et des interactions des membres de l'organisation. Les membres d'un groupe informel partagent généralement les mêmes idées, valeurs, croyances et besoins sociaux. On peut facilement constater l'existence de tels groupes lors des pauses-café : des personnes travaillant dans différents services en profitent alors pour se réunir et discuter.

Deuxième catégorie : les groupes fonctionnels, les groupes de tâche et les groupes d'intérêts

Les groupes fonctionnels ressemblent aux groupes formels en ce sens que la direction les structure par l'organisation des tâches et des responsabilités. Ces groupes sont relativement permanents et représentent une fonction organisationnelle. Par exemple, les membres d'unités administratives telles que le service des finances et le service des achats appartiennent à des groupes fonctionnels.

Les groupes de tâche et de projet, par ailleurs, sont établis dans les entreprises dans le but d'exécuter une tâche particulière. La durée de vie de ces groupes est généralement limitée, puisqu'une fois le travail terminé la raison d'être du groupe disparaît. On considère ces groupes comme étant formels puisqu'ils sont mis sur pied par la direction dans un but précis. Par exemple, un comité qui aurait pour objectif d'évaluer l'efficacité de la coordination des activités du service des finances et du service des achats correspondrait à ce type de groupe.

Les groupes d'intérêts ou d'amitié sont constitués de personnes qui partagent des caractéristiques, des valeurs, des croyances, des objectifs ou des besoins semblables. Prenons l'exemple d'employés qui souhaitent soumettre des demandes particulières à l'employeur : un groupe d'intérêts sera alors formé si les employés se regroupent au sein d'un syndicat.

4.3 LES ÉTAPES DE L'ÉVOLUTION D'UN GROUPE

Un groupe est un organisme dynamique qui, tout comme une personne, évolue au fil du temps, de sa vie. Certains facteurs non négligeables influeront sur cette évolution de façon significative (voir la figure 4.1).

FIGURE 4.1
Le groupe en milieu de travail

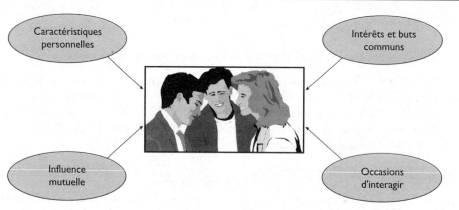

Il y a d'abord les caractéristiques personnelles de chaque membre du groupe : des individus possédant des affinités évidentes se lieront plus facilement et l'évolution du groupe sera plus rapide que si leurs affinités sont aux antipodes. L'existence d'intérêts et de buts communs, l'influence mutuelle des membres ainsi qu'une fréquence élevée d'occasions d'interagir favoriseront aussi la croissance du groupe.

Plusieurs études démontrent que la majorité des groupes évoluent suivant quatre phases : l'orientation, le conflit, la cohésion ainsi que l'évaluation et le contrôle (Obert, 1983 ; Tuckman et Jensen, 1977 ; Tuckman, 1965). Le passage d'une phase à l'autre reflète le degré de maturité du groupe.

4.3.1 L'orientation

La première étape de la formation d'un groupe est l'orientation. Les membres recherchent alors des affinités possibles avec leurs confrères. Ils font en quelque sorte des tests qui leur permettront de découvrir les comportements jugés acceptables et les comportements réprouvés par le groupe, et ce en étudiant les réactions des autres membres au sein du groupe.

Lorsqu'il s'intègre à un nouveau groupe, l'individu ne s'engage pas spontanément. Il le fait plutôt avec réserve, se familiarisant peu à peu avec la nouvelle situation. À ce stade, le nouveau membre ressent une certaine dépendance envers ses compagnons ainsi qu'envers les règlements appliqués dans le milieu de travail. En effet, il tente d'éviter le conflit et garde ses opinions et croyances pour lui-même.

Les comportements axés sur la tâche sont définis par le groupe, de même que la mission et les objectifs à atteindre. S'il y a un leader dès cette phase, il établit des directives claires et précises qui guideront les activités du groupe.

4.3.2 Le conflit

Puis survient la phase des conflits. À ce stade, les membres ne tiennent plus en réserve leurs idées et leurs opinions. Ils les défendent et les confrontent avec celles des autres membres. Ils mesurent leur valeur respective. Une certaine lutte pour le leadership peut s'engager. S'il n'y a pas de leader formel, la lutte s'engagera entre ceux qui ont le potentiel de le devenir. Lorsqu'il y en a déjà un, son autorité peut être remise en question et défiée par un leader informel. Les buts déterminés par le leader, formel ou informel, peuvent même être contestés. La résolution de ces conflits est nécessaire pour que le groupe évolue et passe à l'autre stade.

Cette situation conflictuelle paraît plus évidente à l'intérieur de groupes à caractère informel. En effet, au sein d'un groupe possédant des structures plus formelles ou rigides, les individus semblent mieux disposés à accepter l'autorité.

4.3.3 La cohésion

La troisième étape est celle de la cohésion. De nouveaux rôles sont alors établis, et un leader est choisi ou confirmé dans son rôle. Petit à petit, les membres du groupe se sentent plus à l'aise et plus solidaires, et ils expriment plus facilement leurs opinions quant aux actes à poser ou aux attitudes à adopter pour favoriser l'atteinte des buts communs. Les membres comprennent et respectent davantage les rôles et responsabilités de chacun et sont plus soucieux de s'entendre et d'éliminer les conflits et les obstacles.

4.3.4 L'évaluation et le contrôle

Finalement, la quatrième étape voit naître des relations interpersonnelles plus intimes. Un climat de confiance et d'acceptation s'installe. À cette étape, les membres créent des liens plus solides puisque les questions relatives aux relations interpersonnelles, à la division des tâches et au partage des responsabilités sont déjà acceptées. En conséquence, le groupe peut concentrer la plus grande partie de ses énergies à effectuer les tâches. On peut donc dire qu'à ce stade le groupe a atteint une certaine forme de maturité.

4.3.5 En résumé

La figure 4.2 et le tableau 4.3 résument le processus de maturation d'un groupe ainsi que les activités du groupe selon l'étape de développement à laquelle il se situe.

FIGURE 4.2
Le processus de maturation d'un groupe

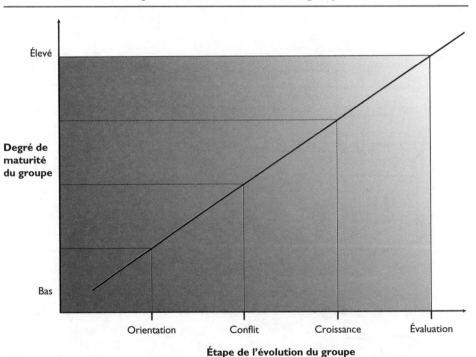

Étape de l'évolution du groupe

TABLEAU 4.3
Les activités et les étapes de l'évolution du groupe

Étape	Activités du groupe
Orientation	Établissement des structures, des règlements et des schèmes de communication
	Éclaircissement des relations et de l'interdépendance entre les membres du groupe
	Détermination des rôles, du leader
	Élaboration d'un plan afin d'atteindre le but donné
Conflit	Mise en lumière et résolution des conflits interpersonnels
	Éclaircissement plus poussé des règlements, des buts et des relations structurelles
	Création d'un climat de participation entre les membres du groupe
Cohésion	Mise sur pied d'activités orientées directement vers l'accomplissement du but
	Établissement d'un système de rétroaction (*feedback*) dans l'accomplissement de la tâche
	Développement de l'esprit d'équipe
Évaluation et contrôle	Démarches du leader pour faciliter l'exécution de la tâche et mettre l'accent sur la rétroaction et l'évaluation
	Renforcement des rôles et des relations intimes
	Consolidation de la motivation envers l'accomplissement de la tâche et, par conséquent, envers l'atteinte du but visé

Source : Traduit et adapté de Wallace (1983). Reproduit avec l'autorisation de HarperCollins Publishers Inc.

Il est à noter qu'il est possible que le groupe soit dissous à l'une ou l'autre des étapes de développement. De plus, l'adoption de nouveaux objectifs ou l'intégration de nouveaux membres peut déclencher un nouveau cycle entraînant le groupe à revivre les quatre étapes de son développement. Ajoutons finalement que, même si elle peut survenir à tout moment, la dissolution du groupe peut être considérée comme une cinquième étape formelle, étape qui comporte un certain nombre de rites. Pensons par exemple au bal des finissants au cégep ou à l'université, ou encore à la tradition d'inviter pour une petite fête ou un repas les individus qui quittent un groupe.

Avant de clore le sujet, un commentaire s'impose : l'évolution d'un groupe selon les étapes susmentionnées est un point de vue intéressant théoriquement, mais elle est difficile à démontrer concrètement. En dépit de cette mise en garde, le gestionnaire doit essayer de tenir compte des étapes afin de déterminer le type de leadership qui s'avérera le plus efficace pour mener le groupe vers l'accomplissement de ses objectifs.

4.4 L'EFFICACITÉ DU GROUPE

Lorsqu'on étudie le fonctionnement d'un groupe, on doit porter attention aux facteurs qui influencent son rendement et le comportement des membres.

Il existe évidemment plusieurs facteurs qui stimulent ou inhibent l'évolution du groupe. Un facteur de l'environnement externe tel qu'une compression budgétaire deviendra une menace à la survie même du groupe et entraînera, de fait, un certain resserrement des liens. Les individus se rapprocheront dans le but d'affronter et de vaincre l'obstacle plus efficacement. Un environnement stable, paisible et rassurant aura l'effet contraire sur un groupe.

Dans les sous-sections suivantes, on verra que, outre l'environnement externe, l'efficacité du groupe peut être influencée, d'une part, par des variables situationnelles telles que la taille, la tâche, la densité sociale, la composition du groupe et le style de leadership et, d'autre part, par des éléments caractéristiques du groupe tels que sa structure et sa dynamique.

4.4.1 Les variables situationnelles

La taille du groupe

La taille, la densité sociale, la tâche à accomplir, la composition du groupe et le style de leadership constituent les variables situationnelles qui influencent le fonctionnement et l'efficacité du groupe (voir la figure 4.3). Il faut toutefois souligner que l'effet de ces variables est fonction de la tâche et de la nature du projet que le groupe se voit confier.

FIGURE 4.3
Les variables situationnelles influençant l'efficacité d'un groupe

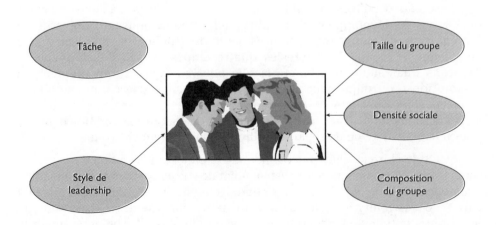

Bien que le facteur relatif à la taille ait fait l'objet de plusieurs études, il ne nous semble pas être le facteur le plus déterminant en ce qui a trait à l'efficacité d'un groupe. Mentionnons toutefois certains effets de la taille sur le fonctionnement d'un groupe.

Premièrement, un groupe de petite taille évoluera plus facilement qu'un groupe de grande taille. En effet, il semble que les membres appartenant à un petit groupe possèdent une plus grande liberté d'action. Dans un groupe de trois à cinq personnes, les échanges d'idées sont plus faciles et la satisfaction des membres plus grande. Toutefois, la taille restreinte d'un tel groupe risque de créer des tensions internes à cause des responsabilités accrues de chacun et de l'effet sur la visibilité organisationnelle que ces responsabilités entraînent (Hackman et Vidmar, 1970).

Deuxièmement, la taille restreinte d'un groupe favorise les prises de décision rapides ; dans un grand groupe, la communication plus difficile et la tendance à former des sous-groupes ralentissent le processus. En contrepartie, la diversité des connaissances que possèdent les membres d'un grand groupe favorise une meilleure qualité des décisions.

Finalement, il semble que la taille d'un groupe ait un effet sur le taux d'absentéisme et le taux de roulement des membres. En général, la recherche suggère que les membres d'un petit groupe s'absentent moins souvent et ont un taux de roulement plus faible que les membres d'un grand groupe.

Le tableau 4.4 résume les effets de la taille sur l'efficacité du groupe.

TABLEAU 4.4
Les effets de la taille sur l'efficacité du groupe

Petits groupes	Grands groupes
Évolution plus facile	Évolution plus difficile
Plus grande liberté d'action	Liberté d'action restreinte
Meilleure communication	Communication plus difficile
Plus grande satisfaction des membres	Satisfaction des membres plus faible
Prises de décision rapides	Prises de décision plus lentes
Tendance à former un groupe unifié	Tendance à former des sous-groupes aux objectifs divergents
Connaissances restreintes	Connaissances diversifiées
Qualité des décisions plus faible	Meilleure qualité des décisions
Faible taux de roulement	Taux de roulement assez élevé
Faible taux d'absentéisme	Taux d'absentéisme élevé

La densité sociale

La densité sociale se rapporte directement à la quantité d'individus qualifiés disponibles dans une région géographique. Elle concerne donc indirectement la distance physique qui sépare les membres d'un groupe. Il est réaliste de croire que la proximité des personnes favorise l'augmentation des interactions. Il est donc important de tenir compte de la distance qui sépare les membres d'un groupe puisque ce facteur détermine le succès avec lequel une tâche sera accomplie. Cependant, l'avènement technologique (courrier électronique, télécopieur, conférence téléphonique, etc.) permet de réduire les contraintes traditionnellement reliées à l'éloignement géographique.

La tâche

Plus une tâche est complexe, plus les membres du groupe prennent de temps à l'accomplir et plus les probabilités d'en arriver à un consensus sont faibles. Plus la tâche requiert d'informations diversifiées et complexes, plus le risque d'erreur augmente à cause des difficultés de coordination et d'organisation de ces informations.

La composition du groupe

La composition d'un groupe s'explique généralement par l'homogénéité ou l'hétérogénéité des membres qu'il réunit. Dans un groupe dit homogène, la compatibilité des besoins, des motivations ainsi que des personnalités est synonyme d'une plus grande efficacité, et ce parce que la coopération et la communication y sont particulièrement favorisées. Toutefois, il est important de retenir que l'homogénéité du groupe n'est pas nécessairement synonyme d'efficacité. En effet, si plusieurs des membres du groupe possèdent des traits de personnalité qui les incitent à exercer fortement leur leadership, le groupe sera composé de plusieurs « chefs » et de peu d'« Indiens », et il en résultera une plus faible productivité.

Dans un groupe de type hétérogène, la variation dans les caractéristiques individuelles intensifie la qualité de résolution des problèmes éventuels en raison de la stimulation interactive des individus. Par contre, l'hétérogénéité peut engendrer des situations conflictuelles qui auront pour effet de nuire à l'épanouissement du groupe.

Le style de leadership

Le style de leadership exerce une influence sur le cheminement du groupe. Les caractéristiques du leader, son expérience, âge, son sexe, son ancienneté dans l'entreprise, son niveau de scolarité et son intelligence, par exemple, entrent en interaction avec ces mêmes caractéristiques chez les membres et agissent sur sa capacité de coordonner les efforts consacrés à la poursuite d'un but commun.

4.4.2 La structure du groupe

La structure du groupe est définie par les normes qui régissent ce groupe ainsi que par les rôles et les statuts que détiennent les membres qui le composent ; ce sont ces composantes qui seront étudiées dans la présente sous-section.

C'est la structure qui dynamise les relations entre les membres et qui incite le groupe à diriger ses actions vers l'atteinte des objectifs organisationnels. Cette structure peut être traduite par un simple organigramme. Toutefois, cet organigramme ne constitue que l'aspect statique auquel se juxtaposent certains facteurs qui, eux, donnent à un groupe son dynamisme. En effet, au sein d'un groupe, des relations de différents types s'établissent entre les individus, des normes sont définies et des rôles sont graduellement attribués à chacun des membres.

Les rôles

En contexte de travail, les rôles correspondent étroitement aux fonctions occupées par les membres d'un groupe. Plus concrètement, les rôles attribués à une personne correspondent aux comportements qu'on attend d'elle. En fait, les rôles ont pour fonction de rendre prévisibles les comportements. Dans une entreprise, la description de tâches et les directives encadrent l'exercice des fonctions et précisent les rôles des individus. Quand les personnes manifestent des comportements qui ne correspondent pas à ceux qui seraient normalement associés à leurs rôles, elles donnent l'impression de se comporter inadéquatement. Par exemple, si, lors d'un match de hockey, un gardien de but s'emparait de la rondelle, déjouait les joueurs adverses en traversant la patinoire et comptait un but, on aurait l'impression qu'il ne respecte pas son rôle.

Par ailleurs, une personne peut jouer plusieurs rôles au sein d'une entreprise. Par exemple, dans une organisation, les individus peuvent se situer à différents points de la hiérarchie des postes de telle sorte qu'ils peuvent se trouver, d'une part, dans un rôle d'autorité face à leurs subalternes et, d'autre part, dans un rôle de subordination face à leur supérieur immédiat. Qui plus est, ces mêmes individus peuvent appartenir à d'autres groupes (comité, association, etc.) au sein desquels ils assument des rôles différents.

En général, on dénote deux principaux types de rôles : le premier est directement relié à la tâche, alors que le second est d'ordre socio-émotif (Bales et Slater, 1955). Les rôles reliés à la tâche sont généralement des rôles assignés ou prescrits par l'organisation afin de déterminer qui fait quoi. Cependant, au-delà du « qui fait quoi » formel, les comportements des individus font émerger des rôles qui représentent une manière d'être ou un style personnel. Ainsi, dans un groupe, parmi les rôles associés à la tâche, on peut trouver celui de l'individu qui introduit des sujets et des idées, qui suggère des méthodes ou propose des objectifs ; on peut également trouver le rôle de la personne qui exige des informations supplémentaires et cherche des solutions ou encore celui de la personne qui prend des notes, fait clarifier les idées ou les propositions et organise l'information.

Les rôles socio-émotifs sont représentés par des comportements qui visent la gestion des émotions, des éventuelles tensions et des aspects sociaux du groupe. Dans cette catégorie, on peut inclure le rôle de la personne qui distribue des renforcements sociaux sous forme d'encouragements et de commentaires positifs sur les idées, les solutions ou la participation des autres membres. On trouve aussi le rôle de la personne qui fait des synthèses et des compromis qui permettent d'atténuer les divergences et les éventuels conflits. Peut aussi faire partie de cette catégorie le rôle de la personne qui voit à ce que le café soit prêt, fait les réservations pour les repas et s'assure du confort général des gens. D'autres rôles socio-émotifs peuvent aussi émerger. Pensons au rôle de clown, soit celui de la personne qui utilise l'humour de différentes façons, ou encore le rôle de bouc émissaire, qui permet de canaliser les tensions et l'hostilité.

La majorité de ces rôles, tant ceux associés à la tâche que ceux associés à l'aspect socio-émotif, ne sont pas des rôles formels, mais plutôt des rôles qui émergent selon les besoins du groupe ou les besoins particuliers des individus composant le groupe. Ces rôles ont leur importance et permettent de réduire l'ambiguïté. On observe en effet que, dans la plupart des organisations, il existe certains problèmes associés au rôle. Ces problèmes résultent d'une certaine ambiguïté ou d'un manque de clarté quant à la perception de l'autorité, des tâches et des responsabilités de chacun. Par ailleurs, certaines recherches ont prouvé que l'ambiguïté de la situation est proportionnelle à la complexité de la tâche. Il faut aussi tenir compte du fait que certaines caractéristiques personnelles créent d'elles-mêmes des situation nébuleuses ; généralement, un individu très confiant perçoit plus clairement les situations que ses collègues moins sûrs d'eux-mêmes.

D'autres problèmes peuvent surgir lorsqu'il y a conflit de rôles ou plus précisément lorsque de multiples demandes et attentes divergentes sont exprimées simultanément par une ou plusieurs personnes ; une incertitude s'installe alors dans l'esprit du travailleur et celui-ci doit s'imposer un ordre de priorité. On trouve ainsi deux types de conflits : les conflits intrarôles – soit les conflits internes dans lesquels l'employé ne peut satisfaire à toutes les demandes à la fois – et les conflits interrôles – soit les conflits qui découlent d'attentes distinctes issues simultanément des différents rôles.

Finalement, l'instabilité du rôle, les luttes et les adaptations requises entraînent souvent des situations problématiques.

Les normes

Les différentes normes auxquelles adhèrent les membres d'un groupe constituent une autre facette intéressante de l'étude des groupes. Par définition, une norme est **un standard de comportement auquel se réfère l'individu quant à ses attitudes, à ses conduites et à ses opinions**. Tous les groupes possèdent leurs propres normes quant aux comportements acceptables et quant aux lignes de conduite à respecter.

Les normes touchent différents aspects du comportement des individus tels que la façon de s'habiller, de parler, d'agir et même la quantité et la qualité du rendement. En uniformisant les comportements des membres, les normes assurent le maintien d'un certain niveau de rendement et l'atteinte des objectifs fixés par le groupe. Elles varient selon les circonstances et les objectifs à atteindre. De plus, certaines normes s'appliquent à tous les membres tandis que d'autres ne régissent le comportement que de quelques-uns d'entre eux. Ainsi, il est possible qu'un nouvel employé soit tenu de respecter certaines normes précises (par exemple être ponctuel), alors que le leader du groupe n'y est pas tenu.

Une fois acceptées par le groupe, les normes influencent le comportement des membres et exercent un certain rôle externe, soit de type formel, soit de type informel. Les normes ou règles formelles sont écrites. On les trouve dans les diverses clauses d'une convention collective. Elles décrivent principalement la politique administrative, les droits et les obligations des employés. Par contre, la majorité des normes demeurent informelles. En effet, dans des situations bien précises, certains comportements sont socialement plus acceptables que d'autres. Prenons, par exemple, le contexte d'une entrevue de sélection : il est évident, voire approprié, que certains sujets tels que les conflits de personnalité survenus dans le travail précédent, les raisons de départ ou les défauts de la personne seront évités, alors que d'autres sujets tels que l'expérience, les habiletés acquises et les qualités seront mises en évidence.

La majorité des individus apprennent rapidement à se conformer aux différentes normes établies dans un groupe. Seuls les individualistes solidement déterminés à agir selon leurs propres critères oseront défier les croyances et les valeurs véhiculées par le groupe.

Les statuts

Le statut découle du rang ou de la position d'un employé dans l'organisation. Cette notion s'applique aussi à l'ensemble du groupe, car le rang ou la position du groupe dans l'organisation peut grandement favoriser son influence et son efficacité.

Or, même si en général, le statut renvoie à la position hiérarchique formelle de l'individu, il peut aussi découler de ses qualités personnelles. Les principaux

"Le conformisme dans la marginalité"

symboles du statut d'un individu sont le titre d'emploi (directeur, vice-président, etc.), le titre professionnel (architecte, dentiste, etc.), l'importance des relations (travailler avec une personne qui a un très haut statut comme un ministre, etc.), le salaire direct et indirect (salaire très élevé, compte de dépenses important, etc.) et la disponibilité d'espace (stationnement réservé, grand bureau, etc.).

Le statut détermine comment l'individu ou le groupe est perçu par le reste de l'organisation ainsi que son prestige et son influence. Les individus qui ont les statuts les plus élevés dans un groupe communiquent avec les autres membres et les influencent beaucoup plus que les individus dont le statut est moins élevé (Berger, Cohen et Zelditch, 1972).

En ce qui a trait au groupe (ou équipe) de travail, il appert que lorsqu'il possède certaines caractéristiques, il optimise ses potentialités et, par le fait même, acquiert un plus haut statut dans l'organisation. Le tableau 4.5 présente une synthèse des caractéristiques associées au statut du groupe.

4.4.3 La dynamique du groupe et ses facteurs de cohésion

Dans un ensemble de personnes s'établit graduellement un processus d'influence mutuelle de telle sorte qu'une certaine cohésion s'installe entre les membres du groupe. Les membres d'un tel groupe en viennent à éprouver une certaine affection et du respect les uns envers les autres. Parlons donc maintenant des facteurs qui influent sur la cohésion du groupe.

TABLEAU 4.5
Une comparaison des caractéristiques associées au statut d'un groupe

Groupe ayant un statut élevé	**Groupe ayant un statut peu élevé**
Les personnes doivent prendre des initiatives.	Les personnes doivent suivre les ordres.
Le groupe de travail a l'autorité nécessaire pour s'autogérer.	Le groupe est sous la responsabilité d'un superviseur qui se charge de prendre les décisions importantes.
Les membres forment des équipes afin de collaborer et de faire face aux difficultés associées à leurs tâches.	Les membres travaillent en équipe conformément aux directives établis par la direction.
Les travailleurs décident volontairement de coopérer. La dynamique du groupe s'installe par le biais de la discussion directe.	Les travailleurs coopèrent par obligation, en faisant fi de leurs sentiments dans la relation de travail. Même en équipe, chacun demeure individualiste.

Source: Traduit et adapté de Hirschhorn (1991), p. 13. Reproduit avec l'autorisation de Addison – Wesley Publishing. Co.

Les facteurs de cohésion

Les huit facteurs qui influent sur la cohésion d'un groupe sont présentés à la figure 4.4. Nous parlerons maintenant en détail de chacun d'eux.

L'homogénéité

L'homogénéité d'un groupe favorise sa cohésion interne. Les individus sont plus incités à se joindre à un groupe lorsque d'autres membres partagent leurs intérêts, valeurs et croyances. Ainsi, on remarque que, souvent, des individus exerçant une même fonction dans une entreprise se regroupent afin de partager leurs expériences. Un phénomène semblable est observé dans une salle de cours : lorsque des élèves issus de différents établissements scolaires se trouvent au collège ou à l'université dans une même classe pour la première fois, la cohésion du groupe est plutôt faible parce qu'il s'agit de personnes qui n'ont pas encore établi avec qui elles s'associeront ; mais, rapidement, des sous-groupes se forment en raison des affinités qui se créent graduellement. On pourra avoir, par exemple, au fond de la classe à gauche, un groupe d'élèves qui partagent les mêmes intérêts pour les parties de cartes ; à droite, on trouvera un groupe d'élèves originaires d'une région ou d'un établissement scolaire particulier ; au centre, un groupe possédant les mêmes goûts vestimentaires. Ces sous-groupes seront plus homogènes et on y remarquera une plus grande cohésion. Cependant, la cohésion peut être entravée par des différences de pouvoir au sein du groupe entre des sous-groupes d'amis ou de clans (scissions). Soulignons que, à des fins organisationnelles, il est important que l'homogénéité émerge de l'intérêt pour la tâche plutôt que de l'attirance interpersonnelle ou de l'amitié, car l'accomplissement de la tâche peut être négligé au profit d'interactions à caractère social et ludique.

Moreno (1947) a élaboré une méthodologie ayant pour but de mesurer les interactions, le processus d'influence et les activités d'un groupe. À partir de

FIGURE 4.4
Les facteurs influant sur la cohésion du groupe

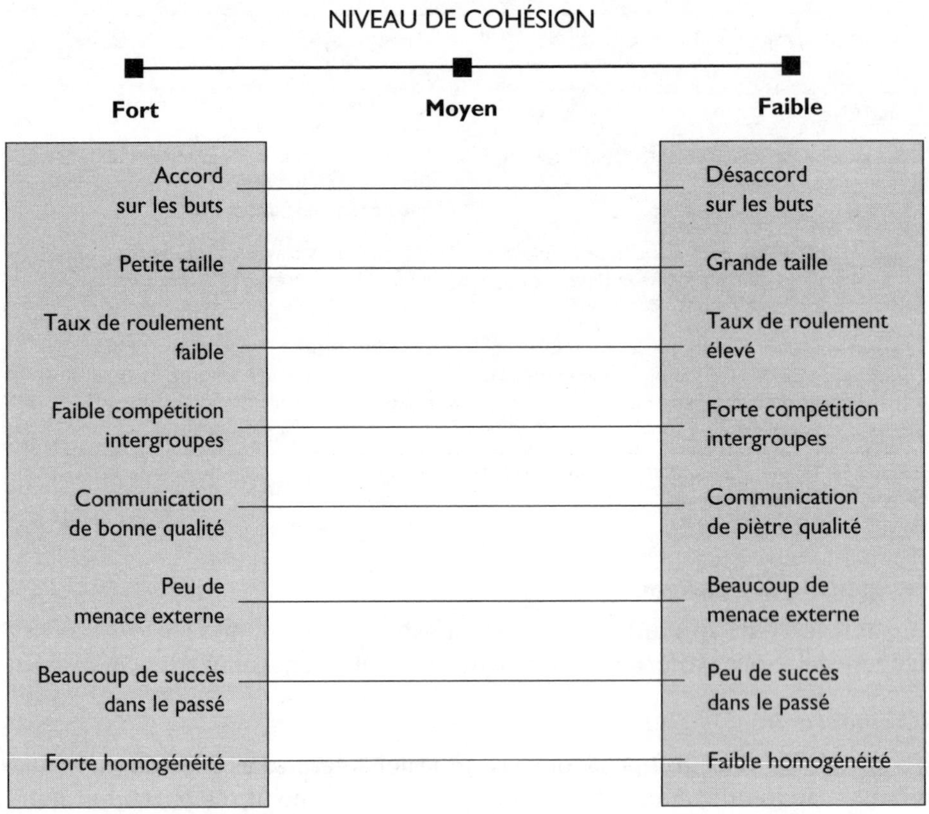

NIVEAU DE COHÉSION

Fort   **Moyen**   **Faible**

Fort	Faible
Accord sur les buts	Désaccord sur les buts
Petite taille	Grande taille
Taux de roulement faible	Taux de roulement élevé
Faible compétition intergroupes	Forte compétition intergroupes
Communication de bonne qualité	Communication de piètre qualité
Peu de menace externe	Beaucoup de menace externe
Beaucoup de succès dans le passé	Peu de succès dans le passé
Forte homogénéité	Faible homogénéité

sociogrammes illustrant la perception qu'ont les membres de leurs coéquipiers, Moreno mesure les interactions entre les membres d'un groupe et il décèle la présence de clans dans les groupes formels et informels.

L'accord sur les buts

Plus les membres s'entendent au sujet des buts et des objectifs à atteindre, plus la cohésion du groupe augmente. Si le groupe n'arrive pas à se rallier à un objectif commun même après l'intervention du leader, il est probable que des sous-groupes se formeront et qu'une scission se produira. C'est le cas d'une équipe sportive, par exemple, dont les joueurs ne suivraient pas le même plan de match, ou encore d'un groupe de travailleurs divisé par des buts contradictoires, certains préconisant une forte productivité au détriment de la qualité, les autres favorisant une production moindre pour une qualité supérieure. Comme on le verra au chapitre 7, c'est ici que le rôle du leader prend toute son importance.

Le nombre de membres

Un groupe de taille restreinte a généralement plus de cohésion qu'un grand groupe, car la possibilité que chacun exprime son opinion et obtienne les réactions provoquées y est plus forte. De plus, avec un petit groupe, les buts, les rôles et les responsabilités peuvent être définis beaucoup plus aisément.

La communication

Une communication de qualité entre les membres d'un groupe favorise sa cohésion. La qualité de la communication peut se mesurer par la fréquence des interactions. À cet égard, il semble que plus les membres d'un groupe interagissent, plus le groupe est cohérent. Toutefois, il existe une limite au nombre d'interactions, et celle-ci doit être définie en fonction de la capacité individuelle des membres d'apporter des informations significatives lors des réunions du groupe. Trop de réunions amènent souvent une stagnation de la productivité du groupe.

La menace externe

En réaction à une menace externe, le groupe a tendance à faire preuve de cohésion, à rallier ses membres afin d'unir leurs efforts dans un but commun. En guise d'exemple, pensons à un groupe d'employés dont la sécurité d'emploi est menacée à la suite de changements technologiques dans l'entreprise ou à la suite de compressions budgétaires.

La compétition intergroupes

Tout comme la menace externe, la compétition intergroupes favorise la cohésion. En effet, la compétition intergroupes force les membres du groupe à unir leurs efforts, à améliorer leur productivité, leur communication et leur organisation du travail ; au contraire, la compétition intragroupe divise les membres plutôt que d'accentuer la cohésion.

Le succès du groupe

Les membres d'un groupe qui n'atteint pas ses objectifs tentent généralement d'attribuer la cause de leur échec à un des leurs. Cette situation mine la cohésion du groupe et, dans une situation de compétition, le rend plus vulnérable. Il suffit de lire les pages sportives d'un quotidien pour se rendre compte que, à la suite d'une défaite, un bouc émissaire, qui n'est pas nécessairement le leader, doit essuyer quelques sarcasmes. De plus, les gens n'aiment pas s'identifier à une équipe perdante, de telle sorte que les groupes ayant une bonne réputation sont recherchés et reconnus pour leur succès ; la cohésion du groupe sera ainsi renforcée par le succès, lequel rejaillira sur chaque membre suivant un processus de récompense coopérative plutôt que compétitive. On reconnaît d'ailleurs souvent l'esprit d'équipe d'un travailleur productif aux commentaires élogieux qu'il prononce à l'endroit de ses coéquipiers plutôt qu'aux commentaires visant à faire ressortir l'excellence de sa propre performance.

Le taux de roulement

Lorsque les employés vivent des tensions et des situations de stress au sein de leur groupe de travail, ils réagissent inévitablement : certains vont contester, d'autres vont diminuer leur rendement ; certains vont aller jusqu'à quitter leur

CHERCHEUR RENOMMÉ

ABRAHAM K. KORMAN

Il semble de plus en plus évident que les individus recherchent un sentiment d'accomplissement personnel dans leur travail et, par conséquent, travaillent plus fort et plus efficacement s'ils sentent que leur emploi leur permet d'atteindre ce but. Il est cependant moins évident de comprendre les conditions qui favorisent l'apparition de ce sentiment d'autoréalisation.

Nous avons tenté de répondre à cette question générale dans le cadre d'un programme de recherche que nous menons depuis dix ans au Baruch College. Bien qu'il nous reste encore beaucoup à découvrir sur le sujet, on assiste à l'émergence de certains patterns qui ne manqueront pas d'intéresser les gestionnaires d'aujourd'hui et de demain. Ainsi, nos études effectuées tant dans un environnement individualiste qu'au sein de cultures organisationnelles davantage axées sur le groupe nous ont permis de cerner quelques-unes des façons les plus efficaces d'augmenter le sentiment d'accomplissement chez les employés ; il faut donc :

- enrichir le travail de l'employé en rendant son emploi plus intéressant et en accordant à l'individu plus d'autonomie quant à la prise de décision ;

- aider l'employé à résoudre les conflits entre ses responsabilités professionnelles et ses responsabilités familiales ;

- offrir à l'employé l'occasion d'augmenter son salaire par des mesures incitatives.

En ce qui concerne ce dernier point, notre recherche a démontré que ce n'est pas tant le niveau salarial comme tel qui fait la différence, mais bien plutôt le mode de rémunération.

Qu'il s'agisse d'une organisation axée sur l'individu ou sur le groupe, nous avons également constaté que la participation au processus décisionnel a des retombées positives, qui n'incluent cependant pas l'accentuation du sentiment d'accomplissement. Enfin, nos recherches ont aussi indiqué que le remaniement organisationnel, soit par l'augmentation de la marge de contrôle soit par la diminution du nombre de paliers hiérarchiques, n'a que peu d'effet sur le sentiment de responsabilité des employés.

Nous espérons que les résultats de ces études et de celles à venir sauront être utiles aux gestionnaires et aux employés qui ont à bâtir une carrière dans un monde en constante évolution.

→

Notice biographique

Titulaire de la Chaire Wollman, Abraham K. Korman est professeur de gestion au Département d'études managériales du Baruch College à la City University of New York. Il était auparavant membre de la faculté de la University of Oregon et de la New York University. Il a également été professeur invité dans diverses universités étrangères (notamment en Grande-Bretagne, en Chine, en Israël et en Égypte). Spécialisé dans les domaines du leadership, du stress et de l'aliénation des cadres supérieurs, des relations intergroupes en milieu de travail et des processus motivationnels, M. Korman compte plus de trente ans d'expérience à titre de consultant pour les grandes entreprises américaines (soit celles figurant dans la revue *Fortune 500*) ainsi que pour les entreprises des secteurs privé et public en Europe et au Moyen-Orient. Auteur de huit ouvrages et de nombreux articles, M. Korman a donné plusieurs conférences à des sociétés professionnelles et à des gestionnaires de par le monde. Il possède un doctorat en psychologie de la University of Minnesota.

Note : Texte traduit de l'anglais.

emploi parce que le groupe ne satisfait plus leurs besoins, ce qui entraîne un déséquilibre et, par conséquent, une cohésion réduite qui peut mener à la dissolution du groupe. On peut donc associer à un fort taux de roulement une faible cohésion du groupe. Il y a tout de même des cas où le départ d'un employé joue en faveur de la cohésion du groupe. Pensons par exemple au groupe qui, pour améliorer son rendement, rejette les individus qu'il juge non productifs.

En résumé

Dans l'ensemble, on peut dire que la cohésion entre les membres d'un groupe est d'autant plus grande que le groupe réussit à atteindre ses buts, qu'il est menacé de l'extérieur, qu'il est en compétition avec d'autres groupes ou qu'il fonctionne selon une structure de récompense coopérative plutôt que compétitive. Dans les groupes de travail, la cohésion fortifie le moral et rehausse l'estime de soi tout en améliorant le rendement. Les phénomènes tels que les associations d'alcooliques anonymes ou encore les « Weight Watchers » en sont de bons exemples.

La « pensée de groupe » (*group thinking*)

Lorsque les membres d'un groupe se trouvent dans un processus de prise de décision, la cohésion élevée peut, dans certains cas, être négative et entraîner la « pensée de groupe » (Janis, 1972). Ce phénomène de conformité excessive se manifeste par une intolérance vis-à-vis de tout comportement dit déviant, soit d'un comportement qui peut échapper aux normes établies par le groupe. Il fait en sorte que, lors d'une prise de décision, tous les membres du groupe se rallient aux opinions dominantes plutôt que d'émettre leur propre opinion.

Trois facteurs viennent expliquer ces phénomènes de conformisme et de déviationnisme : la complaisance ou la conformité aux normes par pure bienveillance ; l'identification ou la conformité aux normes par respect ; et l'intériorisation, soit la conformité aux normes par l'intégration des valeurs du groupe (Gergen et Gergen, 1984). Ces facteurs permettent ainsi d'expliquer la forte cohésion du groupe. Dressons un portrait des principaux symptômes de ce phénomène :

- l'illusion d'invulnérabilité, qui se manifeste par un optimisme excessif ;

- la rationalisation des membres du groupe, pour diminuer les avertissements ;

- la conviction inébranlable quant à la pureté ou à la moralité de ses choix et de ses actions, un sentiment de supériorité et l'illusion de moralité ;

- l'étiquetage de ceux qui s'opposent au groupe ;

- une pression directe exercée sur les membres qui remettent en question ces stéréotypes basés sur la croyance qu'un membre loyal ne s'oppose pas à la volonté de groupe ; un besoin d'exclusivité ;

- l'autocensure de ce qui dévie du consensus apparent du groupe ;

- l'illusion d'unanimité ; le silence est interprété comme un assentiment ;

- l'élaboration de barrières mentales ayant pour objectif de protéger le groupe contre l'information défavorable (Janis, 1972).

Une application de principes reliés à la cohésion à l'aide de l'étude de Hawthorne

La cohésion du groupe a des effets sur son rendement et sur la satisfaction de ses membres. En guise d'exemple au sujet de l'efficacité du groupe, nous présentons ici une étude menée par une équipe de psychologues de l'université Harvard entre 1927 et 1932 au sein de la compagnie Western Electric à Hawthorne près de Chicago (Mayo, 1971 ; Roethlisberger et Dickson, 1939).

Cette étude a permis de découvrir que le comportement d'un travailleur ainsi que ses sentiments sont étroitement liés, que les influences du groupe jouent sur le comportement individuel, que les standards du groupe influent sur le rendement et que la rémunération pèse moins lourd dans la balance que les sentiments et la sécurité. Voici brièvement la démarche expérimentale suivie dans cette étude :

- **1re étape.** Il s'agissait de tester l'effet des conditions de travail sur la productivité. Les résultats ont permis de démontrer qu'en améliorant les conditions de travail, soit en l'occurrence en augmentant l'intensité de la lumière, on augmentait aussi le rendement ;

- **2e étape.** Il s'agissait de tester l'effet inverse en abaissant la qualité des conditions de travail afin de s'assurer que la variable « luminosité » était responsable de l'augmentation du rendement. Les résultats ont permis de constater que, malgré une baisse de la luminosité, le rendement augmentait aussi.

Le phénomène de groupe explique bien ces comportements. L'intérêt accordé aux travailleurs a rehaussé le moral et l'estime personnelle de ceux-ci.

Par conséquent, la satisfaction d'être reconnus en tant qu'éléments indispensables au bon fonctionnement d'une organisation leur suffisait pour conserver une motivation déterminante indépendamment des facteurs extérieurs.

4.5 UN EXEMPLE DE LA DYNAMIQUE DES GROUPES EN MILIEU DE TRAVAIL

Hydro-Québec a instauré il y a quelques années un programme de rémunération incitative pour ses cadres de premier niveau. Les régimes incitatifs consistent en une forme de rémunération au rendement dont la particularité est de pouvoir offrir une bonification du salaire tant pour l'individu que pour le groupe. En bref, les régimes d'incitation de l'individu sont généralement constitués par des standards de production auxquels est comparé le rendement individuel des employés. La plupart des régimes d'incitation de groupe sont des adaptations des régimes individuels en ce sens qu'il y a toujours des standards, mais que ceux-ci sont collectifs. Les primes individuelles dépendent alors du rendement collectif. Les régimes d'incitation de l'organisation prennent habituellement deux formes : les régimes de participation aux bénéfices (*profit sharing*) et les régimes de partage des gains de productivité (*gain sharing*).

Lors de la mise en place de ce programme, Hydro-Québec a porté une attention particulière aux avantages ainsi qu'aux désavantages de ce système de distribution de primes basé sur le rendement du groupe, afin de maximiser le succès de sa démarche.

Les avantages de ce type de régime sont nombreux. Le plus reconnu est celui d'encourager la coopération entre les employés, particulièrement dans les milieux de travail où les emplois sont interdépendants. Dans ces milieux de travail, les régimes d'incitation de groupe offrent le moyen le plus direct de récompenser l'effort collectif, la collaboration et la coordination indispensables à une bonne exécution du travail.

Ces systèmes encouragent les employés à s'entraider, à accepter de bon gré les tâches moins agréables, à réduire autant que possible les temps improductifs et à faire un travail de meilleure qualité en tenant compte du fait que d'autres membres de l'équipe devront le poursuivre après eux. Un autre avantage réside dans la pression du groupe sur l'ensemble de ses membres. En effet, dans les régimes individuels, la pression du groupe de travail réduit souvent la productivité, parce qu'une plus grande production de certains individus peut vouloir dire une révision à la hausse des normes pour tous. Dans les régimes de groupe, étant donné que la norme est collective, le groupe de travail impose sa discipline aux éléments les plus improductifs en vue d'élever la prime.

Toutefois, un certain nombre de désavantages sont aussi associés à ces régimes. Par exemple, il peut arriver que les employés plus dynamiques d'une équipe s'irritent de ce qu'ils considèrent comme étant un manque d'effort de la part des autres coéquipiers et que cela provoque des conflits. Il peut aussi s'installer une compétition entre les groupes, provoquant ainsi la naissance de conflits lorsqu'un groupe essaie de maximiser sa prime aux dépens d'un autre groupe. De plus, pour avoir droit à une prime, un groupe pourrait évaluer que les objectifs d'un autre groupe sont plus faciles à atteindre que les siens. Mentionnons également que les régimes de groupe sont moins flexibles que les régimes individuels où les objectifs sont plus facilement révisables par une rencontre entre l'employé et le gestionnaire.

CONCLUSION

Divers groupes coexistent au sein des organisations. Les membres d'un groupe fonctionnel sont réunis au sein d'unités administratives durables, tandis que les employés réunis dans un groupe de tâche ou de projet ont pour mandat d'exécuter une tâche particulière qui entraîne la dissolution du groupe une fois qu'elle est accomplie. Des groupes d'intérêts peuvent également se former par la réunion de certains travailleurs qui partagent des valeurs, des croyances, des objectifs et des besoins communs.

Dans son évolution, le groupe passe par quatre phases avant d'atteindre le plus haut niveau de maturité : l'orientation, le conflit, la cohésion ainsi que l'évaluation et le contrôle du rendement. Bien que l'efficacité d'un groupe soit liée à ces différentes étapes, d'autres facteurs contribuent à l'augmentation ou à la diminution de l'efficacité du groupe. Ainsi, l'environnement externe, les variables situationnelles, de même que des éléments liés à la structure et à la dynamique contribuent à l'efficacité d'un groupe.

CHAPITRE 4 Questions de révision

1. Qu'est-ce qu'un groupe? Définissez-en les paramètres en précisant l'utilité qu'il peut avoir à l'intérieur de la réalité organisationnelle.

2. Distinguez les notions de groupe formel et de groupe informel en utilisant des exemples tirés de votre situation personnelle.

3. Comparez les deux classifications de types de groupes présentées dans le chapitre en construisant un parallèle entre les différents groupes faisant partie de chacune des classifications.

4. Quelles sont les étapes de l'évolution d'un groupe et quels effets ont ces étapes sur la maturation ainsi que sur l'efficience du groupe?

5. Pour créer un groupe efficient, à quelles variables situationnelles et structurelles devrait-on avoir recours?

6. La cohésion d'un groupe est souvent considérée comme un indice de son efficacité. Une telle relation est-elle toujours vraie? Justifiez votre réponse.

7. Décrivez ce que serait le processus à suivre pour créer un groupe «parfait». Utilisez toute l'information du chapitre afin de construire et de soutenir votre réponse.

CHAPITRE 4 Autoévaluation

L'évaluation des aptitudes sur le plan interpersonnel

Le questionnaire qui suit constitue un outil d'apprentissage et un moyen d'évaluer vos aptitudes actuelles sur le plan interpersonnel. Prenez le temps d'y répondre avec soin et en toute franchise. Vos réponses devraient refléter votre comportement tel qu'il est et non tel que vous le souhaitez. Ce questionnaire a pour but de vous aider à faire le point de façon que vous puissiez ensuite améliorer vos aptitudes sur le plan interpersonnel.

L'inventaire des aptitudes sur le plan interpersonnel

Le questionnaire qui suit a été conçu pour vous permettre d'évaluer vos aptitudes actuelles sur le plan interpersonnel. Si vous n'avez jamais occupé un poste de cadre, songez à un groupe au sein duquel vous avez œuvré soit en classe, soit à l'intérieur d'un organisme tel qu'un club récréatif ou une organisation de bienfaisance. Vous verrez que ce questionnaire peut s'appliquer à vous, même si vous n'êtes pas encore un gestionnaire.

Reportez-vous à l'échelle ci-après pour inscrire devant chaque énoncé le chiffre (de 1 à 7) qui correspond le mieux à la fréquence de ce comportement dans vos relations avec les autres.

Il s'agit pour moi d'un comportement :

rare	irrégulier	occasionnel	habituel	fréquent	presque constant	constant
1	2	3	4	5	6	7

_____ 1. Je suis disponible lorsque quelqu'un veut me parler.

_____ 2. J'accueille les autres d'une façon amicale.

_____ 3. Je fais appel à l'humour pour détendre l'atmosphère au besoin.

_____ 4. Je laisse voir aux autres que je me soucie d'eux lorsque je leur parle.

_____ 5. Je suis ouvert au point de vue et à l'opinion des autres, même lorsqu'ils s'opposent aux miens.

_____ 6. Je me tiens en face de la personne avec qui j'échange et je maintiens avec elle un contact visuel.

_____ 7. Je me penche vers la personne qui me parle.

_____ 8. Je répète ce qu'on me dit en le reformulant pour être certain d'avoir bien compris.

_____ 9. Je suis à l'affût de tout message sous-jacent aux propos formulés.

_____ 10. Je remarque l'expression faciale, les mouvements, la posture, les inflexions et autres des gens avec qui j'échange.

_____ 11. J'accepte facilement les différences individuelles.

_____ 12. Je respecte le droit à la vie privée.

_____ 13. Je laisse voir aux autres que je comprends leurs problèmes bien que j'évite de m'en mêler.

_____ 14. J'essaie d'éviter que les problèmes personnels d'autrui causent des difficultés au travail.

_____ 15. Je laisse savoir aux autres que je me soucie de leur bien-être.

_____ 16. J'encourage les autres à faire connaître leurs idées, leurs sentiments et leurs perceptions.

_____ 17. Je crée un climat où les gens ne craignent pas de faire connaître leurs idées, leurs sentiments et leurs perceptions.

_____ 18. Je pose des questions qui aideront les autres à bien réfléchir au problème à l'étude.

_____ 19. Je favorise la libre circulation de l'information; je formule des questions ouvertes plutôt que des questions exigeant une réponse précise.

_____ 20. Je laisse savoir aux autres que leurs idées, leurs sentiments et leurs perceptions ont de l'importance.

_____ 21. Je reconnais les aspects positifs du rendement et des réalisations d'autrui et je les renforce au moyen de compliments et d'encouragements.

_____ 22. Je parle des comportements négatifs d'une manière objective en faisant mention des directives établies et des normes en vigueur.

_____ 23. Je fournis une rétroaction qui se veut utile et qui s'accompagne au besoin d'un plan d'amélioration réalisable.

_____ 24. Je demande aux autres de procéder à une autoévaluation.

_____ 25. Je prends soin de ne pas léser l'estime que les autres ont d'eux-mêmes lorsque je leur apporte une rétroaction.

Vos résultats et leur évaluation

Le tableau ci-après vous permettra d'obtenir une vue d'ensemble de vos résultats. Il vous aidera à reconnaître vos points forts et à déterminer ce qu'il vous faut améliorer.

1) Calculez votre résultat pour chaque aptitude en additionnant les chiffres que vous avez indiqués devant chacun des énoncés.

2) Faites le total des cinq résultats obtenus et indiquez-le dans la case appropriée.

3) Comparez vos résultats pour l'ensemble de ces aptitudes et pour chacune d'entre elles à ceux des autres membres de votre équipe ou de votre groupe. Si votre professeur ou animateur établit une moyenne de groupe pour l'ensemble de ces aptitudes et pour chacune d'entre elles, servez-vous-en pour comparer vos résultats.

4) Discutez avec les autres membres de votre groupe ou avec des compagnons de classe de vos forces et de vos faiblesses respectives sur le plan interpersonnel.

5) Examinez avec eux divers moyens d'améliorer les aptitudes pour lesquelles vous avez obtenu un résultat relativement faible par rapport à l'ensemble du groupe ou de la classe.

Aptitude	Énoncés	Évaluation – Résultat
Établir une relation favorable avec autrui et la maintenir	1, 2, 3, 4, 5	
Écouter les autres	6, 7, 8, 9, 10	
Se montrer sensible aux besoins des autres	11, 12, 13, 14, 15	
Amener les autres à faire connaître leurs idées, leurs sentiments et leurs perceptions	16, 17, 18, 19, 20	
Offrir une rétroaction	21, 22, 23, 24, 25	
Résultat total		

Source : Traduit de Fandt (1994), p. 4 et 5. Reproduit avec permission.

Références

BALES, R.F., et SLATER, P.E. (1955). «Role Differentiation in Small Groups», dans T. PARSON *et al.* (sous la direction de), *Family Socialization and Interaction Process*, Free Press, Glencoe, Ill., p. 35-132.

BATTENHAUSEN, K.L. (1991). «Five Years of Group Research: What We Have Learned and What Needs to Be Addressed», *Journal of Management*, vol. 17, p. 345-381.

BERGER, J., COHEN, B.B., et ZELDITCH, M. (1972). «Status Characteristics and Social Interaction», *American Sociological Review*, n° 51, p. 241-254.

FANDT, P.M. (1994). *Management Skills: Practice and Experience,* West Publishing Co., St. Paul, Minnesota.

GERGEN, K.J., et GERGEN, M.M. (1984). *La psychologie sociale*, Études Vivantes, Montréal, 528 p.

HACKMAN, R. (1990). «Creating more Effective Work Groups in Organizations», dans R. HACKMAN (sous la direction de), *Groups that Work (and Those that Don't): Creating Conditions for Effective Teamwork*, Jossey-Bass, San Francisco, p. 479-504.

HACKMAN, R., et VIDMAR, N. (1970). «Effects of Size and Task on Group Performance and Member Reactions», *Sociometry,* n° 33, p. 37-54.

HIRSCHHORN, L. (1991). *Managing in the New Team Environment*, Addison-Wesley, Reading, Mass.

JANIS, I. (1972). *Victims of Group thinking*, Houghton Mifflin, Boston.

MAYO, E. (1971). «Hawthorne and the Western Electric Company», dans D.S. PUGH, (sous la direction de), *Organization Theory*, Penguin Books, Middlesex, Angleterre, p. 215-229.

MORENO, J.L. (1947). «Contribution of Sociometry to Research Methodology in Sociology», *Sociological Review*, n° 12, p. 287-292.

OBERT, S.L. (1983). «Developmental Patterns of Organizational Task Groups: A Preliminary Study», *Human Relations*, janvier, p. 37-52.

REITZ, H.G. (1981). *Behavior in Organizations*, édition révisée, Richard D. Irwin, Homewood, Ill.

ROETHLISBERGER, F.J., et DICKSON, W.J. (1939). *Management and the Worker*, Wiley, New York.

TUCKMAN, B.W. (1965). «Developmental Sequence in Small Groups», *Psychological Bulletin*, vol. 63, n° 6, p. 384-399.

TUCKMAN, B.W., et JENSEN, M.R.C. (1977). «States of Small Group Development Revisited», *Group and Organizational Studies*, n° 2, p. 419-427.

WALLACE, M. (1983). *Organizational Behavior and Performance*, 3e édition, Scott, Foresman and Co., Glenview, Ill.

Les principes de communication dans l'organisation

Plan

CHAPITRE 5 Objectifs d'apprentissage

Dans ce chapitre, le lecteur se familiarisera avec :

– la dynamique du processus de communication et ses composantes de base ;

– la distinction entre le réseau de communication formel et le réseau de communication informel de l'organisation ;

– la description des trois modèles de communication, soit la communication vers le bas, la communication vers le haut et la communication horizontale ;

– les avantages et les inconvénients reliés à chacun de ces modèles de communication, et ce en fonction de certains objectifs de communication ;

– les différents types de distorsion (bruit) pouvant s'introduire dans le processus de communication ;

– les éléments nécessaires à l'instauration d'un programme de communication en milieu organisationnel.

POINT DE VUE
D'UN GESTIONNAIRE

MAUREEN KEMPSTON DARKES,
présidente
General Motors Canada ltée

**Motiver ses employés pour exceller :
le cas de la General Motors**

Le progrès technique et l'amélioration des moyens de communication suscitent actuellement une transformation importante de la manière dont les entreprises mènent leurs activités. Ils rapprochent en effet les différents points du globe, favorisant ainsi la concurrence à l'échelle mondiale. Ceci est particulièrement vrai dans le secteur de l'automobile, où les changements survenus au cours des dix dernières années ont obligé les constructeurs nord-américains à revoir leurs stratégies.

Au début des années 1990, le marché exerçait de fortes pressions sur la General Motors, lesquelles se traduisaient par des pertes et un mauvais bilan. La General Motors a depuis pris certaines décisions difficiles et posé des gestes importants pour composer avec ces pressions. On considérait à l'époque ce constructeur d'automobiles comme une énorme organisation peu efficiente et incapable de s'adapter rapidement à l'évolution du marché. Pour demeurer compétitive dans un secteur en évolution, la General Motors a dû se transformer en un producteur d'automobiles et de camions de qualité caractérisé par un effectif réduit et une grande flexibilité.

Or, cette transformation représentait un défi de taille puisqu'elle exigeait un engagement de la part de tous les membres de l'organisation – General Motors étant une des plus grandes entreprises à l'échelle mondiale. Il est fréquent que des changements rapides soulèvent l'opposition et rendent certaines personnes mal à l'aise. Néanmoins, pour assurer notre survie, nous avons demandé à nos employés de passer outre ces croyances pré-établies. Nous leur avons demandé d'accepter un modèle nouveau, de mettre de côté la philosophie consistant à atteindre un certain niveau ou un degré d'excellence précis et d'accepter un environnement en perpétuel changement où l'amélioration est continue. Talentueux, loyaux et fiables, nos employés se sont montrés à la hauteur de nos attentes et ont contribué pour une grande part à la réalisation de nos objectifs.

Les chiffres parlent d'eux-mêmes. En 1994, la division des activités nord-américaines de la General Motors a enregistré des résultats remarquables. Au cours de la période quadriennale se terminant en 1994,

→

son bénéfice annuel a augmenté de près de 9 milliards de dollars américains. En 1994, alors que la General Motors rééquipait près du sixième de ses chaînes de montage en Amérique du Nord, la productivité s'est accrue de 8 % par rapport à l'année précédente. Cette même année, on a également réduit les coûts de production de 5 %. Pareils résultats auraient été impossibles à obtenir sans l'engagement de l'ensemble de l'organisation, lequel est essentiel pour occuper une position de chef de file dans l'environnement de concurrence actuel qui évolue sans cesse.

Comment peut-on créer un environnement où le changement est accepté comme allant de soi et où de tels résultats sont possibles ? La première étape consiste à revoir les fondements mêmes des croyances et des valeurs de l'organisation.

À la General Motors, nos employés passent avant tout. Cette philosophie nous a permis d'atteindre nos objectifs et facilitera notre amélioration continue à l'avenir. Nous connaîtrons du succès en fournissant à nos employés un milieu qui assure le respect de la dignité de chacun, qui favorise l'établissement de relations de confiance et qui offre à tous la possibilité de se réaliser pleinement en tant qu'individus et en tant que membres d'une équipe.

Nous croyons que nos employés doivent avoir l'autorité nécessaire pour accomplir leur travail et qu'il nous faut les appuyer et les encourager à faire preuve de créativité, à prendre des risques calculés, à aller au-delà de leur description de tâches et à obtenir des résultats qui sont à l'avantage de la General Motors. Nous croyons aussi que les membres de notre organisation doivent être traités avec égards et que leur respect de soi, leur temps et leurs droits ont de l'importance. Or, on montre le plus de considération envers autrui en communiquant clairement avec lui, en l'écoutant avec attention et en respectant les engagements pris à son égard.

Nous savons également que l'amélioration continue exige avant tout un environnement où on valorise et récompense toute idée positive. Nos dirigeants à tous les échelons encouragent et appuient donc les efforts individuels ou collectifs des membres de l'organisation, que ces efforts se soldent par de petites ou de grandes améliorations.

Faire clairement comprendre à chacun les objectifs de l'entreprise joue aussi un rôle clé sur le plan de la motivation des employés. Pour qu'une entreprise puisse aller de l'avant et continuer à s'améliorer, ses employés à tous les niveaux doivent en comprendre les objectifs et s'engager à tenter de les atteindre. Or, ceci exige que l'information soit communiquée clairement à tous les membres de l'organisation. Il s'agit là d'un défi de taille pour toute grande entreprise, mais on ne peut y

→

échapper. À la General Motors, nous nous sommes engagés à maintenir et à améliorer la communication, un important sujet à l'ordre du jour de la plupart des réunions.

Ces croyances et ces valeurs (la confiance et le respect mutuel, l'habilitation des employés, la considération et la création d'un environnement propice à la créativité), combinées à une communication efficace, ont permis à la General Motors de modifier considérablement sa façon de faire et d'enregistrer des résultats sans précédent. Grâce à elles, nos employés – qui constituent notre plus précieuse ressource – peuvent s'épanouir et exceller.

INTRODUCTION

Une organisation est un milieu social dont le but est de produire des biens et des services par l'entremise de la coordination des efforts des individus et des groupes qui la constituent. Dans une telle organisation, la communication est d'une importance capitale. Au cours des années, plusieurs changements ont contribué à la modification des relations interpersonnelles au sein des organisations. Les modèles mécanistes de Taylor et Fayol, ainsi que la théorie X de McGregor ont cédé le pas à une conception plus humaniste de l'environnement de travail (modèles organiques). De nos jours, la scolarité accrue des employés les incite à vouloir participer activement aux décisions et à s'intéresser de plus en plus à la qualité de vie au travail. Les employés souhaitent désormais évoluer dans un milieu qui favorise leur épanouissement personnel et social.

En général, on peut attribuer quatre fonctions principales à la communication. La première est une fonction d'information, d'ailleurs aisément identifiable au sein de l'entreprise parce qu'elle correspond aux situations les plus évidentes pour tous. En fait, l'information facilite la prise de décision. Informer sa secrétaire de ses priorités et de sa disponibilité permet une gestion plus efficace de son temps, par exemple. La deuxième fonction est une fonction de motivation. Elle correspond à toutes les formes de communication verbale ou non verbale qui ont pour objectif d'encourager le rendement. La troisième fonction est une fonction de contrôle. Elle renvoie aux formes de communication ayant pour objectif de déterminer clairement les tâches, les rôles, les objectifs, les responsabilités et l'autorité. Finalement, la dernière fonction de la communication se rapporte à l'expression des émotions. Elle permet aux employés de communiquer leurs sentiments positifs et négatifs.

La communication représente le cœur de plusieurs processus organisationnels que nous présentons dans ce volume. Que nous traitions de la motivation, du leadership, de la prise de décision, de la perception, des attitudes ou des processus de groupe, la communication est sous-jacente à chacun de ces aspects de la vie organisationnelle. Plus le poste occupé par une personne est élevé dans la hiérarchie, plus la proportion de temps passé par celle-ci à communiquer est importante. Il est donc primordial d'étudier et de comprendre le processus de la communication ainsi que les moyens utilisés afin de s'assurer de son efficacité.

Dans ce chapitre, nous traiterons donc des réseaux et des modèles de communication ainsi que des obstacles susceptibles d'entraver le processus. Les principes de base d'une bonne communication seront également traités afin de permettre une compréhension plus intégrale de cette thématique.

5.1 LES ÉLÉMENTS DE BASE DE LA COMMUNICATION

La communication se définit comme **un processus bilatéral d'échange et de compréhension de l'information entre au moins deux personnes ou deux groupes** : échange puisqu'une personne ou un groupe transmet une information (émetteur) à une autre personne ou à un autre groupe qui la reçoit (récepteur) ;

compréhension parce que l'information doit avoir une signification pour le récepteur.

Nous présentons, à la figure 5.1, un modèle général du processus de communication. Ce processus comprend six étapes. À la **première étape**, l'émetteur conçoit l'idée de transmettre à quelqu'un d'autre une intention ou une information.

À la **deuxième étape**, l'émetteur encode l'idée : il la transforme en un langage composé de symboles, de signes ou de mots. Les symboles doivent être choisis pour leur pertinence et leur capacité de transmettre adéquatement l'idée initiale. L'encodage est influencé par l'habileté, l'expérience, les connaissances et le rôle organisationnel de l'émetteur. Le message est le résultat de l'encodage. Le contenu de l'information est exprimé sous la forme de messages verbaux et non verbaux.

La transmission du message s'effectue à la **troisième étape**. À cette étape, le message emprunte le canal choisi pour sa diffusion.

Le **canal** est ainsi le moyen de transmission du message. Les organisations fournissent l'information aux employés à travers différents types de canaux

FIGURE 5.1
Le processus de communication

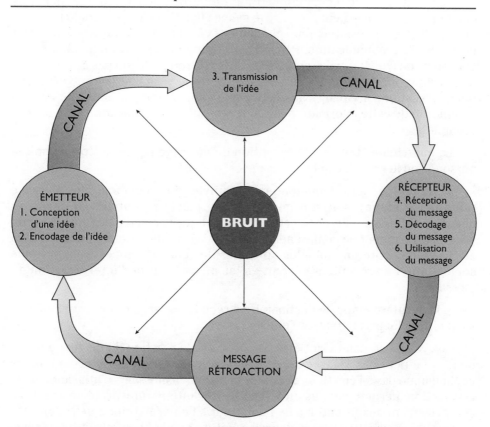

comme les réunions, les appels téléphoniques, les notes de service. Lorsque le canal de communication choisi est la rencontre (face-à-face), ce qui est fréquemment le cas, le langage non verbal viendra soit modifier ou soutenir le message verbal de l'émetteur. Ainsi, les indices non verbaux jouent un rôle très important en communication.

Nous pouvons définir le langage non verbal par **les actions corporelles et la gestuelle globale qui, prises isolément ou en combinaison avec l'information verbale, transmettent un message**. Essentiellement, le langage non verbal comprend le regard, la voix (tonalité et timbre), l'odeur, la posture, la distance, le mouvement, les gestes et le toucher. Selon certaines études, 80 % de l'information qui circule entre deux personnes qui sont en présence l'une de l'autre est non verbale. Bien que cette information soit difficile à interpréter, elle revêt une importance certaine puisque si le récepteur perçoit de l'incohérence entre le verbal et le non-verbal, c'est généralement sur ce dernier qu'il s'attardera parce qu'il est souvent inconscient et involontaire. De plus, le langage non verbal a la particularité de transmettre des informations relatives aux émotions de l'émetteur.

Par ailleurs, il est possible que le «bruit» dérange le processus de communication. On définit le bruit comme **tout facteur pouvant déformer la signification du message**. Le bruit peut se produire à toutes les étapes du processus. Par exemple, un abus d'alcool pourrait entraîner des difficultés en ce qui concerne l'encodage, la conception ou la transmission d'une idée. Des émotions fortes pourraient produire le même effet. Des idées contradictoires ou une vigilance nécessitée par plusieurs événements simultanés peuvent perturber la communication. Pensons aux stimuli physiques tels qu'une voix trop faible ou trop forte, des caractères de texte trop petits ou pas assez foncés, une écriture illisible ou une incohérence entre le verbal et le non-verbal. De plus, un gestionnaire peut transmettre une information par écrit alors que la complexité de cette information aurait requis une communication verbale, par exemple.

La **quatrième étape** est la réception du message par le récepteur, soit la personne ou le groupe à qui le message est destiné.

Cette étape sera immédiatement suivie du décodage du message (**cinquième étape**), soit son interprétation par le récepteur. La phase du décodage est essentielle, car c'est à ce moment que la communication prend un sens. Si le récepteur ne comprend pas le message, toute la communication aura été inutile. Encore une fois, les aptitudes, les connaissances et le système socioculturel du récepteur entrent en jeu au moment de l'interprétation du message.

À la **dernière étape**, le destinataire a reçu le message et lui a attribué une signification lui permettant de l'utiliser.

Le cycle peut maintenant être complété par la réaction du destinataire. En effet, il ne peut pas y avoir de communication véritable si le récepteur ne communique pas à l'émetteur sa compréhension du message. L'utilisation de la rétroaction permet de s'assurer que le récepteur interprète le message conformément aux intentions de l'émetteur. Elle permet donc de réduire les erreurs de compréhension et d'interprétation que le bruit aurait favorisées.

Ainsi, grâce à la rétroaction, la boucle de la communication bidirectionnelle est complète.

En milieu de travail, les interférences (bruit) sont si nombreuses qu'il est souvent préférable d'utiliser un modèle de communication plus complexe, qui tient compte de variables telles que les caractéristiques individuelles, les objectifs de l'organisation et de la communication, ainsi que les moyens de transmission du message, la composition de la main-d'œuvre et sa stratification hiérarchique (voir la figure 5.2).

FIGURE 5.2
Le processus de communication complexe

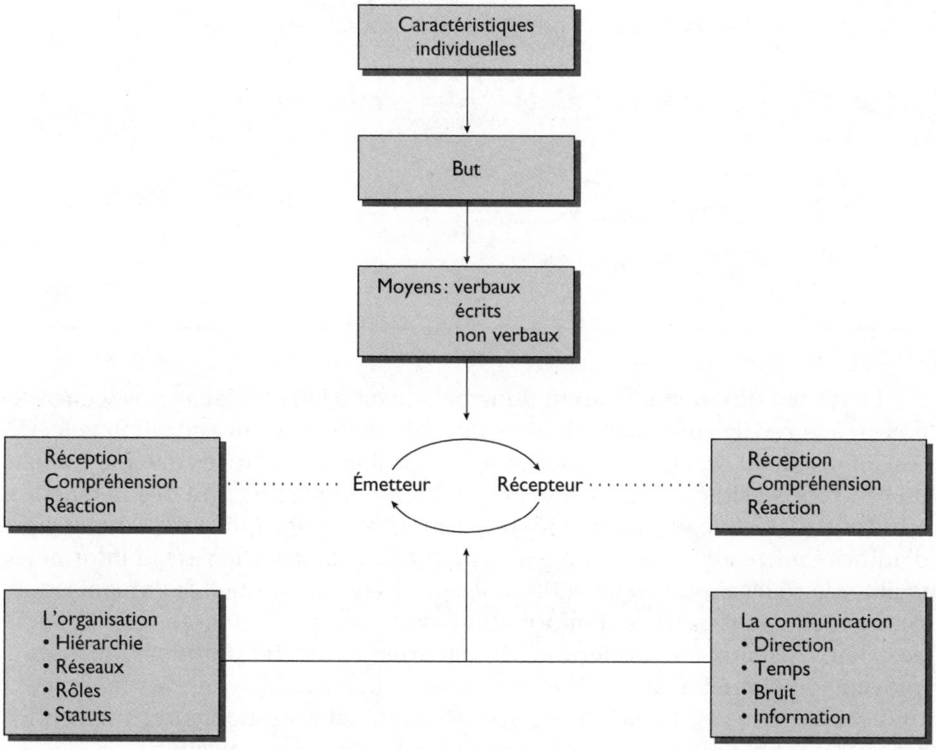

5.2 LES RÉSEAUX DE COMMUNICATION

Dans une organisation, il existe deux types de réseaux de communication, soit le réseau formel et le réseau informel. Ils sont illustrés à la figure 5.3.

Le **réseau de communication formel** correspond à tous les réseaux officiels établis lors de la structuration de l'organisation, et son objectif est de canaliser les mouvements d'information à l'intérieur et à l'extérieur de l'entreprise.

FIGURE 5.3
**La diffusion de l'information
à l'intérieur des réseaux de communication formel et informel**

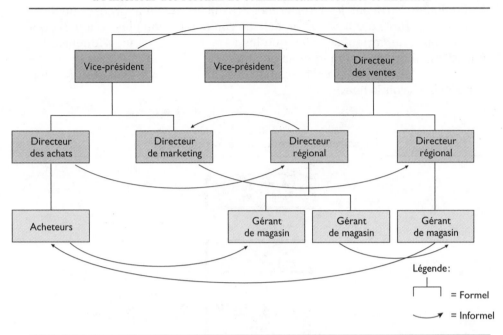

Le **réseau de communication informel**, quant à lui, représente une courroie non structurée de communication essentielle à l'efficience organisationnelle. Ce réseau permet d'assurer une plus grande coordination entre les diverses unités de l'entreprise situées à un même niveau hiérarchique ou entre des personnes situées à des niveaux hiérarchiques différents mais qui n'ont aucun lien d'autorité entre elles. Le gestionnaire peut même amener le réseau informel à faciliter la réalisation des objectifs visés par le réseau formel. Si l'organisation désire réellement partager l'information avec tous ses membres, l'intégration des deux réseaux est préférable. Il est donc essentiel d'utiliser le réseau informel de communication afin de transmettre et de recevoir des messages. L'efficacité de la communication s'accroît lorsque les gestionnaires utilisent le réseau informel pour renforcer le réseau formel de communication.

Par ailleurs, le réseau informel est aussi celui des potins, soit des propos contenant des informations – fondées ou non – reliées, la plupart du temps, à la vie personnelle des employés. À titre d'exemple, la figure 5.4 illustre de quelle manière les potins peuvent circuler sur le réseau informel à travers les différents niveaux hiérarchiques d'une organisation.

Ainsi, dans le cas illustré, le potin selon lequel l'individu L, récemment arrivé dans l'organisation, a été vu à la plage avec l'individu A suit la séquence de communication suivante :

• I le dit à H qui occupe le même niveau hiérarchique ;

• H le dit à B qui est à un niveau plus haut ;

FIGURE 5.4
**Un exemple de la circulation d'information
sur un réseau de communication informel**

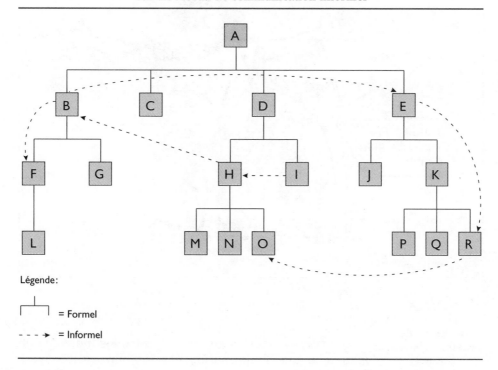

- B le dit à F, son subordonné, et à E, son associé ;

- E le dit à R qui est à deux niveaux plus bas ;

- R le dit finalement à O qui occupe le même niveau hiérarchique. Or, le message final veut que l'individu L ait fait son voyage de noces en Floride avec l'individu A. Dans ce cas-ci, on constate donc que, en raison des interférences (bruit), le message envoyé par l'individu I n'a plus du tout le même sens une fois arrivé à l'individu O.

Les potins, qui après un certain temps s'estompent ou se confirment, peuvent également contenir de l'information reliée au travail, par exemple l'annonce d'une démission, d'une mise à la retraite ou d'un congédiement. Dans les sous-sections suivantes, nous parlerons plus en détail des réseaux de communication formel et informel.

5.2.1 Le réseau formel

Shaw (1964) relève plusieurs types de réseau formel de communication. Les cinq principaux types sont illustrés à la figure 5.5, soit la roue, la chaîne, le Y, le cercle et l'étoile. Ces réseaux déterminent la structure à l'intérieur de laquelle l'information est transmise d'un individu à un autre.

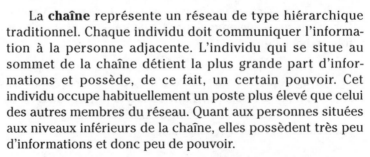

FIGURE 5.5
**Les types
de réseau de
communication
formel**

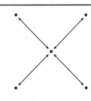

5.5a La roue

5.5b La chaîne

5.5c Le Y

La **roue** structure les rapports entre les individus de façon telle que l'information est toujours dirigée vers l'individu du centre. Ainsi, aucune transmission officielle d'information n'est permise entre les membres du groupe : ces derniers doivent nécessairement s'adresser à la personne du centre afin d'interagir. Ce type de réseau a l'avantage d'être très efficace lorsqu'il s'agit de résoudre rapidement des problèmes simples. Toutefois, la satisfaction des membres du groupe y est très faible.

La **chaîne** représente un réseau de type hiérarchique traditionnel. Chaque individu doit communiquer l'information à la personne adjacente. L'individu qui se situe au sommet de la chaîne détient la plus grande part d'informations et possède, de ce fait, un certain pouvoir. Cet individu occupe habituellement un poste plus élevé que celui des autres membres du réseau. Quant aux personnes situées aux niveaux inférieurs de la chaîne, elles possèdent très peu d'informations et donc peu de pouvoir.

Le **Y** s'apparente à la chaîne en ce sens que le processus de communication y est centralisé. La principale distinction réside dans le fait que le réseau en Y place deux membres égaux au niveau supérieur. Toutefois, il est possible d'inverser le Y et d'obtenir ainsi une seule personne au sommet et deux membres égaux au niveau inférieur.

FIGURE 5.5
**Les types
de réseau de
communication
formel** *(suite)*

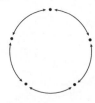

5.5d Le cercle

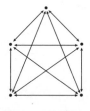

5.5e L'étoile

Légende:

• = Personne

⟷ = Canal de communication bidirectionnel

La roue, la chaîne et le Y peuvent être regroupés au sein de ce qu'on appelle des **réseaux de communication centralisés**, puisque l'information est invariablement dirigée vers une seule personne dans le cas de la roue et de la chaîne ou bien vers deux personnes dans le cas du Y. Ces types de réseaux permettent donc généralement d'identifier la personne centrale comme étant le leader du groupe. Enfin, les réseaux centralisés mettent l'accent sur la rapidité d'exécution et la précision plutôt que sur la satisfaction et la participation des membres.

Lorsqu'un groupe adopte le **cercle** ou l'**étoile** comme réseau de communication, il s'assure que tous les membres détiennent un statut équivalent. Le cercle permet aux membres du réseau de communiquer avec les deux personnes adjacentes, tandis que l'étoile permet aux membres de communiquer directement avec toutes les personnes du groupe. On peut regrouper le cercle et l'étoile au sein de ce qu'on appelle des **réseaux de communication décentralisés**: il est impossible de déterminer un leader formel dans ces groupes, puisque les membres détiennent un statut équivalent et que l'information n'est dirigée vers aucune personne en particulier.

Il semble que l'efficacité de ces réseaux de communication varie selon quatre critères: la vitesse de résolution des problèmes, la précision de cette résolution, la complexité de la tâche et la satisfaction des membres du réseau (voir le tableau 5.1). Mentionnons que, puisque la majorité des recherches qui ont été effectuées pour vérifier l'efficacité de ces réseaux se sont déroulées en laboratoire plutôt qu'en entreprise, il est difficile d'établir avec exactitude lequel est le plus efficace. Cependant, certaines caractéristiques ressortent. En effet, comme nous l'avons précédemment mentionné, les réseaux centralisés favorisent la résolution de tâches simples en peu de temps et avec plus de précision que le réseau décentralisé. En contrepartie, la satisfaction des membres qui évoluent dans ce type de réseau est faible. Le réseau décentralisé, quant à lui, permet de résoudre efficacement des problèmes complexes et entraîne une plus grande satisfaction de ses membres. Ces avantages du réseau décentralisé sont accompagnés d'un seul inconvénient, soit une augmentation du temps pris pour communiquer.

Avant de choisir un type réseau de communication formel, il importe de bien faire ressortir les principaux critères associés à la tâche et ensuite de choisir l'option la plus appropriée pour le groupe et l'entreprise, en gardant à l'esprit l'effet possible du type de réseau choisi sur le rendement et la satisfaction des membres.

TABLEAU 5.1
Les caractéristiques des types de réseau de communication formel

	Réseau centralisé			Réseau décentralisé	
	Roue	**Chaîne**	**Y**	**Cercle**	**Étoile**
Vitesse de la résolution de problèmes					
• Problèmes simples	Rapide ....Lente				
• Problèmes complexes	Lente ....Rapide				
Précision de la résolution de problèmes					
• Problèmes simples	Plus précise..Moins précise				
• Problèmes complexes	Moins précise..Plus précise				
Satisfaction des membres	Faible...Élevée				

5.2.2 Le réseau informel

La communication informelle émerge naturellement des interactions sociales entre les membres d'une organisation. Le réseau formel ne parvient pas à satisfaire tous les besoins de communication et d'information des individus ; c'est pourquoi un réseau informel d'interactions s'y greffe.

Dans une étude de 1984, Jewell tente de déterminer différents types de réseau informel, comme cela avait été fait pour le réseau formel. Bien que le réseau informel ne présente pas les caractéristiques fonctionnelles du réseau formel, particulièrement en ce qui a trait au rôle d'autorité, Jewell constate, par exemple, que la rumeur prend plus d'importance lorsqu'on peut l'attribuer à « quelqu'un de bien placé dans l'organisation ». Ainsi, deux types de réseau informel sont définis : le réseau linéaire et le réseau en grappe.

Dans un **réseau linéaire**, A transmet une information à B, qui la passe à C, qui la passe à D, et ainsi de suite. Dans le **réseau en grappe**, A transmet l'information à une ou plusieurs personnes qui, elles-mêmes, la retransmettent à une ou plusieurs personnes ou encore ne la retransmettent pas.

La curiosité a poussé les chercheurs à vérifier l'exactitude des messages transmis par le réseau informel. Les résultats démontrent que moins le contenu du message est émotif, plus l'exactitude est grande, et ce dans une proportion variant de 78 % à 90 % (Davis, 1953). De plus, il a été démontré que le réseau informel est extrêmement rapide parce que beaucoup plus flexible et personnel que le réseau formel. La démission d'un vice-président, par exemple, peut être connue de tous les membres de l'organisation et même à l'extérieur de l'organisation bien avant la confirmation officielle de l'événement.

Dans le réseau informel, l'information circule en fonction des intérêts communs et des liens d'amitié qui unissent les individus. Les gestionnaires doivent être conscients de la présence de ce réseau de communication et l'accepter ; ils peuvent même l'utiliser pour vérifier l'effet et la compréhension des messages transmis par le réseau formel. D'autre part, les fausses rumeurs peuvent être très dommageables à l'entreprise et doivent être neutralisées (Difonzo, Bordia et Rosnow, 1994).

5.3 LES MODÈLES DE COMMUNICATION DANS L'ORGANISATION

Le réseau formel de communication comprend implicitement la notion de direction de l'information. La direction de l'information tient compte de l'autorité et de la position hiérarchique. Nous appellerons « modèles de communication » les différentes façons dont est dirigée l'information dans une organisation. Trois modèles sont définis : la communication vers le bas, la communication vers le haut et la communication horizontale. La figure 5.6 illustre la fréquence d'utilisation de ces différents modèles en entreprise. Ainsi, les gestionnaires utilisent souvent la communication vers le bas, alors que la communication vers le haut et la communication horizontale sont utilisées plus

FIGURE 5.6
La fréquence d'utilisation des différents modèles de communication

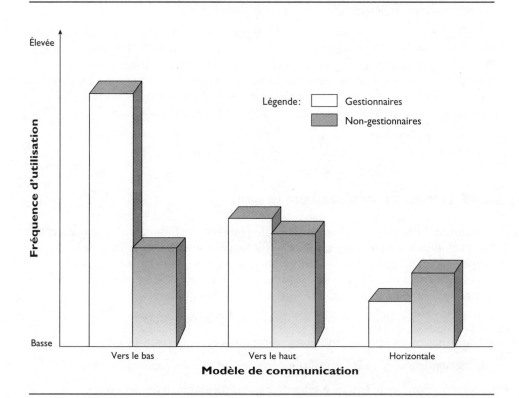

rarement. Soulignons toutefois que le choix d'un modèle plutôt qu'un autre n'est pas une garantie de succès, car cette représentation graphique des modèles (figure 5.6) simplifie une réalité fort complexe.

5.3.1 La communication vers le bas

La communication vers le bas sert à transmettre l'information d'un niveau hiérarchique supérieur de l'entreprise vers un niveau hiérarchique inférieur. Ce type de communication est celui qui est le plus utilisé au sein des entreprises. Katz et Kahn (1978) ont relevé les principaux types de messages véhiculés par la communication vers le bas :

- les directives au sujet de la tâche à accomplir et les instructions particulières au poste ;
- les informations qui visent la compréhension de la tâche ainsi que son rôle quant aux objectifs de l'organisation ;
- les politiques et les méthodes de l'organisation ;
- la rétroaction aux employés au sujet de leur rendement ;
- l'information à caractère idéologique qui vise à favoriser l'engagement et la loyauté de l'employé face à la mission de l'organisation.

On peut donc voir que le principal objectif de ce modèle de communication est de transmettre de l'information axée sur la tâche afin de faciliter la coordination entre les différents paliers hiérarchiques.

L'information transmise vers le bas est fréquemment déformée et mal comprise : en fait, le trop grand nombre de niveaux hiérarchiques à travers lesquels un message doit circuler avant d'atteindre le récepteur occasionne de multiples distorsions, et la communication perd ainsi de son efficacité. Comme l'illustre bien la figure 5.7, une grande partie de l'information initiale s'effrite tout au long du processus de retransmission de l'information.

Nous présenterons plus loin les différents moyens utilisés pour empêcher l'information d'être déformée, retardée ou encore perdue.

5.3.2 La communication vers le haut

La communication vers le haut permet de transmettre l'information d'un niveau hiérarchique inférieur vers un niveau hiérarchique supérieur. De nos jours, la plupart des entreprises utilisent ce modèle de communication. Katz et Kahn (1978) ont résumé, de la façon suivante, les principales catégories de messages transmis vers le haut de la hiérarchie par les subordonnés :

- l'information relative à leurs problèmes et à leur rendement ;
- l'information concernant d'autres personnes et leurs problèmes ;
- l'information touchant les politiques et les méthodes organisationnelles ;
- l'information sur le travail à effectuer et sur la manière de le faire.

FIGURE 5.7
La proportion de perte d'information à l'intérieur du processus de retransmission

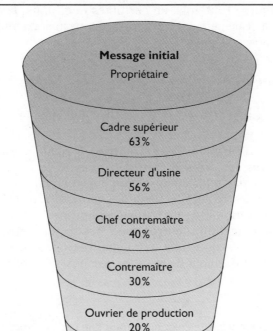

Message initial
Propriétaire

Cadre supérieur
63%

Directeur d'usine
56%

Chef contremaître
40%

Contremaître
30%

Ouvrier de production
20%

Message final

L'information transmise vers le haut subit des distorsions au même titre que celle transmise vers le bas. De plus, parce que les gestionnaires ont accès à une grande quantité d'informations, ils sélectionnent et transmettent à leurs patrons uniquement les informations qu'ils considèrent pertinentes à la réalisation des tâches prioritaires. Les subordonnés, quant à eux, aiment bien communiquer ce qu'ils ont fait, ce que leurs collègues ont fait et ce qui devrait être fait selon eux pour améliorer ou corriger le rendement général de l'entreprise.

5.3.3 La communication horizontale

La communication horizontale permet des échanges entre les membres d'un même service ou entre les différents services de l'organisation. Ces échanges s'effectuent principalement entre les individus qui occupent le même niveau hiérarchique. Bien qu'elle soit utilisée moins fréquemment que la communication vers le bas ou vers le haut, la communication horizontale est importante parce qu'elle permet la coordination des activités et la transmission d'informations servant à résoudre des problèmes conjoints. Le modèle de communication horizontale est également celui qu'utilisent les individus pour transmettre leur appui social et émotionnel à leurs collègues.

Généralement, l'information transmise horizontalement est moins filtrée que celle transmise verticalement, car elle n'a pas à traverser les différents paliers hiérarchiques. Toutefois, en certaines occasions, la communication horizontale pourra également subir des distorsions, par exemple s'il existe une certaine rivalité entre collègues.

5.3.4 En résumé

La figure 5.8 illustre les différents modèles de communication d'une entreprise minière.

Terminons en soulignant que les entreprises doivent favoriser la circulation d'informations dans les trois directions (vers le bas, vers le haut et à l'horizontale), sinon, par le biais de la communication informelle, des rumeurs emprunteront le ou les directions négligées par l'entreprise et fausseront le message de l'organisation. De plus, en encourageant l'utilisation de ces trois modèles de communication, l'entreprise s'assure une meilleure efficacité organisationnelle parce que tous ses membres ont accès à l'information nécessaire à l'accomplissement de leurs tâches ainsi qu'à leur épanouissement personnel.

FIGURE 5.8
Les différents modèles de communication dans une entreprise minière

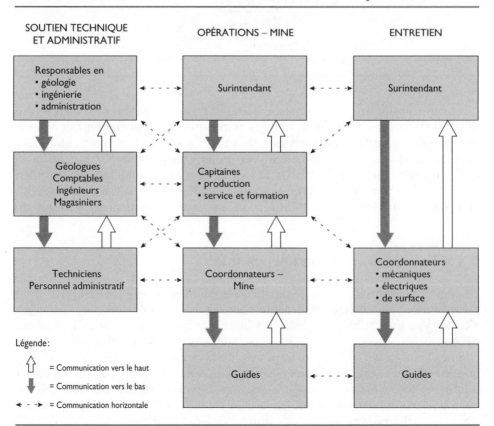

5.4 LA COMMUNICATION BIDIRECTIONNELLE ET LA COMMUNICATION UNIDIRECTIONNELLE

Comme nous l'avons souligné au début de ce chapitre, une communication complète implique un échange bidirectionnel d'informations : une fois que le message est reçu et compris par le récepteur, celui-ci retransmet un message à l'émetteur afin de s'assurer d'avoir bien compris. C'est ce que nous appelons une communication bidirectionnelle, c'est-à-dire un circuit complet de communication. Non seulement la compréhension du message est-elle vérifiée, mais l'échange est de ce fait enrichi. La communication bidirectionnelle nécessite la rétroaction. En contrepartie, lorsque le récepteur ne peut intervenir directement dans le processus de la communication, il s'agit d'une communication unidirectionnelle. Dans ce contexte, il est impossible de vérifier si le message a bel et bien été compris puisqu'il s'agit d'un simple transfert d'information. Lorsqu'une note de service est distribuée aux employés, par exemple, on ne peut être assuré que le message sera bien reçu et bien compris par tous les employés.

Nous avons schématisé la comparaison entre ces deux types de communication au tableau 5.2. Voyons maintenant plus en détail chacun d'eux.

La **communication unidirectionnelle** est fréquemment adoptée dans les entreprises pour transmettre des informations, car elle est rapide et facile à utiliser. Cependant, elle est surtout appropriée pour la transmission d'informations simples. En effet, lorsqu'il s'agit d'informations importantes ou complexes, il est risqué d'adopter une communication unidirectionnelle puisqu'elle ne permet pas de vérifier la compréhension du message. Pour cette raison, l'utilisation de ce type de communication exige un message très bien formulé et facilement compréhensible pour tous. Soulignons également que la qualité de la communication, de même que la satisfaction des gens, est souvent faible en raison du manque de rétroaction et que, de ce fait, la compréhension du message devient déficiente.

Contrairement à la communication unidirectionnelle, la **communication bidirectionnelle** consiste en un échange d'informations permettant aux employés d'émettre leurs opinions et de poser des questions susceptibles

TABLEAU 5.2
Les caractéristiques de la communication unidirectionnelle et de la communication bidirectionnelle

Tâche	Communication unidirectionnelle	Communication bidirectionnelle
Temps	Court	Long
Ambiance	Calme	Bruyante
Satisfaction	Faible	Élevée
Qualité	Plus ou moins faible	Plus ou moins élevée

d'améliorer la compréhension du message. Elle requiert donc une plus grande disponibilité de la part du gestionnaire.

De plus, la communication bidirectionnelle a un effet positif sur la satisfaction des employés de même que sur la qualité de l'information et sur sa compréhension.

Toutefois, comme on le verra dans l'anecdote suivante, la communication bidirectionnelle n'est préférable à la communication unidirectionnelle que dans la mesure où le canal retenu pour transmettre l'information est approprié. Citons le cas d'un gestionnaire dont la conception de la communication bidirectionnelle était pour le moins originale. Ce gestionnaire, dont le bureau était situé à moins de 20 mètres de celui de son employé le plus éloigné, avait décidé de ne communiquer avec son personnel que par le biais de notes de service et exigeait que tous fassent de même. La situation est vite devenue intenable : l'information transmise était superficielle, car le temps requis pour rédiger les notes empiétait sur le temps nécessaire à l'exécution du travail ; l'insatisfaction augmenta par le fait même très rapidement.

5.5 LES OBSTACLES À LA COMMUNICATION

Il ne faut pas se surprendre du fait que les obstacles à la communication sont nombreux. La possibilité concrète de transmettre un message qui sera reçu et interprété exactement comme l'émetteur l'aurait souhaité constitue en soi un exploit. De nombreuses interférences peuvent survenir à n'importe quelle étape du processus de communication et risquent de limiter la compréhension du message. Nous examinerons, ci-après, les principaux obstacles.

5.5.1 Le cadre de référence

Dès l'enfance, on accumule des expériences qui contribuent à façonner sa manière d'appréhender la réalité et de réagir aux événements. Ainsi, on élabore un cadre de référence qui constitue l'un des aspects les plus importants de sa personnalité. Ce cadre de référence constitue la principale base du jugement, mais aussi le principal obstacle lorsqu'il s'agit d'aborder créativement une nouvelle situation. Chaque individu possède un cadre de référence unique, et il tend à émettre et à interpréter les messages en fonction des paramètres qui le caractérisent. Ainsi, les gens qui occupent des fonctions distinctes dans une organisation peuvent interpréter la même information différemment, ce qui causera très souvent une distorsion involontaire de la communication. Pensons par exemple aux perceptions différentes d'un représentant patronal et d'un représentant syndical face aux mises à pied, au gel des salaires, à l'augmentation de la productivité ou encore au travail à temps partiel.

5.5.2 L'écoute sélective

Directement reliée au cadre de référence, l'écoute sélective représente un deuxième type d'obstacle à la communication situé du côté du récepteur. Ainsi, les individus ont tendance à percevoir et à entendre ce qu'ils espèrent percevoir

et entendre. Toute information dissonante ne correspondant pas à leurs attentes ou à leurs croyances tend à être rejetée, de telle sorte que le message risque toujours d'être interprété à partir de leurs préjugés et de leur expérience. En effet, si le récepteur a un préjugé négatif vis-à-vis de l'émetteur, il y a de sérieuses possibilités qu'il rejette ou déforme l'information que ce dernier désire lui communiquer. Par ailleurs, même si l'écoute n'est pas sélective, en plusieurs occasions elle représente un obstacle sérieux, car il n'est pas rare de voir plusieurs personnes parler en même temps, s'interrompre et finir les phrases des autres. On en vient alors rapidement à ne plus savoir exactement quelle information devait être communiquée. Par ailleurs, souvent, le récepteur adopte une attitude non verbale qui ressemble à de l'écoute ; mais, en réalité, plutôt que d'écouter vraiment les propos de son interlocuteur, il prépare une réplique qu'il s'empressera de lancer dès qu'il en aura l'occasion.

5.5.3 La filtration de l'information

La filtration de l'information consiste à manipuler l'information de manière que le récepteur la perçoive de façon positive. Cette filtration de l'information se produit autant dans les communications qui vont de bas en haut de la hiérarchie que dans les communications qui vont de haut en bas.

L'employé au bas de la hiérarchie ne communiquera pas toutes les informations à son supérieur immédiat parce que certaines ne sont d'aucun intérêt. De plus, d'autres informations, celles-là importantes, pourront ne pas être communiquées au supérieur immédiat parce qu'elles pourraient servir à évaluer négativement le rendement et l'attitude de celui qui les transmet. On peut donc s'attendre à ce que chaque fois que des informations franchiront un niveau hiérarchique supérieur, une partie sera filtrée, voire modifiée.

Le même phénomène se produit lorsque l'information part du haut de la hiérarchie pour aller vers le bas. On ne s'attend pas, par exemple, à ce que le vice-président d'une usine dévoile les plans stratégiques de l'entreprise à tous les travailleurs même s'il doit s'assurer que certaines informations essentielles au fonctionnement se rendent jusqu'à la base.

5.5.4 Les problèmes sémantiques

Si la capacité de communiquer par le biais du langage constitue une marque distinctive de l'homme, il n'en demeure pas moins que de nombreuses erreurs sont rattachées à l'usage des mots. Si l'on considère que les 500 mots les plus fréquemment utilisés en anglais possèdent plus de 14 000 définitions au dictionnaire, il est aisé de comprendre que les mots peuvent parfois être un obstacle à la communication (Haney, 1967). Par ailleurs, au-delà des mots utilisés, il y a la signification du message. Par exemple, prenons la situation suivante. Assis à la cafétéria, un employé est en train de déguster son repas quand un autre employé arrive près de la table voisine de la sienne et demande : « Y a-t-il quelqu'un sur cette chaise ? » Si l'on s'arrêtait au sens strict des mots, on émettrait de sérieux doutes sur les capacités visuelles de l'interlocuteur ; pourtant, au-delà des mots employés, tout le monde comprend le sens global de la demande et chacun répondrait à l'individu adéquatement. Sauf que, dans des situations moins évidentes, les gens portent trop souvent attention aux mots plutôt que de se demander ce que l'émetteur veut dire.

De plus, il arrive que certains groupes élaborent un langage particulier à leur profession ou à leur occupation. Ce jargon n'a souvent de signification que pour les membres du groupe concerné. Si l'on demande, par exemple, à un géologue de sensibiliser les employés à l'importance d'effectuer leur travail avec prudence et qu'il le fait dans le jargon qui suit, bien peu saisiront le message :

> *Étant donné que les roches des épontes supérieures et inférieures du gisement sont composées d'unités séquentielles répétitives de komatiites et de tholéiites intercalées, nous devons renforcer les mesures de sécurité.*

Il est donc important que les gestionnaires s'adressent aux employés en des termes simples, clairs et précis, que tout le monde peut comprendre.

5.5.5 La position hiérarchique de l'émetteur

La position hiérarchique de l'émetteur jouera souvent un rôle dans la réception du message. En général, plus la position hiérarchique de l'émetteur est élevée, plus le récepteur donne foi au contenu du message. C'est d'ailleurs l'un des problèmes que l'on trouve fréquemment au sein des entreprises. Les commentaires et les suggestions des employés du niveau hiérarchique inférieur ont moins de crédibilité et, en conséquence, moins d'effet que ceux provenant des employés d'un échelon plus élevé. Or leur expérience quotidienne de certains problèmes de fonctionnement du système devrait faire d'eux des personnes auxquelles on prête attention.

5.5.6 La quantité d'information

Les progrès technologiques de la dernière décennie font que les gestionnaires sont ensevelis sous une masse de plus en plus importante d'informations et de données parmi lesquelles ils doivent effectuer un tri afin de faciliter la prise de décision. Par ailleurs, cette grande quantité d'informations, souvent obtenue dans un laps de temps limité, fait en sorte que les gestionnaires ne peuvent pas donner suite aux diverses demandes. Les appels ne sont pas retournés, les notes de service n'obtiennent pas de réponses et l'information n'est pas vérifiée. Cette grande quantité d'informations crée un engorgement des processus décisionnels. Voulant éviter cette situation, les gestionnaires ne prennent pas le temps de consulter toutes les informations qui leur parviennent. Aussi l'émetteur doit-il sélectionner, préalablement à son envoi, les informations les plus pertinentes et éviter de les insérer dans une masse d'informations inutiles. L'émetteur doit envisager le message du point de vue du récepteur.

5.5.7 La rétroaction

La rétroaction est présente à différents niveaux dans la communication. Bien qu'elle soit essentielle, on l'élimine parfois. Les communications unidirectionnelles font partie intégrante de certains processus de communication, alors que dans d'autres situations ce type de communication est créé de toutes pièces par l'attitude de l'émetteur. La communication écrite est une communication à sens unique au moment de l'émission du message. Il n'y a aucune rétroaction et l'émetteur doit, lorsqu'il s'exprime, se placer dans le rôle du récepteur afin d'éviter les barrières. Dans une autre situation, c'est l'émetteur qui coupe la rétroaction en interdisant au récepteur de réagir, de poser des questions ou de faire des commentaires ; il se prive donc d'une source de contrôle de la réception de son propre message. Nous l'avons démontré précédemment, la rétroaction est indispensable à une communication complète.

5.6 LES ROUAGES DE LA COMMUNICATION EFFICACE

Les obstacles associés à une communication organisationnelle efficace, de préférence bidirectionnelle, montrent clairement les différentes possibilités de distorsion du message. Par ailleurs, les gestionnaires comprennent la nécessité et l'importance d'une bonne communication afin de s'assurer que les objectifs organisationnels de rendement ainsi que les objectifs individuels de satisfaction et d'épanouissement soient atteints. Une communication efficace n'est pas un objectif facile à atteindre. Toutefois, les gestionnaires auraient avantage à s'inspirer des recommandations de plusieurs auteurs (Dupré (1988) ; Alessandra (1987) ; Tellier (1986) ; Chartrand (1985)) afin de maximiser l'efficacité de leurs communications ; plusieurs de ces suggestions sont présentées dans les sous-sections suivantes.

5.6.1 Les qualités de communicateur

Selon Chartrand (1985), il est possible d'améliorer les qualités de communicateur du gestionnaire. Plusieurs entreprises font appel à des consultants en communication pour élaborer des programmes précis de formation à l'intention de leurs cadres. Dans une perspective d'amélioration de la communication verbale en face-à-face, les cadres peuvent recevoir une formation portant sur la transmission d'un message clair et unique, sur la façon de diriger efficacement des réunions de groupe, sur les habiletés d'écoute et sur la facilitation de la rétroaction.

L'accent est mis tout particulièrement sur le développement des habiletés d'écoute par le biais de jeux de rôles et de présentations audiovisuelles. À première vue, la majorité des individus semblent posséder naturellement une certaine habileté à écouter. Dans une situation d'entrevue de sélection, par exemple, les gestionnaires sans expérience sont silencieux lorsque l'interviewé répond à la question qu'ils ont posée. Toutefois, malgré ce silence et cette attitude d'écoute, ces gestionnaires n'écoutent que partiellement le message de l'interviewé, car ils se servent de cette période de silence pour préparer mentalement leur prochaine question ou, encore, pour analyser des bribes de l'information obtenue.

5.6.2 Le contenu de la communication

Une fois que le gestionnaire a terminé sa formation, que ses qualités de communicateur sont adéquates, il doit s'assurer que les bonnes informations parviennent aux employés. La plupart des entreprises voient à ce que leurs employés connaissent la politique de gestion des ressources humaines. Plusieurs d'entre elles possèdent également un journal d'entreprise. Toutefois, il semble qu'une minorité d'entreprises seulement informent leurs employés quant aux principaux enjeux reliés à l'entreprise. Pourtant, Tellier (1986) rapporte les résultats de récents sondages de l'Association internationale des professionnels de la communication (AIPC) qui indiquent que, lorsque l'on demande aux employés quels sont les sujets sur lesquels ils aimeraient avoir de l'information, ceux-ci mentionnent majoritairement les plans de l'entreprise, les possibilités d'avancement et les façons d'accomplir leur travail et d'augmenter la productivité.

Selon ces sondages, les besoins en information des employés ne sont donc pas entièrement comblés. Afin de satisfaire leurs besoins en information, il est important de sélectionner, parmi un ensemble de sujets, ceux qui sont les plus susceptibles de les motiver à faire converger leurs efforts dans la direction souhaitée. Cela n'est pas des plus aisé, particulièrement dans un contexte d'entreprise où deux sources officielles d'information sont disponibles, l'une représentant la partie patronale (journal d'entreprise) et l'autre représentant les employés (bulletin syndical).

5.6.3 Les préalables

L'implantation d'un programme visant à améliorer la qualité et l'efficacité de la communication organisationnelle ne peut atteindre ses objectifs que si certains préalables sont respectés. Le premier est l'obtention d'un engagement officiel de la part de la haute direction. Cet engagement doit découler d'un besoin et d'un désir réel d'améliorer les communications et doit avoir pour assise la conviction que cet outil est indispensable à l'amélioration de la productivité et de la satisfaction au travail. Selon Dupré (1988), l'autre préalable consiste à se procurer, par sondage ou autrement, des informations au sujet des réseaux informels de communication, de l'efficacité de ces réseaux, de l'importance accordée aux rumeurs, de la façon dont l'entreprise et ses dirigeants sont perçus par les employés, de la quantité et de la qualité des messages, des attentes des employés face à l'organisation à brève et à longue échéance, des fondements de la culture organisationnelle ainsi que de l'attitude des cadres à l'égard de ces questions. Ces informations permettront à l'organisation de se fixer des objectifs de communication clairs et, surtout, réalistes.

Une enquête effectuée par Alessandra (1987) a permis de dresser une liste des griefs formulés par les employés à l'endroit de leurs supérieurs, parmi lesquels on trouve les suivants :

- « Il parle tout le temps ; j'arrive avec mon problème et je n'ai pas la chance de dire un mot » ;

- « Elle m'interrompt lorsque je parle » ;

- « Mon chef de service ne me regarde jamais lorsque je lui parle ; je ne suis pas sûr qu'il prête attention à ce que je lui dis » ;

- « Ma directrice me fait sentir que je lui fais perdre son temps » ;

- « Mon directeur est trop facilement distrait lorsque je lui parle de mes problèmes » ;

- « Il marche de long en large quand je lui parle » ;

- « Elle ne sourit jamais. Je suis mal à l'aise de lui parler » ;

- « Mon directeur s'esquive pendant que je lui parle » ;

- « Mon chef d'atelier ne cesse de sourire ou de tout tourner à la blague, même lorsque je lui fais part d'un problème sérieux qui me préoccupe ».

La lecture de ces griefs démontre clairement que l'écoute est l'un des fondements principaux d'une communication efficace. Les gestionnaires doivent, par conséquent, développer cette habileté s'ils veulent établir un climat de confiance et de satisfaction chez les employés qui travaillent au sein de leur organisation.

5.6.4 Les programmes de communication

Les informations recueillies préalablement permettent à l'entreprise de cerner les préoccupations de ses employés et de déterminer précisément ses priorités selon les enjeux mis en évidence pour chacune des préoccupations relevées.

Une fois cette étape franchie, il s'agit de mettre sur pied un ou plusieurs programmes de communication qui sauront répondre aux besoins de l'organisation et de ses employés. Afin d'atteindre cet objectif, les entreprises ont élaboré divers programmes de communication que nous classerons dans les catégories présentées dans les sous-sections ci-dessous.

Les moyens utilisés pour transmettre l'information

Comme on le sait, l'information transmise aux membres d'une organisation peut être verbale ou écrite. La transmission verbale peut prendre la forme de réunions ou de rencontres avec les employés, ou de programmes de formation tels que les cours magistraux, les vidéos ou les films.

La transmission écrite de l'information peut, quant à elle, prendre la forme de notes de services, de journaux internes, de brochures ou de bulletins d'information.

Les moyens utilisés pour assurer le contrôle et clarifier les responsabilités

Les entreprises contrôlent les activités de leurs membres afin de s'assurer que ceux-ci agissent en fonction des buts organisationnels. Ainsi, on vérifie si les normes de productivité sont respectées grâce aux rapports journaliers des activités effectuées par les travailleurs et aux rapports de ventes, de recettes et de matières utilisées.

Il est également important de clarifier les responsabilités de chacun dans une organisation. L'organigramme et les définitions de tâches constituent deux moyens de communication qui donnent une idée des responsabilités de chacun.

Les moyens utilisés pour permettre aux membres de s'exprimer

Plusieurs entreprises, IBM par exemple, ont élaboré des programmes de communication qui permettent aux employés d'exprimer leurs sentiments, leur satisfaction et leurs besoins. Parmi ces programmes, on trouve les suivants :

- **Les programmes de consultation (ou programmes d'aide aux employés).** Dans le cadre de ces programmes, une personne est engagée par l'entreprise pour être à l'écoute des employés qui ont des problèmes personnels ou professionnels. Cette personne-ressource doit tenter d'orienter les individus vers des solutions possibles. Dans certaines entreprises, c'est l'infirmière qui joue ce rôle ;

- **Le système de représentation des employés.** Ce système est mis sur pied lorsqu'un groupe d'employés élus siège à un comité avec la direction dans le but de représenter les intérêts des employés ;

- **Les réunions avec les employés.** Certaines entreprises organisent régulièrement des rencontres avec les employés dans le but de discuter des problèmes auxquels font face ces derniers dans leur travail (par exemple, les cercles de qualité). Lors de ces réunions, on discute des problèmes des employés et des pratiques de gestion qui influent sur les résultats de travail ;

- **Les entrevues avec les employés.** Dans certaines entreprises, les gestionnaires rencontrent individuellement tous les employés sur une base périodique et discutent des problèmes que vivent ces employés, de leurs satisfactions et de leurs insatisfactions ainsi que de leurs besoins et de leurs attentes ;

- **La politique de la porte ouverte.** Cette politique vise elle aussi à favoriser la communication dans l'entreprise. Ainsi, les organisations qui adoptent ce programme (par exemple, IBM et Cascades) encouragent les employés à rencontrer les cadres ou gestionnaires de leur choix (que ce soit leur supérieur immédiat ou la haute direction) pour discuter de leurs insatisfactions ou de leurs problèmes. Dans ce type d'entreprise, les portes des bureaux des cadres et des gestionnaires sont réellement ouvertes et les gestionnaires disponibles en tout temps ;

- **Les sondages d'opinion.** Grâce aux sondages, la haute direction a la possibilité de connaître le point de vue des employés dans plusieurs domaines. Les employés peuvent s'exprimer en toute confidentialité au sujet des méthodes et des pratiques de l'entreprise, que ce soit en ce qui a trait à la supervision, aux possibilités de promotion, aux responsabilités, etc.

En résumé

Tout moyen de communication remplit une fonction d'information. La communication peut, en outre, avoir d'autres fonctions. En effet, comme nous venons de le démontrer, la communication peut aussi bien servir de moyen de contrôle que d'agent motivateur pour les membres de l'organisation. Une étude menée par Foulkes (1980) recense au moins six autres fonctions des programmes de communication :

- comprendre les problèmes des employés et y répondre de façon constructive ;

- créer un climat où les employés se sentent à l'aise d'exposer leurs plaintes et leurs suggestions à la haute direction ;

- éviter que seules les bonnes nouvelles ne soient transmises à la haute direction ; en effet, les superviseurs des niveaux hiérarchiques inférieurs ont tendance à filtrer l'information et à rapporter seulement les bonnes nouvelles;

- permettre de faire connaître aux employés les informations au sujet des progrès et des problèmes de l'entreprise;

- amener les superviseurs à porter une attention particulière aux relations humaines, s'ils ne veulent pas que des problèmes surgissent et que la haute direction en soit avertie;

- éviter que les problèmes des employés n'entravent leur productivité.

CONCLUSION

La communication est un processus d'échange et de compréhension de l'information d'une personne ou d'un groupe à un autre. La communication unidirectionnelle renvoie à la simple transmission d'information d'un émetteur à un récepteur. Ce type de communication, bien qu'il réponde à la définition générale, ne peut être considéré comme une véritable communication, car il ne comprend pas de processus de rétroaction. Le processus de rétroaction permet de s'assurer qu'un message est bien compris et qu'aucune distorsion ne l'a déformé entre son émission et sa réception. Il en résulte alors un processus de communication bidirectionnel.

La communication remplit plusieurs fonctions au sein de l'entreprise et emprunte essentiellement deux types de réseaux. Le premier est le réseau formel, qui correspond à la transmission de l'information en conformité avec la structure organisationnelle. La transmission de l'information s'effectue du haut de la hiérarchie vers le bas de la hiérarchie ou inversement. De plus, la transmission peut s'effectuer horizontalement, soit entre les employés de mêmes niveaux hiérarchiques.

Le second réseau est le réseau informel. En empruntant ce réseau, l'information suit un cheminement qui ne tient pas compte de la structure organisationnelle officielle. C'est sur ce réseau que les potins et les rumeurs circulent.

Dans tous les cas, l'information peut subir des déformations. Celles-ci peuvent survenir à n'importe quelle étape du processus de communication. Il peut s'agir d'une formulation boîteuse, d'un média inapproprié ou d'une erreur de compréhension. Toutefois, il est possible de prévenir ces lacunes en développant les habiletés de communication des gestionnaires à l'aide de programmes de formation.

En somme, la façon la plus évidente d'améliorer la communication dans l'entreprise consiste à permettre au gestionnaire de développer ses aptitudes en cette matière. Celui-ci, en fonction de son rôle d'émetteur, a la responsabilité de concevoir un message direct, d'établir l'objectif visé par la communication, de choisir le canal le plus efficace et de mettre au point des techniques propres à susciter la rétroaction. De plus, à titre de récepteur, le gestionnaire devra apprendre à se concentrer et à écouter activement ses subordonnés.

CHAPITRE 5 Questions de révision

1. Nommez trois canaux de communication que vous utilisez fréquemment et soulignez les forces et les faiblesses apparentes de ces canaux.

2. Quelle est l'importance de la rétroaction dans le processus de la communication ? La rétroaction est-elle toujours essentielle ?

3. Identifiez trois types de distorsion (bruit) pouvant s'infiltrer dans la communication entre le professeur et les étudiants. Est-il possible de réduire l'influence de ces bruits ?

4. Quel est le rôle du réseau informel de communication dans l'organisation et pourquoi pourrait-on le qualifier de système parallèle ?

5. Si, à titre de gestionnaire, vous devez faire face à des problèmes d'une grande complexité, quel type de réseau de communication privilégierez-vous avec vos subordonnés ? Justifiez votre réponse.

6. Quels sont les moyens que peut utiliser une organisation afin de faciliter et d'optimiser la communication entre les différents paliers hiérarchiques ?

CHAPITRE
5 Autoévaluation

Les aptitudes en matière de communication écrite

Le questionnaire ci-après porte sur le processus de la communication écrite. Il vous permettra d'évaluer cinq aptitudes liées à cette forme de communication qu'il vous faut posséder pour devenir un bon gestionnaire.

Directives

Répondez au questionnaire en vous basant sur votre expérience en classe ou au sein d'une organisation dont vous avez déjà été membre. Reportez-vous à l'échelle fournie pour indiquer un chiffre (de 1 à 7) devant chacun des 24 énoncés présentés.

Il s'agit pour moi d'un comportement :

rare	irrégulier	occasionnel	habituel	fréquent	presque constant	constant
1	2	3	4	5	6	7

_____ 1. Je suis disponible lorsque quelqu'un veut me parler.

_____ 2. J'établis clairement l'objectif général de chacune de mes communications écrites.

_____ 3. Je me procure systématiquement l'information pertinente requise afin de l'incorporer à mes communications écrites.

_____ 4. Je trie et j'organise l'information devant faire partie d'un texte que je rédige (autrement dit, je la structure selon le sujet, la source, le problème à l'étude ou l'ordre chronologique).

_____ 5. J'établis (par écrit) l'organisation ou la structure des textes que j'ai à rédiger.

_____ 6. Je me renseigne sur les antécédents, les attentes et l'expérience du ou des destinataires de chacune de mes communications écrites.

_____ 7. Je tiens compte du point de vue probable du destinataire.

_____ 8. Je tiens compte des connaissances que possède le destinataire.

_____ 9. Je reconnais les besoins du destinataire et leur influence sur l'accueil qu'il réservera à mes communications écrites.

_____ 10. Je détermine comment adapter mes communications écrites pour qu'elles répondent aux besoins du destinataire ou soient favorablement accueillies par celui-ci.

_____ 11. Je choisis les termes qui expriment clairement ce que je veux dire.

_____ 12. J'examine les diverses connotations des termes que j'utilise.

_____ 13. Je tiens compte du fait que les mots véhiculent souvent un message caché, et je m'assure que ce message est bien celui que je désire transmettre.

_____ 14. Je cherche à obtenir une rétroaction du destinataire pour vérifier que mon message a été bien compris.

_____ 15. J'évite d'employer des termes que le destinataire pourrait ne pas connaître.

_____ 16. J'utilise des substantifs concrets plutôt qu'abstraits dans mes communications écrites.

_____ 17. Je choisis toujours le pronom approprié suivant le genre et le nombre de ce qu'il désigne.

_____ 18. Je prends soin d'éviter les superlatifs et les termes tendancieux lorsqu'il est important que je demeure objectif.

_____ 19. J'évite les répétitions inutiles dans mes communications écrites.

_____ 20. J'évite d'utiliser un jargon technique.

_____ 21. Je n'exprime qu'une seule idée principale dans chaque phrase.

_____ 22. Je construis chaque paragraphe de sorte que les idées et l'information qu'il contient s'articulent autour d'un seul grand thème présenté dans la première phrase.

_____ 23. J'utilise certaines phrases ou idées pour assurer la transition d'un paragraphe à l'autre.

_____ 24. Je structure mes communications écrites au moyen d'un plan ou de sous-titres.

Vos résultats et leur évaluation

Le tableau ci-après vous permettra d'obtenir une vue d'ensemble de vos résultats. Il vous aidera à reconnaître vos points forts et à déterminer ce qu'il vous faut améliorer.

1) Calculez votre résultat pour chaque aptitude en additionnant les chiffres que vous avez indiqués devant chacun des énoncés énumérés.

2) Faites le total des cinq résultats obtenus et indiquez-le dans la case appropriée.

3) Comparez vos résultats pour l'ensemble de ces aptitudes et pour chacune d'entre elles à ceux des autres membres de votre équipe ou de votre groupe. Si votre professeur ou animateur établit une moyenne de groupe pour l'ensemble de ces aptitudes et pour chacune d'entre elles, servez-vous-en pour comparer vos propres résultats.

4) Discutez avec les autres membres de votre groupe ou avec des compagnons de classe de vos forces et de vos faiblesses respectives en ce qui a trait à la communication écrite.

5) Examinez avec eux divers moyens d'améliorer les aptitudes pour lesquelles vous avez obtenu un résultat relativement faible par rapport à l'ensemble du groupe ou de la classe.

Note : Attendez d'avoir rempli le questionnaire avant de lire les indications fournies à la page suivante !

Aptitude	Énoncés	Évaluation – Résultat
Établir ses objectifs et organiser l'information requise	1, 2, 3, 4, 5	
Tenir compte du destinataire	6, 7, 8, 9, 10	
Choisir ses termes avec soin	11, 12, 13, 14, 15	
Utiliser la forme appropriée des mots	16, 17, 18, 19, 20	
Structurer sa communication écrite	21, 22, 23, 24, 25	
Résultat total		

Indications à lire après l'évaluation

Si vous désirez améliorer vos aptitudes sur le plan de la communication écrite, assurez-vous d'accorder une attention particulière aux éléments ci-après.

A. Avant la rédaction du texte :

- **Établir les objectifs et organiser l'information requise.** Au cours de cette étape initiale, il convient de définir clairement l'objectif général de votre communication et ses buts particuliers. Vous devriez également rassembler l'information pertinente et déterminer l'ordre de présentation de vos idées ;

- **Tenir compte du destinataire.** Assurez-vous de prendre en compte les antécédents, les attentes, le point de vue, les connaissances et les besoins du ou des destinataires de votre message.

B. Lors de la rédaction du texte :

- **Choisir les termes avec soin.** Il importe de choisir les termes qui expriment clairement ce que vous voulez dire. Vous devez aussi vous assurer que tout terme de jargon est compris par le destinataire, d'où la nécessité de susciter une rétroaction ;

- **Utiliser la forme appropriée des mots.** Employez des substantifs concrets, choisissez les pronoms appropriés et évitez les superlatifs ainsi que les répétitions ;

- **Structurer la communication écrite.** Il convient de présenter vos idées d'une manière conforme aux principes régissant la construction des phrases et des paragraphes. Faites appel à des transitions et à un plan. Après avoir rédigé votre message, assurez-vous de le relire et modifiez-le au besoin.

Source : Traduit de Fandt (1994), p. 102-104 et 102. Reproduit avec permission.

Références

ALESSANDRA, A. (1987). «Administrateurs, êtes-vous de bons auditeurs?», *Le Maître imprimeur*, vol. 51, n° 5, p. 12-14.

CALDWELL, D.F., et MOBERG, D.J. (1988). *Interactive Cases in Organizational Behavior*, Scott, Foresman and Company, Glenview, Ill.

CHARTRAND, L. (1985). «La communication avec les employés: plus qu'un journal d'entreprise», *Le Maître imprimeur*, vol. 49, n° 12, p. 22-23.

DAVIS, K. (1953). «Management Communication and the Grapevine», *Harvard Business Review*, vol. 3, n° 5, p. 43-49.

DESLIERRES, J.-P. (1986). «Pour la qualité de vie au travail: la communication», *Ressources humaines*, n° 16, p. 24-25.

DIFONZO, N., BORDIA, P., et ROSNOW, R.L. (1994). «Reining in Rumors» Organizational Dynamics, vol. 23, n° 1, p. 47-62.

DUPRÉ, Y. (1988). «La communication interne comme outil de gestion», *Info ressources humaines*, vol. 12, n° 3, p. 20-21.

FANDT, P.M. (1994). *Management Skills: Practice and Experience,* West Publishing Co., St. Paul, Minnesota.

FOULKES, F. (1980). *Personnel Policies in Large Nonunion Companies*, Prentice-Hall, Englewood Cliffs, New Jersey.

HANEY, W.V. (1967). *Communication and Organizational Behavior*, Richard D. Irwin, Homewood, Ill.

JEWELL, L.N. (1984). *Contemporary Industrial/Organizational Psychology*, West Publishing Co., St. Paul, Minnesota.

KATZ, O., et KAHN, R.L. (1978). *The Social Psychology of Organizations*, 2e édition, Wiley, New York.

LAFRANCE, A.-A., et LEFEBVRE, C. (1986). «Les moyens de non-communication», *Ressources humaines*, n° 13, p. 28-29.

SHAW, M.E. (1964). «Communications Networks», dans L. BERKOWITZ (sous la direction de), *Advances in Experimental Social Psychology*, Academic Press, New York.

TELLIER, Y. (1986). «Communication et productivité», *Le Maître imprimeur*, vol. 50, n° 2, p. 6-10.

WERTHER, W.B., DAVIS, D., et LEE-GOSSELIN, H. (1985). *La gestion des ressources humaines*, McGraw-Hill, Montréal.

CHAPITRE

6

Le pouvoir et les conflits en milieu de travail

Plan

6 Objectifs d'apprentissage

Dans ce chapitre, le lecteur se familiarisera avec :

- les liens unissant les notions de pouvoir et de conflit en milieu organisationnel ;

- la distinction entre les concepts de pouvoir, d'autorité, d'influence et de leadership ;

- les diverses sources du pouvoir relatives aux traits individuels, aux facteurs organisationnels et à la conjoncture situationnelle ;

- les différentes dynamiques conflictuelles pouvant s'installer dans les relations existant dans l'organisation ;

- les aléas de la gestion organisationnelle des conflits ainsi que les stratégies pouvant être utilisées afin de réduire les effets négatifs associés aux conflits ;

- la nécessité du conflit dans l'organisation et son rôle en tant qu'agent de changement.

POINT DE VUE
D'UN GESTIONNAIRE

JEAN-MARIE GONTHIER,
vice-président exécutif –
qualité et développement organisationnel
Hydro-Québec

En 1990, Hydro-Québec s'engageait dans la gestion intégrale de la qualité. Elle avait compris que, pour améliorer sa performance et mieux servir ses clients, elle devait modifier en profondeur à la fois son mode de gestion et ses valeurs. Il importait également d'appliquer cette nouvelle façon de fonctionner à tous les aspects de l'entreprise, y compris aux rapports que celle-ci entretient avec les syndicats qui représentent ses employés.

Cette préoccupation était d'autant plus justifiée que l'entreprise avait vécu, en 1989 et en 1990, un long et difficile conflit de travail que personne ne souhaitait voir se répéter. C'est pourquoi, dès 1992, Hydro-Québec proposait à ses syndicats d'abandonner la méthode de négociation appliquée depuis vingt-cinq ans. Celle-ci reposait essentiellement sur un rapport de forces. Chacune des parties poursuivait des objectifs qu'elle ne faisait pas toujours connaître au préalable à la « partie adverse ». Chacune cherchait à les atteindre en se servant avec raffinement de son pouvoir, et en ayant souvent recours à la confrontation.

Pour résoudre les conflits de travail, il n'y avait donc que deux moyens : le compromis plus ou moins satisfaisant ou la proclamation d'un vainqueur et d'un vaincu. Les conventions collectives qui en résultaient étaient presque toujours porteuses de mésententes. Des intérêts légitimes se trouvaient parfois sacrifiés. Enfin, une fois le conflit terminé, les gestionnaires et les employés devaient ensuite, malgré leur grande insatisfaction, tenter de travailler ensemble au succès de leur entreprise.

C'est dans ce contexte qu'Hydro-Québec et ses syndicats membres du SCFP (17 000 employés sur 27 000) ont reconnu la nécessité d'établir un dialogue afin de changer les relations du travail. Le but recherché : instaurer un mode de décision démocratique dans lequel les deux parties ressortent gagnantes.

La nouvelle approche s'inspire des principes de la gestion intégrale de la qualité. Elle vise à résoudre les problèmes des parties tout en respectant au maximum leurs intérêts. À l'aide de techniques et d'outils simples, les parties en présence sont amenées à se communiquer leurs intérêts respectifs et à identifier ceux qu'elles ont en commun. Ensuite, elles discutent des solutions qui pourraient satisfaire ces intérêts et elles choisissent celles qui feront l'objet d'une entente qui sera appliquée pour le plus grand bien des parties et des clients de l'entreprise (qualité et coûts des services).

Facile à décrire, mais plus difficile à vivre ! Depuis maintenant deux ans, le traitement de petits dossiers sur cette base a connu des développe-

→

ments heureux. Des ententes de partenariat ont permis de faire progresser la nouvelle façon de fonctionner et d'impliquer les syndicats dans la détermination des enjeux majeurs auxquels l'entreprise est confrontée.

Il reste toutefois que rien n'est acquis. Le chemin à parcourir est encore long. La seule façon d'arriver à destination est de continuer à vouloir le changement et à se maintenir sur la route malgré les embûches. Pour Hydro-Québec, cette volonté est inscrite dans son projet de gestion intégrale de la qualité – le Défi performance. Les solutions que propose ce projet d'entreprise doivent permettre à Hydro-Québec, à ses employés et aux syndicats de régler les problèmes auxquels ils sont confrontés, d'améliorer la performance globale et d'assurer l'emploi et la qualité de vie au sein de l'entreprise. Pour les syndicats, cette volonté doit s'arrimer à une recherche continue de la performance de leur entreprise, dont dépendent justement l'emploi et la qualité de vie.

Les parties ne peuvent plus revenir en arrière. Le partage harmonisé du pouvoir a vu le jour en raison du contexte difficile qu'Hydro-Québec a connu dans les années 80. D'autres pressions extérieures se sont ajoutées depuis, dont la principale est la tendance à libéraliser l'industrie de l'énergie en Amérique du Nord.

INTRODUCTION

Les notions de pouvoir et de conflit sont omniprésentes dans la vie quotidienne. Dans le monde du travail, elles sont fortement associées aux phénomènes de négociation collective, de grève et de lock-out. Cependant, bien que le conflit collectif (grève et lock-out) soit toujours présent au sein des organisations, les changements structurels de la dernière décennie ont grandement modifié le pouvoir des différentes parties présentes dans l'organisation, et cela de façon telle que les conflits organisationnels s'organisent maintenant beaucoup plus sur une base individuelle que collective. Néanmoins, peu importe leur organisation ou leur expression, le pouvoir et le conflit sont deux paramètres d'une même réalité, et ils demeurent centraux dans la compréhension des comportements tant des dirigeants que des travailleurs.

Pour ces raisons, le présent chapitre explore ces deux thématiques en mettant en lumière les liens entre ces notions. Ainsi, la première section traitera du concept de pouvoir. Afin de bien saisir cette notion, nous commencerons par une définition, pour ensuite démontrer ce qui distingue la notion de pouvoir des concepts d'autorité, d'influence et de leadership. Puis nous décrirons les différentes sources du pouvoir, et nous présenterons les stratégies qui en permettent l'acquisition. La deuxième section de ce chapitre traitera de la notion de conflit. Après avoir défini le concept de conflit, nous en présenterons les différentes formes ainsi que les différents niveaux où il peut se trouver dans la hiérarchie de l'organisation. Nous ferons ensuite ressortir les sources du conflit, et nous enchaînerons avec ses conséquences sur le comportement du groupe et sur la dynamique intergroupes. Nous décrirons aussi les différentes réactions des personnes qui font face à une situation conflictuelle et, pour terminer ce chapitre, nous dévoilerons certaines stratégies propres à la gestion du conflit.

6.1 LE POUVOIR

Les grands théoriciens classiques de l'organisation (F.W. Taylor, M. Weber et H. Fayol) définissent le pouvoir détenu par les individus à l'aide de facteurs situationnels tels que la position ou le poste occupé dans l'entreprise, la réglementation, l'autorité détenue, la possibilité de punir, l'accès à l'information et la façon dont les ressources sont réparties. Ces auteurs soutiennent qu'un individu qui peut contrôler un ou plusieurs de ces facteurs situationnels s'assure d'un certain niveau de pouvoir dans l'organisation. Les écrits de D. McClelland supposent, au contraire, que le pouvoir constitue une force individuelle observable à travers les divers besoins ressentis par les individus et les comportements qu'ils adoptent.

Ce préambule démontre bien la difficulté à définir le pouvoir. La définition de Dahl (1957), toutefois, semble avoir acquis une certaine notoriété malgré la simplicité avec laquelle ce concept est décrit. Dahl définit le pouvoir comme étant **la capacité d'une personne A d'obtenir qu'une personne B fasse quelque chose qu'elle n'aurait pas fait sans l'intervention de A**. Donc, plus simplement, le pouvoir peut se définir comme étant **la capacité qu'a un individu d'en influencer un autre**.

La notion de pouvoir possède très souvent une connotation péjorative parce qu'implicitement, lorsque l'on définit le pouvoir comme étant la capacité qu'a un individu d'en influencer un autre, on imagine cet autre individu en état de dépendance – même si cette dépendance n'est que temporaire. De plus, à la notion de pouvoir, on accole habituellement la notion d'abus de pouvoir, soit l'utilisation du pouvoir à des fins personnelles ayant souvent pour conséquence la détérioration du bien-être physique et psychologique de la personne qui subit ce pouvoir.

Toutefois, au-delà de ces conceptions négatives, le pouvoir peut aussi être perçu comme un mécanisme facilitant l'adaptation de l'entreprise à son environnement en raison de la capacité de celui qui le détient d'influencer les comportements des individus et des groupes dans le sens des objectifs organisationnels.

Le pouvoir est fonction des caractéristiques personnelles et des caractéristiques liées à la position dans l'organisation qui permettent d'influencer un ou plusieurs individus et les incitent à poursuivre les objectifs de l'entreprise. On peut donc relever deux éléments significatifs de la définition du pouvoir : premièrement, le pouvoir dépend étroitement de la capacité de l'individu à influencer un autre individu et, deuxièmement, le pouvoir est tributaire de l'autorité accordée à un individu dans une situation donnée. Ces considérations impliquent une émergence du pouvoir entre deux individus, entre un individu et un groupe ou entre deux groupes.

Le concept de pouvoir est, par conséquent, intimement lié à la notion de leadership et de conflit, comme le montre la figure 6.1

FIGURE 6.1
Les liens unissant les notions de pouvoir, de conflit et de leadership

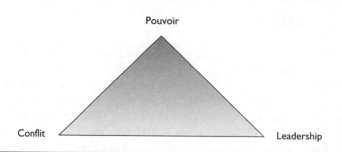

De plus, il arrive fréquemment que les concepts de pouvoir, d'influence, d'autorité et de leadership soient utilisés comme synonymes. Il existe pourtant une distinction entre ces quatre concepts. L'**influence** est un processus qui permet de modifier le comportement d'un individu, tandis que le **pouvoir** est la capacité d'utiliser ce processus. L'autorité et le leadership sont également deux notions très reliées à la notion de pouvoir. L'**autorité** représente l'aspect formel du pouvoir. Ainsi, une entreprise permet à un individu d'exercer une certaine autorité en raison de la position hiérarchique qu'il occupe ou en raison du titre qu'il possède au sein de l'organisation. C'est ce que French et Raven (1959)

appellent le pouvoir légitime. Le **leadership**, quant à lui, représente tant l'aspect formel qu'informel du pouvoir puisqu'il ne dépend pas seulement de la position hiérarchique, mais aussi de la capacité à établir des relations, du charisme du leader et de la dynamique du groupe sur lequel le leadership s'exerce.

6.1.1 Les sources de pouvoir

Les recherches ont démontré qu'il existe une multitude de sources de pouvoir dans l'organisation. Certaines de ces sources sont de nature individuelle ou de nature organisationnelle, alors que d'autres sont plutôt reliées à des facteurs situationnels.

Le pouvoir de source organisationnelle ou individuelle

French et Raven (1959) ont distingué cinq différentes formes de pouvoir dont le leader dispose afin d'influencer, de persuader ou de motiver ses subordonnés. Il s'agit du pouvoir légitime, du pouvoir de récompense, du pouvoir de coercition, du pouvoir d'expert et du pouvoir de référence. À ces cinq sources de pouvoir, nous en ajouterons une sixième, soit le pouvoir d'information.

Ces six formes de pouvoir se partagent en deux grandes catégories : les formes de pouvoir qui prennent leur source dans les caractéristiques organisationnelles et les formes de pouvoir qui prennent leur source dans des caractéristiques individuelles. Le tableau 6.1 fait état de cette scission dans l'origine des différents types de pouvoir.

TABLEAU 6.1
La répartition des formes de pouvoir selon leur source

Source organisationnelle	Source individuelle
Pouvoir légitime	Pouvoir d'expert
Pouvoir de récompense	Pouvoir de référence
Pouvoir de coercition	Pouvoir d'information

Le pouvoir légitime

Le pouvoir légitime se définit comme la capacité d'une personne d'en influencer une autre en raison de la position qu'elle occupe au sein de l'entreprise. Ce type de pouvoir correspond donc très étroitement à l'autorité et à la position hiérarchique établies à l'intérieur de l'organigramme de l'entreprise. Il s'agit en quelque sorte d'une décision délibérée de conférer à une personne le privilège d'influencer des personnes d'une position hiérarchique moins élevée. Dans l'ensemble, ce privilège est respecté à la condition que les subalternes reconnaissent la légitimité de ce pouvoir. En effet, en acceptant de travailler pour une entreprise, l'employé prévoit que son rôle et ses tâches seront encadrés par des politiques et des directives. Il sait donc qu'il devra respecter une certaine autorité. Par ailleurs, l'employé s'attend, d'une part, que les

personnes qui détiennent cette autorité soient clairement identifiées et, d'autre part, que l'étendue de cette autorité soit précisée.

Ainsi, une secrétaire s'attend qu'on lui demande de dactylographier des textes et de filtrer les appels téléphoniques, mais elle ne prévoit pas qu'on lui demande de porter un complet chez le nettoyeur, pas plus qu'elle ne s'attend qu'une autre personne détenant la même autorité formelle que son supérieur immédiat lui demande de dactylographier une lettre. Donc, théoriquement, ce dernier aspect laisse supposer que les personnes occupant une position hiérarchique équivalente possèdent un pouvoir légitime équivalent, pouvoir dont l'exercice est toutefois limité à certaines personnes.

Le pouvoir de récompense

Le pouvoir de récompense est utilisé pour renforcer le pouvoir légitime en ce sens qu'il donne le droit à un individu d'attribuer des récompenses à ceux qui se sont distingués dans l'accomplissement de leurs tâches. Si l'expression de ce pouvoir peut prendre la forme d'un compliment sur le travail bien exécuté, ce n'est toutefois pas de ce type de récompense qu'il tire son importance, car n'importe quel travailleur a la possibilité de reconnaître ouvertement la qualité de la prestation de travail d'un autre employé. Ce pouvoir prend plutôt sa source dans la capacité d'octroyer des augmentations de salaire, des promotions ou des ressources supplémentaires. Ainsi, un surintendant qui donne à un contremaître plus de temps, d'argent, de personnel et d'équipement pour accomplir une tâche exerce son pouvoir de récompense.

Le pouvoir de coercition

Le troisième type de pouvoir, le pouvoir de coercition, vient lui aussi appuyer le pouvoir légitime. Même s'il y a longtemps que ce pouvoir a cessé de s'exprimer par le fouet, il correspond tout de même à la capacité de pénaliser les employés qui ne suivent pas les directives. Ainsi, lorsqu'un individu détient un pouvoir de coercition, il peut réprimander ou rétrograder un employé, lui refuser une promotion, exercer une surveillance accrue de ses activités ou même le congédier. Toutefois, selon certains auteurs (Skinner, 1938 ; Allen et Keaveny, 1985 ; Greer et Labig, 1987), ce type de pouvoir doit être utilisé seulement en dernier recours parce qu'il s'associe à des conséquences néfastes pour l'individu et l'organisation telles que la frustration, la détérioration du climat de travail et la baisse de motivation. Les châtiments corporels sont passés de mode et, dans la plupart des grandes entreprises, la syndicalisation a amené chez les gestionnaires une plus grande tolérance et un exercice plus raisonné du pouvoir de coercition. De nos jours, congédier un employé est un exercice difficile pour le gestionnaire, car la législation prévoit un processus progressif de sanctions qui se doit d'être proportionnel aux fautes commises. Il est donc beaucoup plus courant d'utiliser un châtiment de nature psychologique, par exemple, le retrait d'un employé d'une situation de travail valorisante pour lui attribuer des tâches plus marginales. En somme, il s'agit d'une forme d'exil et de retrait temporaire. On est loin de l'époque où, pour punir un employé, on le faisait travailler encore plus fort !

Le pouvoir d'expert

Le pouvoir d'expert est une caractéristique individuelle qui est liée à l'acquisition de compétences techniques ou scientifiques peu communes ou à la connaissance des processus administratifs acquise par une grande expérience dans une même fonction ou dans une même entreprise. Pensons aux entreprises qui, sous l'effet de la modernisation, ont acquis les services d'un technicien ou d'un spécialiste de la programmation informatique d'un type d'appareil très rare. Pensons encore, en milieu universitaire, à la secrétaire administrative qui a œuvré au sein d'un même département pendant de nombreuses années et sous l'autorité de plusieurs directeurs pour lesquels elle a eu à assurer la transition des processus administratifs.

Le pouvoir de référence

Le pouvoir de référence repose sur les caractéristiques d'une personne qui amène les autres à vouloir imiter ses comportements. En d'autres termes, les personnes acceptent de subir son influence car ils l'idéalisent et l'estiment. Les personnes qui détiennent ce type de pouvoir peuvent, par exemple, inciter les gens à changer leur façon de s'habiller, de s'exprimer ou de se comporter. Pensons aux personnes qui ont du charisme ou aux célébrités : parce qu'elles sont idéalisées, elles influencent le comportement des gens. Donc là aussi, il s'agit d'un pouvoir basé sur des caractéristiques individuelles, car ce pouvoir est le fait de personnes qui sont aimées à cause de leur personnalité ou de leur manière de se comporter. D'ailleurs, ce pouvoir est accessible à n'importe qui dans l'entreprise, indépendamment de sa position hiérarchique ou des pouvoirs légitimes de récompense et de coercition.

Le pouvoir d'information

Le pouvoir d'information se rapporte à la capacité d'un individu d'accéder à de l'information précise et privilégiée. Autrement dit, lorsqu'une personne a accès à des informations dont les autres ont besoin, elle détient un pouvoir d'information. Ce pouvoir se distingue du pouvoir d'expert en ce sens qu'il ne renvoie aucunement à des connaissances liées à un savoir-faire, comme ce serait le cas pour un analyste-programmeur ou un spécialiste en spectrométrie de masse. Pensons plutôt à la secrétaire qui filtre les appels destinés à sa directrice, et qui, dans un cas précis, empêcherait une candidate à un poste de savoir où en est l'étude d'une demande d'emploi. Il s'agit donc là d'un pouvoir individuel habituellement de nature éphémère.

Le pouvoir de source situationnelle

Au-delà des facteurs organisationnels et des facteurs individuels, certaines situations peuvent faciliter l'exercice du pouvoir et ainsi favoriser son apparition. Plus précisément, trois facteurs situationnels peuvent influer sur le travail des gestionnaires et sur les activités du groupe. Ce sont les facteurs d'incertitude, de substitution et d'importance du rôle de l'individu dans l'organisation.

L'incertitude

L'incertitude constitue un élément inhérent au travail du gestionnaire. Elle concerne non seulement le manque d'information par rapport aux activités ou aux événements futurs, mais également le fait de ne pas savoir choisir la solution la plus appropriée dans une situation précise. L'incertitude n'est pas en soi un déterminant du pouvoir, mais l'habileté à contrôler l'incertitude est un facteur important dans l'obtention d'un certain pouvoir. Par conséquent, les individus ou les groupes qui contrôlent le mieux l'incertitude sont plus susceptibles d'acquérir le pouvoir. De cette façon, les individus sont en mesure de mieux s'adapter aux contraintes vécues par l'organisation.

La substitution

La substitution constitue une deuxième source de pouvoir liée à la situation. Elle se définit comme la capacité d'un individu à fournir les ressources et les services dont un autre individu ou un groupe a besoin pour atteindre ses objectifs. La relation entre le pouvoir et la substitution s'explique par cette capacité d'un individu à être le seul à pouvoir fournir les ressources et les services à un autre individu ou à un groupe sans que ces derniers puissent faire appel à des substituts. Cette personne évitant ainsi de se placer en situation de dépendance face à d'autres individus acquiert un pouvoir lié à la rareté et à la nécessité de son expertise.

L'importance du rôle de l'individu

L'importance du rôle de l'individu dans l'efficacité organisationnelle constitue une troisième source de pouvoir. Celle-ci est fonction de deux éléments : premièrement, la qualité des ressources fournies par l'individu aux diverses sphères d'activités de l'organisation et, deuxièmement, les conséquences négatives du départ de l'individu sur l'efficacité organisationnelle.

Une personne spécialisée dans une seule sphère d'activités de l'organisation est beaucoup plus dépendante des autres, étant donné les limites de son bagage de connaissances et d'expériences. En d'autres mots, plus une personne possède de connaissances et d'habiletés diversifiées, plus ses sphères d'influence sont nombreuses et plus son pouvoir est grand. Le même raisonnement s'applique aux groupes : plus les ressources d'un groupe sont restreintes tant en qualité qu'en quantité, plus ce groupe est dépendant des autres pour combler ses besoins ; en contrepartie, si le groupe est plus indépendant, il améliore sa position de pouvoir.

Toutefois, un individu qui détient une seule expertise peut également détenir un grand pouvoir si cette expertise a une valeur considérable aux yeux des compétiteurs. Donc, l'importance du rôle de l'individu dans l'entreprise peut être associée au rôle central que détient l'individu quant à l'atteinte des objectifs organisationnels par opposition au rôle périphérique.

Ainsi, bien que tous les rôles soient importants dans une entreprise, ceux qui se rapprochent davantage de la raison d'être de l'entreprise sont plus associés au pouvoir que les rôles plus périphériques. Comparons par exemple les rôles de deux individus dans une université : le responsable de la rémunération a un rôle très important par rapport à l'établissement des règles et des mécanismes de rétribution ; pourtant, le professeur qui est reconnu pour la qualité de son enseignement et de ses recherches pourra plus facilement acquérir du pouvoir.

6.1.2 Les stratégies d'acquisition du pouvoir

En plus du pouvoir concédé par l'organisation, il est possible pour un individu ou un groupe d'acquérir un certain niveau de pouvoir par le biais de diverses stratégies. Nous en avons retenu trois : le contrat, la cooptation et la coalition. Ces stratégies consistent à établir des ententes entre deux ou plusieurs parties afin de diminuer les incertitudes créées par les activités de l'une ou de l'autre des parties.

Le contrat

Le contrat découle de la négociation d'une entente par deux ou plusieurs parties, et ce pour une période généralement déterminée. L'exemple le plus courant d'un contrat est celui d'une convention collective qui régit les rapports entre l'employeur et le syndicat. Cette forme de stratégie réduit les incertitudes de chacune des parties concernant les agissements de l'autre groupe. En effet, s'il n'y a pas de contrat clairement établi, les employés se demandent s'ils auront un salaire adéquat et un emploi assuré pour quelques années, alors que l'employeur se demande si les employés fourniront les efforts lui permettant d'atteindre les objectifs organisationnels. Lors de la négociation d'un contrat, toutes ces incertitudes sont discutées par les deux parties qui cherchent une solution qui leur convient à tous les deux. Lorsqu'une entente intervient, on la ratifie généralement pour une période déterminée – souvent de trois ans. Le contrat constitue donc une stratégie qui permet aux deux parties d'acquérir une certaine forme de pouvoir en contrôlant les incertitudes – entente négociée – et en stabilisant leur relation – entente signée pour une période déterminée.

La cooptation

La cooptation consiste à ce qu'un groupe en absorbe un autre afin de réduire les incertitudes créées par cet autre groupe. Cette stratégie est par exemple adoptée lorsque deux entreprises ont des objectifs différents mais complémentaires : la plus grande des deux entreprises réduit ses incertitudes en absorbant la plus petite. En effet, par le processus d'absorption, la grande entreprise acquiert du pouvoir, contrôle les activités de l'entreprise absorbée et devient plus forte pour affronter la concurrence du marché. L'exemple courant d'une cooptation est celui d'une entreprise manufacturière qui absorbe l'entreprise qui distribue ses produits.

Le principal risque d'une telle stratégie est de ne pas réussir à intégrer adéquatement les dirigeants de l'entreprise qui a été absorbée, de telle sorte qu'ils exercent une résistance nuisant à l'atteinte des objectifs organisationnels.

La coalition

La coalition consiste, entre autres, à former des alliances dans le but de réduire les incertitudes. Généralement, cette union représente une stratégie adéquate lorsque le contrat et la cooptation s'avèrent impossibles ou inefficaces. Par exemple, en 1990, les firmes comptables Charette, Fortier, Hawey, Touche, Ross et Samson, Bélair, Deloitte, Haskins et Shells ont décidé de s'unir afin de s'imposer davantage sur le marché national et international, formant ainsi la nouvelle firme Samson, Bélair, Deloitte et Touche. Donc, plutôt que de se concurrencer, ces deux firmes ont choisi d'unir leurs efforts. Notons aussi l'exemple plus récent de la fusion entre l'entreprise SNC et Lavalin.

6.2 LE CONFLIT

Le conflit est un concept difficile à définir. En entreprise, il se rapporte généralement à **une incompatibilité totale, partielle, réelle ou perçue entre les rôles, les buts, les objectifs, les intentions et les intérêts d'un ou de plusieurs individus, groupes ou services**. Selon Dion (1986), la notion de conflit renvoie à d'autres notions telles que la mésentente, la dispute, le différend et le désaccord.

De Backer (1973) présente une définition détaillée de la notion de conflit. Selon lui, le conflit est une phase dans l'interrelation entre groupes ou personnes pendant laquelle existent un décalage entre la perception de l'image de soi et l'image de l'autre (ce que je pense de moi-même et de mon groupe), puis un décalage entre la situation de soi et la situation des autres, et enfin un décalage entre la projection dans l'avenir de soi et la projection dans l'avenir de l'autre, ces décalages étant perçus comme une menace pour cette interrelation même, aboutissant soit à un nouveau mode d'interrelation dans lequel la tension entre les deux apports est moins grande, soit au contraire à un refus d'interrelation.

Ainsi, les conflits découlent des relations entre les individus. Ils émanent aussi des attentes incompatibles des individus ou des groupes ainsi que des différences entre les tâches de chacun. De plus, une interdépendance croissante entre les personnes, l'augmentation de la charge de travail et les pressions externes constituent autant de facteurs propices à l'apparition de conflits. Donc, l'incompatibilité des buts ou des moyens, la limitation des ressources et les pressions créées par l'urgence des tâches à effectuer et des échéances qui en découlent apparaissent comme autant d'éléments favorables à l'émergence de conflits.

L'acceptation par les gestionnaires de l'existence des conflits doit se faire au nom du réalisme. Il n'est plus question de tenter par tous les moyens d'éliminer ceux-ci dès qu'on en décèle la présence. Il est même démontré qu'une grande partie des activités des gestionnaires est consacrée à la gestion des conflits. Quoi qu'il en soit, il y a toujours une leçon à tirer d'un conflit. Même si les aspects négatifs d'un conflit paraissent souvent l'emporter, une analyse plus poussée permettra au gestionnaire d'entrevoir les retombées positives. En effet, chaque fois que des conflits éclatent, un certain nombre de phénomènes les accompagnent. D'abord, ce genre d'activité éveille les gens qui s'adonnent à leur routine quotidienne : le conflit les stimule. Puis les démarches inhérentes au conflit obligent les parties à créer de nouveaux réseaux de communication. Par ailleurs, le conflit permet de prendre conscience du rôle, des responsabilités et des problèmes de l'autre partie, ce qui suscite l'empathie. La recherche d'une solution oblige également les parties à remettre en question certains éléments de l'entreprise. Enfin, le conflit permet d'épurer l'atmosphère des tensions sous-jacentes qui grugent souvent les relations entre les individus durant de longues périodes avant même de faire surface.

POINT DE VUE
D'UN GESTIONNAIRE

JOHN R. GARDNER, président
GARY M. COMEFORD,
vice-président
Sun Life Canada

Le style de gestion et la prévention des conflits : la situation à la Sun Life

Il y a quelques années, un cadre intermédiaire assistait à une réunion du conseil d'administration de son employeur, l'un des plus importants établissements financiers au pays. On l'y avait convié non pas en raison de son rang mais plutôt en raison de sa connaissance pratique de la question à l'étude. À l'issue de la réunion, le président du conseil demanda au jeune homme s'il était en accord avec tous les points soulevés. Lorsque ce dernier répondit par la négative, le président lui demanda pourquoi il n'avait rien dit au cours de la réunion. « Il ne me semblait pas convenable de contredire mes supérieurs », expliqua le jeune homme. « Je ne vous paie pas pour que vous vous taisiez, répliqua le président. Je vous paie pour que vous fassiez votre travail et, aujourd'hui, vous ne l'avez pas fait. »

Les écoles d'études commerciales enseignent à leurs étudiants à mettre les choses en doute, à débattre les problèmes et à présenter leurs plans avec conviction. Il y a quelque chose en beaucoup de gens, toutefois, qui les retient et les incite à éviter les conflits qu'entraîne une remise en question du *statu quo*.

Marx avait raison en affirmant que l'avenir naît des confrontations antérieures. Une agressivité bien dirigée peut en effet susciter un débat passionné qui donnera forme à certaines décisions. Cependant, il est aussi vrai que se dresser contre ses pairs au sein de l'entreprise peut nuire aux relations personnelles et professionnelles que l'on entretient. On peut en effet avoir de la difficulté à déterminer dans quelles circonstances on sera jugé ferme et persuasif plutôt que trop agressif.

Une entreprise comme la Sun Life offre un milieu propice aux conflits. Le désir de conserver et d'accroître la part du marché actuellement détenue peut en effet s'opposer à la nécessité de préserver le capital pour être en mesure d'assumer certaines dettes dont le remboursement s'échelonne parfois sur plus de cinquante ans. On ne cesse d'élaborer des idées et des programmes nouveaux, chaque service rivalisant avec les autres pour se faire reconnaître. Les filiales de la Sun Life aux quatre coins du monde doivent également lutter entre elles pour des ressources limitées.

La gestion des conflits à l'avantage de l'ensemble de l'organisation n'est pas le fruit du hasard à la Sun Life. La capacité que l'on y observe de résoudre les conflits et d'en sortir grandi s'explique par des valeurs

→

fondamentales et des buts établis de longue date que tous les membres de la direction acceptent depuis de nombreuses années. Le respect mutuel forme le lien qui unit les cadres de l'entreprise, mais une bonne compréhension des limites à ne pas dépasser facilite les choses.

La Sun Life met l'accent sur l'ouverture et la collaboration. Les employés de tous les niveaux sont encouragés à soulever toute question posant problème. Personne ne se voit refuser l'occasion d'exprimer un point de vue contraire, et personne n'est réprimandé pour avoir pris position. Le climat créé incite à la patience. On écoute tous les points de vue et on continue à débattre la question jusqu'à ce qu'une solution se présente.

Les conflits sont inévitables. La véritable épreuve consiste pour la direction à démontrer la cohérence et le soutien appropriés une fois que l'on a établi un consensus. Tout succès n'est possible que si l'on a confiance non seulement dans le plan d'affaires proposé, mais dans l'équipe de gestion qui en est à l'origine.

Évidemment, ces conséquences positives ne sont pas toujours présentes et elles dépendent de facteurs tels que les objectifs des parties, le partage des ressources et l'interdépendance des parties. Ce qui importe surtout dans la détermination du résultat, c'est la manière dont le conflit est géré (Pondy, 1992).

6.2.1 Les formes de conflit et la description des protagonistes

Les conflits, dont les causes sont multiples et diversifiées, prennent plusieurs formes selon les protagonistes qui y sont associés. Ainsi, les principales formes sont les conflits intra-individuels, interpersonnels, intragroupes et intergroupes (voir la figure 6.2).

Le conflit intra-individuel

Le conflit intra-individuel signifie qu'un individu est en conflit avec lui-même. Généralement, ce type de conflit suppose que l'individu est en présence d'une certaine incompatibilité de buts ou d'une dissonance cognitive qui le perturbe. Par exemple, une personne risque de vivre un conflit intra-individuel si elle se trouve dans une situation où elle doit choisir entre un emploi bien rémunéré dans une entreprise qui a peu de prestige et un emploi moins bien rémunéré dans une compagnie reconnue. Ce type de conflit se produit également lorsqu'un individu doit choisir à l'intérieur d'une entreprise entre, d'une part, un poste de cadre qui élève sa position hiérarchique, son pouvoir, son prestige et son salaire, mais dont les tâches suscitent un intérêt mitigé et, d'autre part, un poste de professionnel dont les tâches sont très intéressantes, mais auquel sont associées des possibilités d'avancement très limitées sinon inexistantes.

Le conflit interpersonnel

Un conflit interpersonnel (ou intersubjectif) survient lorsque deux individus vivent une mésentente au sujet des buts à poursuivre, des moyens à prendre,

FIGURE 6.2
Les diverses formes de conflit selon les protagonistes

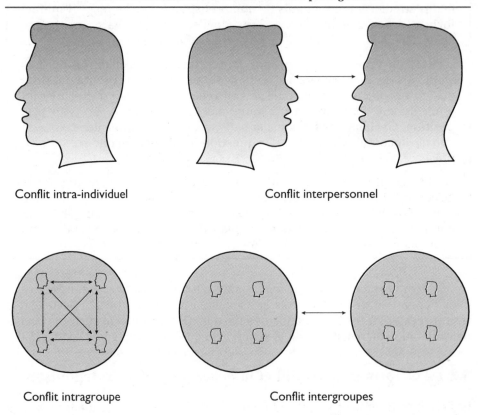

Conflit intra-individuel   Conflit interpersonnel

Conflit intragroupe   Conflit intergroupes

des valeurs, des attitudes ou des comportements à adopter. On a tous vécu des situations dans lesquelles on doit spontanément faire face à une personne qui, à première vue, paraît antipathique. Dans d'autres cas, cette antipathie se développe progressivement au fil des interactions et peut dégénérer en conflit. Par exemple, prenons le cas de deux collègues de travail d'une entreprise. Le premier n'aime pas la manière de se vêtir, de s'exprimer ou de se comporter du second. Il n'aime pas sa façon particulière d'outrepasser les règles implicites de travail ni sa tendance à ne pas respecter les niveaux hiérarchiques. Il n'aime pas la quantité d'alcool qu'il consomme à l'heure du lunch. Bref, le premier n'aime pas le second. En contrepartie, le second trouve le premier beaucoup trop respectueux des règles établies, beaucoup trop consciencieux. Il considère qu'il perd son temps à des détails insignifiants et qu'il exerce un effet de freinage sur les personnes qui le côtoient. En somme, le second n'aime pas plus le premier que le premier n'aime le second, et en plusieurs occasions leur antipathie respective est ouvertement exprimée.

Le conflit intragroupe

Le conflit intragroupe ressemble, à bien des égards, au conflit interpersonnel. La principale distinction est la polarisation de la mésentente autour de plusieurs personnes d'un même groupe plutôt qu'entre deux individus isolés. Le conflit peut, par exemple, se rapporter à la reconnaissance d'une situation problématique ou au programme d'implantation des solutions liées au problème et ainsi susciter des prises de positions opposées, donc génératrices de conflits.

Le conflit intergroupes

Le conflit intergroupes survient lorsqu'un groupe entre en conflit avec un autre groupe. Étant donné la pluralité des groupes, il peut s'agir, par exemple, d'un conflit opposant les partisans de l'avortement libre à des groupes pro-vie. Plus près du monde industriel, on peut avoir un conflit entre un groupe sans but lucratif visant la protection de l'environnement et un groupe de gestionnaires d'une entreprise susceptible d'endommager l'environnement. Ainsi, bien qu'il puisse être simplement de nature fonctionnelle et passager, le conflit intergroupe peut néanmoins parfois s'organiser de façon plus structurelle et opposer des strates sociales (par exemple, prolétaires et bourgeois).

6.2.2 Les formes de conflit et la position hiérarchique des protagonistes

Si l'on prend en considération la position hiérarchique des protagonistes des conflits dans l'organisation, on peut distinguer trois formes de conflit : le conflit vertical, le conflit horizontal et le conflit entre cadres hiérarchiques et cadres-conseils.

Le conflit vertical

Le conflit vertical se rapporte aux problèmes ou aux mésententes susceptibles de se produire entre les membres ou les groupes de différents niveaux hiérarchiques dans une entreprise. Plusieurs causes peuvent expliquer ce type de conflit. Premièrement, le conflit peut survenir entre les subordonnés et leurs supérieurs lorsque, par exemple, ces derniers exercent un contrôle obsessif des activités des employés. Les subordonnés considèrent généralement que ce type de contrôle brime leur liberté personnelle, ce qui les amène à réagir. Il est également possible qu'un conflit vertical surgisse à la suite d'une mauvaise communication ou d'une certaine incompatibilité quant aux buts, aux idées ou aux croyances entre les membres qui occupent les différents niveaux hiérarchiques. C'est le cas du gestionnaire qui, tout en représentant les intérêts de l'entreprise à laquelle il s'identifie, peut demander à ses employés d'agir d'une manière qui va à l'encontre du code de déontologie de leurs professions respectives. En voici un exemple : un directeur des ressources humaines essaie d'obtenir du médecin de l'entreprise plus d'informations au sujet du dossier médical confidentiel de certains employés afin de pouvoir prendre une décision plus éclairée quant à leur affectation à de nouveaux postes.

Le conflit horizontal

Le conflit horizontal survient entre les employés ou entre les groupes d'un même niveau hiérarchique. Cela peut se produire lorsqu'il y a, par exemple, des écarts d'objectifs entre le service de la mise en marché des ventes et celui de la production. C'est le cas, également, dans la situation suivante : le service de recherche et de développement d'une entreprise met au point un nouveau produit qui constitue une amélioration substantielle d'un produit vedette d'une autre entreprise ; les études de marché sont concluantes et le produit est fabriqué en grande quantité étant donné la certitude de ventes importantes ; toutefois, pour des raisons de ressources budgétaires, le produit n'a pas fait l'objet de suffisamment de publicité, de telle sorte que les stocks ont atteint un seuil trop élevé.

Un tel conflit peut également surgir lorsque le service des ventes, dont le personnel extrêmement compétent est rémunéré à la commission, obtient un niveau de ventes qui dépasse les capacités de production.

Le conflit entre cadres hiérarchiques et cadres-conseils

Les protagonistes de ce type de conflit n'ont généralement pas de lien hiérarchique entre eux. Les conflits découlent souvent des caractéristiques mêmes de chaque groupe (voir le tableau 6.2).

En fait, la direction générale provoque des conflits en donnant aux cadres-conseils une autorité vague, ce qui suscite des difficultés d'interprétation dans la répartition des pouvoirs et des responsabilités de ceux-ci. Les cadres-conseils ont un certain pouvoir de recommandation, mais ils n'ont pas l'autorité qui leur permettrait d'imposer leurs décisions et leurs recommandations. Par exemple, le directeur du service de recrutement et de la sélection d'une entreprise peut mettre au service d'un cadre supérieur tout son savoir-faire et toutes ses connaissances afin de favoriser la sélection d'un adjoint administratif qui

TABLEAU 6.2
Les caractéristiques des cadres hiérarchiques et des cadres-conseils

Caractéristique	Cadre hiérarchique	Cadre-conseil
Scolarité	Faible ou moyenne	Élevée
Nombre de subalternes	Plusieurs	Aucun ou très peu
Autorité	Élevée	Faible ou moyenne
Ancienneté	Élevée	Faible ou moyenne
Nature des décisions	Stratégies à longue échéance	Stratégies à brève échéance

corresponde le plus étroitement possible au profil du poste. À la suite du processus de sélection parmi cinq candidats, le responsable de recrutement recommande la candidature qui répond le mieux aux exigences du poste à combler. Toutefois, sa recommandation s'inscrit à l'intérieur d'un rôle de conseiller, et le cadre supérieur qui a initialement fait la demande peut utiliser son pouvoir décisionnel et choisir un autre candidat que celui qui a été recommandé.

6.2.3 Les sources de conflit

Dans une organisation, plusieurs éléments peuvent favoriser l'apparition de conflits. L'objet et les protagonistes du conflit sont en effet très variés. Ainsi, des conflits peuvent surgir à propos des objectifs poursuivis, de l'allocation des ressources ou de l'attribution des rôles et concerner les différents services de l'organisation, les clients, les fournisseurs, les employés, la direction ou le syndicat. Parmi les différentes sources de conflits, deux sont particulièrement importantes : la première consiste en l'incompatibilité des objectifs poursuivis par les individus ou les groupes, et la seconde se rapporte aux rôles et aux attentes relatives à ces rôles.

L'incompatibilité des objectifs

Il y a incompatibilité des objectifs lorsqu'il n'y a pas d'entente sur les priorités, les échéances à respecter ainsi que sur l'orientation générale des activités des individus ou des groupes. Rappelons l'exemple présenté précédemment où les priorités du personnel du service des ventes ne coïncidaient pas avec les échéances du personnel du service de la production.

Bien entendu, l'atteinte des objectifs des différents services dépend des ressources humaines, des ressources matérielles et du temps dont chaque service dispose. Comme les ressources sont limitées, elles doivent être partagées et réparties de façon à atteindre les objectifs organisationnels négociés. Le conflit peut aussi s'inscrire dans une perspective d'incompatibilité entre les objectifs à courte, à moyenne et à longue échéance tant du côté de l'organisation que de l'individu (voir la figure 6.3).

FIGURE 6.3
L'incompatibilité des objectifs individuels et organisationnels

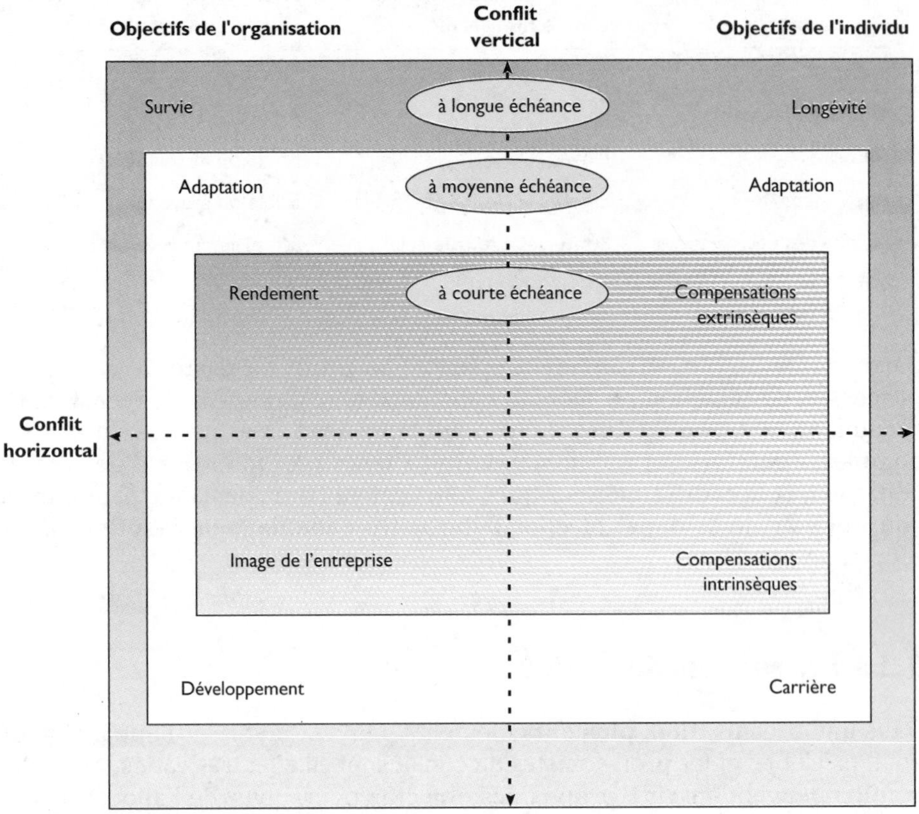

Source : Adapté de Dolan et Arsenault (1980), p. 33.

Les rôles et les attentes

Un individu peut être amené à jouer différents rôles au sein d'une entreprise. Le rôle est le comportement attendu de chaque individu, et il est défini, entre autres, par la description des tâches, le titre du poste occupé et les accords informels. Ces moyens déterminent les activités formelles dont l'individu est responsable ainsi que la manière dont ces activités doivent être menées.

Il est certain que si le rôle attendu n'est pas clairement précisé à l'employé, celui-ci aura tendance à définir lui-même son propre rôle afin de réduire l'ambiguïté de ses fonctions et de ne pas avoir l'impression de travailler sans savoir ce qu'il a à réaliser.

Par ailleurs, si plusieurs employés ne sont pas suffisamment informés des rôles attendus, ils risquent de s'attribuer des responsabilités qui empiètent sur les responsabilités d'autres employés et, de ce fait, d'émettre des demandes contradictoires.

6.2.4 La gestion des conflits

Afin de choisir la stratégie de résolution de conflit la plus appropriée, il est important de comprendre quelles seront les conséquences des différentes stratégies. Pour résoudre un conflit, un gestionnaire peut combiner plusieurs stratégies ou en adopter une plus particulièrement. La stratégie choisie détermine généralement l'issue du conflit : elle peut être destructrice ou, au contraire, constructive. La figure 6.4 illustre les conséquences possibles du conflit.

FIGURE 6.4
Les conséquences possibles d'un conflit

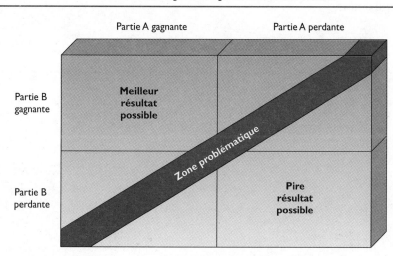

On constate que le mode de résolution idéal est celui où les deux parties sortent gagnantes. Une telle attitude face au conflit entraîne un certain nombre de modifications à la vie organisationnelle et rend celle-ci plus riche et plus productive. Parmi ces modifications, citons l'accroissement des communications et de la rétroaction. Par ailleurs, les individus verront de plus en plus dans le conflit un outil favorisant la créativité et l'innovation. De plus, les relations entre les membres deviendront plus sincères et plus profondes. Dans le cas de la stratégie gagnant-perdant, une des parties obtiendra satisfaction et l'autre se trouvera dans le camp des perdants. Cette situation entraîne de la morosité et une méfiance qui viendra ralentir la résolution des futurs conflits. Pour ce qui est de la stratégie perdant-perdant, chaque partie gagne sur certains points mais, dans l'ensemble du litige, il n'y a que deux perdants. Cette situation est la pire parce qu'elle entraîne le *statu quo,* donc une paralysie de l'organisation dans ses efforts d'adaptation face aux changements que lui impose l'environnement.

Naturellement, les réactions face au conflit dépendent étroitement de l'attitude et de la perception des gestionnaires face à ce dernier. Ainsi l'expérience passée et les valeurs d'une personne peuvent l'inciter à adopter une attitude particulière : celle qui adopte une attitude négative aura tendance à vouloir éviter le conflit en raison des conséquences négatives qu'elle prévoit ou encore à tenter de trouver des solutions qui ne conviennent qu'à l'une des parties ; par ailleurs, la personne qui adopte une attitude positive est portée à affronter le conflit. En somme, les gestionnaires ne réagissent pas tous de la même façon.

Après ce survol des issues possibles du conflit et des réactions que peuvent avoir les gestionnaires face au conflit, parlons des stratégies proprement dites. Il en existe cinq types. Ils sont présentés en détail ci-après. En outre, à la figure 6.5, ils sont disposés sur un graphe en fonction de l'intérêt qu'ils accordent à l'une ou l'autre partie. Finalement, le tableau 6.3 contient les grandes caractéristiques de chacune des stratégies et les conditions qui en justifient l'utilisation.

FIGURE 6.5
Les stratégies face au conflit

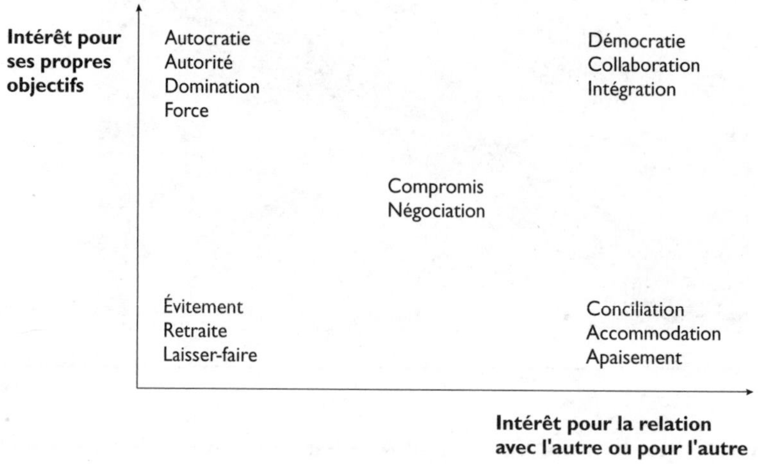

L'évitement

La réaction d'évitement est caractérisée par le refus de discuter de la situation conflictuelle. Ainsi, les personnes qui adoptent cette stratégie préfèrent ne pas s'engager, même si elles sont conscientes que cette attitude ne permet pas de résoudre le problème. Il arrive que certains conflits engendrent peu de conséquences, ou que les personnes concernées par le conflit s'imaginent que les chances de combler leurs besoins sont très minces. Dans ces circonstances, il peut être préférable d'éviter le conflit. Toutefois, il ne faut pas oublier que cette stratégie débouche sur une situation où les deux parties sortent perdantes.

La conciliation

Lorsque les individus de l'une des parties engagées dans un conflit sont persuadés de ne pouvoir satisfaire leurs besoins, ils ont tendance à adopter une attitude conciliante. Autrement dit, en situation de conflit, ces individus

TABLEAU 6.3
Les tenants et les aboutissants des diverses stratégies

Stratégie	Enjeux dominants	Stratégie dominante	Conditions
Autocratie Autorité Domination Force	• satisfaction des intérêts personnels • gagner; dominer	• compétition • pouvoir	• urgence • décisions impopulaires nécessaires • vital pour l'employé ou l'entreprise • se protéger des profiteurs
Évitement Retraite Laisser-faire	• évitement des situations conflictuelles	• fuite; retrait • le silence est d'or	• quand l'enjeu est sans importance • quand les chances de gagner sont nulles • quand les risques sont trop grands • temporiser: gagner de l'information • quand d'autres peuvent mieux résoudre le problème
Conciliation Accommodation Apaisement	• relation avec l'autre • harmonie	• évitement des divergences • accent sur les convergences	• quand on se rend compte qu'on n'a pas raison • quand l'enjeu est beaucoup plus important pour l'autre • pour se donner du crédit • quand l'autre est plus fort • quand l'harmonie est très importante
Compromis Négociation	• terrain d'entente • juste milieu • satisfaction partielle des intérêts personnels	• négociation	• quand les buts sont modérément importants, incompatibles • quand les parties ont un pouvoir similaire • solutions temporaires ou urgentes • quand la collaboration ne marche pas • quand la force ne marche pas
Démocratie Collaboration Intégration	• satisfaction de ses intérêts et de ceux de l'autre	• confrontation • résolution de problèmes	• quand les intérêts individuels sont complémentaires ou compatibles et importants • quand on peut tirer avantage de plusieurs perspectives • pour régler des problèmes interpersonnels

Source: Foucher et Ménard (1982). Reproduit avec la permission des auteurs.

permettent aux autres de satisfaire leurs intérêts au détriment des leurs. Cette stratégie ne profite alors qu'à l'autre groupe. Ainsi, lors des discussions entre les deux groupes en conflit, on ne s'attardera qu'aux points où il y a accord plutôt que de discuter des points de divergence. Les points de divergence seront soulignés mais, plutôt que de négocier une ou des solutions qui seraient satisfaisantes pour les deux parties, l'une des parties permettra à l'autre de satisfaire ses besoins sans s'opposer.

Le compromis

Lorsque les individus des deux parties adoptent une attitude de compromis en situation de conflit, ils consentent généralement à faire des sacrifices considérables. En effet, cette attitude ne permet de satisfaire entièrement ni les intérêts des uns ni les intérêts des autres. On cherche donc une solution mitoyenne qui sera partiellement satisfaisante pour chacune des parties. Ainsi, contrairement à une stratégie de conciliation où une seule des parties atteint ses objectifs, la stratégie de compromis permet aux deux parties d'atteindre partiellement leurs objectifs.

La stratégie autocratique

Les individus qui favorisent la stratégie autocratique sont ceux qui ont l'intention ferme de satisfaire leurs propres intérêts au détriment des intérêts des autres. Il n'y a pas l'ombre d'un doute dans leur esprit : la situation exige qu'une partie sorte gagnante et ce sera la leur. Ils utiliseront leur autorité et leur pouvoir afin d'imposer leur point de vue. Ce type de réaction peut se justifier en période de crise. En effet, pensons par exemple au gouvernement américain

à l'époque où le président Reagan avait dû congédier et remplacer les contrôleurs aériens par des militaires parce que, en déclarant la grève, ces contrôleurs paralysaient le trafic aérien.

La stratégie démocratique

Les personnes qui adoptent une stratégie démocratique cherchent une solution qui permettra de satisfaire pleinement les besoins des deux parties concernées dans le conflit. Bien que la recherche d'une telle solution soit une tâche difficile, les gestionnaires qui préconisent cette stratégie ont l'intime conviction qu'elle existe et qu'il est justifié de fournir tous les efforts nécessaires pour y arriver.

D'autres stratégies adoptées face au conflit

Afin de régler ou encore de désamorcer un conflit, on peut également utiliser une tierce personne extérieure au conflit, comme un arbitre, un médiateur, un modérateur ou un conciliateur, qui tentera de favoriser l'expression des opinions des deux groupes. L'arbitre a tendance à imposer une solution au conflit alors que le médiateur, le modérateur et le conciliateur jouent un rôle d'expert-conseil afin d'aider les parties à négocier une entente en une ou plusieurs rencontres lors desquelles chaque partie expose sa perception du conflit. Ces rencontres enveniment facilement les conflits si elles ne sont pas bien dirigées.

Les gestionnaires font souvent appel aux modérateurs. Ces experts-conseils n'ont pas la tâche facile, car ils doivent être en mesure de bien saisir la nature du problème et amener les parties à se concentrer sur les aspects pertinents. En cas d'impasse, les modérateurs pourront appliquer les principes élémentaires suivants :

- rencontrer les parties seule à seule ; trouver les terrains d'entente possibles ;
- choisir un terrain neutre (lieu physique) ;
- prévoir le temps nécessaire à la résolution du conflit ;
- éviter que les parties ne soient sur la défensive ;
- mettre l'accent sur les conséquences tangibles ;
- être très attentifs ;
- faire des résumés et des mises au point ;
- éviter d'imposer des solutions.

6.2.5 Les avantages et les inconvénients du conflit

Les avantages

Lorsqu'une situation apporte de l'insatisfaction à l'une des parties, on verra surgir les bases d'un conflit. Si les membres de l'entreprise n'acceptent plus les méthodes actuelles, s'ils perçoivent de l'injustice ou remettent en question ses objectifs, leur insatisfaction se traduira par un conflit. De plus, leur opposition manifeste amènera une réaction des autres membres, et plus encore, de la direction. Des questions seront posées, des suggestions seront émises, des solutions seront proposées. Cette effervescence débouchera sur des changements. Si les conflits sont éliminés par souci de conservatisme, d'uniformité ou de stabilité, les nouvelles idées feront difficilement leur chemin. Le conflit est donc une étape nécessaire à l'avènement du changement.

Afin que le conflit puisse engendrer des conséquences positives, il est nécessaire que deux conditions soient respectées : premièrement, le conflit ne doit pas mettre en cause la survie de l'organisation et, deuxièmement, il doit exister à l'intérieur de l'entreprise une forme de gestion des conflits.

Les inconvénients

Certains niveaux de conflit atteignent une forme extrême dans leur manifestation. Ces conflits ont évidemment des répercussions négatives sur la vie interne de l'organisation. S'ils durent trop longtemps, on peut voir apparaître de l'hostilité orientée vers la violence ; toute forme de collaboration est alors impossible et c'est l'ensemble de l'organisation qui en souffre. Enfin, les conflits majeurs amènent une nette réduction de la confiance mutuelle. Chacun des membres de l'organisation abandonnera les objectifs du groupe pour se consacrer exclusivement à ses objectifs personnels. Les arguments de la raison seront oubliés pour faire place à l'émotivité. Le conflit refoule ainsi les possibilités de solutions.

CONCLUSION

Le pouvoir est défini comme étant la capacité d'un individu d'en influencer un autre. Il est fonction des caractéristiques personnelles et des caractéristiques liées à la position dans l'organisation.

Les sources de pouvoir sont multiples. Certaines sont de nature individuelle ou de nature organisationnelle, alors que d'autres sont liées à la situation. Les sources de pouvoir de nature organisationnelle regroupent le pouvoir légitime, le pouvoir de récompense, le pouvoir de coercition, alors que celles de nature individuelle comprennent le pouvoir de l'expert, le pouvoir de référence et le pouvoir d'information. Les sources de pouvoir liées à la situation se rapportent à l'incertitude, à la substitution et à l'importance du rôle de l'individu dans l'entreprise.

En plus de ces sources de pouvoir, certaines stratégies permettent aux individus ou aux groupes d'acquérir un certain pouvoir. Il s'agit du contrat, de la cooptation et de la coalition.

Le conflit est un phénomène omniprésent dans les organisations. En effet, divers types de conflits sont susceptibles d'émerger lorsque deux individus ou groupes ne s'entendent pas sur les objectifs, les attentes ou les rôles, et ce à différents niveaux : intra-individuel, interpersonnel, intragroupe ou inter-groupes. Par ailleurs, les conflits peuvent résulter de divergences entre les individus ou les groupes de différents niveaux hiérarchiques.

Diverses stratégies permettent de faire face au conflit : l'évitement, la conciliation, le compromis, l'approche autocratique et l'approche démocratique. La stratégie choisie dépend de la situation conflictuelle et des aptitudes des gestionnaires à faire face au conflit.

Le gestionnaire doit bien analyser les causes d'un conflit s'il veut le gérer le plus adéquatement possible et en tirer tous les avantages possibles en réduisant les inconvénients. En effet, une bonne gestion des conflits constitue la clé du succès de l'entreprise.

CHAPITRE

6 Questions de révision

1. Donnez les principales distinctions qui existent entre les notions de pouvoir et d'influence.

2. Nommez et définissez les différents types de pouvoir que peut détenir un professeur d'université. En fonction du pouvoir qu'il détient, quel mode de résolution des conflits privilégiera-t-il?

3. Décrivez un contexte où le pouvoir des dirigeants est facilité par la conjoncture situationnelle et un autre où le pouvoir est amoindri par ce même type de facteurs.

4. Si, en tant qu'étudiant, vous voulez augmenter votre pouvoir, quelle stratégie d'acquisition sera la plus efficace?

5. Nommez une situation où une stratégie d'évitement pourrait être efficace pour faire face à un conflit.

6. Décrivez le contexte global d'une organisation où il y a absence totale de conflit. Une telle situation est-elle souhaitable? Justifiez votre réponse.

6 Autoévaluation

La stratégie en ce qui touche au pouvoir et à l'influence

Remplissez le questionnaire ci-après portant sur le pouvoir et l'influence. Prenez le temps d'y répondre avec soin et en toute franchise. Vos réponses devraient refléter votre comportement tel qu'il est (et non tel que vous le souhaitez). Ce questionnaire a pour but de vous aider à déterminer votre capacité à obtenir pouvoir et influence pour que vous puissiez concentrer vos efforts sur les aspects particuliers qu'il vous faut améliorer.

Remplissez le questionnaire en utilisant l'échelle d'évaluation fournie.

1 C'est tout à fait faux	2 C'est faux	3 C'est plutôt faux	4 C'est plutôt vrai	5 C'est vrai	6 C'est tout à fait vrai

Dans une situation où il est important d'obtenir plus de pouvoir :

_____ 1. je m'efforce sans cesse de devenir très compétent dans mon domaine ;

_____ 2. je me montre toujours amical, honnête et sincère envers les personnes avec qui je travaille ;

_____ 3. je déploie plus d'efforts et d'initiative que l'on en attend de moi au travail ;

_____ 4. j'accorde tout mon appui aux activités à l'intérieur de l'organisation ;

_____ 5. je tisse un réseau étendu de relations avec des gens de tous les niveaux un peu partout dans l'organisation ;

_____ 6. je trouve un domaine dans lequel je peux me spécialiser et qui aide à répondre aux besoins des autres ;

_____ 7. je prends toujours soin d'envoyer une note personnelle aux autres lorsqu'ils accomplissent quelque chose de remarquable et lorsque j'ai des informations importantes à leur communiquer ;

_____ 8. au travail, j'essaie constamment d'apporter de nouvelles idées, de lancer de nouvelles activités et d'éviter le plus possible la routine ;

_____ 9. je cherche sans cesse divers moyens de représenter mon service ou mon organisation à l'extérieur ;

_____ 10. je n'arrête jamais de perfectionner mes aptitudes et mes connaissances ;

_____ 11. je fais beaucoup d'efforts pour améliorer mon apparence ;

_____ 12. je travaille toujours plus fort que la plupart de mes collègues ;

_____ 13. j'encourage fortement les nouveaux employés à démontrer par leurs paroles et leurs gestes qu'ils partagent les valeurs importantes de l'organisation ;

_____ 14. je déploie beaucoup d'efforts pour occuper une place clé au sein des réseaux de communication et ainsi avoir accès aux informations importantes ;

_____ 15. je m'efforce sans cesse de conserver en propre un aspect de mon travail que personne d'autre n'accomplit ;

_____ 16. je suis à l'affût de toute occasion de faire rapport de mon travail, en particulier aux cadres supérieurs ;

_____ 17. je déploie beaucoup d'efforts pour que les tâches que j'accomplis demeurent variées ;

_____ 18. je fais beaucoup d'efforts pour que mon travail soit toujours relié à la mission première de l'organisation.

Lorsque je tente d'influencer quelqu'un dans un but précis :

_____ 19. je fais sans cesse appel à la raison et aux faits ;

_____ 20. je n'ai aucune difficulté à user de méthodes de persuasion différentes selon les circonstances ;

_____ 21. je prends bien soin de récompenser les gens qui se rangent à mon point de vue, créant ainsi une situation de réciprocité ;

_____ 22. j'adopte toujours une méthode franche et directe au lieu d'avoir recours à la manipulation ou à des moyens détournés ;

_____ 23. j'évite toujours d'imposer ma volonté aux autres en insistant ou en les menaçant.

Lorsque d'autres personnes tentent d'exercer sur moi une influence inappropriée :

_____ 24. j'use des ressources et de l'information à ma disposition pour contrer leurs demandes et leurs menaces ;

_____ 25. je refuse de négocier avec toute personne qui utilise des méthodes de choc pour parvenir à ses fins ;

_____ 26. j'explique à ces personnes pourquoi je ne peux accéder à leurs demandes en apparence raisonnables en leur indiquant les conséquences qui en résulteraient en ce qui touche à mes responsabilités et à mes obligations.

En règle générale, lorsque j'occupe un poste influent :

_____ 27. je m'assure de toujours complimenter et récompenser les gens en public et de les réprimander en privé ;

_____ 28. je témoigne fréquemment aux personnes avec qui je travaille ma confiance en leurs capacités ;

_____ 29. je prends toujours soin de reconnaître et de souligner les succès remportés par des membres de mon service ;

_____ 30. je m'efforce d'encourager la participation des gens avec qui je travaille.

Aptitude	Énoncés	Évaluation – Résultat
Acquérir du pouvoir grâce à des caractéristiques personnelles Expertise Attirance personnelle Effort Légitimité	1, 10 2, 11 3, 12 4, 13	
Acquérir du pouvoir grâce à des caractéristiques reliées au poste occupé Position centrale Importance Visibilité Flexibilité Pertinence	5, 14 6, 15 7, 16 8, 17 9, 18	
User de son influence	19, 20, 21, 22, 23	
Résister à l'influence d'autrui	24, 25, 26	
Conférer un certain pouvoir à autrui	27, 28, 29, 30	
Résultat total		

Résultats

Le tableau de la page précédente vous permettra d'obtenir une vue d'ensemble de vos résultats. Il vous aidera à reconnaître vos points forts et à déterminer ce qu'il vous faut améliorer.

1) Calculez votre résultat pour chaque aptitude en additionnant les chiffres que vous avez indiqués devant chacun des énoncés énumérés.

2) Faites le total des douze résultats obtenus et indiquez-le dans la case appropriée.

Évaluation des résultats

Évaluez vos résultats en les comparant 1) à ceux d'autres étudiants de votre classe ; puis 2) à la moyenne obtenue aux États-Unis par un groupe de référence formé de 500 étudiants en administration des affaires. À l'intérieur de ce groupe :

- un résultat égal ou supérieur à 147 vous placerait dans le premier quartile ;

- un résultat compris entre 138 et 146 inclusivement vous placerait dans le deuxième quartile ;

- un résultat compris entre 126 et 137 inclusivement vous placerait dans le troisième quartile ;

- un résultat égal ou inférieur à 125 vous placerait dans le dernier quartile.

Source : Traduit de Whetten et Cameron (1991), p. 274-276. Reproduit avec l'autorisation de HarperCollins Publishers Inc.

Références

ALLEN, R.E., et KEAVENY, T.J. (1985). «Factors Differentiating Grievants and Nongrievants», *Human Relations*, vol. 38, p. 519-534.

BACKER, P. de (1973). «Négociation et conflit dans l'entreprise», dans D. WEISS (sous la direction de), *Relations industrielles*, Sirey, Paris, p. 52.

CÔTÉ, N., ABRAVANEL, H., JACQUES, J., et BÉLANGER, L. (1986). *Individu, groupe et organisation*, Gaëtan Morin Éditeur, Boucherville, Québec.

DAHL, R.A. (1957). «The Concept of Power», *Behavioral Sciences*, vol. 2, p. 201-215.

DION, G. (1986). *Dictionnaire des relations du travail*, 2e édition, Presses de l'Université Laval, Sainte-Foy.

DOLAN, S.L., et ARSENAULT, A. (1980). *Stress, santé et rendement au travail*, monographie n° 5, École des relations industrielles, Université de Montréal, Montréal.

FOUCHER, R., et MÉNARD, P. (1982). *La gestion des conflits*, document non publié.

FRENCH, J.R.P., et RAVEN, B.H. (1959). «The Basis of Social Power», dans D. CARTWRIGHT (sous la direction de), *Studies in Social Power*, Ann Arbor, Institute for Social Research, Université du Michigan, p. 150-167.

GREER, C.R., et LABIG, C.E. (1987). «Employee Reactions to Disciplinary Action», *Human Relations*, vol. 40, p. 507-524.

PONDY, L.R. (1992). «Reflections on Organisational Conflict», *Journal of Business*, n° 13, p. 257-261.

SKINNER, B.F. (1938). *The Behavior of Organisms*, Appleton-Century Crofts, New York.

WHETTEN, D.A., et CAMERON, K.S. (1991). *Developing Management Skills,* 2e édition, HarperCollins Publishers Inc., New York.

CHAPITRE

7

Le leadership et ses conséquences organisationnelles

Plan

Objectifs d'apprentissage

Dans ce chapitre, le lecteur se familiarisera avec :

- le concept de leadership ainsi que les liens l'unissant à ses diverses composantes (conflit, influence, etc.) ;

- les différents axes théoriques expliquant le phénomène du leadership ;

- l'influence des traits individuels (physiques et intellectuels) des schèmes comportementaux et des facteurs situationnels sur l'efficacité et l'efficience du style de leadership ;

- le rôle des substituts dans la dynamique du leadership ;

- les différences entre le leadership transactionnel et le leadership transformationnel ;

- la vision renouvelée du leadership telle qu'elle est présentée par la conception psychanalytique.

POINT DE VUE
D'UN GESTIONNAIRE

JACQUES HENDLISZ,
directeur général
Hôpital Douglas

Le leadership

Le leadership est le terme qui sert à identifier, à tort ou à raison, le lieu de rencontre de différentes qualités humaines qui distingue un dirigeant parmi les autres. Pour reprendre l'idée de Patricia Pitcher dans «Artistes, artisans et technocrates», l'artiste est celui à qui on associe le leadership.

On confond souvent, et à tort, charisme et leadership : quoiqu'il soit possible de rencontrer les deux qualités chez une même personne, elles ne sont pas synonymes et ne dépendent pas l'une de l'autre. Aussi, le leadership n'est pas transférable, il ne découle pas de l'autorité. L'autorité vient d'en haut : c'est la marge de manœuvre qui est conférée en fonction d'un poste dans la structure hiérarchique. Il ne découle pas non plus du pouvoir. Celui-ci vient d'en bas et d'à côté : c'est la marge de manœuvre que vous accordent vos collègues et vos subordonnés.

Contrairement à l'autorité et au pouvoir, le leadership n'est pas transférable : il ne dépend pas d'un poste ou d'une structure. Ce n'est pas l'autorité qui vous est dévolue ou le pouvoir qui vous est accordé. Le leadership est le bagage d'aptitudes ou de connaissances qu'une personne développe ou acquiert.

Bien sûr qu'un chef peut utiliser son autorité ou son pouvoir, toutefois, celui qui fait preuve de leadership comprendra et assumera aussi ses devoirs et ses responsabilités. Il comprendra qu'il a la responsabilité de sa succession et qu'il ne peut diriger si personne ne le suit.

Le leadership c'est donc :

- d'accorder une marge de manœuvre aux gens, un espace de liberté : la liberté d'exercer leurs talents, de croître, de faire des erreurs, de faire valoir des idées, même différentes ;

- de fournir et de maintenir la dynamique : celle qui découle d'une mission, d'une vision et d'un plan auquel adhère l'ensemble, qui est bien conçu et diffusé et qui favorise la plus grande participation possible et qui permet à chacun de s'épanouir et d'y trouver son profit ;

- de respecter la compétence de chacun tout en s'assurant de l'efficacité : le dirigeant ne peut être compétent dans toutes les sphères d'activités de son entreprise. Il a toutefois le devoir de s'assurer que les compétences se complètent et s'articulent de façon à assurer l'efficacité des ressources investies dans l'organisme. La compétence c'est de faire les choses comme il faut, alors que l'efficacité c'est de faire ce qu'il faut ;

→

- de jouer un rôle dans le développement, l'expression et la défense des valeurs de l'organisation : il s'agit donc d'une adhésion par conviction plutôt que par soumission : il faut accorder aux gens l'occasion d'être utiles et leur en fournir les occasions et les outils ;

- de respecter le potentiel des gens, de leur accorder la possibilité de participer : de développer le sentiment d'appartenance à l'organisation, à la mission, à la vision et, par conséquent, à leur avenir dans l'entreprise ;

- de comprendre et de respecter les rôles de chacun : de comprendre que les relations sont plus importantes que la structure : est-il plus important de faire partie d'un groupe exceptionnel ou d'être un élément d'un groupe d'individus exceptionnels ? ;

- de permettre à chacun d'atteindre son potentiel, car ce que l'on peut faire dépend de ce que l'on peut être. Le dirigeant faisant preuve de leadership saura respecter les attentes des membres de son organisation, qui peuvent se résumer ainsi : le besoin de se sentir nécessaire et respecté dans ses compétences, de s'impliquer, de comprendre, d'agir, d'être responsable, de s'engager, etc.

Le directeur général d'un établissement hospitalier doit, pour être un dirigeant efficace, acquérir la confiance et le respect de l'ensemble des intervenants et du personnel de soutien. Son défi est donc de maintenir l'intégrité, la transparence et la constance du message quels que soient les intérêts qui entrent en conflit. Ce n'est qu'à cette condition que les membres de l'organisation seront rassurés quant au fait que le dirigeant a leurs intérêts à cœur.

Le dirigeant qui fait preuve de leadership doit communiquer la vision et la mission de l'établissement et s'assurer qu'elles sont comprises. Il s'agit là de facteurs indispensables, car ils assureront que les efforts de chacun et de la collectivité sont orientés vers le même but.

Le leadership prend donc toute son importance en période de changement important ou difficile et on peut en conclure que c'est le leadership qui permettra à l'organisation d'affronter les défis et de traverser la tempête.

INTRODUCTION

Depuis plusieurs années, les chercheurs démontrent un grand intérêt pour l'étude de ce phénomène complexe qu'est le leadership. Ainsi, Toulouse (1986) rapporte qu'il existe plus de 5 000 études traitant du leadership ou de l'une de ses composantes telles que le pouvoir, l'autorité, le charisme, l'influence ou la persuasion. Toutefois, il cite un commentaire de Bennis et Nanus (1985) pour faire ressortir l'ambiguïté et la complexité qui ressortent de ces ouvrages sur le leadership (Toulouse, 1986, p. 27) :

> *Le leadership est le terme le plus étudié et le moins compris des sciences sociales... Les ouvrages qui traitent du leadership sont souvent aussi remarquablement inutiles que prétentieux. Le leadership, c'est comme l'abominable homme des neiges, on trouve ses empreintes partout mais personne ne l'a jamais vu.*

À cela on peut ajouter l'analogie soulignée par Kets de Vries (1994) qui affirme que démêler les écrits sur le leadership, c'est comme chercher un numéro de téléphone dans la version chinoise de l'annuaire téléphonique parisien.

Ainsi, conscients de la critique de Toulouse face aux études sur le leadership, nous tenterons de jeter de la lumière sur le phénomène. Pour ce faire, nous aurons recours à trois grandes approches, soit l'approche axée sur les traits, l'approche axée sur les comportements et l'approche axée sur la situation. Nous examinerons chacune de ces approches à l'intérieur du présent chapitre, mais tout d'abord quelques définitions s'imposent.

7.1 LE LEADERSHIP : CONCEPTS ET DÉFINITIONS

Les auteurs ont proposé une multitude de définitions du leadership. Malgré cette diversité, certains éléments de base se recoupent ; ainsi, le leadership peut être défini comme **la capacité d'influencer d'autres personnes en vue d'atteindre les objectifs organisationnels**. Cette définition est semblable à celle que l'on donne du pouvoir parce que l'exercice du pouvoir peut, d'une part, être formellement attribué par l'organisation à une personne, plaçant ainsi cette dernière dans une position d'autorité (leader formel), ou, d'autre part, découler de caractéristiques particulières à une personne indépendamment de sa position dans l'organisation (leader informel).

Un leader est donc un individu qui influence le comportement, les attitudes et le rendement des employés. Deux types de leaders exercent ce type d'influence. Premièrement, il y a le **leader formel** qui exerce une influence en raison de l'autorité que lui procure sa position hiérarchique dans l'organisation et, deuxièmement, il y a le **leader informel** dont l'influence provient d'un statut relatif à une compétence particulière indépendante de la position hiérarchique ou de la reconnaissance des autres membres de l'organisation.

Il existe des situations où les deux types de leaders tentent d'exercer leur influence simultanément. Dans ces cas, il est de première importance que le leader informel influence le comportement des employés de façon que les objectifs organisationnels soient atteints. Advenant le cas contraire, l'efficacité et le rendement du groupe risqueraient d'en souffrir grandement en soulevant un conflit qui mettrait en cause l'autorité conférée par l'organisation au leader formel et le pouvoir d'influence du leader informel.

Wallace et Szilagyi (1987) proposent un modèle d'analyse qui illustre le concept de leadership et qui en saisit les principales dimensions (voir la figure 7.1). Ce modèle se décortique de la façon suivante : tout d'abord, ce sont les sources de pouvoir et la façon d'utiliser ce dernier qui déterminent si l'influence du leader sur le comportement des employés est efficace. Puis, le processus de leadership comprend quatre étapes. Premièrement, il y a l'assignation, qui suppose que le leader planifie, dirige et donne des instructions ainsi que des ordres. Deuxièmement vient l'implantation, qui permet au leader de guider et d'offrir une forme de soutien aux subordonnés tout en déléguant des responsabilités. Troisièmement, c'est l'évaluation, qui exige que le leader contrôle, évalue et critique le travail effectué. Quatrièmement arrive l'étape où le leader récompense, punit et fait des commentaires au sujet du rendement de ses subordonnés. Finalement, le leader doit analyser le niveau de productivité, s'assurer que les employés sont satisfaits et que les taux de roulement et d'absentéisme sont acceptables.

FIGURE 7.1
Le modèle du leadership de Wallace et Szilagyi

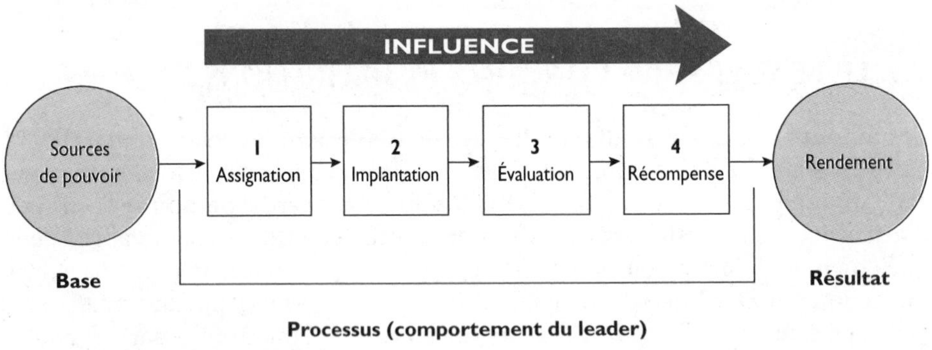

Source : Adapté de Wallace et Szilagyi (1987), p. 319.

Si le modèle de Wallace et Szilagyi illustre bien certains aspects du processus d'influence que l'on nomme leadership, il ne permet toutefois pas de répondre adéquatement à certaines questions : Qu'est-ce qui fait qu'un leader est un leader ? Qu'est-ce qui fait qu'une personne peut en influencer d'autres au point de créer une mobilisation concertée des efforts individuels vers l'atteinte d'un but précis ? Voyons donc les approches qui tentent de répondre à ces questions.

7.2 LES THÉORIES DU LEADERSHIP

La difficulté à définir le leadership et à dresser une liste exhaustive de ses caractéristiques a favorisé l'élaboration de trois approches différentes : l'approche axée sur les traits, l'approche axée sur les comportements et l'approche axée sur la situation.

En bref, l'approche axée sur les traits stipule qu'il existe des caractéristiques individuelles qui permettent de distinguer un leader efficace d'un leader inefficace. Selon l'approche comportementale, l'aspect le plus important du leadership ne concerne pas les caractéristiques du leader, mais bien son style et sa façon de réagir dans différentes situations. Enfin, selon l'approche situationnelle, l'efficacité du leader n'est pas seulement déterminée par son comportement, mais aussi par le contexte environnemental dans lequel il évolue. Voyons chacune de ces approches en détail.

7.2.1 L'approche axée sur les traits

C'est principalement dans la première moitié du XXe siècle que les chercheurs associés à l'approche axée sur les traits ont été les plus actifs et ont tenté de déterminer les caractéristiques particulières au leader.

C'est au début de cette période que les méthodologies permettant de mesurer l'étendue et la variété des différences individuelles ont été élaborées et raffinées. Les deux grandes guerres mondiales ont, par la suite, constitué une période privilégiée pour vérifier les méthodes développées par les psychologues. Ainsi, quelques-uns d'entre eux, engagés alors par l'armée, ont testé, évalué et placé des millions de gens dans toutes sortes d'emplois. Ils ont été particulièrement efficaces dans l'identification des pilotes et des officiers (Schneider, 1976). Aussi, ces expériences ont abondamment alimenté la recherche sur l'approche axée sur les traits.

En plus d'être testées, les caractéristiques des leaders ont également été étudiées par l'observation directe des comportements dans des situations de groupe. Elles ont alors été réparties dans les six grandes catégories suivantes (Stogdill, 1974) :

- **Les caractéristiques physiques.** L'âge, l'apparence, la taille et le poids sont parmi les principales caractéristiques physiques qui ont été explorées. Toutefois, les recherches empiriques n'ont pas permis d'établir un lien direct et causal entre ces caractéristiques physiques et le leadership ;
- **L'environnement social.** Plusieurs études ont été menées sur l'éducation, la position sociale et la mobilité des leaders. Comme dans le cas des caractéristiques physiques, on n'observe aucune relation significative entre l'efficacité d'un style de leadership et la position sociale du leader ;
- **L'intelligence.** Les chercheurs de plusieurs études ont tenté de vérifier l'existence d'une relation positive entre le rôle de leader et la capacité intellectuelle de ce dernier, relation selon laquelle le leader posséderait généralement un meilleur jugement, une capacité décisionnelle remarquable, un grand savoir et une facilité d'expression. Les résultats démontrent que, bien qu'elle soit constante, cette corrélation demeure faible ;

- **La personnalité.** On a également vérifié si le fait d'avoir de la confiance en soi, un esprit vif, de l'intégrité et un besoin de dominer (pouvoir) était plus souvent associé au leader qu'aux autres membres d'un groupe. Les résultats montrent que la relation est souvent présente, bien qu'elle ne le soit pas dans tous les cas. On peut donc conclure que la personnalité même du leader doit être prise en considération dans toute approche du phénomène de leadership ;

- **Les caractéristiques liées à la tâche.** Les résultats des recherches dans le domaine du leadership démontrent clairement qu'un leader peut en général être défini comme un individu démontrant une grande motivation, un besoin d'accomplissement ainsi qu'un sens remarquable de l'initiative et des responsabilités ;

- **Les habiletés sociales et interpersonnelles.** Les études démontrent que, en général, le leader participe activement à plusieurs activités, qu'il est en relation avec un grand éventail d'individus et qu'il fait preuve de beaucoup de coopération. Ces aptitudes sont d'ailleurs reconnues par le groupe dans la mesure où elles tendent à établir un certain climat d'harmonie, de confiance et de cohésion.

Une critique de cette approche

Les recherches sur les traits particuliers des leaders se poursuivent. Toutefois, la plupart des études empiriques effectuées dans ce domaine se sont avérées non concluantes quant à la relation entre certaines caractéristiques et l'efficacité d'un leader. Certaines études ont d'ailleurs fait ressortir que des caractéristiques jugées importantes dans une situation ne le sont pas nécessairement dans une autre. Ce constat est apparu malgré le fait que les études qui s'inspirent de cette approche n'attachent aucune importance à la réaction des individus selon les situations : elles ne tiennent donc pas compte de l'environnement dans lequel les individus évoluent.

Ainsi, Potter et Fiedler (1981) ont présenté une étude dans laquelle ils démontrent que l'intelligence du leader concorde avec le rendement lorsque les relations entre le leader et son supérieur sont bonnes. Si les relations comportent beaucoup de stress, l'expérience du leader devient un meilleur baromètre du rendement que l'intelligence.

Même s'il est vrai que les entreprises ne sont pas dirigées par des *deus ex machina* préoccupés simplement par les niveaux de rendement, et qu'au contraire elles sont composées d'individus qui influent sur les processus décisionnels à partir de leurs caractéristiques personnelles uniques (Kets de Vries, 1982), les études qui portent sur la détermination des traits laissent entrevoir que d'autres facteurs peuvent être étudiés pour expliquer l'efficacité d'un leader. On peut ainsi se demander si les différences individuelles, que l'on cherche à trouver chez le leader, concourent à doter certains individus d'une prédisposition à exercer une influence motivante indépendamment des situations, ou si ce n'est pas plutôt ces différences individuelles qui concourent à créer un type de situation favorable à l'émergence de cette influence motivante.

C'est à partir de ce type de réflexion et de ce type de recherches sur les traits que la problématique de recherche s'est déplacée pour se concentrer sur l'étude des comportements des leaders.

7.2.2 L'approche axée sur les comportements

Comme nous venons de le dire, les critiques de l'approche axée sur les traits ont conduit les chercheurs à étudier le leadership en mettant l'accent cette fois sur les comportements des leaders.

Ainsi, dans cette approche, on considère qu'un leader efficace adopte un style de comportement qui incite les individus ou les groupes à prendre les moyens nécessaires pour atteindre les objectifs organisationnels, en favorisant également une meilleure productivité et la satisfaction des employés.

Contrairement à la théorie précédente, l'approche axée sur les comportements insiste sur l'efficacité du leader plutôt que sur des traits de personnalité qui permettraient à ce dernier de se distinguer des autres personnes. Étant donné que le leadership peut se manifester de différentes façons, les chercheurs ont élaboré plusieurs définitions en tentant de tenir compte de différents styles de leadership. Deux éléments ressortent particulièrement de ces deux définitions, soit le leadership orienté vers la tâche et le leadership orienté vers l'employé. Pour étudier plus en détail chacun de ces éléments, nous présentons les deux principales recherches axées sur l'approche comportementale du leadership : la première est celle menée par l'Université de l'Ohio et la seconde celle de l'Université du Michigan.

La recherche de l'Université de l'Ohio

La recherche de l'Université de l'Ohio avait pour objectifs de faire ressortir les éléments influençant le comportement de leader ainsi que de déterminer les effets du style de leadership sur le rendement et la satisfaction au travail (Stogdill, 1974). Ainsi, deux interrogations étaient à la base de cette recherche : Est-il possible de regrouper divers types de comportement afin d'en constituer des ensembles ? Le style de leadership influe-t-il sur le rendement et la satisfaction au travail ? Les résultats de la recherche ont démontré que le comportement d'un leader varie selon deux dimensions : la dimension structurelle et la dimension de la considération.

Le style de leadership orienté vers la tâche (dimension structurelle)   Les comportements liés à ce style visent prioritairement l'accomplissement de la tâche. Par conséquent, le leader qui adopte ce style met l'accent sur la définition et la répartition des tâches à accomplir, sur l'établissement d'un réseau de communication formel dans le groupe ainsi que sur l'organisation et la direction des activités du groupe. Le but premier de ce leader est l'atteinte exclusive des objectifs.

Le style de leadership orienté vers l'employé (dimension de la considération)   De ce style découlent des comportements qui incitent le leader à créer un climat de travail où la confiance, le respect mutuel, l'amitié et le soutien occupent une place importante. Le leader qui privilégie ce style se soucie de la sécurité et du bien-être des employés. En effet, il favorise l'établissement de relations interpersonnelles, il se soucie des besoins de ses employés et de leur satisfaction au travail et il prend le temps de les écouter. Par conséquent, ce style de leadership favorise l'émergence de relations de travail saines, fondées sur une confiance mutuelle, sur une bonne communication et sur un respect des idées.

FIGURE 7.2
Le modèle bidimensionnel du leadership des chercheurs de l'Université de l'Ohio

Style orienté vers l'individu (dimension de la considération)	Élevé	Orienté vers l'individu	Orienté vers l'individu et la tâche
	Faible	Laisser-faire	Orienté vers la tâche
		Faible	Élevé

**Style orienté vers la tâche
(dimension structurelle)**

Deux questionnaires ont permis de mesurer le degré d'adhésion des superviseurs à l'un des deux styles. Le Leadership Opinion Questionnaire (LOQ) mesure le style de leadership tel qu'il est perçu par le leader lui-même. Le Leadership Behavior Description Questionnaire (LBDQ) mesure lui aussi le style de leadership mais, cette fois-ci, tel qu'il est ressenti par les subordonnés du leader.

La figure 7.2 illustre les recoupements possibles des deux styles. On y constate que les chercheurs ont adopté un modèle bidimensionnel de leadership, c'est-à-dire qu'ils ne situent pas les deux styles aux extrémités d'un même continuum. En effet, selon ce modèle, les deux styles sont indépendants, ce qui implique qu'un leader peut obtenir simultanément un résultat élevé ou faible pour chacun des styles testés. Par ailleurs, l'avantage majeur de ce modèle de leadership, c'est qu'un leader peut, en même temps, adopter les deux styles, ce qui constitue, selon ces auteurs, le leader idéal ou le plus efficace.

La grille de gestion de Blake et Mouton

Tirant leur essence directement des résultats de la recherche de l'Université de l'Ohio, Blake et Mouton (1964) ont mis au point une version modifiée et enrichie du modèle. Ainsi, s'appuyant sur la logique bidimensionnelle, ces derniers ont élaboré une grille de gestion indiquant les facteurs dominants de l'évaluation d'un leader, et ce afin de déterminer les caractéristiques d'un leader capable d'atteindre les buts organisationnels prescrits (voir la figure 7.3).

Cette grille de Blake et Mouton permet de situer le comportement des leaders par rapport à deux axes perpendiculaires: l'axe horizontal représente l'intérêt du leader pour la production et l'axe vertical représente son intérêt pour les relations humaines.

Comme on peut le constater à la figure 7.3, chaque axe est divisé selon neuf degrés, le chiffre 1 correspondant à un faible intérêt du leader et le chiffre 9 à un intérêt très élevé. La détermination d'un style de gestion se fait en confrontant le chiffre obtenu sur l'abscisse – intérêt pour la production – avec celui de l'ordonnée – intérêt pour les relations humaines. Selon ces auteurs, le leader idéal adopte le style 9-9 et le moins efficace le style 1-1.

À partir de la grille de la figure 7.3, Blake et Mouton définissent cinq principaux styles de gestion; nous les présentons ci-dessous.

La gestion autocratique (9-1) Le style de gestion centré sur la tâche correspond à un intérêt maximal pour la production (9) et à un intérêt minimal

FIGURE 7.3
La grille de gestion de Blake et Mouton

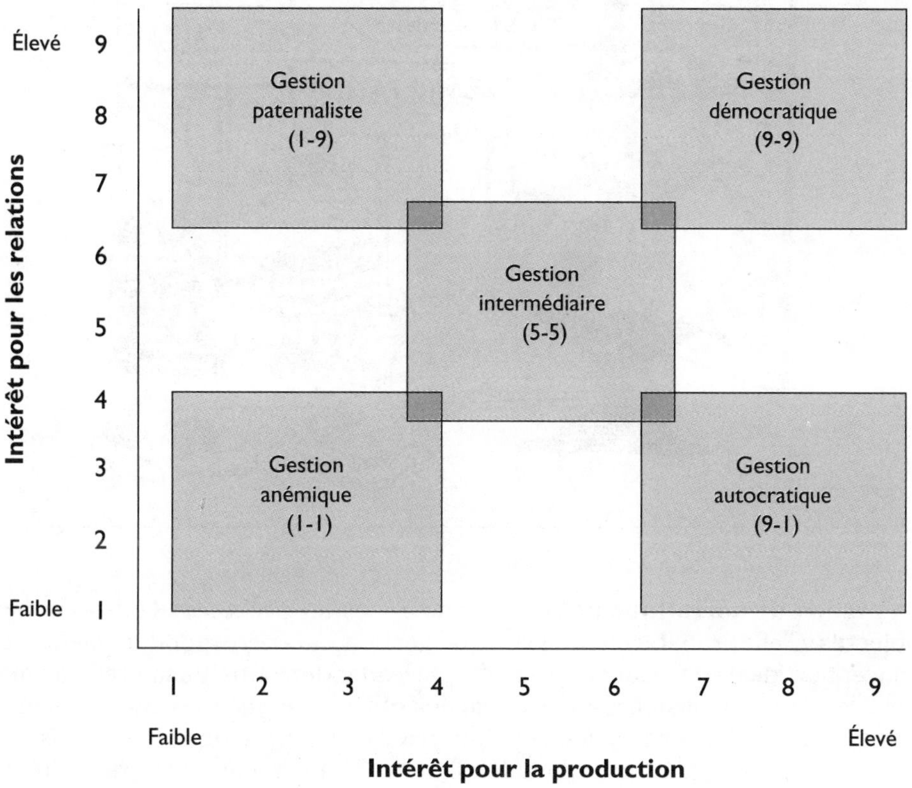

Source: Adapté de Blake et Mouton (1964).

pour l'individu (1). Ce style de leader s'assure que les employés vont atteindre les objectifs organisationnels, mais il ne se soucie pas de leurs besoins, de leurs idées, de leurs attitudes ou de leurs sentiments. Sa préoccupation première est le maintien d'un rendement satisfaisant, et il pourra même utiliser des mesures coercitives pour arriver à ses fins.

La gestion paternaliste (1-9) Le leader qui adopte ce style de gestion démontre un intérêt minimal pour la production (1) et un intérêt maximal pour l'individu (9). Ainsi, le leader consacre toutes ses énergies au maintien de relations saines et satisfaisantes avec ses subordonnés. Il relègue donc la productivité du groupe au second plan, ce qui lui permet d'éviter toutes situations conflictuelles.

La gestion anémique (1-1) Un leader formel qui adopte une gestion de type anémique démontre un intérêt minimal pour les deux dimensions. Ce type de leader évite donc d'établir des relations avec ses subordonnés et prend peu de décisions. Pour pallier les faiblesses liées à cette situation dans l'entreprise, il y a souvent alors émergence de leaders informels.

La gestion démocratique (9-9)   Ce type de leader préconise la gestion par objectifs. C'est probablement le style de gestion qui correspond le mieux à la conception idéale du leadership. En effet, le leader démontre un intérêt maximal pour les deux dimensions. Ainsi, il fixe des objectifs et manifeste sa confiance aux employés. Il amène ceux-ci à se valoriser en fonction de l'effort qu'ils ont fourni pour atteindre leurs objectifs. Il cherche à maximiser la créativité, la satisfaction, la productivité et l'efficacité.

La gestion de type intermédiaire (5-5)   Le leader de type intermédiaire adopte une attitude de compromis en démontrant un intérêt moyen pour la production (5) et un intérêt moyen pour l'individu (5). Il fixe des objectifs nécessitant peu d'effort et exige un travail qui se situe juste à un niveau acceptable. Ne recherchant pas l'excellence, il accorde une reconnaissance raisonnable pour un effort raisonnable.

Une critique de la grille de Blake et Mouton

Bien qu'elle soit intéressante, la grille de gestion de Blake et Mouton souffre des mêmes faiblesses que l'étude menée par les chercheurs de l'Université de l'Ohio. En effet, elle ne tient pas suffisamment compte des impératifs situationnels, c'est-à-dire des caractéristiques des subordonnés, de la structure organisationnelle, de la dynamique de groupe, de l'environnement physique et du contexte économique.

S'opposant à la primauté des comportements des leaders, plusieurs auteurs (Korman, 1966 ; Kerr et Schriesheim, 1974) ont démontré qu'il n'existe pas de style de leadership plus efficace qu'un autre. Tout dépend des situations. Ainsi, les antécédents des employés et leur statut, le rôle du groupe au sein de l'entreprise, sa cohésion interne et les contraintes auxquelles il est soumis, la structure formelle de l'organisation, la nature des caractéristiques personnelles des subordonnés de même que les particularités de la tâche doivent tous être considérés. En centrant leur étude uniquement sur les relations entre le leader et les subordonnés, Blake et Mouton – tout comme les chercheurs de l'Université de l'Ohio – ont omis de tenir compte de la situation qui entoure ces relations. Par conséquent, il est impossible, à partir des résultats obtenus, de déterminer un seul et unique type de leadership qui soit efficace dans toutes les situations.

La recherche de l'Université du Michigan

Les chercheurs de l'Université du Michigan, dont Likert (1961), ont effectué leurs études à la même époque que ceux de l'Université de l'Ohio. Les objectifs visés par les chercheurs des deux universités étaient semblables. En effet, ils consistaient à définir les styles de comportement du leader qui exercent une influence positive sur le rendement et la satisfaction des employés. De plus, les résultats obtenus furent également similaires. Ainsi, les chercheurs de l'Université du Michigan ont relevé deux styles de leadership : le style de leadership orienté vers les individus et le style de leadership orienté vers la tâche.

Le leader orienté vers les individus se soucie du bien-être des employés et établit un climat de confiance en déléguant des responsabilités. En ce qui a trait au leader orienté vers la tâche, il exerce une supervision étroite et s'intéresse principalement aux normes de production et aux moyens à utiliser pour les atteindre. Il est chargé d'appliquer une discipline ferme et s'assure que le rendement des employés est satisfaisant.

Les chercheurs de l'Université du Michigan privilégient le style de leadership orienté vers l'employé. Selon eux, ces leaders sont associés à une plus grande productivité du groupe ainsi qu'à une satisfaction accrue au travail.

Par ailleurs, ils ont constaté, comme les chercheurs de l'Université de l'Ohio l'avaient fait avant eux, que les dimensions identifiées sont indépendantes. Ainsi, un résultat élevé dans l'une des dimensions n'entraîne pas nécessairement un résultat faible dans l'autre.

Finalement, à l'instar de leurs collègues de l'Université de l'Ohio et à l'instar de Blake et Mouton, ils ont omis de tenir compte des éléments situationnels dans leur analyse de l'efficacité du leader.

7.2.3 L'approche axée sur la situation

Les chercheurs qui adhèrent à l'approche axée sur la situation tentent de découvrir les variables situationnelles susceptibles d'influer sur l'efficacité d'un leader. Ils tiennent également compte de l'influence possible des traits et du comportement du leader. En ce sens, cette approche se veut une synthèse des différentes approches s'intéressant au leadership. Ainsi, ces chercheurs reconnaissent que les caractéristiques suivantes influent sur l'efficacité d'un leader (voir la figure 7.4) :

FIGURE 7.4
Les facteurs situationnels influençant le comportement du leader

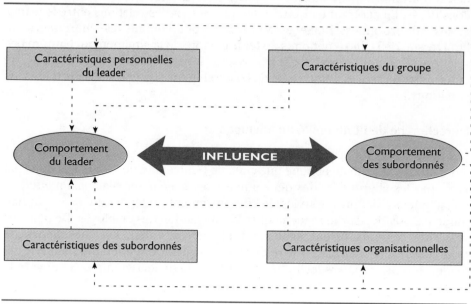

- **Les caractéristiques personnelles du leader**, soit sa personnalité, ses besoins et motivations et ses expériences passées ;

- **Les caractéristiques des subordonnés**, soit leur personnalité, leurs besoins et leurs motivations ainsi que leurs expériences passées ;

- **Les caractéristiques du groupe**, soit son stade de développement, sa structure, la nature de la tâche à effectuer ainsi que les normes formelles et informelles que le groupe s'est données ;

- **Les caractéristiques de la structure organisationnelle**, soit les sources de pouvoir du leader, les règles et les procédures établies par l'organisation, le professionnalisme des employés et le temps alloué pour effectuer une tâche ou pour prendre une décision.

Nous présenterons à l'intérieur de cette sous-section différents modèles du leadership illustrant l'approche axée sur la situation.

Le modèle unidimensionnel de Tannenbaum et Schmidt

Tannenbaum et Schmidt (1973) suggèrent, dans leur modèle unidimensionnel du leadership, que l'efficacité d'un groupe de travailleurs dépend de la situation et des caractéristiques du leader (voir la figure 7.5).

L'extrémité gauche de ce modèle unidimensionnel illustre un style de leadership centré sur le supérieur, soit un leadership autocratique. Le leader prend alors seul toutes les décisions et s'attend à ce que les subordonnés les acceptent et les exécutent sans discuter. Il agit donc de façon à détenir un contrôle maximal et à conserver un maximum d'autorité.

FIGURE 7.5

Le modèle unidimensionnel du leadership de Tannenbaum et Schmidt

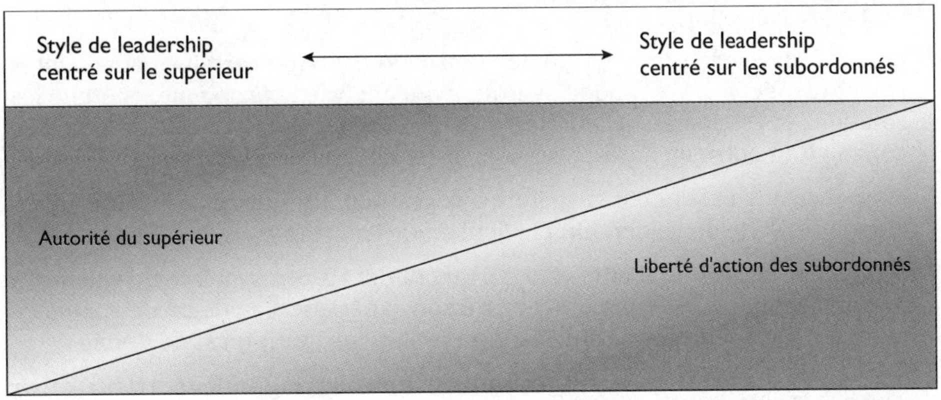

Le dirigeant prend les décisions, puis les annonce.	Le dirigeant «vend» ses décisions.	Le dirigeant présente ses idées et demande à chacun son avis.	Le dirigeant présente une décision conditionnelle qu'il se déclare prêt à changer.	Le dirigeant présente le problème, obtient des suggestions et prend sa décision.	Le dirigeant définit des limites et demande au groupe de prendre une décision à l'intérieur de ces limites.	Le dirigeant laisse le groupe libre de choisir pourvu que certaines contraintes soient respectées.

Source : Adapté de Tannenbaum et Schmidt (1973), p. 164.

L'extrême droite du modèle présente un leader qui favorise la délégation de pouvoir en laissant le groupe prendre des décisions, avec toutefois certaines contraintes. Ce style de leadership est centré sur les subordonnés, puisque le leader leur laisse une certaine liberté d'action ; on le qualifie de leadership de type démocratique-participatif.

En plus des deux styles de leadership situés aux extrémités du modèle, Tannenbaum et Schmidt soutiennent qu'il existe cinq styles intermédiaires de leadership. Voici quelques éléments de description de ces sept styles :

1. Le leader prend les décisions et les annonce à ses subordonnés : dans ce cas, le leader découvre le problème, examine les solutions possibles, en choisit une et en fait part à ses subordonnés ;
2. Le leader « vend » ses décisions : il décide seul, mais tente de convaincre les subordonnés d'accepter la décision qu'il a prise ;
3. Le leader présente ses idées et demande l'avis de ses subordonnés : ainsi, même s'il décide seul, il veille à répondre aux questions soulevées par les subordonnés de façon à leur faciliter la compréhension des conséquences de sa décision ;
4. Le leader présente la décision qu'il a prise et déclare qu'elle peut être changée si telle est la volonté des employés. Au bout du compte, c'est tout de même le leader qui prend la décision ;
5. Le leader présente le problème à résoudre et consulte les subordonnés avant de prendre une décision ;

6. Le leader définit le problème à résoudre, délimite les contraintes à respecter et laisse le groupe prendre une décision en tenant compte des contraintes imposées ; c'est donc le groupe qui prend la décision même si le leader prend part à la discussion ;

7. Le leader laisse le groupe libre de choisir pourvu que certaines contraintes soient respectées. C'est donc le groupe qui analyse le problème, cherche les solutions et est chargé de leur application. Le leader participe à la discussion comme tout autre membre ; toutefois, c'est lui qui détermine les contraintes.

Tannenbaum et Schmidt suggèrent aux gestionnaires de tenir compte, avant d'adopter un style de leadership particulier, de trois facteurs situationnels :

- **Les forces propres au leader**, qui correspondent à son système de valeurs, à ses antécédents, à ses connaissances, à son expérience, au degré de confiance qu'il accorde à ses subordonnés et à sa préférence pour un style donné ;

- **Les forces propres aux subordonnés**, qui correspondent à leur désir d'indépendance, à leur volonté d'assumer des responsabilités et de participer au processus de décision, à leur degré de tolérance face à l'ambiguïté, à leur intérêt au travail, à leur niveau de compréhension des objectifs organisationnels et à leurs attentes face à la participation ;

- **Les forces propres à la situation**, qui correspondent au type d'organisation dans lequel les individus évoluent, à l'efficacité du groupe, à la nature des problèmes et au temps alloué à la prise de décision.

Selon Tannenbaum et Schmidt, plus les subordonnés ont la chance de participer à la prise de décision, plus ils sont motivés. Ainsi, le climat de travail est sain et la qualité des décisions meilleure.

Bien que ce modèle ait l'avantage de suggérer que le leader peut utiliser plusieurs styles de comportement, il a le désavantage de ne s'appuyer sur aucune recherche empirique. Toutefois, les gens préfèrent habituellement une approche démocratique, mais cette dernière n'entraîne pas nécessairement une productivité plus élevée. Le style de leadership doit donc être choisi en fonction de la situation, une seule approche efficace n'ayant pu être dégagée.

Le modèle du cheminement critique de House

Comme pour le modèle précédent, il est admis, dans le modèle du cheminement critique de House, que le style de leadership varie selon les situations. Toutefois, dans son modèle, House s'efforce de circonscrire des variables situationnelles qui inciteraient les leaders à choisir un style de leadership plutôt qu'un autre – nous présenterons ces variables plus loin.

Le modèle de House part du principe qu'un leader est efficace dans la mesure où il influence les employés à travailler dans le sens des objectifs organisationnels et dans la mesure où il leur procure un sentiment de satisfaction immédiate – climat de travail plaisant – et ultérieure – possibilités d'avancement et d'accomplissement professionnel (House, 1971). Ainsi, dans le modèle de House, le leader doit influencer la perception de l'employé afin que celui-ci établisse un lien entre la satisfaction de ses besoins et l'accomplissement des objectifs organisationnels. Ce modèle prend ainsi son fondement dans la théorie de l'expectative (voir à ce sujet le chapitre 3). De plus, si le leader aide l'employé à établir un lien entre la satisfaction de ses besoins et l'accomplissement des objectifs organisationnels, il le fait en lui clarifiant les comportements les plus susceptibles de lui apporter les récompenses désirées (House et Mitchell, 1974). C'est de cette fonction de guide qu'est dérivée l'appellation du modèle de House, soit le « cheminement critique » (*path goal*).

Par ailleurs, le modèle de House fait ressortir quatre styles de leadership (voir la figure 7.6):

- **Le leadership directif.** Le leader directif consacre ses énergies à planifier, à organiser, à coordonner et à évaluer le travail. Ce type de comportement se veut identique aux comportements de la dimension structurelle identifiée par les chercheurs de l'Université de l'Ohio;

- **Le leadership de soutien.** Le leader de soutien s'attarde à établir des relations interpersonnelles harmonieuses et à créer un climat de travail plaisant et amical. Ce type de comportement est identique à celui de la dimension de la considération identifiée par les chercheurs de l'Université de l'Ohio;

- **Le leadership participatif.** Le leader favorise la participation des employés et se fait un point d'honneur de les consulter et d'échanger des informations avec eux dans le but de faciliter l'atteinte des objectifs organisationnels;

- **Le leadership orienté vers les objectifs.** Le leader orienté vers les objectifs encourage ses subordonnés à fournir un rendement très élevé afin d'atteindre des objectifs difficiles mais réalisables.

Le modèle du cheminement critique stipule que, pour savoir quel style de leadership sera plus adéquat pour maximiser le rendement, la satisfaction et l'accentuation du comportement du leader, il faut examiner les variables situationnelles qui sont, selon House de deux ordres: les caractéristiques propres aux subordonnés et les caractéristiques propres au milieu de travail. Les **caractéristiques des subordonnés** se rapportent aux facteurs qui influencent leur comportement; House en a circonscrit trois. Le premier facteur

FIGURE 7.6
Le modèle du cheminement critique

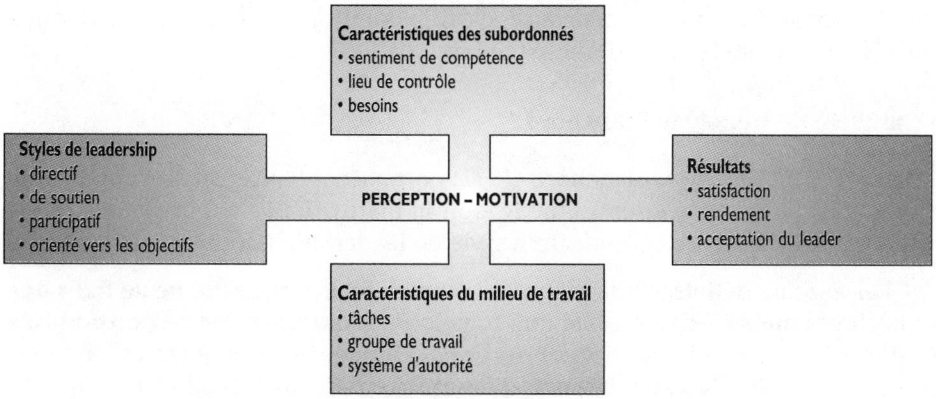

est le sentiment de compétence, défini comme la perception qu'a l'employé de ses compétences et de ses aptitudes à exécuter une tâche. Il convient de croire que plus le subordonné aura un sentiment de compétence élevé, plus un leadership axé sur les objectifs sera approprié, alors que, à l'inverse, plus le subordonné aura un faible sentiment de compétence et une faible confiance en ses aptitudes, plus le style de leadership devra être directif.

Le deuxième facteur représente le lieu de contrôle. Il correspond à la perception d'un individu du degré de contrôle qu'il exerce sur une situation. Essentiellement, il s'agit de déterminer jusqu'à quel point un employé croit que c'est lui qui influe sur le cours des événements, plutôt que le hasard par exemple. Ainsi, un style de leadership participatif a plus de chances d'être efficace si l'employé sent qu'il a le contrôle.

Finalement, le troisième facteur représente les besoins des subordonnés. Ce sont les besoins d'accomplissement, d'affiliation, de domination ou de soumission, qui déterminent à quel point un employé doit être encadré. Le style de leadership adopté par un superviseur dépend donc fortement des caractéristiques de ses subalternes.

Les **caractéristiques propres au milieu de travail** regroupent des facteurs organisationnels tels que les tâches, le groupe de travail et le système d'autorité officiel. Les tâches des subordonnés concernent la complexité et l'ambiguïté de la tâche. Ainsi, une tâche répétitive incitera les employés à souhaiter un style de leadership de soutien. Le groupe de travail influe aussi sur l'efficacité du style de leadership. En effet, il semble qu'un style de leadership directif soit approprié lorsque les employés connaissent peu les compétences de leurs collègues. Par contre, lorsque le groupe est plus uni et fonctionnel, le leader sera amené à modifier son style de leadership en tenant compte des facteurs d'autorégulation du groupe ainsi que du système de gratification et de reconnaissance des collègues. Le système d'autorité officiel, quant à lui, se rapporte, entre autres, aux règles et normes établies par l'organisation et aux politiques qui régissent le travail des employés.

Ainsi, à l'instar du modèle de Tannenbaum et Schmidt, le modèle de House suggère que le leader doit adapter son style de leadership de façon à tenir compte de la situation dans laquelle il évolue. Ce qui n'est pas clair, c'est la question de savoir si c'est le style de leadership qui s'adapte au comportement des subordonnés ou si, au contraire, c'est le comportement des subordonnés qui s'adapte au style de leadership (Greene, 1979).

Le modèle de Hersey et Blanchard

Les travaux de Hersey et Blanchard (1977) permettent d'intégrer deux nouveaux éléments à l'approche situationnelle, soit la maturité des subordonnés et les effets de l'évolution de celle-ci sur le style de leadership adopté par le leader.

Les auteurs définissent la maturité comme étant **la capacité de se fixer des buts élevés mais réalistes, ainsi que la volonté d'assumer des responsabilités et d'acquérir de la formation et de l'expérience.** Deux aspects composent donc la maturité des subalternes : la maturité face au travail et la maturité psychologique.

TABLEAU 7.1
Les quatre niveaux de maturité du modèle de Hersey et Blanchard

Niveau de maturité	Description
M1 — Maturité faible	Les employés ont peu de connaissances pour accomplir le travail et ils se montrent peu disposés à l'accomplir.
M2 — Maturité faible à moyenne	Malgré leur faible niveau de connaissance, les employés se montrent fort disposés à accomplir le travail.
M3 — Maturité moyenne à élevée	Même s'ils connaissent les exigences du travail, les employés sont peu disposés à l'accomplir.
M4 — Maturité élevée	En plus de bien connaître les exigences du travail, les employés se montrent enthousiastes.

La maturité d'un individu face au travail se définit en fonction de la pertinence de son expérience et de son niveau de connaissance par rapport au travail à effectuer. La maturité psychologique, quant à elle, se définit comme la capacité et la volonté d'un individu de bien accomplir le travail.

À partir d'un questionnaire, Hersey et Blanchard ont élaboré un modèle qui permet de situer la maturité des employés par rapport à quatre niveaux (voir le tableau 7.1).

En outre, pour chaque type de comportements, soit les comportements axés sur la tâche et les comportements axés sur les relations, les auteurs établissent des liens avec les quatre niveaux de maturité. Le leader choisit alors son style de leadership en fonction du degré de maturité des employés qu'il supervise (voir la figure 7.7).

Lorsque le niveau de maturité d'un employé est faible (catégorie M1), le leader adopte un style qui met l'accent sur l'accomplissement de la tâche. Si le niveau de maturité augmente (M2, M3), le leader insiste alors sur l'aspect relationnel plutôt que sur la tâche. Finalement, lorsque les subordonnés atteignent un niveau de maturité élevé (M4), le leader privilégie un style qui donne plus de liberté d'action aux subordonnés et qui favorise la délégation des responsabilités.

Ainsi, selon Hersey et Blanchard, il n'y a pas de style idéal. L'efficacité du leader dépend de son degré de flexibilité face aux diverses situations. C'est aussi ce que soutiennent Tannenbaum et Schmidt (1973, p. 180), qui affirment ceci :

> *Le gestionnaire efficace ne peut être catégorisé ni comme un leader autoritaire, ni comme un leader permissif. Il s'agit plutôt de quelqu'un qui maintient une bonne moyenne au bâton quand il s'agit de déterminer le comportement à adopter, et qui est capable de s'y conformer.*

À la suite de cette juxtaposition des niveaux de maturité et des comportements axés sur la tâche ou sur la relation, Hersey et Blanchard définissent leurs propres styles de leadership :

FIGURE 7.7
**Le style de leadership selon le niveau de maturité,
inspiré du modèle de Hersey et Blanchard**

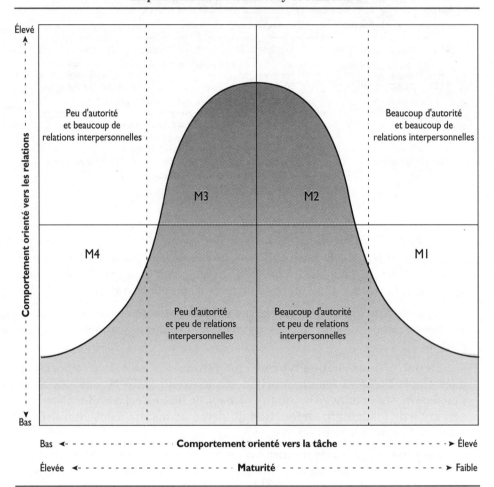

- **Le leadership autocratique.** Le leader adopte une attitude autocratique lorsque les employés connaissent mal la tâche à accomplir et qu'ils semblent peu disposés à l'effectuer (M1). Face au travail à accomplir, le leader doit donc émettre des directives précises à ses subordonnés;

- **Le leadership de motivation.** Le superviseur qui adopte le leadership de motivation tente d'établir des relations harmonieuses avec les membres du groupe et fournit le soutien professionnel à ceux qui connaissent mal les exigences du travail mais qui sont très motivés à l'accomplir (M2);

- **Le leadership de participation.** En adoptant ce style de leadership, le superviseur favorise la participation des employés à la prise de décision, et ce afin de les motiver à accomplir un travail pour lequel ils possèdent les connaissances (M3);

- **Le leadership de délégation.** Le superviseur pratique un leadership de délégation lorsque les employés connaissent le travail à effectuer et s'y appliquent avec attention.

En somme, au-delà de l'articulation des comportements axés sur la tâche ou sur les relations avec les différents niveaux de maturité des subordonnés, le modèle de Hersey et Blanchard a l'originalité de placer cette variable situationnelle qu'est la maturité dans un contexte dynamique d'évolution. En effet, le style de leadership doit s'adapter et contribuer à l'évolution des subordonnés à mesure qu'ils gravissent les niveaux de maturité associés à leur travail et à leur épanouissement psychologique.

Le modèle de contingence de Fiedler

En raison surtout de sa grande simplicité, le modèle le plus couramment utilisé afin d'évaluer le style de leadership adéquat dans une situation donnée est le modèle de Fiedler (1967). Fiedler prétend qu'un leader efficace est capable de modifier les facteurs situationnels en fonction de son propre style de leadership. Selon lui, il serait possible de former un leader de façon qu'il apprenne à contrôler les variables situationnelles, ce qui rendrait une situation donnée plus appropriée au style de leadership préconisé. Il s'oppose donc aux modèles antérieurs qui suggéraient que l'efficacité d'un leader dépend de sa capacité de s'adapter aux différentes situations dans lesquelles il est amené à évoluer.

CHERCHEUR RENOMMÉ

FRED E. FIEDLER

Le modèle de contingence sur l'efficacité en matière de leadership pose le principe que l'efficacité d'un leader dépend de deux éléments interreliés. Le premier élément est la personnalité du leader, à savoir si ce dernier est surtout axé sur la tâche ou s'il vise plutôt à entretenir de bonnes relations avec le groupe. Cette tendance est mesurée par la variable LPC (*least preferred co-worker*) selon laquelle le leader décrit le collègue avec qui il a été le plus difficile de travailler. Le second élément renvoie à la capacité du leader de modifier les facteurs situationnels de façon à contrôler et à influencer le groupe. Les principales variables situationnelles sont les relations leader-membres, la structure de la tâche et le pouvoir du leader. Un contrôle élevé de la situation indique que le leader perçoit l'exécution du travail comme probable. De façon générale, les leaders axés sur la tâche (LPC faible) sont plus performants quand ils contrôlent très bien ou assez bien les variables situationnelles. Les leaders axés sur la personne (LPC élevé), quant à eux, performent mieux quand le contrôle qu'ils exercent sur la situation est modéré.

Cependant, il faut noter que le comportement des leaders varie avec la situation. En effet, si les leaders à LPC élevé privilégient davantage les relations avec les employés, ils le font quand le contrôle situationnel est faible. Si le contrôle des variables situationnelles était élevé, le style adopté par ces mêmes leaders serait alors axé sur la tâche. Inversement, les leaders à faible LPC privilégient la production seulement si l'exécution efficace de la tâche pose problème. Lorsqu'ils ont la certitude que la tâche sera effectuée efficacement, alors seulement axeront-ils davantage leur style de leadership sur le maintien de bonnes relations avec le groupe.

L'évolution du contrôle situationnel entraîne des changements qui se répercutent sur l'arrimage entre le style de leadership et les contraintes situationnelles. Ainsi, la performance du leader se modifie à mesure qu'évolue son contrôle de la situation. L'expérience et la formation, par exemple, contribuent à étoffer le degré de structure de la tâche et conséquemment à accroître le contrôle des variables situationnelles par le leader.

Le modèle de contingence constitue probablement la théorie de leadership dont la vérification empirique a été la plus importante. En outre, la plupart des études ainsi que trois méta-analyses différentes viennent appuyer les principes du modèle. Les recherches ont démontré

→

que, en situation de stress, le comportement du leader régresse vers une moins grande maturité. De plus, toujours en situation stressante, les leaders axés sur la tâche et ceux qui privilégient la relation adoptent des stratégies d'adaptation différentes : les leaders à LPC élevé ont tendance à se retirer alors que les leaders à faible LPC sont plutôt enclins à faire preuve de combativité et d'autorité. L'adoption de l'un ou l'autre de ces types de comportements aura très vraisemblablement des effets sur la performance du leader.

Le modèle de contingence a donné lieu à un programme de formation en leadership qui a été validé avec succès par 18 études sur 19. Ce programme a d'ailleurs été retenu comme l'une des deux méthodes de formation recommandées sur la base d'études méta-analytiques. De plus, il représente l'une des très rares méthodes de formation en leadership qui s'appuient sur des fondements théoriques tout en faisant l'objet de vérification empirique. Les recherches sur le modèle de contingence ont présidé au développement de la théorie sur les ressources cognitives (*cognitive resource theory*) qui expose les situations selon lesquelles les leaders utilisent davantage leurs habiletés intellectuelles, leur expertise ou leur expérience. Cette théorie démontre, par exemple, que les leaders ont recours à leur intelligence plutôt qu'à leur expérience dans des conditions non stressantes et que, inversement, ils utilisent leur expérience plus que leur intelligence en situation stressante.

Notice biographique

Né à Vienne en Autriche, Fred E. Fiedler immigre aux États-Unis en 1938. Il obtient sa maîtrise et son doctorat en psychologie de la University of Chicago. M. Fiedler travaille dans le milieu universitaire depuis 1951 (University of Illinois, Université d'Amsterdam, Université de Louvain, Oxford University et University of Washington). Il occupe actuellement les postes de professeur émérite de psychologie et de professeur adjoint en gestion des services de la santé à la University of Washington, à Seattle.

Au cours de sa longue et remarquable carrière, M. Fiedler a agi à titre de rédacteur-conseil pour de nombreuses revues, dont *Leadership and Organizational Development, Journal of Military Psychology, Leadership Quarterly, Administrative Sciences Quarterly, Academy of Management Journal, Journal of Applied Social Psychology* et *Organization Behavior and Human Decision Making Sciences*. Il a également été consultant auprès de plusieurs entreprises des secteurs public et privé aux États-Unis et ailleurs dans le monde. De plus, il a rédigé bon nombre de livres sur le leadership et a publié plusieurs articles sur le sujet dans des revues scientifiques et professionnelles.

Enfin, il faut mentionner que M. Fiedler a reçu de très nombreux prix et récompenses, notamment le prix de l'American Personnel and Guidance Association (1953 et 1960) pour son travail de recherche exceptionnel ; le prix de l'American Psychological Association (APA), division de psychologie-conseil (1971) ; le Stogdill Award (1978) pour sa contribution

→

> remarquable à l'avancement de la recherche sur le leadership ; un autre prix de l'APA (division 19) pour son travail en psychologie militaire (1979) ; la chaire Yigael Alon de Tekhnion à Haïfa en Israël (1986) ; la chaire SLA Marshall du U.S. Army Institute for Reseach (1988-1989) ; et, plus récemment, le Distinguished Educator Award de l'American Academy of Management (1993).
>
> Note : Texte traduit de l'anglais.

Dans son modèle, Fiedler soutient que l'efficacité d'un groupe dépend de l'adéquation entre le style de leadership et les variables situationnelles. Selon Fiedler, les trois principales variables situationnelles sont les suivantes :

- **Les relations leader-membres.** Cette première variable correspond à l'acceptation du leader par le groupe. Fiedler la décrit comme étant une bonne ou une mauvaise atmosphère au sein du groupe, ou comme le niveau de confiance et de respect des employés envers leur leader ;

- **La structure de la tâche.** Cette variable se rapporte à la clarté et à la précision de la tâche à exécuter ainsi qu'aux moyens de l'accomplir. La tâche peut être structurée ou non structurée, elle peut être définie avec rigidité ou avec souplesse ;

- **Le pouvoir du leader.** Cette variable se rapporte au degré d'autorité que possède le leader. Le pouvoir peut être élevé ou faible selon le degré d'influence du leader sur l'embauche, les congédiements, la discipline, les promotions, les augmentations salariales, etc.

Les trois différentes variables situationnelles déterminent jusqu'à quel point une situation donnée est favorable ou défavorable à l'exercice du leadership. Comme il est illustré à la figure 7.8, les situations sont ordonnées de la plus favorable à la plus défavorable.

FIGURE 7.8
Le modèle du leadership de Fiedler

Atmosphère	Bonne				Mauvaise			
Structure de la tâche	Structurée		Non structurée		Stucturée		Non structurée	
Pouvoir du leader	Élevé	Faible	Élevé	Faible	Élevé	Faible	Élevé	Faible
Situation	1	2	3	4	5	6	7	8
	Favorable ·· Défavorable							

Il convient maintenant de mettre en relation ces différentes situations avec le style de leadership. Ainsi, pour mesurer le style de leadership d'un individu, Fiedler propose la variable LPC (*least preferred co-worker*). À partir d'une évaluation comprenant 18 critères, le leader décrit le collègue qu'il apprécie le moins. Il peut s'agir d'un collègue actuel ou d'un collègue avec lequel il a déjà travaillé. Sur une échelle de 1 à 8, il évalue, selon certains critères, le collègue le moins aimé, soit celui avec qui il lui a été le plus difficile de travailler. La figure 7.9 présente quelques critères contenus dans l'évaluation.

Plus le résultat est élevé, plus le collègue qui a été le moins aimé est décrit favorablement. Pour Fiedler, un résultat élevé témoigne d'un style de leadership axé sur la relation donc démocratique, car malgré qu'il s'agisse d'un collègue avec lequel il lui était difficile de travailler, le leader peut quand même faire ressortir des aspects positifs de ce collègue. À l'inverse, plus le résultat est faible, plus le collègue le moins aimé est décrit défavorablement. Pour Fiedler, un résultat faible témoigne d'un style de leadership axé sur la tâche donc autoritaire, en ce sens que l'incompétence du collègue le moins aimé déteint aussi sur ses caractéristiques personnelles. Évidemment, il y a aussi un résultat moyen ; cependant, celui-ci suscite plus d'ambiguïté que les autres, car il n'a pas tiré profit de la même attention empirique que ses contreparties faibles et élevées.

FIGURE 7.9
Un exemple de critères contenus dans l'évaluation du LPC

Plaisant	8	7	6	5	4	3	2	1	Déplaisant
Coopératif	8	7	6	5	4	3	2	1	Non coopératif
Distant	1	2	3	4	5	6	7	8	Accessible
Froid	1	2	3	4	5	6	7	8	Chaleureux

Le modèle de Fiedler comprend donc quatre dimensions : le style de leadership (autoritaire-démocratique), l'atmosphère du groupe (bonne-mauvaise), la structure de la tâche (structurée-non structurée) et le pouvoir du leader (élevé-faible).

Les recherches de Fiedler lui ont permis de faire ressortir les styles de leadership les plus efficaces. Le tableau 7.2 présente un exemple des combinaisons « idéales », c'est-à-dire le style de leadership efficace en relation avec la situation du groupe.

Ainsi, le style autoritaire ou autocratique de leadership est efficace lorsque la situation est favorable au leader (situations 1, 2, 3) ou lorsqu'elle lui est peu favorable (situation 8). Au contraire, le style de leadership centré sur les

TABLEAU 7.2
Les styles de leadership correspondant à certaines situations

Situation	Atmosphère	Structure de la tâche	Pouvoir du leader	Style efficace
	Situation du groupe			
I	Bonne	Structurée	Élevé	Autoritaire
2	Bonne	Structurée	Faible	Autoritaire
3	Bonne	Non structurée	Élevé	Autoritaire
4	Bonne	Non structurée	Faible	Démocratique
5	Mauvaise	Structurée	Élevé	Démocratique
6	Mauvaise	Structurée	Faible	Aucune donnée disponible
7	Mauvaise	Non structurée	Élevé	Aucune donnée disponible
8	Mauvaise	Non structurée	Faible	Autoritaire

relations, ou style démocratique, est efficace lorsque la situation est plus ou moins favorable au leader (situations 4 et 5). Aucune donnée empirique ne permet d'émettre des conclusions au sujet des situations 6 et 7.

En somme, le modèle de contingence de Fiedler a le mérite d'avoir considérablement contribué à rendre opérationnel le concept de leadership en le soumettant à la vérification empirique. De plus, contrairement aux autres modèles associant les facteurs situationnels et le leadership, le modèle de Fiedler propose que l'une des qualités importantes d'un leader est sa capacité à modifier l'environnement dans lequel il se trouve. Donc, il ne s'agit plus de s'adapter aux situations particulières mais plutôt de façonner l'environnement à son propre style.

7.3 UNE VISION CONTEMPORAINE DU LEADERSHIP

Les différentes notions et théories que nous venons de présenter peuvent être considérées comme une synthèse de la conception classique du leadership. Bien qu'ils soient toujours valides et utiles, ces éléments ne tiennent naturellement pas compte des nouveautés ou des dernières découvertes sur cette thématique. Ainsi, certaines recherches contemporaines viennent enrichir et améliorer cette vision traditionnelle en l'actualisant par le biais des réalités organisationnelles d'aujourd'hui. Nous présenterons donc, dans cette section, quatre notions émergentes associées au leadership, soit les substituts du leadership, la théorie de l'attribution, le leadership transformationnel et la conception psychanalytique du leadership.

7.3.1 Les substituts du leadership

En milieu de travail, les subordonnés dépendent du leader pour être dirigés, soutenus, influencés ou récompensés. Cette relation de dépendance peut toutefois être affaiblie lorsque des substituts interviennent et altèrent l'influence du leader. Selon Podsakoff et MacKenzie (1993), ces substituts prennent différentes formes (voir le tableau 7.3) et neutralisent, amplifient ou remplacent la capacité du leader à influencer ses subordonnés en ce qui a trait tant à leur satisfaction qu'à leur rendement.

Ainsi, les diverses études de Podsakoff démontrent qu'il existe un lien, même s'il est parfois faible, entre les substituts et l'influence que pourront détenir les leaders de l'organisation. Pour donner quelques exemples, le professionnalisme amplifie la relation positive entre le leadership et l'intérêt que mettent les travailleurs dans l'exécution de leur travail, alors que la cohésion du groupe la neutralise. De même, plus les travailleurs posséderont d'expérience, de formation et de connaissances, plus la nécessité de la présence du leader sera jugée inutile. Autre exemple, un psychologue qui offre des services de consultation psychologique et d'orientation professionnelle aux étudiants d'une université peut demeurer insensible aux tentatives d'influence de son supérieur, en partie parce qu'il est très intéressé par la nature même de son travail et, d'autre part, parce qu'il relègue au second plan les préoccupations relatives à la promotion. On peut donc constater que pour certains substituts les tentatives d'influence de la part du leader sont inutiles.

Il est donc possible que les caractéristiques des subordonnés, de la tâche ou de l'entreprise agissent comme des substituts du leadership, modifiant ainsi l'influence du leader. Une tâche intéressante peut réduire le besoin de considération des employés ; par ailleurs un travail structuré peut rendre inutile

TABLEAU 7.3
**Une liste de différents éléments organisationnels
pouvant servir de substituts du leadership**

Type de substituts	Éléments organisationnels
Caractéristiques des subalternes	Aptitudes, expérience, formation et connaissances
	Orientation professionnelle
	Indifférence quant aux récompenses organisationnelles
	Besoin d'indépendance des employés
Caractéristiques de la tâche	Tâches routinières, claires et méthodiques
	Rétroaction instantanée (intégrée à la tâche)
	Tâches intrinsèquement satisfaisantes
Caractéristiques organisationnelles	Normes et objectifs formels
	Règles et normes inflexibles
	Soutien et conseil donnés par le personnel
	Cohésion au niveau du groupe
	Récompenses organisationnelles hors du contrôle du leader
	Distance spatiale entre les supérieurs et les employés

l'influence d'un leader centré sur la tâche. Par conséquent, un leader qui désire conserver sa capacité d'influence doit tenir compte de ces substituts et s'assurer de soutenir les employés là où aucun substitut ne le fait.

7.3.2 La théorie de l'attribution

Les auteurs qui adhèrent à cette théorie (par exemple, S. Green, T.R. Mitchell et R.E. Wood, dans Green et Mitchell, 1979, et Mitchell et Wood, 1979) supposent que le comportement d'un individu est influencé par plusieurs facteurs. Avant d'adopter un style de leadership particulier, le leader doit, premièrement, observer le comportement des subordonnés pour ensuite être en mesure de reconnaître les facteurs situationnels qui lui sont associés. Puis, le leader doit examiner trois autres critères :

- **La distinction.** L'employé adopte-t-il un comportement unique malgré la diversité des tâches qu'il effectue ?

- **La conformité.** Est-ce que l'employé change de comportement avec le temps ?

- **Le consensus.** Est-ce que d'autres employés adoptent un comportement semblable lorsqu'ils accomplissent une tâche similaire ?

En somme, le leader doit déterminer si le problème auquel il doit faire face est lié à la personne, à la tâche ou à la situation. Si le problème est associé à la personne, la réaction du leader ne sera pas la même que s'il est lié à la tâche ou à la situation. Ainsi, dans un premier temps, le leader se rend compte qu'une situation problématique existe, il l'analyse et l'évalue afin de déterminer si la cause du problème est interne ou externe. Il peut alors se poser différentes questions ; dans un cas précis, il pourrait par exemple se demander si la baisse de productivité est causée par le manque d'intérêt de l'employé ou par la mauvaise planification des échéances. Dans un deuxième temps, le leader attribue une responsabilité et décide d'un comportement en conséquence.

Dans cette théorie, c'est donc de la compréhension des causes du problème que découlera le choix du style de leadership. Cependant la théorie est basée sur une prémisse voulant que le leader soit objectif, ce qui est quelque peu utopique.

7.3.3 Le leadership transformationnel

Traditionnellement, le leadership était perçu comme une transaction, un échange entre le leader et ses subordonnés. C'est pourquoi on l'a appelé le leadership transactionnel (Bass, 1990a). Ce type de leadership est ancré dans la dynamique des récompenses et des punitions. Ainsi, le leader a le pouvoir de récompenser par les félicitations et par l'octroi d'augmentations salariales et de primes, ou de punir par des réprimandes ou par l'application de mesures disciplinaires.

En réponse à cette approche traditionnelle du leadership, Bass a développé une vision transformationnelle du leadership. Le **leadership transformationnel** élargit et élève les intérêts des travailleurs en leur faisant prendre conscience des objectifs et de la mission de l'organisation, les incitant ainsi à regarder au-delà de leurs propres intérêts, et cela pour le bien-être du groupe (Bass, 1990b). Ce type de leadership comprend essentiellement quatre dimensions :

- **Le charisme.** Le leader charismatique définit la vision de l'organisation et les employés s'identifient à lui ;

- **L'inspiration.** Le leader est également une source d'inspiration. Il incite les employés à se dépasser eux-mêmes et à se consacrer à la réussite de l'organisation ;

- **La considération.** Cette dimension tire sa source de la consultation du groupe lors de la prise de décisions. Le leader est conscient des différences individuelles entre les employés : il agit comme mentor auprès de ceux qui ont besoin d'aide pour se développer ;

- **La stimulation.** Le leader doit pouvoir montrer aux employés de nouvelles manières d'envisager et de résoudre les problèmes auxquels ils font face. Il pourra aussi les amener à changer leurs croyances et leurs valeurs.

Ce que propose Bass n'est pas vraiment un nouveau type de leadership mais plutôt la modification des paramètres traditionnels. Selon lui, le leadership transactionnel et le leadership transformationnel ne sont pas foncièrement opposés. Ainsi, un leader de type transformationnel peut emprunter des attitudes liées au rôle transactionnel, mais il y ajoutera certains éléments qui lui seront propres. De plus, de certaines situations découle naturellement un certain type de leadership. Entre autres, dans un environnement organisationnel stable, le leadership transactionnel demeure une voie efficace. Cependant, lorsque l'organisation doit faire face à un environnement turbulent, elle a besoin de flexibilité, ce que le leadership transformationnel lui permettra d'atteindre.

Donc, le leadership transformationnel n'est pas une panacée à tous les maux organisationnels. Il représente cependant une option intéressante afin de faire face aux différents problèmes organisationnels contemporains.

7.3.4 La conception psychanalytique du leadership : les travaux de Kets de Vries

Parmi les récents écrits sur la personnalité, les réflexions de Kets de Vries (1994) ouvrent une nouvelle perspective sur le leadership. Au-delà de l'établissement d'un modèle de leadership efficace lié à la personnalité, Kets de Vries cherche à décortiquer les fondements de base de la personnalité et à comprendre l'influence que peut avoir cette dernière sur la vie organisationnelle.

Selon cet auteur, on a tendance à accorder trop d'importance aux éléments rationnels qui influencent l'action. Il rappelle en effet que même le meilleur des leaders est influencé par des motifs peu logiques et peu rationnels, du moins à première vue. Dans un monde idéal, la vision d'un leader serait toujours en concordance avec les éléments externes de l'environnement, mais, dans la réalité, les motifs sous-tendant les comportements des leaders demeurent souvent obscurs voire incompréhensibles.

CHERCHEUR RENOMMÉ

BERNARD M. BASS

De tout temps, le leadership a été reconnu comme une caractéristique essentielle à la réalisation de toute forme de projet. Phénomène universel observable dans toutes les cultures et sociétés, il était étudié encore tout récemment dans la perspective d'un échange entre le leader et son subordonné. Traditionnellement, le leader donnait les instructions quant au travail à accomplir ou s'entendait avec le subordonné sur ce qui devait être fait. Si le subordonné exécutait les ordres, il était récompensé ou il évitait d'être puni. Cependant, ce leadership dit «transactionnel» n'expliquait pas pourquoi les subordonnés étaient prêts à se sacrifier pour le bien général ou à s'engager à atteindre des buts au-delà de leurs propres intérêts.

Ces interrogations trouvent leur réponse dans le leadership «transformationnel». Le leader transformationnel est celui qui, pour paraphraser une citation désormais célèbre, ne demande pas «ce que son pays peut faire pour lui, mais ce qu'il peut faire pour son pays». Le leader transformationnel éveille la conscience de ses subordonnés quant à ce qui est juste, ce qui est bon et ce qui est important. C'est encore lui qui encourage ses employés à se réaliser et à s'autoréaliser, qui leur fait prendre conscience de leur valeur et qui les motive à aller au-delà de leurs visées personnelles pour le bien du groupe, de l'organisation ou de la société.

Le comportement du leader transformationnel s'articule autour de quatre composantes. Le comportement de certains leaders ne laisse jamais transparaître ces caractéristiques; chez d'autres, celles-ci sont parfois manifestes et chez d'autres encore elles sont très évidentes. La première caractéristique est le comportement charismatique. Les subordonnés veulent s'identifier à leur leader. Véritable modèle à suivre aux yeux des subordonnés, le leader fait preuve de compétence, de détermination et de confiance en soi.

La deuxième caractéristique que l'on trouve habituellement chez les leaders charismatiques renvoie au comportement dit «inspirationnel». En effet, le leader charismatique sait présenter un portrait réaliste et optimiste de la vision de l'entreprise. Faisant appel à l'émotion et aux métaphores, son message pourtant simple incite les employés à relever les défis qui se présentent à eux.

La troisième composante est la stimulation intellectuelle, qui encourage l'esprit d'innovation et la créativité chez les subordonnés. On

→

joue avec les hypothèses, on étudie certaines questions sous un autre angle et on suggère de nouvelles solutions à d'anciens problèmes.

Enfin, l'approche personnalisée constitue la quatrième composante. Les leaders de type transformationnel considèrent leurs subordonnés comme des personnes à part entière ayant chacune des besoins et des aspirations pour grandir et s'épanouir dans leur travail.

Les leaders transformationnels ont différents profils. Ainsi, certains ont peu recours à l'approche personnalisée à l'égard de leurs subordonnés. D'autres peuvent êtres sources d'inspiration sans toutefois être charismatiques ou stimulants sur le plan intellectuel. D'autres encore peuvent être stimulants pour l'intellect sans être inspirants.

Il faut bien comprendre que le leadership transformationnel ne vient pas se substituer au leadership transactionnel; il en est plutôt le complément. Si les meilleurs leaders sont davantage transformationnels, il reste qu'ils adoptent aussi quelquefois des comportements de type transactionnel (plus constructifs que correctifs). Les équipes et les organisations peuvent aussi être associées au type transformationnel.

Notice biographique

Bernard M. Bass est professeur distingué émérite de gestion et directeur du Centre sur l'étude du leadership à la State University of New York (Binghampton). Il occupait auparavant le poste de professeur et de directeur du Centre de recherche en gestion à la University of Rochester (1968-1977) ainsi qu'à la University of Pittsburgh (1962-1968). M. Bass a également été professeur invité à la University of California (Berkeley) et professeur à la Louisiana State University (1949-1961).

En plus d'avoir signé quatre cents articles et communications techniques, il est l'auteur de treize livres et a participé à l'élaboration de neuf ouvrages. Ses champs d'intérêt sont le leadership, le comportement organisationnel et les ressources humaines. Rédacteur en chef et fondateur de la revue *Leadership Quarterly*, il figure dans l'annuaire mondial et américain des personnalités ainsi que dans le répertoire *American Men and Women of Science*. Au cours des quinze dernières années, ses activités professionnelles se sont concentrées sur la recherche et les applications du leadership transformationnel. Fellow de la Ford Faculty et de la Erskine Faculty, M. Bass est également membre de nombreuses associations (AFOSR, ONR, Eisenhower, Ford, Kellogg, etc.). En 1994, il a reçu, pour l'ensemble de ses travaux, le Distinguished Scientific Contributions Award de la Society for Industrial/Organisational Psychology. M. Bass est fellow de l'American Psychological Association (division 14), fellow de l'Academy of Management et a siégé pendant seize ans au sein du comité exécutif de la division de psychologie organisationnelle.

Note: Texte traduit de l'anglais.

Les bons leaders sont caractérisés par des qualités personnelles qui sont à la fois externes et rationnelles, d'une part, et internes et inconscientes, d'autre part. Les habiletés de surface (ou perceptibles) sont basées sur ce qui se passe dans le «théâtre» intérieur des leaders. Le «théâtre» intérieur serait comme une sorte de scénario inscrit à l'intérieur de la personne, se développant à la prime enfance, et qui détermine le caractère ainsi que les particularités d'un individu. C'est ce qui forme le cœur de la personnalité d'un individu et qui est la matrice sur laquelle les comportements et les actions seront ancrés. Ceci influence naturellement l'appréhension globale de la réalité et forge simultanément l'essence même d'un leader.

Donc, la conception du leadership de Kets de Vries va au-delà de l'homme «économique et rationnel» pour regarder de près la structure psychique des leaders afin d'y déceler les motifs de leurs actions. Le but poursuivi est d'en arriver à offrir une perspective unique sur les diverses dynamiques s'établissant dans une organisation. Ainsi, trois principes fondamentaux alimentent son approche:

- Tous les comportements sont prédéterminés par un «théâtre» interne;
- La détermination des comportements échappe à la logique (rationalité) puisque ceux-ci sont inconscients;
- Les modèles de comportements acquis dans le passé influent fortement sur les comportements présents et futurs.

Comme l'indique Kets de Vries, les leaders sont donc sujets à des comportements irrationnels. Ces comportements peuvent être bénéfiques à l'organisation (leader efficace), mais ils peuvent aussi lui être néfastes (leader inefficace). Ainsi, les leaders, par leur influence tant formelle qu'informelle, sont des courroies importantes pour la transmission de la culture, de la mission et des objectifs d'une organisation. Il est donc primordial de comprendre la dynamique cachée du leadership afin de pouvoir promouvoir les actions positives des leaders et de pouvoir éliminer rapidement les leaders inefficaces et nuisibles à l'organisation. Cependant, l'apprivoisement de cette facette cachée du leadership n'est pas encore chose faite et l'intervention à ce niveau se veut encore beaucoup plus curative que préventive.

CONCLUSION

Le leadership est l'un des phénomènes les plus complexes et les plus étudiés en psychologie du travail et des organisations. Trois principales approches permettent de classifier les différentes théories du leadership: l'approche axée sur les traits, l'approche comportementale et l'approche situationnelle.

Pendant la première motié du XXe siècle, les chercheurs en matière de leadership ont consacré leurs efforts à la détermination des traits de personnalité d'un leader. Malgré la cohérence et la logique des traits relevés, les recherches empiriques ne permettent pas de prouver leur influence.

Cette faiblesse a donc conduit les chercheurs à s'intéresser davantage à la question du comportement du leader. Ainsi, trois principaux modèles émergent de l'approche comportementale : le modèle élaboré par les chercheurs de l'Université de l'Ohio, celui de Blake et Mouton et celui élaboré par les chercheurs de l'Université du Michigan. De ces trois modèles ressortent deux dimensions : celle où le leader favorise la tâche et la production, et celle où le leader se soucie davantage d'établir des relations interpersonnelles saines avec ses subordonnés. La principale critique émise à propos des théories regroupées au sein de l'approche comportementale porte sur la négligence des facteurs situationnels dans l'élaboration des modèles de leadership.

De cette critique est née l'approche axée sur la situation. Cette approche regroupe le modèle unidimensionnel de Tannenbaum et Schmidt, le modèle de Hersey et Blanchard ainsi que le modèle de contingence de Fiedler. Ces différents auteurs tiennent compte des variables situationnelles dans la détermination d'un style de leadership efficace. Toutefois, malgré l'avancement de la recherche dans ce domaine, il n'existe encore aucun modèle susceptible de proposer un moyen concret de définir un style de leadership idéal. Par contre, les théories et modèles proposés laissent supposer que la complexité de la réalité organisationnelle exige une analyse unique et approfondie des situations dans lesquelles le leadership doit s'exercer.

Par ailleurs, les champs d'étude récents des chercheurs montrent l'importance de la réalité organisationnelle dans les travaux sur le leadership.

Questions de révision

1. Définissez le leadership en mettant l'accent sur ses diverses composantes.

2. Les traits individuels peuvent-ils être considérés comme de bons indicateurs de la capacité de leadership d'un individu? Justifiez et illustrez votre réponse par un exemple de la vie courante.

3. En vous référant aux théories présentées dans la sous-section traitant du courant situationnel, dites si un leader doit s'adapter aux situations ou s'il doit façonner les situations à son image.

4. Expliquez ce qu'est un substitut du leadership. Nommez, pour chaque dimension (subordonnés, tâches et situation), un élément pouvant jouer ce rôle et justifiez son influence.

5. Si un leader de type transactionnel veut devenir un leader transformationnel, quels sont les paramètres de gestion qu'il devra modifier?

6. Quel est l'apport de la conception psychanalytique à l'étude du phénomène du leadership?

CHAPITRE 7 Autoévaluation

Les expressions suivantes décrivent certains aspects du style de commandement. Répondez à chaque phrase d'après votre manière d'agir en tant que chef. Entourez la lettre qui correspond le plus à votre style de commandement. N'utilisez pas plus de deux fois le mot « parfois ».

T Toujours	S Souvent	P Parfois	R Rarement	J Jamais	
T S P R J					1. Je suis le porte-parole du groupe.
T S P R J					2. J'encourage les prestations supplémentaires.
T S P R J					3. Je laisse les gens tout à fait libres dans l'exécution de leur travail.
T S P R J					4. J'encourage l'utilisation de méthodes de travail uniformes.
T S P R J					5. Je permets aux collaborateurs de faire usage de leurs propres jugements pour résoudre les problèmes.
T S P R J					6. Je m'efforce de faire mieux que les groupes concurrents.
T S P R J					7. Je parle en tant que représentant du groupe.
T S P R J					8. J'incite les collaborateurs à faire de plus grands efforts.
T S P R J					9. Je teste mes idées dans le groupe.
T S P R J					10. Je laisse mes collaborateurs faire leur travail selon les méthodes qu'ils estiment les meilleures.
T S P R J					11. Je fais de gros efforts pour obtenir une promotion.
T S P R J					12. Je tolère les retards et l'incertitude.
T S P R J					13. Je parle au nom du groupe s'il y a des visiteurs.
T S P R J					14. Je désire que le travail soit fait rapidement.
T S P R J					15. Je laisse les membres choisir et exécuter le travail.

T S P R J   16. Je m'occupe des conflits quand il s'en produit dans le groupe.

T S P R J   17. J'aime m'occuper des détails.

T S P R J   18. Je représente le groupe lors de réunions à l'extérieur.

T S P R J   19. Je répugne à donner aux membres du groupe une certaine liberté d'action.

T S P R J   20. Je décide moi-même de ce qui doit être fait et comment cela doit être fait.

T S P R J   21. Je m'efforce d'accroître la production.

T S P R J   22. Je laisse à certains membres du groupe une partie du pouvoir que je pourrais conserver pour moi.

T S P R J   23. En général les choses se passent comme je les avais prévues.

T S P R J   24. Je laisse au groupe une grande marge de manœuvre.

T S P R J   25. J'assigne à certains membres du groupe des tâches particulières.

T S P R J   26. Je suis « pour » le changement.

T S P R J   27. J'incite les membres du groupe à travailler davantage.

T S P R J   28. J'ai confiance dans le jugement des membres du groupe.

T S P R J   29. Je suis de près le travail qui reste à faire.

T S P R J   30. Je refuse de justifier mes actes.

T S P R J   31. Je persuade les autres que mes actions sont à leur avantage.

T S P R J   32. Je permets aux membres du groupe d'utiliser leur propre méthode de travail.

T S P R J   33. J'incite le groupe à dépasser les objectifs fixés.

T S P R J   34. J'agis sans consulter le groupe.

T S P R J   35. J'exige que le groupe respecte les règles et les normes.

Directives pour les participants

1) Entourez les numéros 8, 12, 17, 18, 19, 30, 34 et 35.

2) Indiquez devant les numéros entourés le chiffre 1 si vous avez répondu « rarement » ou « jamais ».

3) Mettez aussi le chiffre 1 devant les numéros qui ne sont pas entourés et auxquels vous avez répondu « toujours » ou « souvent ».

4) Entourez les chiffres 1 que vous avez mis devant les numéros suivants : 3, 5, 8, 10, 15, 18, 19, 22, 24, 26, 28, 30, 32, 34 et 35.

5) Additionnez les chiffres 1 entourés. Le total indique votre score final (H) pour l'orientation vers les personnes.

6) Additionnez les chiffres non entourés. Le total indique votre score final (T) pour l'orientation vers la tâche.

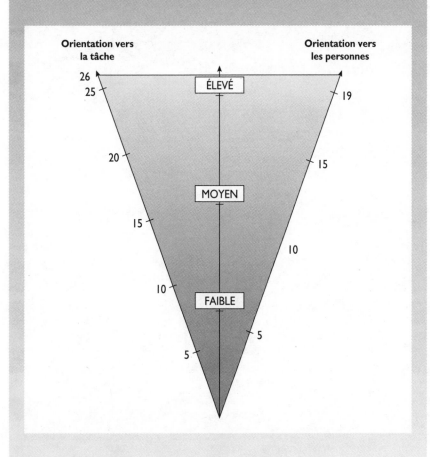

Pour déterminer votre style de commandement, indiquez votre score (total T) sur la flèche de gauche, « Orientation vers la tâche ».

Sur la flèche de droite, « Orientation vers les personnes », indiquez votre score (total H).

Reliez les points T et H au moyen d'une ligne droite. Le point d'intersection de cette droite avec la ligne du cycle de commandement mixte indique votre score sur l'échelle de ce style.

Références

BASS, B.M. (1990a). *Bass and Stogdill's Handbook of Leadership: Theory, Research, and Managerial Application*, 3ᵉ édition, Free Press, New York.

BASS, B.M. (1990b). « From Transactional to Transformational Leadership: Learning to Share the Vision », *Organizational Dynamics*, hiver, p. 19-31.

BENNIS, W., et NANUS, B. (1985). *Diriger*, Inter-Éditions, Paris.

BLAKE, R.R., et MOUTON, J. (1964). *The Managerial Grid*, Gulf Publishing Co., Houston, Texas.

FIEDLER, F.E. (1967). *A Theory of Leadership Effectiveness*, McGraw-Hill, New York.

GREEN, S., et MITCHELL, T.R. (1979). « Attributional Processes of Leaders in Leader-Member Interactions », *Organizational Behavior and Human Performance*, p. 429-438.

GREENE, C. (1979). « Questions of Causation in the Path-Goal Theory of Leadership », *Academy of Management Journal*, mars, p. 22-40.

HERSEY, P., et BLANCHARD, K.H. (1977). *Management of Organization Behavior: Utilizing Human Resources*, 3ᵉ édition, Prentice-Hall, Englewood Cliffs, N.J.

HOUSE, R.J. (1971). « A Path-Goal Theory of Leadership Effectiveness », *Administrative Science Quarterly*, septembre, p. 321-339.

HOUSE, R.J., et MITCHELL, T.R. (1974). « Path-Goal Theory of Leadership », *Journal of Contemporary Business*, automne, p. 81-97.

KERR, S., et JERMIER, J.M. (1978). « Substitutes for Leadership: Their Meaning and Measurement », *Organizational Behavior and Human Performance*, vol. 22, p. 376-403.

KERR, S, et SCHRIESHEIM, C. (1974). « Consideration, Initiating Structure, and Organizational Criteria: An Update of Korman's 1966 Review », *Personnel Psychology*, vol. 27, p. 555-568.

KETS DE VRIES, M.F.R. (1982). *The Irrational Executive*, International Universities Press, New York, p. XVI.

KETS DE VRIES, M.F.R. (1994). « The Leadership Mystique », *Academy of Management Executive*, vol. 8, nᵒ 3, p. 73-92.

KORMAN, A.K. (1966). « Consideration, Initiating Structure, and Organizational Criteria: A Review », *Personnel Psychology*, vol. 19, p. 349-361.

LIKERT, R. (1961). *New Patterns of Management*, McGraw-Hill, New York.

MITCHELL, T.R., et WOOD, R.E. (1979). « An Empirical Test of an Attributional Model of Leader's Responses to Poor Performance », *Proceedings of the Academy of Management*, p. 94-98.

PODSAKOFF, P.M., et MACKENZIE, S.B. (1993). « Substitutes for Leadership and the Management of Professionals », *Leadership Quarterly*, vol. 4, nᵒ 1, p. 1-44.

POTTER, E.H., et FIEDLER, F.E. (1981). « The Utilization of Staff Member Intelligences and Experience under High and Low Stress », *Academy of Management Journal*, vol. 24, p. 361-376.

SCHNEIDER, B. (1976). *Staffing Organizations*, Goodyear Publications, Pacific Palisades, Californie, p. 6.

STOGDILL, R.M. (1974). *Handbook of Leadership*, Free Press, New York.

TANNENBAUM, R., et SCHMIDT, W.H. (1973). « How to Choose a Leadership Pattern », *Harvard Business Review*, mai-juin, p. 162-180.

TOULOUSE, J.-M. (1986). « À propos de leadership », *Revue québécoise de psychologie*, vol. 7, nᵒˢ 1-2, p. 209-221.

WALLACE, M.J. Jr, et SZILAGYI, A.D. Jr (1987). *Organizational Behavior and Performance*, 4ᵉ édition, Scott, Foresman and Co., Glenview, Ill.

YUKL, G. (1981). *Leadership in Organizations*, Prentice-Hall, Englewood Cliffs, N.J.

CHAPITRE

8

Le processus de décision

Plan

Objectifs d'apprentissage

Point de vue d'un gestionnaire

Introduction

8.1 Les types de décisions

8.2 Les éléments influençant la prise de décision

8.3 Le processus décisionnel

    8.3.1 La méthode rationnelle

    8.3.2 Le modèle de la rationalité limitée de Simon

    8.3.3 L'approche politique

    8.3.4 La « poubelle organisationnelle »

8.4 La prise de décision en groupe

8.5 La résolution de problèmes

8.6 L'amélioration de la prise de décision par la créativité

    8.6.1 Le remue-méninges (*brainstorming*)

    8.6.2 La méthode Delphi

    8.6.3 La technique du groupe nominal

    8.6.4 Des commentaires sur ces techniques

8.7 La prise de décision et le leadership – le modèle de Vroom et Yetton

Conclusion

Questions de révision

Autoévaluation

Références

CHAPITRE 8 Objectifs d'apprentissage

Dans ce chapitre, le lecteur se familiarisera avec :

- la différence entre une décision programmée et une décision non programmée ;

- le rôle central de la rationalité dans le processus de décision ;

- la dynamique politique et aléatoire enveloppant certaines décisions particulières ;

- les avantages et les désavantages liés, d'une part, à la prise de décision individuelle et, d'autre part, à la prise de décision en groupe ;

- les diverses techniques permettant d'augmenter substantiellement la qualité des décisions prises en groupe ;

- le parallèle existant entre le style de leadership d'un gestionnaire et le mode de prise de décision favorisé par ce dernier.

POINT DE VUE
D'UN GESTIONNAIRE

MICHEL TRAHAN,
vice-recteur aux ressources humaines
Université de Montréal

L'évaluation et la décision

L'Université de Montréal doit se transformer, l'heure des choix est arrivée! En effet, la nécessité de moderniser l'université tant dans sa gestion que dans son enseignement, d'une part, et la crise des finances publiques, d'autre part, contribuent à propulser l'institution dans un processus de mutation profonde. Pour certains, c'est la catastrophe alors que, pour d'autres, il y a là une opportunité à saisir!

Plusieurs membres des divers groupes constitutifs de l'université réalisent progressivement la nécessité d'établir dès maintenant les priorités qui serviront à définir ce que sera l'Université de Montréal en l'an 2000. À leurs yeux, la configuration actuelle des facultés doit être revue si l'on souhaite protéger les secteurs d'excellence de l'université et ses contributions spécifiques à la société québécoise. Il ne s'agit plus seulement de réorganiser le travail, de procéder à la réingénierie des processus ou de reconfigurer les services administratifs avec réduction d'effectifs; c'est l'abandon sélectif de secteurs d'activités universitaires qui s'avère nécessaire si l'on souhaite protéger l'essentiel.

Il va de soi qu'un tel diagnostic n'emporte pas l'adhésion de l'ensemble des membres de la communauté universitaire; d'aucuns résistent aux compressions budgétaires elles-mêmes alors que d'autres insistent pour maintenir la configuration actuelle des facultés, quitte à moduler la mission d'excellence de l'université.

En bref, des décisions majeures de planification institutionnelle devront être prises dans les meilleurs délais puisqu'elles orienteront le redéploiement de ressources en processus de réduction substantielle. Quel défi pour une organisation qui a opté pour un leadership traditionnel et dont le fonctionnement est de type bureaucratique caractérisé par une gestion participative ainsi qu'un fort taux de syndicalisation! La majorité des établissements d'enseignement supérieur au Québec présentent des caractéristiques organisationnelles similaires à celles de l'Université de Montréal et seront confrontés à d'importantes décisions de planification institutionnelle au cours des prochaines années.

Compte tenu des délais limités, certains décideurs pourraient se laisser tenter par les raccourcis que constituent les approches intuitives de type impressionniste; il serait toutefois nettement préférable à tous

→

égards que l'on fonde les décisions à venir sur des informations générées par des processus formels et rigoureux d'évaluation institutionnelle. Les décideurs devraient avoir un parti pris pour la formalisation de l'évaluation tout en étant conscients des exigences d'une telle décision.

Alors que l'on reconnaît volontiers que l'évaluation est une responsabilité sociale en plus d'être une responsabilité administrative, un immense scepticisme continue de s'exprimer à l'égard des démarches d'évaluation et de leurs résultats qui sont souvent perçus comme totalement inutiles. On a parfois l'impression que tout semble se passer comme si l'évaluation constituait un rituel obligé sans lien fonctionnel avec le réel.

Confrontés à ce constat partagé par les collègues européens et nord-américains, quelques spécialistes québécois des méthodologies d'évaluation de programmes et d'établissements ont tenté de mieux cerner les manifestations de ce phénomène et d'en analyser les sources.

Leurs échanges et analyses au sujet de leurs expériences d'enseignement et professionnelles en évaluation de programmes et d'établissements ont permis de dégager un certain nombre d'éléments de réponse aux interrogations portant sur l'utilité de l'évaluation.

Cette perception d'inutilité des évaluations serait attribuable à différents facteurs :

- une tendance des décideurs à se défiler de leur responsabilité d'évaluateur en décidant de ne pas formaliser l'évaluation ou en refilant des mandats globaux et imprécis d'évaluation à leurs subordonnés ou à des consultants en méthodologie d'évaluation ;

- une tendance tout aussi marquée des consultants en méthodologie d'évaluation à se substituer aux décideurs et à s'approprier les rôles et responsabilités d'évaluateur, notamment les choix stratégiques qui ne devraient pas être subordonnés aux choix méthodologiques et qui devraient toujours être assumés par les décideurs ;

- une tendance à privilégier l'évaluation des processus au détriment de l'évaluation des orientations, de la mission ou des résultats ;

- une tendance aussi à faire fi des exigences méthodologiques et à évacuer le questionnement éthique.

Ces analyses nous incitent à formuler les options suivantes dans le contexte actuel d'évaluation institutionnelle :

1. Les décideurs doivent formaliser l'évaluation. Il s'agit là d'une décision politique incontournable qui leur revient en exclusivité ;

2. S'il est essentiel que les décideurs s'assurent de la participation des personnes touchées par l'évaluation, il ne faut pas confondre la **participation au processus** (qui est importante) avec la **participation à la prise de décision** (qui est souhaitable) : cette décision de formaliser l'évaluation ne saurait être négociée ;

→

3. Les décideurs doivent aussi assumer les choix stratégiques concernant l'orientation et l'objet de l'évaluation ; ainsi, ils doivent indiquer clairement qu'ils souhaitent évaluer la pertinence de certains secteurs d'activités et participer à la sélection des critères qui serviront à de telles évaluations ; ils doivent aussi expliciter aux responsables du processus d'évaluation leur vision du contexte institutionnel et leur appréciation des contraintes budgétaires ;

4. Les choix méthodologiques et techniques doivent être confiés à des professionnels de l'évaluation mais doivent être subordonnés aux choix stratégiques. L'interaction entre les décideurs responsables des choix stratégiques et les professionnels responsables des choix méthodologiques doit commencer très tôt dans le processus, et plus cette interaction sera assurée, meilleure sera l'évaluation.

INTRODUCTION

Chacun doit constamment prendre des décisions. Pourtant, bien peu de gens savent définir avec précision la nature même d'une décision. L'esprit humain est ainsi fait qu'il justifie les décisions une fois qu'elles ont été prises ; c'est donc dire qu'*a posteriori* on peut toujours expliquer les événements de façon à rationaliser ses décisions ainsi que les conséquences qui en découlent. Pourtant, les décisions ne sont jamais prises de façon arbitraire : elles dépendent d'un contexte, d'un environnement et des problèmes auxquels elles sont associées. La prise de décision s'avère l'un des aspects les plus importants du travail d'un gestionnaire. En fait, on mesure l'efficacité du gestionnaire par la qualité des décisions qu'il prend. Ainsi, c'est le processus de décision qui permet au gestionnaire de choisir, parmi différentes options, celle qui est la plus appropriée en fonction de la situation. Tandis que certaines décisions sont difficiles à prendre, d'autres sont tout à fait routinières. Ce chapitre tentera de décrire et d'analyser le processus de prise de décision dans une organisation tant du point de vue individuel que de celui du groupe.

8.1 LES TYPES DE DÉCISIONS

Les gestionnaires sont appelés à prendre quotidiennement différentes décisions : certaines sont relativement simples et comportent peu de risque ; d'autres sont plus complexes et sont par le fait même plus risquées. On peut ainsi classer les types de décisions en deux catégories : les décisions programmées et les décisions non programmées.

Les **décisions programmées** sont associées aux méthodes particulières adoptées par l'organisation dans le but de faciliter et d'accélérer la prise de décision concernant des problèmes répétitifs et routiniers. Les règlements, procédés et politiques de l'organisation représentent ce type de méthodes qui permet au gestionnaire de prendre rapidement un bon nombre de décisions sans avoir à analyser en détail tous les éléments utiles à la résolution du problème en question. En entreprise, un grand nombre de décisions sont programmées. Elles correspondent à des méthodes formelles qui assurent une économie de temps et d'énergie en réduisant l'effort déployé par celui qui prend la décision. De plus, ces méthodes formelles ont l'avantage de favoriser l'uniformité des décisions, ce qui les rend plus prévisibles. Enfin, parce qu'elles sont formalisées, ces méthodes transmettent l'idéologie de la direction de l'entreprise sans que celle-ci ait à participer directement à chaque prise de décision.

Les **décisions non programmées**, quant à elles, se présentent d'une façon irrégulière et souvent inattendue. Elles sont généralement associées à des problèmes nouveaux pour lesquels aucune méthode préétablie n'existe. Il peut s'agir soit de cas spéciaux, soit de cas complexes présentant un grand niveau de risque.

Les décisions programmées laissent peu de marge de manœuvre au décideur, alors que les décisions non programmées, en raison du caractère unique et original de la situation qui nécessite une prise de décision, sont davantage le reflet des intentions, des habiletés et de la personnalité du décideur, et ce en ce qui a trait aux aspects tant rationnels qu'irrationnels.

8.2 LES ÉLÉMENTS INFLUENÇANT LA PRISE DE DÉCISION

Prenons la liste de questions suivante :

- Où devrait-on construire la nouvelle usine ?

- Quel niveau de stocks devrait-on conserver ?

- Devrait-on offrir des programmes de formation complets aux employés ou embaucher une nouvelle main-d'œuvre déjà formée ?

- Quelles devraient être les principales caractéristiques du système informatisé d'information que l'on aimerait acquérir ?

- Est-ce que le programme d'évaluation de rendement devrait être couplé avec un programme de rémunération au mérite ?

- Est-ce que l'on devrait accepter l'offre d'emploi proposée ?

Chacune de ces questions appelle une décision. Celle-ci peut être prise de plusieurs façons : l'individu peut recourir à son intuition, à ses valeurs, à son jugement ou à la rationalité. Voyons brièvement ces éléments essentiels de la prise de décision.

L'intuition   Tout individu peut, à un moment ou à un autre, avoir le sentiment de devoir agir d'une certaine façon sans trop savoir pourquoi. À ce moment-là, c'est son intuition qui le guide. Dans certaines occasions, un gestionnaire peut lui aussi s'appuyer sur son intuition ou sur ses pressentiments pour prendre une décision. Dans ce cas, l'individu ne s'attarde pas à analyser le pour et le contre de chaque possibilité qui s'offre à lui. Bien qu'elle comporte un niveau de risque considérable, cette méthode obtient, selon diverses recherches, un certain niveau de réussite.

Les valeurs personnelles   Les valeurs d'un gestionnaire guident les décisions qu'il prend. Prenons par exemple l'une des questions soumises à la page précédente : «Devrait-on offrir des programmes de formation complets aux employés ou embaucher une nouvelle main-d'œuvre déjà formée ?» Il est évident que la décision qui sera prise est associée à des questions d'éthique et reflétera les valeurs du décideur.

Le jugement   Lorsqu'un individu se base sur son jugement pour prendre une décision, il se réfère généralement à des situations semblables qu'il a vécues, et ce afin de prévoir les conséquences éventuelles et probables de la décision envisagée. Bien qu'elle soit intéressante, cette méthode basée sur le jugement est souvent difficile à justifier. En effet, même si des similitudes importantes existent entre deux situations, il n'en reste pas moins que chaque situation est unique, exigeant par le fait même une solution qui est unique. Ainsi, lorsque le décideur doit faire face à une nouvelle situation ou à un problème très complexe, il aura de la difficulté à prendre une décision en se basant uniquement sur son jugement.

La rationalité   La rationalité est un processus logique qui amène le décideur à analyser toutes les composantes du problème, et ainsi à adopter la meilleure solution possible. Cette approche se différencie de la méthode s'appuyant sur le jugement par le fait que le processus rationnel ne s'appuie pas seulement sur l'expérience, mais aussi sur une méthode objective rigoureuse incluant un processus analytique complet. C'est de ce processus que nous parlons dans la section suivante.

8.3 LE PROCESSUS DÉCISIONNEL

Chacun doit constamment prendre des décisions. Pourtant, comme nous l'avons déjà mentionné, bien peu de gens savent définir avec précision la nature même d'une décision. Il est ainsi important de souligner que l'efficacité d'une décision dépend du contexte, de l'environnement et des problèmes qui y sont reliés. Chacun de ces facteurs doit donc être considéré attentivement.

Le processus décisionnel est défini comme **un mécanisme facilitant le choix d'une solution parmi d'autres**. Il s'agit également d'une réponse organisationnelle à un problème ou à une autre situation quelle qu'elle soit. Ainsi, toute décision constitue le résultat d'un processus dynamique qui est influencé par une diversité de forces. Dans le but d'améliorer la qualité des décisions prises en milieu organisationnel, on a élaboré différentes méthodes. Nous les présentons dans les pages qui suivent.

FIGURE 8.1
Le processus rationnel de décision

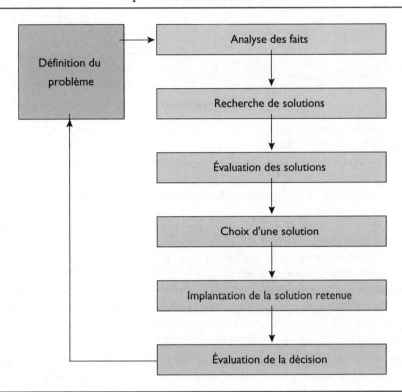

8.3.1 La méthode rationnelle

En vertu du principe de rationalité, toute activité est un moyen utilisé afin d'atteindre un objectif précis. Les décisions ne sont alors pas que des choix, mais font partie intégrante du fonctionnement.

La méthode rationnelle de prise de décision permet d'analyser logiquement des faits concrets dans le but d'obtenir une décision calculée (voir la figure 8.1). Ainsi, lorsque le problème auquel un gestionnaire doit faire face est complexe ou nouveau, la méthode rationnelle lui permet d'opérer un choix efficace parmi les diverses solutions possibles; si le problème est simple ou routinier, le recours à cette méthode est inutile.

Ainsi, une décision basée sur l'approche rationnelle suppose un cheminement logique à travers diverses étapes précises.

Première étape : la définition du problème

Avant de se lancer dans le choix d'une solution, il est important d'avoir une idée claire et nette de la situation : il faut déceler et définir le problème. La définition du problème commence lorsque l'on ressent le besoin d'une amélioration ou lorsque l'on rencontre des obstacles qui nous empêchent d'atteindre efficacement un objectif. De plus, il est essentiel de faire les distinctions qui s'imposent

FIGURE 8.2
Les critères d'évaluation du problème

Qualité (Q)	Situation n°1 Q/A	Situation n°2 A = Q
	Situation n°3 Aucune désision	Situation n°4 A/Q

Acceptation (A)

Légende: Q/A = Prédominance de Q sur A.
A/Q = Prédominance de A sur Q.

entre les symptômes et les causes, entre les données pertinentes et les données secondaires. Par exemple, un professionnel pourrait remettre un rapport incomplet ou peu structuré et, par conséquent, son supérieur pourrait suggérer, pour corriger le problème, qu'il s'inscrive à un cours portant sur la rédaction de rapports. En agissant ainsi, le supérieur fait l'hypothèse que le rapport remis est incomplet ou peu structuré parce que l'employé manque d'habiletés ou de connaissances en rédaction de rapports. Une analyse plus approfondie aurait peut-être démontré que cet employé sait rédiger des rapports, mais qu'il gère mal son temps de telle sorte qu'il rédige à la hâte ses rapports et que, par conséquent, ceux-ci sont incomplets ou peu structurés.

Il arrive en effet que le problème soit difficile à définir parce que divers facteurs viennent fausser la démarche entreprise. Ainsi, le piège dans lequel tombent fréquemment les décideurs est de formuler le problème sous la forme d'une alternative: «Devrait-on s'acheter une maison à la campagne ou devrait-on l'acheter en ville?» L'alternative ne peut correspondre au problème, mais est plutôt le reflet de deux solutions à ce problème. Ces solutions présentées sous la forme d'une alternative bloquent, d'une part, la reconnaissance du véritable problème et, d'autre part, la créativité et la formulation de nouvelles solutions.

Par ailleurs, lors de la première étape, le gestionnaire doit déterminer les objectifs de l'éventuelle solution et sa délimitation situationnelle. Il s'agit donc d'établir les critères d'une solution idéale.

Bien qu'il existe des mesures quantitatives pour évaluer les solutions possibles, leur utilisation s'avère très complexe. Les critères les plus fréquemment utilisés ont plutôt trait à la qualité de la solution ou à son niveau d'acceptation. C'est d'ailleurs de ce dernier critère que se servent de nombreuses entreprises en Amérique du Nord. Ainsi, une décision jugée «bonne» par les membres de la direction mais inacceptable par les subalternes peut être rejetée et considérée inefficace. Souvent, les critères associés à la qualité de la solution et au niveau d'acceptation sont tous les deux présents et varient selon l'organisation et la situation (voir la figure 8.2).

La figure 8.2 illustre ainsi les situations possibles:

• **Situation n° 1**. Le décideur favorise la qualité de sa décision;

• **Situation n° 2**. Les deux paramètres sont d'égale importance pour la personne dans le processus décisionnel;

- **Situation n° 3**. Une décision immédiate est considérée comme impossible. La décision doit être remise à plus tard. Cette attente peut parfois être bénéfique au gestionnaire, lui permettant, par exemple, de prendre du recul et de mieux percevoir le problème;

- **Situation n° 4**. L'objectif visé est d'abord l'acceptation de la décision.

Deuxième étape : la réunion et l'analyse des faits pertinents

Une fois que le problème est défini, il faut rassembler tous les faits qui s'y rapportent. Ce processus est parfois irritant, d'une part, en raison de la difficulté probable d'avoir accès à certaines informations concernant le problème ou, d'autre part, parce que la quantité d'informations est telle qu'un tri s'avère nécessaire. Or, pour faire ce tri, le décideur devra avoir recours à son expérience et à son intuition.

Il devra pouvoir distinguer les faits des opinions, le fait se définissant généralement comme un phénomène vrai ou réel et l'opinion se rapportant plutôt à une idée ou à un jugement quelconque.

Il est clair que la détermination des informations pertinentes aide à clarifier le problème et à amorcer la recherche de solutions. Ces informations proviennent, par exemple, des enquêtes effectuées par l'organisation, des registres de l'entreprise ou des expériences similaires vécues dans le passé. Les sources d'information peuvent donc se trouver aussi bien à l'extérieur de l'organisation qu'à l'intérieur.

La classification de tous les faits et informations réunis, de même que l'évaluation de leur importance relative, permettent au décideur de passer à l'étape suivante.

Troisième étape : la recherche de solutions

À ce stade-ci, il faut faire ressortir toutes les solutions possibles au problème. Une des méthodes les plus efficaces pour y arriver est communément appelée le remue-méninges (*brainstorming*). Il s'agit d'une technique de recherche d'idées par le biais de laquelle les participants à une réunion donnent libre cours à l'imagination et fournissent des suggestions pour résoudre un problème. En général, plus le nombre de solutions proposées est considérable, plus la discussion sera fructueuse. À ce stade, les suggestions ne font l'objet d'aucune critique. Ultérieurement, une évaluation sera effectuée, mais il importe d'élargir au préalable l'horizon des solutions possibles. Dans cette optique, quelques règles doivent être respectées : il faut maximiser le nombre d'idées, encourager celles qui sont extravagantes et n'exercer aucune censure.

Quatrième étape : l'évaluation des solutions soumises

Ensuite vient l'évaluation. Cette démarche se base sur le principe qu'il est impossible de prendre une décision adéquate si toutes les options possibles n'ont pas été évaluées. Ainsi, Côté *et al.* (1986) proposent une démarche particulière pour analyser ces options :

- Repérer toutes les options ou solutions susceptibles de résoudre le problème central et éliminer toutes les autres possibilités;

- Définir clairement et de façon concise chaque solution retenue, et essayer d'envisager les conséquences qu'entraînerait l'application de chacune d'elles;

- Faire une évaluation préliminaire de chaque possibilité en classant ses conséquences selon ses avantages et ses inconvénients;

- À partir de l'évaluation préliminaire, évaluer du point de vue financier les possibilités et prévoir le résultat de chacune d'elles.

En somme, lorsque toutes les solutions possibles ont été proposées, elles doivent ensuite être évaluées qualitativement et quantitativement. Comme l'objectif premier de la prise de décision consiste à maximiser celle-ci, il est important de choisir la solution qui présente le plus d'avantages et le moins d'inconvénients. Ainsi, pour bien saisir les répercussions d'une décision sur l'entreprise, il faut d'abord analyser chaque possibilité en pesant le pour et le contre de chacune. Plusieurs méthodes relativement formelles peuvent permettre de qualifier et de quantifier les diverses options qui se démarquent. Dans les entreprises, une des méthodes privilégiées est celle des arbres décisionnels (nous discuterons plus en détail de ce concept vers la fin de ce chapitre). Par ce concept, on simule les différents critères, examinant pour chaque choix les conséquences immédiates et à longue échéance.

Cinquième étape : le choix d'une solution

Il est important de noter que la prise de décision ne s'effectue qu'à cette étape. Malheureusement, il arrive souvent que, dans l'entreprise, les gestionnaires passent trop rapidement de la première à la cinquième étape, ce qui entraîne incontestablement des solutions médiocres. Idéalement, le choix est objectif et intègre tous les faits pertinents. Après avoir comparé les diverses possibilités et démontré leurs avantages et désavantages, le décideur se rend souvent compte que la meilleure solution ressort clairement.

Sixième étape : l'implantation de la solution retenue

Lorsque la solution est choisie, il est nécessaire de déterminer la façon dont elle sera mise en place et la personne responsable de le faire. À ce sujet, Côté *et al.* (1986) suggèrent qu'il est utile de procéder en suivant deux étapes distinctes. Il faut d'abord, selon eux, établir l'ordre à suivre dans l'exécution des étapes et déterminer qui doit en donner l'autorisation et qui sont les personnes en mesure de fournir les conseils utiles. Deuxièmement, il faut utiliser une méthode qui réduira le plus possible les désavantages tout en maximisant les avantages. En fait, l'implantation de la solution retenue peut elle-même faire l'objet d'un processus de décision. Ainsi, puisque l'implantation de la solution peut se faire en plusieurs étapes, il faut, pour chacune de ces étapes, répondre à différentes interrogations : quelles activités prendront place, qui sera responsable des activités, d'où proviendront les ressources humaines, matérielles, financières et informationnelles, etc. Bref, il est nécessaire d'avoir une idée claire des composantes de chacune des étapes si l'on désire implanter la solution retenue avec efficience et efficacité.

Septième étape : l'évaluation de la décision

Toute gestion efficace comporte une évaluation périodique des résultats. Cette évaluation s'effectue en comparant les résultats obtenus avec les résultats prévus ou plus précisément avec les objectifs visés. Ainsi, lorsque les résultats de l'évaluation démontrent des écarts entre les deux points de comparaison, des changements doivent être apportés. L'évaluation de la décision, dernière étape du processus décisionnel, est donc une étape cruciale. En effet, elle permet de s'assurer de la cohérence entre les résultats et les objectifs visés.

Il est rare que le modèle rationnel, tel que nous l'avons décrit, soit adopté intégralement dans la réalité organisationnelle. En effet, il semble que la prise rationnelle de décision ne soit efficace que dans certaines circonstances, soit lorsqu'il y a unanimité quant aux objectifs visés, lorsque la nature des objectifs est claire et lorsqu'il existe plusieurs solutions possibles parmi lesquelles choisir (Côté *et al.*, 1986).

Étant donné la réalité organisationnelle dans laquelle il évolue, le gestionnaire doit généralement plutôt prendre des décisions dans des situations où il y a beaucoup d'incertitude, où l'information est incomplète et où les délais sont limités. Il est évident que ces circonstances ne se prêtent pas à l'utilisation de la méthode rationnelle. Ainsi, d'autres modèles plus adaptés s'imposent.

8.3.2 Le modèle de la rationalité limitée de Simon

Pour H.A. Simon (1976), la rationalité est limitée par l'incapacité de l'esprit humain d'intégrer dans une seule décision l'ensemble des valeurs, des connaissances et des comportements relatifs à cette décision. Le modèle d'un choix humain se rapproche plus du modèle stimulus-réponse que du choix entre plusieurs possibilités. La rationalité humaine se situe dans un environnement psychologique et social, et elle se trouve par conséquent limitée par des facteurs et des contraintes sur lesquels se base la décision. C'est dans le cadre de cette pensée qu'est né le modèle de la rationalité limitée. Simon suggère une méthode qui tente de rendre optimale la qualité de la décision en encourageant le décideur à utiliser son intuition. À cet égard, Simon distingue d'abord deux séries d'éléments sur lesquels se base la prise de décision : les faits et les valeurs. Les faits se rapportent à l'observable : une proposition factuelle peut généralement être jugée vraie ou fausse. Par ailleurs, la prise de décision est le fruit de considérations éthiques, elle dépend des valeurs du décideur : une proposition à contenu éthique n'est donc pas vérifiable. Par exemple, dire qu'un tel état de choses devrait exister, serait préférable ou désirable, n'est ni vrai ni faux. Ajoutons qu'une prise de décision se base sur l'utilisation de certaines prémisses éthiques qui découlent des objectifs de l'organisation.

Dans son modèle, Simon fait aussi intervenir les notions de rationalité et de comportement rationnel. Sa théorie est en effet basée sur les différentes possibilités de comportement ainsi que sur les conséquences qui en découlent. La décision devient le processus par lequel une des possibilités est choisie afin d'être mise en application. Une série de décisions détermine des comportements pour une période définie et s'appelle stratégie. La décision rationnelle permet de sélectionner la stratégie qui amènera un ensemble de conséquences désirées. Dans ce modèle, la prise de décision comprend trois étapes : d'abord, il faut dresser la liste de toutes les stratégies possibles, puis, déterminer toutes les conséquences de chacune des stratégies et, finalement, évaluer comparativement les ensembles de conséquences.

8.3.3 L'approche politique

Les chercheurs associés à l'approche politique prétendent que les décisions prises par les gestionnaires ont pour principal objectif la satisfaction de leurs besoins personnels. Dans cette optique, bien plus qu'une occasion de faire progresser l'organisation, chaque décision revêt pour les gestionnaires une façon de réaffirmer leur position hiérarchique (pouvoir) ainsi que leurs qualités de gestionnaire. Donc, loin d'être ouverts et attentifs aux multiples informations disponibles, les gestionnaires auront tendance à répéter les mêmes schèmes décisionnels sans égard aux problèmes qui leur sont soumis. Dans cet esprit, le pouvoir décisionnel est utilisé comme un élément de renforcement de la position politique des acteurs organisationnels, et cela en fonction des stratégies et des tactiques propres à chacun de ces acteurs.

Les fondements de l'approche politique reposent sur quatre grands principes :

- le principe d'hédonisme, selon lequel tout individu fera ce qui est en son pouvoir pour satisfaire ses propres intérêts ;

- le principe de marché, selon lequel les individus sont égoïstes et motivés par les gains personnels ;

- le principe de convention, selon lequel tout individu prendra avantage des situations sans égard aux lois ou à l'éthique ;

- le principe d'équité, selon lequel les individus légitiment les gains qu'ils accumulent par leur statut et leur position.

FIGURE 8.3
La « poubelle organisationnelle »

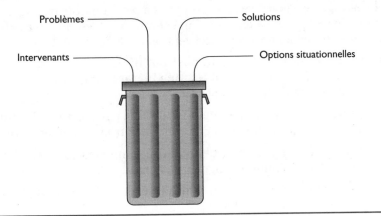

Source: Inspiré de Cohen, March et Olson (1972).

8.3.4 La « poubelle organisationnelle »

La «poubelle organisationnelle» (de l'anglais «*garbage can approach*») de Cohen, March et Olson (1972) se distingue des conceptions précédemment présentées puisque, dans cette approche, les décisions sont habituellement prises de façon hasardeuse, voire aléatoire. Ainsi, l'organisation est un amas de problèmes, de solutions, d'intervenants et de situations qui s'entremêlent et se répan-dent d'une façon désordonnée dans l'environnement organisationnel (voir la figure 8.3). Une décision concrète survient lorsque les divers éléments nécessaires à la formulation d'une décision se rencontrent. Naturellement, ces rencontres ne sont pas planifiées, et c'est au gré des conjonctures et des aléas situationnels que les décisions sont prises. On peut facilement mettre en doute la qualité des décisions qui sont adoptées dans de telles circonstances, la qualité étant alors davantage dictée par l'agencement arbitraire des éléments que par une démarche rationnelle.

Bien qu'elle soit marginale, cette approche démontre que les méthodes «étape par étape» ne sont pas les seuls processus décisionnels présents dans les organisations. Loin d'être toujours ordonné, le processus de décision se présente souvent d'une façon fort chaotique. En fait, il appert que les meilleures décisions sont à l'occasion plus «accidentelles» que planifiées.

8.4 LA PRISE DE DÉCISION EN GROUPE

Bien que la majorité des décisions puissent être prises individuellement, il est souvent préférable de faire intervenir un groupe de personnes dans le processus décisionnel lorsque le problème est complexe. Ainsi, une décision de groupe consiste à ce que plusieurs personnes fournissent des renseignements ou donnent leur opinion quant à la décision à prendre (Bergeron, 1995). Toutefois, pour que la prise de décision en groupe soit efficace, on doit:

- **viser le consensus**: le groupe doit continuer de délibérer jusqu'à l'obtention d'une certaine entente;

- **décourager les gens verbeux**: les gens ayant la parole trop facile influencent les collègues dans l'adoption d'une solution... bien qu'il n'existe pas de lien direct entre la quantité des interventions et leur qualité;

- **éviter de tenir compte de la position hiérarchique**: parmi les membres du groupe, quelques-uns ont un rang hiérarchique plus élevé et, de ce fait, exercent une influence indue sur les autres.

La prise de décision en groupe vise donc la participation des subalternes ou des spécialistes de la question. Elle comporte trois principaux avantages:

- Le partage d'une plus grande quantité d'informations et d'idées favorise l'élaboration de solutions originales et créatives;

- Le sentiment d'être utile stimule l'intérêt des participants surtout si la décision les touche directement;

- Les personnes comprennent et acceptent beaucoup plus une décision à laquelle ils ont participé. Par conséquent, leur engagement lors de la mise en application est plus sérieux.

À la prise de décision en groupe correspondent aussi certains inconvénients:

- Le laps de temps requis afin d'aboutir à une décision est long, et les coûts sont beaucoup plus élevés. Ainsi, plus le groupe comporte de participants, plus la période de temps requise et les coûts augmenteront. Donc, si ces facteurs sont cruciaux pour l'entreprise, il est préférable que celle-ci évite de recourir à la prise de décision de groupe;

- Il peut advenir que certains participants prennent le contrôle du groupe et orientent la prise de décision en fonction de leurs propres intérêts;

- Comme nous l'avons montré au chapitre 5, la recherche de la cohésion à l'intérieur du groupe provoque une certaine recherche de conformité, limitant ainsi les apports critiques de certains membres. Par ailleurs, si cette pression dans le sens de la conformité n'est pas présente, les prises de positions peuvent être si opposées qu'elles engendrent des conflits entre les participants. Donc, cette méthode nécessite la présence d'un leader efficace.

On peut maintenant se demander comment se comporte généralement le groupe face à une situation à laquelle est associé un certain niveau de risque. On constate qu'il existe deux positions opposées par rapport au risque: une position risquée et une position prudente. Le groupe qui opte pour la **position risquée** prend plus de risques que la moyenne de risques enregistrée précédemment par les membres pris individuellement. Le groupe qui préfère adopter une **position prudente** prend moins de risques que les membres du groupe pris individuellement avant leurs interactions.

Les études démontrent également que la position adoptée par le groupe dépend de la position initiale que prennent les membres du groupe avant que la discussion ne commence. Ainsi, lorsque les membres du groupe adoptent une attitude prudente avant les échanges, ils ont tendance à proposer une position prudente lorsqu'ils discutent du problème. Le même phénomène explique l'adoption d'une position risquée. En somme, les discussions de groupe tendent à refléter la position initiale des membres du groupe.

Le gestionnaire doit donc être conscient de cette tendance des interactions du groupe à polariser ou à généraliser le niveau initial de risque dans le groupe. Si cette polarisation accentue l'échange d'informations, elle permettra d'améliorer la qualité de la décision. Au contraire, si la polarisation débouche sur une concentration ou une trop grande diffusion des responsabilités, elle entraînera une diminution de la qualité de la décision.

8.5 LA RÉSOLUTION DE PROBLÈMES

Thompson (1967) établit quelques règles permettant d'aider les gestionnaires à choisir une stratégie pour résoudre leurs problèmes. Selon lui, deux dimensions majeures viennent influencer la prise de décision. La première de ces dimensions suppose une croyance à un lien de cause à effet entre le problème et ses conséquences, alors que la seconde dimension repose sur les préférences quant aux éventuels résultats. Lorsque l'on met en relation ces deux dimensions, on obtient une matrice qui jette un éclairage particulier sur les types de situations problématiques auxquelles se heurtent les gestionnaires (voir la figure 8.4).

Thompson propose, pour chacune de ces situations, une stratégie spéciale de résolution de problèmes. Ainsi, pour les problèmes qui sont très bien structurés et très bien définis, dont les relations de cause à effet peuvent être assez bien circonscrites, et dont on connaît le résultat probable, il suggère une stratégie de « calcul », parce que la complexité de ce type de problèmes est

FIGURE 8.4
Les situations organisationnelles problématiques

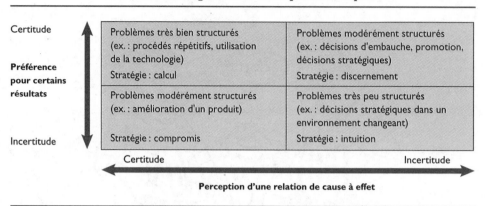

Source : Traduit et adapté de Thompson (1967), p. 134.

essentiellement fonction de la quantité d'informations dont on doit tenir compte lors de l'application de procédés routiniers.

À l'inverse, pour les problèmes qui surviennent dans des situations dont les relations de cause à effet sont incertaines et dont même les résultats possibles font l'objet de spéculations et de controverses, il suggère l'élaboration ou l'utilisation de techniques de résolution de problèmes qui permettent une prise de décision plus solidement fondée, mais où l'intuition prédomine essentiellement.

Quant aux deux autres types de situations problématiques qui représentent un degré modéré de complexité, il préconise des stratégies de discernement et de compromis.

8.6 L'AMÉLIORATION DE LA PRISE DE DÉCISION PAR LA CRÉATIVITÉ

Pour améliorer la prise de décision en groupe, il est nécessaire de créer un climat propice à la créativité où la critique est acceptée. La créativité est fréquemment associée à des carrières de type artistique ou à la notion de chercheur-inventeur. De plus, on croit que les individus qui œuvrent dans ce type de domaines disposent d'un don inné qui fait d'eux des travailleurs plus susceptibles d'être touchés par des inspirations géniales.

Bien que cette façon de penser soit moins répandue, la créativité est aussi une aptitude nécessaire aux administrateurs ; ceux-ci doivent en effet appréhender la réalité d'une manière originale afin de surmonter les difficultés qui surviendront inévitablement dans l'exercice de leurs fonctions. Il est cependant juste de croire que le processus administratif, dans ses dimensions de cohérence et d'uniformisation, entraînera, par le biais de ses règles et de ses procédés, une inhibition de la créativité. Aussi, certaines techniques ont été mises au point afin de favoriser la compréhension des problèmes selon des perspectives originales et ainsi de produire des solutions nouvelles et utiles. Il existe trois techniques principales visant ces objectifs, soit le remue-méninges (*brainstorming*), la méthode Delphi et la méthode du groupe nominal.

8.6.1 Le remue-méninges (*brainstorming*)

Une des méthodes les plus efficaces pour améliorer la créativité lors de la recherche de solutions est appelée le remue-méninges (*brainstorming*). Cette méthode met l'accent sur la production d'idées, plutôt que sur l'évaluation des idées, en adoptant comme postulat de base que plus il y aura d'idées émises, plus la probabilité d'en trouver une qui conviendra à la situation sera grande. Cependant, certaines règles doivent être respectées :

- On doit, premièrement, maximiser le nombre d'idées. Ainsi, les membres du groupe sont encouragés à exprimer tout ce qui leur passe par la tête, y compris les idées extravagantes. En effet, aucune idée n'est ridicule ;

- Deuxièmement, aucune suggestion ne peut être critiquée, car le but de l'exercice n'est pas d'évaluer les idées, mais plutôt d'en produire le plus possible ;

- Finalement, toute idée présentée appartient au groupe plutôt qu'à la personne qui l'a présentée ; ainsi, le groupe se sent libre d'utiliser toutes les idées et d'en créer de nouvelles à partir de celles-ci.

On constate donc que, dans le contexte du remue-méninges, les idées nouvelles sont autant valorisées et appréciées que les idées qui proviennent d'une élaboration associative à partir d'une idée déjà émise.

À la suite de l'exercice de recherche d'idées, on évalue les solutions apportées selon les étapes de la méthode rationnelle de prise de décision.

8.6.2 La méthode Delphi

La méthode Delphi suppose que certaines données soient recueillies par le biais d'une collecte anonyme et que ces données soient comparées entre elles. C'est à partir de questionnaires envoyés à des spécialistes que s'effectue la sollicitation d'information. Deux séries de questionnaires sont généralement utilisées : la première série est de nature générale et permet aux participants de présenter librement leurs suggestions pour résoudre le problème ; la deuxième série, quant à elle, amène les répondants à classifier les réponses de tous les participants par ordre de priorité. Cette dernière étape, visant l'amélioration de la qualité de la décision, est répétée jusqu'à ce que les répondants aient atteint un certain consensus au sujet de la classification.

L'exemple suivant (Tsui et Milkovich, 1987) illustre une application de la méthode Delphi dans le domaine de la gestion des ressources humaines. Supposons qu'une entreprise désire restructurer son service des ressources humaines dans le but d'augmenter sa productivité, et ce tout en améliorant la satisfaction des travailleurs. En utilisant la technique Delphi, les membres de la direction de l'entreprise ou leurs représentants enverront un questionnaire dans lequel ils demanderont aux répondants d'indiquer quelles activités de ressources humaines devraient être dirigées par les membres professionnels du service des ressources humaines et quelles activités de ressources humaines devraient être dirigées par les gestionnaires de l'entreprise. Les répondants sont anonymes et représentent différents groupes d'intérêts liés aux ressources humaines. Ainsi, le questionnaire est adressé à différentes personnes telles que des cadres, des spécialistes, des membres du personnel technique et du personnel de bureau, des représentants syndicaux, des professeurs spécialisés en ressources humaines ou toute autre personne dont l'opinion est requise. Le questionnaire contient une longue liste d'activités de ressources humaines, et les répondants doivent fournir une cote sur une échelle de 1 (absolument d'accord) à 5 (absolument en désaccord), en se référant à une affirmation telle que : «Les activités suivantes doivent être dirigées par le service des ressources humaines.» Les répondants ajoutent aussi des activités s'ils le jugent nécessaire.

Les membres de la direction de l'entreprise ou leurs représentants compilent ensuite les résultats et les renvoient, toujours anonymement, aux différents répondants en leur demandant leur interprétation des divergences entre leurs résultats individuels et les résultats compilés. Le processus est repris jusqu'à ce qu'un consensus émerge.

L'utilisation de la méthode Delphi comporte certains avantages. Plus particulièrement, elle élimine l'influence mutuelle qui survient lors d'une prise de décision de groupe puisque les répondants sont anonymes. Ainsi, en évitant de confronter les participants dans un groupe de discussion, on évite l'influence des facteurs psychologiques et on situe la démarche du point de vue purement rationnel. De plus, cette méthode de prise de décision s'avère très utile lorsque les décideurs se trouvent géographiquement éloignés les uns des autres.

Évidemment, la méthode Delphi présente aussi certains inconvénients. En effet, elle s'avère inefficace lorsqu'une décision rapide s'impose. De plus, il est très difficile de maintenir la motivation des répondants lorsque la démarche doit se dérouler en plusieurs phases réparties sur plusieurs mois. À chaque opération, le participant trouve fastidieux de répondre à un questionnaire souvent complexe et, lorsqu'on lui demande de justifier par écrit les raisons pour lesquelles il refuse de joindre la majorité autour de la moyenne, il le fait pour les premiers énoncés mais, à la fin, il se lasse et finit par gagner les rangs. On peut donc douter de la valeur d'un tel consensus.

La seconde difficulté provient de l'absence d'interaction entre les participants. Ainsi, en cherchant à combler une lacune, on en crée une autre. En effet, si l'absence d'interaction entre les participants diminue les risques d'influence indue, elle entraîne une division – qui peut être artificielle – dans les commentaires aux différents énoncés en ne favorisant pas l'établissement ou la compréhension de liens entre ceux-ci. Ainsi, les commentaires des participants pourraient être mieux compris si les enchaînements logiques que font ces derniers étaient exprimés.

8.6.3 La technique du groupe nominal

La technique du groupe nominal combine les avantages des deux méthodes précédentes en ce qu'elle permet, en alternance, le travail individuel et la discussion de groupe selon une démarche très structurée (voir Delbecq, Van de Ven et Gustafson, 1975). La façon de procéder est la suivante :

1. Les membres d'un groupe sont réunis pour exprimer leur opinion sur un problème, mais on leur dit qu'ils ne doivent pas communiquer entre eux ;

2. À la suite d'une question posée par l'animateur, les participants, en silence, formulent par écrit le plus grand nombre d'opinions ou d'idées possibles dans un laps de temps déterminé ;

3. L'animateur demande ensuite à chaque participant de nommer la première opinion ou idée inscrite sur sa feuille. L'animateur ou une personne désignée inscrit ces opinions ou idées. Il n'y a toujours pas de discussion. Le résultat de cette étape est donc une liste d'opinions et d'idées ;

4. Une fois tous les énoncés bien en vue au tableau ou sur de grands cartons fixés au mur, on procède à la clarification des idées les unes après les autres. Il s'agit alors de vérifier si tous les participants attribuent le même sens aux énoncés et s'ils comprennent la logique qui sous-tend chaque opinion. Cela permet de vérifier le degré d'acceptation des opinions et des idées énoncées au tableau ;

5. Cette discussion de groupe est suivie d'un vote individuel sur l'importance relative des énoncés. Les énoncés qui reçoivent le plus de votes constituent les priorités du groupe. La décision du groupe sera la compilation mathématique des votes individuels. Pour diminuer la dispersion des votes et resserrer le consensus, on ajoute, si nécessaire, une autre étape servant à discuter des résultats du vote, puis à passer à un dernier vote.

8.6.4 Des commentaires sur ces techniques

Madsen et Singer (1978) ont démontré, lors d'une recherche comparative, que la technique du remue-méninges élaborée à partir du postulat « plus on est de gens, plus on a d'idées » ne produit pas les résultats escomptés. Les auteurs démontrent, en effet, qu'un groupe d'individus produit moins d'idées que le même nombre d'individus travaillant isolément.

Par ailleurs, les techniques de Delphi et du groupe nominal enregistrent de très bons résultats. Les principales différences entre ces deux techniques sont celles-ci : les participants à la méthode Delphi sont anonymes et communiquent leurs opinions par écrit ; ceux de la technique du groupe nominal se confrontent et font ainsi part de leurs opinions verbalement.

8.7 LA PRISE DE DÉCISION ET LE LEADERSHIP – LE MODÈLE DE VROOM ET YETTON

Il est évident que la prise de décision est étroitement liée au style de leadership préconisé par une organisation. Entre autres, un style de leadership de tendance démocratique permettra de favoriser la décentralisation des centres de décisions, tandis qu'un style plus autoritaire aura l'effet inverse. Afin de mieux saisir l'interrelation entre ces deux univers, nous présentons dans cette section le modèle de V.H. Vroom et P.W. Yetton qui illustre les parallèles existant entre la prise de décision et le style de gestion.

Le modèle de Vroom et Yetton (1973) propose comme postulat de base qu'aucun style de leadership n'est assez adéquat pour s'appliquer à toutes les situations, et qu'en conséquence les gestionnaires doivent être assez flexibles pour changer leur style de leadership en fonction des particularités des diverses situations qui se présentent.

La singularité de cette approche réside dans la présentation d'un modèle normatif permettant au gestionnaire de décider quel style de leadership est le plus approprié. Pour Vroom et Yetton, le choix d'un style de leadership équivaut essentiellement à décider si l'on doit recourir à la participation des employés et dans quelle mesure. Ainsi, ces auteurs proposent un modèle dont l'objectif principal consiste à déterminer le style de leadership le plus efficace compte tenu de la décision qui doit être prise. Ils ont donc retenu deux variables situationnelles : l'acceptation de la décision par les employés et la qualité de la décision.

L'acceptation de la décision par les employés dépend étroitement de leur degré de participation à la prise de décision. Selon Vroom et Yetton, plus le degré de participation des subordonnés est élevé, plus il y a de chances qu'ils acceptent la décision, ce qui en favorise par le fait même l'application. La qualité de la décision, quant à elle, est définie en fonction de l'effet qu'elle aura sur le fonctionnement du groupe.

Ainsi, lorsqu'une décision doit être prise, le leader doit tout d'abord analyser la situation pour ensuite choisir le style de leadership le plus approprié. Vroom et Yetton proposent alors un continuum de cinq styles de leadership qui varient selon le degré de participation des subordonnés à la prise de décision (voir la figure 8.5).

FIGURE 8.5
Le style de leadership selon le degré de participation à la décision

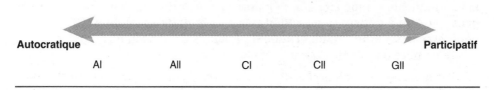

Le leader qui adopte le style AI adhère à une gestion très autocratique et il le démontre en prenant seul toutes les décisions. Le leader de type AII adopte lui aussi un comportement autocratique, mais il recueille les informations dont il a besoin pour prendre une décision auprès de ses subordonnés avant de décider seul. Le leader de style CI favorise les échanges individuels pour évaluer les éléments du problème. Toutefois, il arrive que sa décision ne reflète pas l'opinion des individus consultés. C'est le leader consultatif. Le leader qui adopte le style CII favorise la consultation en groupe lorsqu'un problème se pose. Mais encore une fois, il est possible que la décision finale ne reflète pas l'opinion du groupe. Enfin, le leader de style GII adopte la prise de décision en groupe lorsqu'un problème se pose.

Pour guider le gestionnaire dans le choix du style de leadership le plus approprié, Vroom et Yetton ont élaboré un arbre de décision qui comporte sept questions correspondant à des règles à suivre ; les trois premières ont trait à la qualité de la décision et les quatre dernières à l'acceptation de la décision. Ainsi, en répondant à ces sept questions, le leader peut déterminer le style de leadership le plus approprié compte tenu de la situation dans laquelle il évolue. Voici ces questions :

FIGURE 8.6
L'arbre de décision de Vroom et Yetton

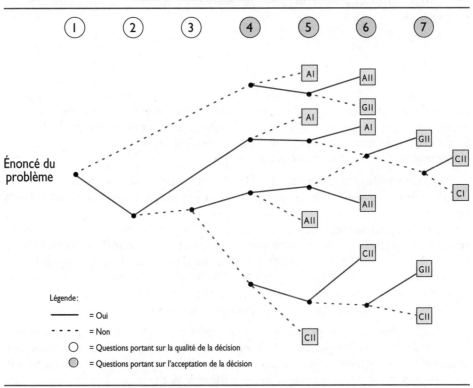

Source: Traduit et adapté de Vroom et Yetton (1973), p. 36.

1. Est-ce que le critère de qualité est très important dans le choix de la solution ?

2. Est-ce que j'ai assez d'informations pour prendre une décision sérieuse ?

3. Est-ce que le problème est structuré ?

4. Est-il important que la décision soit acceptée par les subordonnés pour assurer son implantation ?

5. Si je prends la décision seul, suis-je raisonnablement certain que mes subordonnés l'accepteront ?

6. Est-ce que les subordonnés sont en accord avec les objectifs organisationnels visés par la résolution du problème ?

7. Est-ce que les solutions préférées sont susceptibles de créer des conflits parmi les subordonnés ?

Lorsqu'il utilise l'arbre de décision dans le but de choisir un style de leadership adéquat, le leader commence par se poser la première question, pour ensuite situer sa réponse sur la branche appropriée. Il répète ce processus pour les questions subséquentes en suivant les embranchements associés à ses réponses, ce qui le conduit au style de gestion à préconiser (voir la figure 8.6). Ainsi, si à la première question la réponse est négative, il faut alors tout de suite passer à la quatrième question, puisque les trois premières ont toutes trait à l'aspect «qualité de la décision», aspect jugé non important dans la réponse.

Ce modèle a suscité beaucoup d'intérêt tant chez les chercheurs que chez les gestionnaires et il demeure, encore aujourd'hui, un instrument de gestion intéressant.

CONCLUSION

La prise de décision est une activité inhérente à la vie organisationnelle et au travail du gestionnaire. En fait, une décision consiste essentiellement à opérer un choix entre différentes options. Pour effectuer ce choix, on peut recourir aux décisions programmées – de nature répétitive – ou aux décisions non programmées – de nature plus occasionnelle.

Quatre méthodes de prise de décision s'offrent au décideur. Il peut se laisser guider par son intuition, s'appuyer sur ses valeurs personnelles, se fier à son jugement ou utiliser la rationalité. L'approche rationnelle oblige le décideur à suivre un cheminement logique à travers les étapes suivantes : la définition du problème, l'analyse des faits pertinents se rapportant au problème, la recherche de solutions, l'évaluation des options, le choix d'une solution et l'implantation et l'évaluation de la solution retenue. Par ailleurs, en raison de certaines contraintes qui limitent l'efficacité de cette approche, Simon a élaboré le modèle de la rationalité limitée, qui favorise l'optimisation de la décision.

La décision peut être prise individuellement ou en groupe. Les avantages de la prise de décision en groupe sont, entre autres, la possibilité d'obtenir une solution plus créative, un meilleur moral chez les individus qui participent à la prise de décision et une meilleure acceptation de la décision ; ses inconvénients sont, entre autres, le temps requis pour prendre une décision, les coûts qui y sont associés et l'incitation à la conformité.

Lorsqu'un groupe est placé en situation de prise de décision, et que cette décision comporte des risques, deux positions opposées peuvent alors être choisies. Le groupe peut opter pour une décision plus risquée que celle prise par un seul individu ou il peut opter pour une position plus prudente.

Différentes techniques ont été élaborées afin d'aider les gestionnaires à se servir de la créativité pour améliorer la prise de décision en groupe dont, particulièrement, le remue-méninges, la méthode Delphi et la technique du groupe nominal.

8 Questions de révision

1. Nommez une décision programmée et une décision non programmée que vous avez prises au cours de la dernière semaine.

2. Est-il justifié de dire que le modèle administratif de la rationalité limitée de Simon est un complément au modèle rationnel? Expliquez et commentez.

3. L'approche politique de la décision stipule qu'un gestionnaire oriente toujours ses décisions dans le sens favorisant l'assouvissement de ses besoins personnels. En vous inspirant des écoles de pensée fondamentales en psychologie, justifiez cette dynamique décisionnelle.

4. Nommez une décision, en milieu organisationnel, où le groupe pourrait être plus efficace qu'un individu seul et une autre où, à l'inverse, l'individu se veut foncièrement plus efficace que le groupe.

5. La technique du groupe nominal est une synthèse de la méthode Delphi et de la technique du remue-méninges. Pourquoi?

6. Dans le modèle de Vroom et Yetton, si un gestionnaire adopte un style de leadership très autocratique, quel est théoriquement le niveau d'information qu'il détient par rapport à la situation?

8 Autoévaluation

Le style décisionnel

Remplissez le questionnaire ci-après portant sur la résolution de problèmes. Prenez le temps d'y répondre avec soin et en toute franchise. Vos réponses devraient refléter votre comportement tel qu'il est (et non tel que vous le souhaitez). Ce questionnaire a pour but de vous aider à déterminer quel est votre style décisionnel. Aucune réponse n'est bonne ou mauvaise. Après avoir rempli ce questionnaire, calculez vos résultats de la manière indiquée pour découvrir les aptitudes que vous devez acquérir afin d'améliorer votre capacité à résoudre les problèmes ainsi que votre créativité.

Remplissez le questionnaire en utilisant l'échelle d'évaluation suivante :

C'est tout à fait faux	C'est faux	C'est plutôt faux	C'est plutôt vrai	C'est vrai	C'est tout à fait faux
1	2	3	4	5	6

Lorsque je suis aux prises avec un problème typique courant :

_____ 1. je prends toujours soin de le définir d'une façon claire et explicite ;

_____ 2. j'envisage toujours plus d'une manière de le résoudre ;

_____ 3. j'évalue les diverses solutions possibles en fonction de leurs conséquences à court et à long terme ;

_____ 4. je définis ce problème avant de le résoudre ou, en d'autres termes, j'évite d'adopter une solution prédéterminée ;

_____ 5. je procède par étapes, c'est-à-dire en m'assurant de ne pas confondre la définition du problème, la mise en évidence des options possibles et le choix d'une solution.

Lorsque je suis en butte à un problème complexe ou épineux auquel il n'existe aucune solution manifeste :

_____ 6. j'essaie de le définir de plusieurs manières différentes ;

_____ 7. je m'efforce de l'aborder d'une manière flexible et de ne pas simplement m'en remettre à la sagesse populaire ou aux usages établis ;

_____ 8. je cherche les éléments communs à divers aspects de ce problème;

_____ 9. j'essaie d'explorer différentes avenues en posant de nombreuses questions sur la nature de ce problème;

_____ 10. je m'efforce de le résoudre en utilisant à la fois l'hémisphère gauche et l'hémisphère droit de mon cerveau, c'est-à-dire la logique et l'intuition;

_____ 11. je me sers fréquemment de métaphores ou d'analogies pour analyser ce problème et déterminer à quoi il ressemble;

_____ 12. j'essaie de l'envisager sous différents angles pour élaborer plusieurs définitions;

_____ 13. je m'abstiens d'évaluer une solution quelconque avant d'avoir trouvé d'autres options possibles;

_____ 14. je choisis dans bien des cas de décomposer ce problème en des éléments plus simples que j'analyse ensuite un par un;

_____ 15. j'essaie d'envisager des solutions multiples témoignant d'une certaine créativité.

Lorsque je tente d'amener les gens avec qui je travaille à être plus créatifs et innovateurs:

_____ 16. j'aide à faire en sorte qu'ils puissent consacrer du temps à leurs idées sans subir les contraintes de la marche à suivre normale;

_____ 17. je m'assure que différents points de vue sont représentés au sein de tout groupe chargé de la résolution de problèmes;

_____ 18. je formule à l'occasion des suggestions et même des demandes extravagantes dans le but d'inciter les gens à trouver de nouvelles façons d'aborder un problème;

_____ 19. j'essaie d'obtenir de l'information des clients au sujet de leurs préférences et de leurs attentes;

_____ 20. je demande parfois à des personnes de l'extérieur (tels des clients ou des experts reconnus) de prendre part aux discussions visant à résoudre un problème;

_____ 21. je souligne non seulement la contribution des individus qui formulent des idées mais aussi celle des gens qui appuient les idées des autres et fournissent les ressources nécessaires à leur mise en œuvre;

_____ 22. j'encourage les gens à passer outre en toute connaissance de cause aux règles établies pour trouver des solutions dénotant une certaine créativité.

Résultats

Le tableau ci-après vous permettra d'obtenir une vue d'ensemble de vos résultats. Il vous aidera à reconnaître vos points forts et à déterminer ce qu'il vous faut améliorer.

1) Calculez votre résultat pour chaque aptitude en additionnant les chiffres que vous avez indiqués devant chacun des énoncés énumérés.

2) Faites le total des trois résultats obtenus et indiquez-le dans la case appropriée.

Aptitude	Énoncés	Évaluation – Résultat
Résoudre les problèmes de façon rationnelle	1, 2, 3, 4, 5	
Résoudre les problèmes en faisant preuve de créativité	6, 7, 8, 9, 10, 11, 12, 13, 14, 15	
Favoriser l'innovation	16, 17, 18, 19, 20, 21, 22	
Résultat total		

Évaluation des résultats

Évaluez vos résultats en les comparant 1) à ceux d'autres étudiants de votre classe ; puis 2) à la moyenne obtenue aux États-Unis par un groupe de référence formé de 500 étudiants en administration des affaires. À l'intérieur de ce groupe :

• un résultat égal ou supérieur à 105 vous placerait dans le premier quartile ;

• un résultat compris entre 94 et 104 inclusivement vous placerait dans le deuxième quartile ;

• un résultat compris entre 83 et 93 inclusivement vous placerait dans le troisième quartile ;

• un résultat égal ou inférieur à 82 vous placerait dans le dernier quartile.

Source : Traduit de Whetten et Cameron (1991), p. 160-161. Reproduit avec l'autorisation de HarperCollins Publishers Inc.

Références

BERGERON, P.G. (1995). *La gestion dynamique : concepts, méthodes et applications*, 2ᵉ édition, Gaëtan Morin Éditeur, Boucherville.

COHEN, M.D., MARCH, J.G., et OLSON, J.P. (1972). «A Garbage Can Model of Organizational Choice», *Administrative Sciences Quarterly*, nᵒ 17, p. 1-25.

CÔTÉ, N., ABRAVANEL, H., JACQUES, J., et BÉLANGER, L. (1994). *Dimension humaine des organisations*, Gaëtan Morin Éditeur, Boucherville.

DELBECQ, A.L., VAN DE VEN, A.H., et GUSTAFSON, D.H. (1975). *Group Techniques for Program Planning*, Scott, Foresman and Co., Glenview, Ill.

MADSEN, D.B., et SINGER, J.R. (1978). «Comparison of a Written Feedback Procedure, Group Brainstorming and Individual Brainstorming», *Journal of Applied Psychology*, vol. 63, p. 120-123.

SIMON, H.A. (1976). *Administrative Relation*, 3ᵉ édition, Free Press, New York.

THOMPSON, J.D. (1967). *Organization in Action*, McGraw-Hill, New York.

TREVINO, L.K. (1986). «Ethical Decision Making in Organizations : A Person-Situation Interactional Model», *Academy of Management Review*, juillet, p. 601-618.

TSUI, A.S., et MILKOVICH, G.T. (1987). «Personnel Department Activities : Constituency Perspectives and Preferences», *Personnel Psychology*, nᵒ 40, p. 519-537.

VROOM, V.H., et YETTON, P.W. (1973). *Leadership and Decision Making*, University of Pittsburgh Press, Pittsburgh.

WHETTEN, D.A., et CAMERON, K.S. (1991). *Developing Management Skills*, 2ᵉ édition, HarperCollins Publishers Inc.

CHAPITRE 9

L'évaluation et la gestion du stress au travail*

Plan

---

* Ce chapitre a été tiré en grande partie des chapitres 4, 5 et 8 de Dolan et Arsenault (1980) et de différents documents publiés entre 1981 et 1995 par le groupe de recherche Stress et santé au travail de l'École de relations industrielles de l'Université de Montréal.

Dans ce chapitre, le lecteur se familiarisera avec :

– le concept de stress en milieu de travail ainsi que les diverses conséquences tant individuelles qu'organisationnelles y étant reliées ;

– les divers modèles théoriques expliquant le stress ;

– l'origine des principales sources de stress dans l'environnement de travail ;

– l'importance de la prédisposition au stress issue des caractéristiques individuelles ;

– la dynamique et l'importance des différentes façons de contrer le stress ;

– les interventions individuelles et organisationnelles permettant la gestion du stress.

D'UN GESTIONNAIRE

JACQUES DUCHESNEAU,
directeur, Service de police
Communauté urbaine de Montréal (CUM)

Le stress et l'organisation

Bien qu'elle soit intéressante en soi, la carrière policière comporte un certain nombre d'inconvénients pour ceux qui l'ont choisie. Des inconvénients qui en font l'un des emplois les plus stressants.

Mes propres recherches sur le phénomène du stress au Service de police de la Communauté urbaine de Montréal m'ont permis de relever des sources de stress reliées tantôt à l'organisation, à sa structure et à son fonctionnement, tantôt au travail policier proprement dit. À cela s'ajoutent évidemment d'autres sources de stress, de nature familiale ou sociale.

Le travail policier est grandement imprévisible en ce sens que les agents doivent intervenir rapidement, au cours d'une même journée, dans plusieurs événements imprévus, fort différents les uns des autres et dont plusieurs sont émotionnellement très chargés. En même temps qu'il comporte des risques physiques, le travail policier est passé à la loupe et recueille des avis partagés, parfois hostiles.

L'organisation policière occasionne également des sources de stress qui agissent sur ses employés. La hiérarchie, la bureaucratisation, la distance entre les préoccupations administratives et les préoccupations vécues par les agents et leurs supérieurs immédiats créent de multiples stresseurs.

Il apparaît clairement que les stresseurs négatifs issus de ces diverses sources sont dommageables à la fois pour l'employé et pour son organisation et que plusieurs stresseurs sont en réalité les conséquences de situations contradictoires ou paradoxales imposées aux employés. À titre d'exemple, le policier jouit d'une grande latitude dans l'exercice de son pouvoir discrétionnaire; en revanche, à ce jour, il ne se sentait pas appuyé par ses supérieurs hiérarchiques s'il commettait une erreur en toute bonne foi.

Le stress a un lien direct avec l'état de santé des personnes. Nombre d'auteurs l'ont associé à diverses maladies organiques, psychologiques ou psychiatriques.

Cela se traduit ensuite sur la santé de l'organisation, sous la forme d'une mauvaise prestation de travail, d'une plus grande hostilité envers les supérieurs ou les collègues, de problèmes d'alcoolisme, d'absentéisme, d'accidents de travail et ainsi de suite.

Il existe évidemment des façons de réduire le stress négatif. Une organisation peut, par exemple, fournir de l'aide aux employés victimes de

→

stress. L'employé peut lui-même recourir à des techniques de contrôle du stress.

Mais agir sur les symptômes demeure une approche quelque peu irresponsable et peut-être infructueuse. Ce n'est qu'en agissant sur les causes que l'on peut apporter des solutions à long terme.

Les organisations, même celles du secteur public, exercent aujourd'hui sur leurs employés une influence beaucoup plus grande que par le passé et qui déborde le lieu même du travail. Cette tendance pourrait ajouter de nouveaux stresseurs potentiellement dommageables si elle ne s'accompagnait de responsabilités plus grandes dévolues aux dirigeants et aux gestionnaires à l'endroit des employés.

L'étude du stress en milieu policier m'a, quant à moi, non seulement sensibilisé à la condition du policier et de la policière de première ligne, mais elle m'a aussi convaincu de contribuer dans la mesure de mes moyens à atténuer en particulier le stress d'origine organisationnelle.

INTRODUCTION

Les exigences de la vie moderne entraînent dans le sillon de leurs avantages leur rançon d'inconvénients. Le rythme accru des défis, le besoin et le désir d'être hautement performant dans tous les aspects de la vie professionnelle et personnelle entraînent paradoxalement une détérioration du rendement des employés les plus dévoués. Mais ce ne sont pas tous les employés qui s'épuisent même s'ils sont exposés à des conditions de travail semblables. Les chercheurs essaient de comprendre pourquoi certains individus considèrent un défi professionnel comme une occasion inespérée d'épanouissement et de réalisation, alors que d'autres individus, placés devant la même situation, manifestent des symptômes d'épuisement.

Dans ce chapitre, nous tenterons de répondre à cette interrogation en définissant le stress, en présentant quelques modèles d'analyse du stress et en étudiant les facteurs organisationnels et individuels de stress. Pour terminer, nous définirons les principes généraux permettant d'élaborer des stratégies d'intervention, tant individuelles qu'organisationnelles, en milieu de travail.

La qualité de la vie au travail représente l'état d'équilibre entre les buts de l'organisation et les besoins des individus. On ne pourra parler d'efficacité, de succès qu'au moment où ces deux types d'objectifs auront été pleinement atteints. Que vaut le succès d'une entreprise si la santé des travailleurs en souffre? Que vaut le bien-être des travailleurs si la survie de l'organisation est en jeu?

Un cadre conceptuel qui intègre autant les objectifs organisationnels que les besoins des individus devient essentiel. Ce cadre doit ainsi définir la nature de l'organisation et celle des individus, tout en illustrant comment toutes deux interagissent pour conduire au succès et à l'efficacité ou, au contraire, à l'échec et à l'inefficacité.

Un modèle perceptuel-cognitif global a été proposé par S.L. Dolan et A. Arsenault (Dolan et Arsenault, 1980; Arsenault et Dolan, 1983a). Le stress, dans la présente perspective, est un excellent indicateur de la qualité de vie au travail, en ce sens qu'il n'est pas seulement nuisible à la santé du travailleur, mais il est également lourd de conséquences pour l'organisation et la société en général. En plus des nombreuses maladies qui y sont reliées, le stress entraîne une diminution de la productivité et une augmentation des coûts relatifs à la santé.

9.1 LE STRESS AU TRAVAIL : PERSPECTIVES

Au seuil de l'an 2000, on s'apprête, dans les travaux en sciences du comportement, à élargir le champ de la gestion à la suite de nouvelles interrogations quant au sens même du travail. Un nouveau jargon s'installe dans lequel dominent actuellement les concepts de santé, de sécurité et de stress au travail. Un nouveau contexte d'évaluation et d'intervention puise ses critères non seulement dans les sciences de la gestion, mais aussi en psychologie et en médecine.

Alors que, traditionnellement, le concept de succès au travail signifiait le degré de succès obtenu par un individu dans l'atteinte de certains buts organisationnels prescrits, il prend aujourd'hui une nouvelle signification en raison de l'importance de la qualité de vie au travail. Selon les postulats maintenant admis, la définition du succès au travail doit être élargie jusqu'à englober à la fois le bien-être de l'individu et celui de l'organisation et jusqu'à reconnaître que le bien-être de l'un est conditionné par celui de l'autre.

Les travailleurs eux-mêmes ont pris conscience de l'effet négatif sur leur santé non seulement des conditions physiques, mais aussi de l'environnement psychosocial de leur milieu de travail. *Work in America*, une vaste enquête effectuée aux États-Unis (O'Toole, 1973), a mis au jour l'augmentation de l'insatisfaction au travail de la population active. Ce rapport révèle que la satisfaction au travail est le meilleur moyen de prédiction de la longévité – meilleur que les facteurs médicaux et génétiques connus –, et que les divers aspects du travail occupent une part importante des facteurs associés à la maladie cardiaque.

De nombreuses études ont souligné l'ampleur des problèmes de santé de la population ouvrière et établi l'influence du milieu de travail sur ces problèmes. Pour plusieurs auteurs, le stress figure au premier rang des facteurs de problèmes de santé et constitue le facteur causal d'un bon nombre de maladies physiques et comportementales. Des données épidémiologiques récentes sur la morbidité et la mortalité relevées dans différentes occupations suggèrent l'existence d'un lien avec des milieux particuliers d'emploi (O'Toole, 1973).

Même si le travail en soi n'est habituellement pas considéré stressant, les conditions de travail, en raison de leurs exigences physiques et psychosociales, sont étroitement reliées, dans plusieurs études, à des formes variées de comportement mésadapté de la part des travailleurs.

Le modèle de stress occupationnel de Dolan et Arsenault (1980) puise dans ce courant de textes scientifiques et fournit un cadre explicatif très prometteur de la mésadaptation de la personne en situation de travail et de ses conséquences sur le succès individuel et organisationnel (Arsenault et Dolan, 1983b).

Nous définirons d'abord ces notions de réussites individuelle et organisationnelle. De la convergence de ces deux définitions ressortira un nouveau concept global, celui de la réussite au travail ou de la santé du milieu de travail.

9.1.1 La santé du milieu de travail

Les gestionnaires traditionnels favorisent le point de vue pro-organisationnel, où la notion de réussite au travail est liée à l'efficacité et se caractérise par un taux de rendement élevé et de faibles taux de roulement et d'absentéisme. Pour d'autres, d'allégeance humaniste, la réussite au travail signifie d'abord et avant tout la satisfaction des besoins personnels du travailleur, et ce parfois même aux dépens de l'organisation. Les gestionnaires qui suivent le courant moderne, caractérisé par la recherche de la réconciliation des buts de l'entreprise et du travailleur, reconnaissent quant à eux la nécessité des deux types d'objectifs pour aboutir au succès et à l'efficacité.

PROPOS DE

CHERCHEUR RENOMMÉ

CARY L. COOPER

Pour un environnement de travail sain

Dans son excellent livre intitulé *Working*, Studs Terkel donnait du travail la définition suivante :

> *De par sa nature, le travail est violence tant pour l'esprit que pour le corps. Travail rime avec ulcères, accidents, bagarres et dépressions nerveuses. C'est par-dessus tout le théâtre d'humiliations vécues au jour le jour. C'est presque une victoire que de passer à travers une journée de travail et d'en sortir sur ses deux pieds.*

Cette description métaphorique du travail m'a hanté tout au long de ma carrière. Il est effectivement vrai que bon nombre de personnes vivent d'énormes pressions et ressentent un sentiment d'insatisfaction aigu face à leur emploi ou à l'entreprise pour laquelle ils travaillent.

J'ai voulu comprendre davantage cette espèce de lassitude. J'ai donc consacré les quelques dernières dizaines d'années à tenter de déceler les principales sources de stress que vivent les individus dans leur emploi afin d'inciter les gestionnaires, les employeurs et les gouvernements à instaurer des environnements de travail plus sains. Au cours des quinze dernières années, mon équipe de recherche et moi-même avons donc recueilli des données auprès de plus de quatre-vingts groupes occupationnels regroupant des milliers de travailleurs de par le monde : des pilotes aux travailleurs de plates-formes de forage, des enseignants aux travailleurs de l'acier, des opérateurs de grues mécaniques aux percepteurs d'impôts. De plus, j'ai passé beaucoup de temps à étudier l'un des problèmes majeurs des années 1990 et des années à venir, soit la famille à double carrière. À mon sens, les changements qu'a connus la cellule familiale dans la culture occidentale ont grandement contribué à augmenter le niveau de stress des individus qui tentent de composer avec leurs nouveaux rôles au travail, à la maison et en société. Jusqu'à maintenant, la plupart des industries du monde occidental ont été contrôlées par des hommes et ce sont les patterns de carrière masculins qui ont prédominé. Au cours du prochain millénaire, la réalité de la famille à double carrière exigera des gouvernements et des industries la mise en place d'aménagements de travail plus flexibles (horaires de travail, lieux de travail et autres aménagements correspondant aux nouvelles technologies et aux nouveaux modes de travail).

→

Un autre défi de taille se présente à nous au cours de la prochaine décennie. En effet, les emplois permanents à temps plein seront progressivement remplacés par du travail à forfait ou occasionnel. À l'avenir, des cols bleus, des cols blancs et des cadres posséderont un « portefeuille » d'emplois, travaillant à temps partiel pour un employeur et à temps partiel, par exemple, sur des projets spéciaux.

Cette transformation dont est l'objet le monde du travail constitue un véritable défi pour les psychologues et les gestionnaires de demain. Alors que la recherche sur le stress en milieu de travail porte surtout aujourd'hui sur la surcharge de travail, les emplois précaires et les longues heures de travail, elle visera demain à explorer des situations tout autres, comme le travail à domicile, la planification de carrière individualisée, le travail à forfait, etc.

En fait, le défi le plus important pour la prochaine génération d'étudiants en administration et en psychologie est de saisir la véritable signification de la conclusion de l'ouvrage de Studs Terkel :

> *Le travail, c'est, en plus du pain quotidien, la recherche quotidienne d'un sens à notre vie ; en plus du salaire, c'est la recherche d'une reconnaissance et d'un contentement plutôt que la torpeur. Bref, c'est la recherche d'une vraie vie plutôt que d'une mort douce du lundi au vendredi.*

Les psychologues industriels, les gestionnaires et les syndicalistes devront faire preuve de créativité pour imaginer des environnements de travail plus sains et mieux adaptés au prochain millénaire.

Notice biographique

Cary L. Cooper est actuellement rédacteur en chef de la revue internationale trimestrielle *The Journal of Organizational Behavior* et est également corédacteur de la prestigieuse revue médicale *Stress Medicine*. Par ailleurs, il siège au sein du comité de rédaction de nombreuses autres revues internationales.

Cary L. Cooper a écrit plus de trois cents articles publiés dans des revues. Il est aussi auteur ou coauteur de plus de quatre-vingt-dix livres traitant du stress, de la carrière et de la psychologie industrielle ou organisationnelle. Seul Américain à avoir été titulaire d'une chaire dans une université britannique dans le domaine de la gestion et du comportement organisationnel, il est actuellement professeur de psychologie organisationnelle et titulaire adjoint d'une chaire à l'École de gestion de Manchester à l'University of Manchester Institute of Science and Technology. Enfin, M. Cooper a reçu de nombreux prix et récompenses et a été le premier président de la British Academy of Management.

Note : Texte traduit de l'anglais.

Les individus comme les organisations poursuivent des objectifs à brève, à moyenne et à longue échéance. Ces objectifs multiples de l'individu et de l'organisation, bien qu'à première vue incompatibles, doivent pouvoir être conciliés. Les individus sont essentiels aux organisations, et l'inverse est également vrai. Chacun est un moyen pour l'autre d'atteindre ses objectifs.

Si les objectifs à brève échéance de l'organisation et de l'individu ne sont pas facilement compatibles, par exemple, du point de vue du profit et des salaires, les objectifs à longue échéance sont quant à eux communs du point de vue de la survie de l'organisation et de la santé des travailleurs. Le concept de la santé du milieu de travail est associé à ce type d'objectif à long terme. Il s'agit d'un objectif général permettant d'intégrer les exigences de la santé de l'individu aux exigences de la santé de l'organisation (voir la figure 9.1).

FIGURE 9.1
La santé du milieu de travail

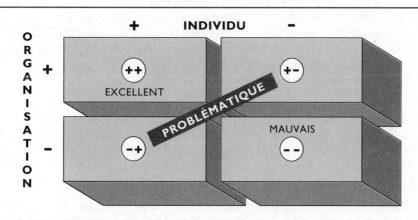

9.1.2 La réussite au travail

Ainsi, l'importance croissante que l'on accorde à la qualité de vie au travail a entraîné l'apparition de la notion de réussite au travail qui englobe le bien-être de l'individu et celui de l'organisation. L'émergence de ce concept s'explique par les mutations culturelles dans le monde du travail qui ont fait ressortir aux yeux de tous les intervenants l'importance de la qualité de vie au travail. Parmi les valeurs culturelles qui ont contribué à changer la définition de la réussite au travail, on trouve la réalisation et l'accomplissement de soi, une diminution de l'importance accordée au travail comme seule source de sécurité économique et, enfin, une remise en question du culte de l'efficacité.

Si la réussite au travail comprend le bien-être de l'individu, il est nécessaire de pouvoir mesurer ce bien-être. Historiquement, la notion de satisfaction au travail a été utilisée comme variable explicative de l'état du bien-être physique et psychologique du travailleur. La mesure de ce concept présente toutefois des difficultés majeures sur les plans conceptuel et méthodologique en raison de la subjectivité des mesures. Par conséquent, la popularité de la notion de satisfaction au travail diminue. Une nouvelle notion est suggérée pour évaluer la qualité de vie au travail : le stress occupationnel. Il appert en effet que le stress au travail peut être caractérisé et mesuré quantitativement et que ces données peuvent être évaluées pour mesurer le bien-être de l'individu aussi bien que de l'organisation dans la perspective de la santé du milieu de travail.

En bref, le stress au travail peut être mesuré de deux façons : l'approche subjective consiste à étudier les symptômes sur la plan psychologique et comportemental, alors que dans l'approche objective on s'intéresse aux changements physiologiques.

9.1.3 Le paradoxe de la société industrielle

La société industrielle moderne fait face à un paradoxe : en effet, malgré l'amélioration des connaissances, des conditions d'hygiène de vie et de l'arsenal thérapeutique et diagnostique qui gravite autour de l'activité médicale, la fréquence de certaines maladies continue d'augmenter de façon générale et plus particulièrement chez les groupes plus jeunes, et ce sans parler de l'accroissement de comportements dits non appropriés, tels que l'alcoolisme qui touche plus de 12 % des travailleurs actifs au Canada, surtout dans la tranche des 35 à 55 ans, années qui sont justement considérées comme les plus productives pour les travailleurs (Dolan et Schuler, 1995).

On estime d'ailleurs que la maladie cardiaque, première cause de décès dans la société industrielle, est attribuable, dans une grande proportion, à l'insatisfaction au travail. On fait effectivement remarquer que, même si l'on arrivait à contrôler parfaitement les habitudes diététiques, l'exercice physique, l'héritage génétique et à assurer de bons soins médicaux, l'incidence de la maladie cardiovasculaire ne serait réduite que de 25 % (O'Toole, 1973).

En bref, les spécialistes de la santé font face à un agent toxique invisible et difficile à quantifier. En médecine du travail, on commence à peine à s'intéresser aux aspects psychosociaux de l'univers du travail.

Il faut aussi souligner que le travail revêt une importance de plus en plus grande pour un nombre croissant d'individus. En effet, une forte proportion de travailleurs scolarisés revendiquent un travail intéressant et satisfaisant, plutôt qu'un travail tout simplement rémunérateur. Cette catégorie d'employés apporte sur le marché du travail des connaissances, des croyances et des valeurs nouvelles.

Par opposition, les organisations ont conservé une philosophie traditionnelle face à l'établissement des politiques, des règlements, des descriptions de tâches, etc. Il devient de plus en plus évident que le contenu des tâches n'a pas évolué aussi vite que les aspirations de ceux appelés à les remplir, parce que les organisations ont négligé l'environnement psychosocial de la tâche pour se concentrer surtout sur l'amélioration du bien-être économique des employés. Cet écart entre les récompenses que l'organisation veut offrir et celles que le travailleur veut recevoir est une cause majeure du stress au travail.

Somme toute, la santé du milieu de travail est une composante essentielle de la qualité de vie au travail et un attribut indéniable de la société en général. Ainsi, si les organisations acceptaient d'engager des frais additionnels à brève échéance pour procurer aux travailleurs un environnement de travail moins « toxique » sur le plan social, elles pourraient contribuer de façon importante à l'amélioration de l'état de santé de la population.

9.2 QU'EST-CE QUE LE STRESS ?

De façon générale, il y a stress quand un individu est incapable de répondre de façon adéquate ou efficace aux stimuli en provenance de son environnement, ou quand il n'arrive à le faire qu'au prix d'une usure prématurée de son organisme. Le stress au travail est alors la discordance entre les aspirations d'un individu et la réalité de ses conditions de travail. Cette définition rejoint les théories de la motivation en ce sens que le stress n'apparaîtrait que lorsque le travailleur perçoit dans son emploi l'occasion de satisfaire ses besoins ; dans le cas contraire, il n'y aurait pas de comportement motivé. Plus encore, le stress occupationnel est la réaction individuelle du travailleur à une situation menaçante reliée à son travail.

Il faut tout de suite préciser que, selon cette définition, le stress est présent lorsque l'environnement constitue une menace pour l'individu soit lorsqu'il a son origine dans des demandes excessives, soit lorsqu'il ne lui fournit pas les moyens de combler ses besoins. « Demande excessive » et « offre insuffisante » se rapportent, selon le modèle perceptuel, à un processus cognitif et non à une situation objective. Cela signifie que, dans différentes occupations, des agents stressants précis sont en cause, mais leur intensité est perçue de façon différente par les divers travailleurs. La réaction individuelle à des éléments anxiogènes donnés dépend de certains facteurs tels que la personnalité, les expériences personnelles de travail et de vie et les antécédents sociaux et culturels de la personne. Le travailleur ambitieux, par exemple, percevra comme stressant l'emploi qui ne lui procure pas l'occasion d'avancement. Le stress occupationnel provient alors d'une mésadaptation entre l'individu et son milieu de travail. Soulignons en terminant que l'intervention curative et préventive peut se faire de deux façons : soit en agissant sur l'individu et sa perception de la situation, soit en modifiant le milieu de travail.

9.3 LE STRESS : CONCEPTS ET MODÈLES

Le stress n'échappe pas aux difficultés que rencontrent en général les nouveaux concepts dans la documentation : plusieurs écoles de pensée ont défini des approches particulières, la terminologie employée dans chaque cercle n'étant familière et claire que pour ses adeptes.

Les premiers travaux sur le stress cherchaient à découvrir une étiologie unique : du côté médical, on croyait à l'existence d'un facteur étiologique de nature physique, chimique ou bactérienne ; du côté des psychologues, on croyait plutôt que des facteurs étiologiques de nature exclusivement psychologique ou sociale étaient responsables du stress. Les mentalités ont évolué depuis. On admet maintenant que la maladie trouve souvent sa cause à partir de plusieurs facteurs réagissant entre eux pour constituer une sorte de stimulus « multifactoriel ». L'étude du stress est devenue multidisciplinaire et, bien que l'on ne s'entende pas sur les façons pratiques de mesurer son importance, on admet que les agents qui causent le stress, les stresseurs, peuvent tout aussi bien être de nature physique ou chimique que sociale ou psychologique. On admet aussi que les conséquences du stress se trouvent chez l'individu du point de vue physiologique, psychologique ou comportemental. Les modèles multidisciplinaires les plus intéressants du stress chez l'humain ont été élaborés dans le contexte du travail. Nous allons donc, dans ce chapitre, remonter aux modèles initiaux qui sont plutôt unidisciplinaires et suivre la démarche historique pour aboutir à l'élaboration toute récente des modèles multiparamétriques et multidisciplinaires du stress au travail.

Dans le but de faciliter la compréhension de l'évolution des concepts, nous avons tenté de créer une typologie des travaux sur le stress en utilisant, comme grille d'interprétation, une double classification : celle des stimuli générateurs de stress et celle des types de réponses observées. Les stimuli étudiés dans les écrits ont été classifiés en deux grands groupes : les stimuli physiques et les stimuli psychosociaux. Bien que les stimuli physiques aient fait l'objet de nombreux travaux, nous n'avons retenu que ceux de W.B. Cannon et de H. Selye à des fins strictes de référence. Du côté des stimuli psychosociaux, nous n'avons retenu que les plus représentatifs et les plus significatifs. Le but de cet exercice n'est pas d'être exhaustif, mais d'arriver à une certaine vision cohérente et multidisciplinaire qui s'actualisera par la présentation du modèle de S.L. Dolan et A. Arsenault.

9.3.1 Les modèles basés sur les conséquences physiologiques

Afin de permettre au lecteur de comprendre la terminologie utilisée dans cette section, nous ferons un bref rappel de la matière. On peut considérer que les réactions somatiques sont sous le contrôle de deux grands systèmes antagonistes : le système nerveux sympathique et le système nerveux parasympathique. Le système sympathique est activé lors des réactions de lutte ou de fuite. Il prépare l'organisme à l'action. Il commande la sécrétion de toute une série d'hormones qui, à leur tour, mobilisent d'autres systèmes qui sont nécessaires à l'exécution des gestes de lutte ou de fuite. Le système parasympathique, pour sa part, prépare le soma au repos ou au retrait. L'énergie est emmagasinée plutôt que mobilisée. Les hormones stimulées par le système parasympathique ont, en gros, des effets opposés à ceux des hormones stimulées par le système sympathique. Nous montrerons plus loin comment ces deux grands systèmes sont aussi considérés comme générateurs de conséquences physiopathologiques différentes selon une stimulation exagérée de l'un ou de l'autre.

Le stress selon Cannon

Les travaux de pionnier effectués par W.B. Cannon viennent à l'esprit dès que l'on veut discuter de réponse physiologique à un stimulus de nature psychosociale. Cannon (1929) a montré que le système nerveux sympathique est activé par des stimuli psychosociaux, et que ce système commande la sécrétion des hormones provenant de la médullosurrénale. Cette dernière représente la partie la plus interne de la glande surrénale – ainsi désignée parce qu'elle se trouve située au-dessus de chacun des reins. La médullosurrénale sécrète une série d'hormones appelées globalement les catécholamines (dont l'adrénaline).

En étudiant de façon répétée l'animal en situation expérimentale, Cannon a pu élaborer un modèle du stress qu'il a désigné par l'appellation « réponse de lutte-fuite ». D'après ce modèle, lorsque l'animal cherche à s'approprier un objet désirable et qu'on l'en empêche, il va ressentir un stress qui déclenchera des réactions émotionnelles accompagnées de réactions sympathiques et hormonales. Prenons, par exemple, un chien qui savoure un gros os. À l'approche de l'étranger qui fait mine de le lui enlever, il grognera et éventuellement passera à l'attaque. Par contre, si l'étranger est grand et menaçant, le chien peut choisir de fuir. Cannon a mesuré chez ses animaux expérimentaux une activation du système nerveux sympathique ainsi qu'une sécrétion hormonale de la médullosurrénale.

C'est grâce à des expériences de ce type que Cannon a découvert la sécrétion des catécholamines en situation de stress quand l'animal se prépare à l'attaque ou à la fuite. Cannon a par la suite décelé toute une série de réponses physiologiques de type neuroendocrinien, incluant à la fois une réponse du système nerveux et une réponse hormonale.

Le stress selon Selye

H. Selye, cet autre pionnier de la recherche sur la physiologie du stress, a commencé ses travaux dans les années 1930. Il a surtout étudié la réaction du rat aux agents stresseurs physiques – comme la chaleur, le froid et la course – ainsi qu'aux agents chimiques – comme les hormones stéroïdiennes injectées pour provoquer la réponse de l'animal. Par opposition à Cannon, Selye s'est intéressé davantage aux hormones stéroïdiennes qu'aux hormones de la médullosurrénale. Sécrétés par la même glande surrénale, les stéroïdes ont des effets différents : ils agissent sur le métabolisme des sucres, des minéraux, des graisses et des protéines sous la commande de l'hypophyse (Selye, 1976).

Selye a observé que, quel que soit le stresseur utilisé, la réaction de l'animal était toujours la même, c'est-à-dire non spécifique. Cela l'a amené à définir ainsi le stress : **la réponse non spécifique à tout stimulus**. Il a par la suite élaboré davantage sa théorie de la réponse non spécifique dans ce qu'il a appelé le « syndrome général d'adaptation » (SGA). Nous passons rapidement sur la confusion qui existe toujours dans l'esprit de plusieurs sur ce que Selye inclut dans le concept de stress : le syndrome général d'adaptation est, en effet, tantôt désigné comme stress et tantôt présenté plutôt comme la conséquence du stress. Quoi qu'il en soit, le SGA a été décrit par Selye comme comportant trois phases : la réaction d'alarme – qui rappelle les expériences de Cannon –, la réaction d'adaptation durable – qu'on appelle aussi phase de résistance ou de défense – et la phase d'épuisement – au cours de laquelle les mécanismes d'adaptation cèdent.

La réaction d'alarme a lieu sur l'axe sympathique adrénergique, c'est-à-dire mettant en cause l'adrénaline. La réaction d'adaptation mobilise l'axe hypophyse antérieure-ACTH-glucocorticoïdes, d'une part, et l'axe STH-minéralocorticoïdes, d'autre part. L'ACTH, de l'anglais *adreno-cortico-tropic hormone*, peut être sécrétée par l'hypophyse antérieure en réponse à des signaux en provenance d'autres régions du cerveau. Elle agit à distance sur la partie corticale de la glande surrénale où elle stimule la production d'autres hormones, les glucocorticoïdes; il s'agit d'hormones stéroïdes qui agissent sur le métabolisme des hydrates de carbone, les sucres. Les glucocorticoïdes ont aussi la propriété de bloquer les réactions de défense de l'organisme telles que l'inflammation et la production d'anticorps.

Le SGA de Selye comprend donc toute une série de réactions physiologiques complexes qui ont toutes des caractéristiques communes, du moins dans les situations expérimentales que ce chercheur a utilisées. Il a permis d'établir le caractère non spécifique de la réponse au stress, mais ne permet pas de distinguer les modalités ou de les qualifier. Ainsi, la situation est beaucoup plus complexe quand on veut transposer le modèle de Selye chez l'humain vu les grandes différences interindividuelles dans la perception et la standardisation des situations alarmantes.

9.3.2 Les modèles basés sur les conséquences psychologiques et comportementales

L'approche psychanalytique de Menninger

K. Menninger ne considère pas que la santé et la maladie sont deux entités distinctes. Il considère plutôt que les phénomènes observés en psychiatrie clinique se situent sur un continuum qui, à partir d'un état d'équilibre personnel face au réel, comprend des états intermédiaires au bout desquels on trouve à l'extrême la dislocation de la personne, la maladie proprement dite. Dans cette perspective, il décrit le moi comme un régulateur de l'équilibre homéostatique face aux pressions exercées par le surmoi et par la réalité extérieure. Le moi cherche ainsi à négocier un niveau de tension tolérable et compatible avec sa croissance, son développement et l'expression de sa créativité (Menninger, 1954).

L'équilibre homéostatique que le moi maintient est continuellement remis en question par les stress répétés qui atteignent, à des intensités variables, l'organisme tout entier. Le moi réagit à ces menaces de déséquilibre en utilisant des mécanismes de défense plus ou moins coûteux du point de vue de l'énergie psychique et du «sacrifice» afin d'acheter la paix intérieure. Menninger présente ces différents mécanismes comme des sortes de lignes de défense s'échelonnant sur cinq niveaux. La première ligne de défense est constituée d'adaptations mineures alors que la cinquième représente le sacrifice du moi tout entier qui s'anéantit lui-même.

Il existe de nombreuses variations sur le thème psychanalytique de l'adaptation d'une personne à son environnement. Nous avons choisi Menninger à cause du caractère plus descriptif et moins cryptique de son approche. Toutes les écoles ont leur façon d'organiser le réel intrapsychique en «être de raison» analogue à des fonctions ou à des opérateurs mathématiques. Cette perspective permet d'échapper temporairement aux contraintes de la vérification empirique à la façon des simulations analogiques sur ordinateur.

L'approche psychocognitive de Lazarus

R.S. Lazarus a emprunté certaines notions à l'ingénierie pour les intégrer à son concept de stress. Il a établi une distinction claire entre le stress, qui est la force s'exerçant sur l'organisme, et la tension, résultant de l'application de ce stress et correspondant, en mécanique, à une déformation. En d'autres mots, au stress, force externe, correspond une tension intérieure qui tend à rompre l'équilibre (homéostasie).

Lazarus (1966) utilise cette notion de tension pour expliquer le comportement humain. Il met l'accent sur l'interaction entre l'individu et son environnement comme génératrice de symptômes. Comme son concept est fortement enraciné en psychologie, il insiste sur l'importance primordiale de l'activité cognitive du sujet et s'intéresse d'abord aux manifestations traduites par les comportements (Lazarus et Folkman, 1984).

Cette approche cognitive fait intervenir le processus de la pensée et la mécanique des jugements dans l'interprétation subjective que le sujet fait de son environnement, de sorte que cette interprétation subjective devient plus importante et signifiante que l'environnement dans sa réalité objective. La réaction de l'individu se déclenche alors par des déséquilibres au sein de la structure cognitive qui pousse l'individu à agir afin d'éliminer ces incohérences et de restaurer son homéostasie intrapsychique. Autrement dit, la fonction « tension » n'est pas exclusivement dépendante des conditions extérieures au sujet, mais elle est fortement influencée par le vécu intrapsychique. C'est la partie ressentie à l'intérieur de l'être qui permet d'expliquer les comportements du sujet.

Cette définition que Lazarus donne du stress a connu une grande popularité sous le vocable d'« équation personne-environnement ». À la façon des équations chimiques, cette conception présente le stress comme un état d'équilibre dynamique continuellement remanié entre l'individu pris dans sa totalité, d'une part, et son environnement, d'autre part. Lazarus croit que toute circonstance ou agent qui a tendance à disloquer les objectifs et les valeurs personnelles, ou qui représente un danger pour la survie ou pour l'intégrité du corps, peut se transformer en stress.

Il existe donc, dans la conception du stress de Lazarus, la notion implicite de menace ou, plus précisément, de perception subjective de menace. Par conséquent, les différences individuelles dans l'interprétation de ce qui constitue une menace renvoient forcément à la présence de facteurs prédisposants relativement à la personnalité, qui déterminent une vulnérabilité particulière à chaque situation. Les comportements qui en résultent doivent être interprétés comme des tentatives d'intervention destinées à restaurer l'équilibre de l'organisme. Dans le modèle de Lazarus, le caractère menaçant de la situation à laquelle le sujet doit faire face interfère avec l'expression spontanée et l'efficacité des mécanismes d'adaptation. En conséquence, plus la situation est perçue comme menaçante, plus l'adaptation est difficile.

Lazarus appuie son modèle sur une interprétation phylogénétique dont il dégage deux principes fondamentaux. D'abord, plus on se déplace vers le haut de la phylogénèse, plus le comportement repose sur un apprentissage plutôt que sur des automatismes instinctuels. Ensuite, à cause précisément de ce qui précède, les différences entre les individus d'une même espèce ont tendance à s'accentuer, de sorte qu'il devient inacceptable d'appliquer à l'humain des modèles entièrement et exclusivement basés sur l'expérimentation animale. Il est donc, selon lui, inapproprié de considérer un stresseur générateur de tension comme transposable d'une espèce à l'autre, puisque chaque espèce porte sa propre empreinte et que les comportements générés sont plus automatisés chez les espèces inférieures que chez l'homme. On voit en effet apparaître avec lui non seulement des différences individuelles, mais aussi des caractéristiques culturelles, des systèmes de valeurs intériorisées et des processus cognitifs qui agissent de façon déterminante sur les comportements.

9.3.3 Un modèle multidisciplinaire : le modèle cognitif et conditionnel de Dolan et Arsenault

Le travail n'est pas la seule et unique source de stress dans la vie, mais le stress relié au travail influe de façon significative sur la santé et le bien-être des individus et des organisations. Dolan et Arsenault (1980) ont proposé un modèle synthétique qui permettrait de poser un diagnostic servant de base à des interventions dont le but ultime serait la diminution en fréquence des conséquences irréversibles du stress à longue échéance. En créant ce modèle, les auteurs voulaient fournir une base empirique qui permettrait de répondre aux quatre questions suivantes :

• Quelles sont les sources de stress dans un environnement de travail ?

• Pourquoi les travailleurs ne sont-ils pas tous touchés de la même façon ?

• Quelles peuvent être les conséquences individuelles du stress sur les plans physique et psychologique ?

• Quelles peuvent en être les conséquences organisationnelles mesurables à l'aide du rendement des travailleurs (productivité, absentéisme, fréquence des accidents, etc.) ?

Il a déjà été établi que le stress peut naître de deux façons : soit par une stimulation insuffisante, soit par un excès de stimulation. Les stimuli ne deviennent agents stressants qu'à partir du moment où il existe une discordance entre le niveau de stimulation désiré par le travailleur et le niveau de stimulation qu'il perçoit subjectivement ; ces agents stressants sont particuliers à chacune des occupations et varient d'une organisation à une autre.

Les auteurs du modèle soutiennent que c'est la discordance entre l'individu et son environnement de travail qui provoque des problèmes de mésadaptation. Le degré de concordance fait ainsi ressortir la présence ou l'absence d'une variété de signes et de symptômes de tension. La présence et l'intensité de chacun de ces derniers permettent d'estimer le degré de discordance entre l'individu et son environnement et constituent ainsi des indicateurs de stress.

Le modèle insiste sur l'importance des différences individuelles face aux exigences des tâches, tout en tenant compte du fait que des tâches différentes entraînent des exigences différentes. La relation qui s'établit entre un individu et son environnement de travail évolue selon des cycles d'adaptation qui sont

susceptibles de varier en fonction du temps et des changements, soit dans l'organisation, soit au sein de l'individu lui-même.

Le modèle cognitif et conditionnel de Dolan et Arsenault comporte donc quatre groupes de variables (voir la figure 9.2). Les variables du groupe I représentent les conditions particulières du travail qui sont présentées comme des exigences en provenance de l'environnement. Ces exigences sont accrues ou diminuées en fonction des caractéristiques individuelles de chacun, soit les variables du groupe II. L'interaction entre les variables du groupe I et les variables du groupe II entraîne une série de conséquences sur les plans psychologique, somatique, physiologique ou comportemental, considérées comme des symptômes et des signes de tension : ce sont les variables du groupe III. Les symptômes et les signes de tension représentent les consé-quences à brève échéance du stress ; les conséquences à longue échéance sur les plans individuel et organisationnel constituent les variables du groupe IV.

Comme nous l'avons indiqué précédemment, le stress occupationnel ne conduit pas nécessairement à des résultats négatifs. Les caractéristiques de l'individu, telles que sa personnalité et son engagement dans le travail, peuvent mitiger ce que l'on aurait cru stressant, et ainsi influer sur le résultat.

Le stress tire son origine de la perception trop forte ou trop faible du stimulus. Il semble y avoir un niveau optimal de stimuli dans l'environnement de travail qui facilite le rendement efficace et le fonctionnement productif de chaque individu. Les agents stressants supérieurs ou inférieurs à ce niveau optimal entraînent des conséquences négatives sur l'activité de l'individu et sur son bien-être physique et psychologique. L'étendue optimale des agents

FIGURE 9.2
Le modèle cognitif et conditionnel du stress au travail

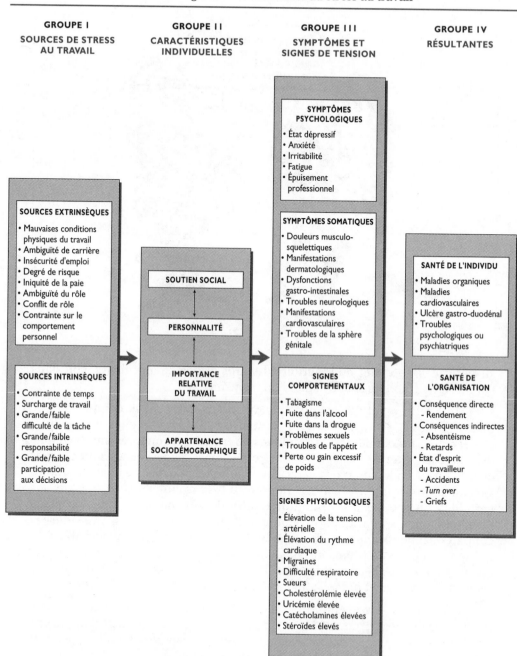

GROUPE I	GROUPE II	GROUPE III	GROUPE IV
SOURCES DE STRESS AU TRAVAIL	CARACTÉRISTIQUES INDIVIDUELLES	SYMPTÔMES ET SIGNES DE TENSION	RÉSULTANTES

SOURCES EXTRINSÈQUES

- Mauvaises conditions physiques du travail
- Ambiguïté de carrière
- Insécurité d'emploi
- Degré de risque
- Iniquité de la paie
- Ambiguïté du rôle
- Conflit de rôle
- Contrainte sur le comportement personnel

SOURCES INTRINSÈQUES

- Contrainte de temps
- Surcharge de travail
- Grande/faible difficulté de la tâche
- Grande/faible responsabilité
- Grande/faible participation aux décisions

SOUTIEN SOCIAL

PERSONNALITÉ

IMPORTANCE RELATIVE DU TRAVAIL

APPARTENANCE SOCIODÉMOGRAPHIQUE

SYMPTÔMES PSYCHOLOGIQUES

- État dépressif
- Anxiété
- Irritabilité
- Fatigue
- Épuisement professionnel

SYMPTÔMES SOMATIQUES

- Douleurs musculo-squelettiques
- Manifestations dermatologiques
- Dysfonctions gastro-intestinales
- Troubles neurologiques
- Manifestations cardiovasculaires
- Troubles de la sphère génitale

SIGNES COMPORTEMENTAUX

- Tabagisme
- Fuite dans l'alcool
- Fuite dans la drogue
- Problèmes sexuels
- Troubles de l'appétit
- Perte ou gain excessif de poids

SIGNES PHYSIOLOGIQUES

- Élévation de la tension artérielle
- Élévation du rythme cardiaque
- Migraines
- Difficulté respiratoire
- Sueurs
- Cholestérolémie élevée
- Uricémie élevée
- Catécholamines élevées
- Stéroïdes élevés

SANTÉ DE L'INDIVIDU

- Maladies organiques
- Maladies cardiovasculaires
- Ulcère gastro-duodénal
- Troubles psychologiques ou psychiatriques

SANTÉ DE L'ORGANISATION

- Conséquence directe
  - Rendement
- Conséquences indirectes
  - Absentéisme
  - Retards
- État d'esprit du travailleur
  - Accidents
  - *Turn over*
  - Griefs

Source : Adapté de Dolan et Arsenault (1980), p. 143.

stressants varie néanmoins d'une personne à l'autre. Certaines apprécient et recherchent de hauts niveaux de stress pour maintenir leur humeur et leur fonctionnement. D'autres ont une plus faible tolérance aux diverses sources de stress rattachées à l'environnement de travail. Dans tous les cas, c'est l'écart entre le niveau désiré et le niveau vécu des facteurs stressants, et non le stress lui-même, qui représente une menace pour l'individu et constitue un facteur de risque pour sa santé personnelle aussi bien que pour la santé de l'organisation qui l'emploie.

Dans le modèle cognitif et conditionnel de Dolan et Arsenault, l'environnement de travail (les variables du premier groupe) a été subdivisé en deux catégories : les sources de stress intrinsèques et les sources de stress extrinsèques. Par « source intrinsèque », on entend les caractéristiques qui sont inhérentes au contenu même de la tâche. Par « source extrinsèque », on entend les caractéristiques qui font partie du contexte de la tâche plutôt que de son contenu. Naturellement, chacune de ces dimensions aura des relations différentes en fonction des signes et des symptômes créés (voir la figure 9.3).

FIGURE 9.3
La relation entre les sources du stress et les indicateurs (signes et symptômes)

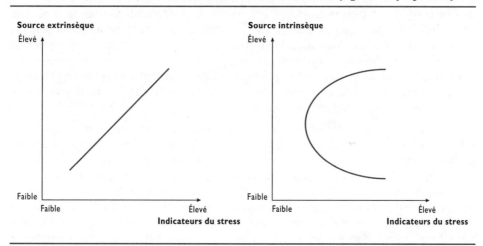

Par ailleurs, les variables du groupe I ont des conséquences stimulantes ou débilitantes sur le comportement au travail, selon les différences individuelles variées, soit selon les variables du groupe II. Le paradoxe inéluctable du stress au travail tient au fait que ses conséquences constituent un phénomène individuel. En effet, un facteur stressant pour un employé peut être une source de satisfaction chez un autre. L'individu seul définit les facteurs stressants pour lui ; ceux-ci résultent de ses propres expériences et appréhensions.

Ainsi, dans ce modèle, quatre classes de variables ont été reconnues comme éléments clés des différences individuelles qui agissent comme modérateurs des effets du stress au travail : le soutien social, la personnalité, l'importance relative accordée au travail et l'appartenance sociodémographique.

Le soutien social, tant en milieu de travail qu'en milieu hors travail, représente un facteur modérateur important du stress vécu. Le soutien émotionnel et technique des amis, de la famille et des collègues permet de filtrer les agents stresseurs et ainsi de réduire l'emprise du stress sur l'individu. Par le partage des responsabilités, la reconnaissance sociale et l'appui affectif, le degré d'encadrement ou de soutien social dont jouit un individu est déterminant dans sa capacité à résister au stress (Dolan, Van Ameringen et Arsenault, 1992 ; Vézina *et al.*, 1993).

En ce qui concerne les traits de personnalité, les chercheurs qui étudient le stress au travail mentionnent souvent les expressions « personnalité de type A » et « personnalité de type B ». Chez un individu dont la personnalité est de type A, caractérisée par une ambition intense et l'esprit de compétition, la mésadaptation stressante viendra d'un emploi n'offrant pas suffisamment de défi, de responsabilités, d'indépendance. Pour l'individu de type A, contrairement au type B, l'emploi idéal accorde des responsabilités et une autonomie élevées ; celui-ci, bien sûr, doit être doté de la compétence nécessaire à l'accomplissement de ses tâches.

On s'attend généralement à ce que les agents stressants aient plus d'effets sur les personnes pour qui le travail occupe une place centrale dans la vie. La gamme des conséquences symptomatiques est ainsi influencée par cette notion de l'attachement au travail, de son importance relative. Chez une personne pour qui le travail est peu important, les effets seront significativement moins préjudiciables, puisqu'elle vise la satisfaction de ses besoins à l'extérieur du milieu du travail. L'inclusion de la centralité du travail dans le modèle permet aussi de contrôler indirectement certaines sources de stress extérieures à l'environnement de travail, telles que les conflits dans la famille et les mauvaises relations sociales, qui peuvent aussi être incluses dans la pathogénèse de certaines maladies psychosomatiques.

En ce qui a trait à l'appartenance sociodémographique, bien que son influence n'ait pas été démontrée de façon probante, il demeure que le niveau de stress au travail varie, entre autres, selon le sexe, l'âge, le niveau de scolarité, la pratique religieuse et la langue maternelle. Alors que les hommes semblent plus fragiles que les femmes face aux effets pervers du stress, l'âge et le niveau de scolarité démontrent une relation inversement proportionnelle, c'est-à-dire que le stress a moins d'emprise sur l'individu au fur et à mesure que ce dernier vieillit ou se scolarise. En ce qui a trait aux pratiques religieuses, elles semblent inhiber les conséquences du stress. Notons cependant que cet effet n'englobe que la pratique d'activités à connotation religieuse sans distinction pour le culte d'appartenance. Finalement, il appert que les différences culturelles liées à la langue maternelle influent sur l'assimilation du stress par les individus. Par exemple, au Québec, on constate que les symptômes physiques du stress se traduisent par des problèmes cardiovasculaires chez les anglophones ; chez les francophones, c'est plutôt le système digestif (ulcères) qui écope, et cela en fonction des mêmes éléments stresseurs (Arsenault et Dolan, 1983a).

Ainsi, l'interaction dynamique entre les facteurs stressants (groupe I) et les différences individuelles (groupe II) définit l'adaptation ou la mésadaptation qui engendre et permet de prédire la présence ou l'absence d'une variété de signes et de symptômes de tension (groupe III). C'est évidemment la présence et l'intensité relative de chacun de ces signes et symptômes plus ou moins stables qui permettent de mesurer le degré de discordance entre l'individu et son environnement, ce qui constitue des indicateurs de stress.

Ces signes et symptômes sont subdivisés en quatre grandes catégories : les symptômes psychologiques, les symptômes somatiques, les signes comportementaux et les signes psychologiques.

La possibilité de mesurer d'une part les propriétés physiologiques et, d'autre part, les propriétés comportementales et somatiques par des observations objectives et subjectives permet d'augmenter l'exactitude et d'améliorer la valeur du diagnostic du modèle de stress au travail élaboré par cette équipe.

9.4 LES ORIGINES DU STRESS AU TRAVAIL

Le stress, chez un individu, peut être provoqué tant par une absence que par un excès de stimulation. Il semble en fait qu'il y ait chez chaque individu un niveau maximal de stimulation au travail qui permettrait d'améliorer son rendement. Ce niveau varie d'une personne à l'autre, mais on s'entend généralement pour dire que les agents stressants ont des effets néfastes chez les personnes dont la vie est centrée sur le travail.

À partir de la définition du stress, on déduit que n'importe quel problème du point de vue de l'organisation devient générateur de stress, et ce même temporairement, dès que le travailleur se trouve placé en état de dissonance. Bien que les réactions de l'individu dépendent de facteurs personnels, il existe parallèlement des facteurs liés à l'organisation que l'on pourrait qualifier d'agents de stress.

9.4.1 Les agents de stress organisationnels

La source de stress la plus répandue représente l'effet combiné de la taille de l'organisation et du degré de formalisation de son fonctionnement. C'est ce qu'on appelle, en général, la bureaucratie. Plusieurs études ont permis de démontrer que les organisations très bureaucratiques cherchent à mouler la personne pour en faire un stéréotype, la transformant en un personnage creux, dépourvu de couleur et de complexité. Le besoin qu'éprouvent ces grandes organisations de confiner et de surveiller le comportement humain est la cause la plus fréquente de stress organisationnel.

Une deuxième source diffuse de stress est la structure hiérarchique des organisations. Dans toute hiérarchie comprenant une répartition inégale du pouvoir, plus on compte de paliers, plus la tendance au contrôle autocratique de quelques-uns aux dépens des autres s'accentue. Les dirigeants se trouvent en bonne posture pour exiger des comportements qui dépassent la capacité des autres de soutenir ces exigences.

Une troisième source de stress, également liée à la structure des organisations, se rapporte à la compétition interindividuelle pour l'obtention d'un nombre limité de récompenses. Bien que ce genre de stress soit plus susceptible de se trouver dans le secteur des affaires, on le voit partout où la promotion implique la compétition : les universités, les ministères, les syndicats, etc. Bien que la hiérarchie et le caractère limité des ressources garantissent déjà un minimum de compétition, certaines organisations ont tendance à exagérer et à stimuler cette compétition, arguant qu'il faut la maximiser de façon à pousser les individus au sommet de leur potentiel de rendement. Cependant, toute compétition comporte un certain nombre de perdants ; par ailleurs, même les gagnants peuvent payer très cher leur victoire.

Les caractéristiques du rôle figurent parmi les facteurs les plus étudiés dans le domaine du stress au travail. Les conflits et l'ambiguïté dans les rôles, les rôles surchargés ou, au contraire, trop allégés quantitativement et qualitativement, constituent les aspects le plus fréquemment cités comme générateurs de signes de stress et de maladie.

Emprunté à l'art dramatique, le mot « rôle » désigne le comportement attaché à une fonction plutôt qu'à l'individu qui l'occupe. En société, le même individu est appelé à tenir plusieurs rôles tels que le rôle du père ou de la mère, du dirigeant ou du subordonné, etc. C'est ce que l'individu est appelé à faire dans une des fonctions qu'il occupe qui constitue son rôle. Plusieurs facteurs interviennent dans la détermination du rôle tenu par un individu dans un environnement de travail donné. Les exigences des dirigeants sont prépondérantes à cet égard, même si elles ne sont pas toujours formellement explicites mais souvent transmises de façon plus ou moins indirecte ou implicite. Le comportement attaché à une fonction est aussi influencé par les attentes des pairs et par celles des subordonnés ou des clients.

Après avoir expliqué en quoi consiste un rôle, nous pouvons maintenant définir ce que nous entendons par conflit de rôle. C'est la présence simultanée de deux ou de plusieurs ensembles d'exigences qui sont tels qu'en se soumettant à l'un, il devient, par définition, difficile de se soumettre à l'autre ou aux autres.

De tels conflits naissent de plusieurs sources. Par exemple, une infirmière est soumise à trois sources d'exigences conflictuelles : celle du patient, celle de son chef d'équipe et celle du médecin traitant. De même, un employé peut subir, de la part de son supérieur immédiat, des pressions pour qu'il pousse la production au maximum, alors qu'il recevra, en même temps, des instructions du service de génie l'invitant à réduire les pertes et les rejets le plus possible.

L'ambiguïté dans les rôles est liée à l'incertitude quant à la définition des tâches inhérentes à une fonction : incertitude quant aux attentes des autres à l'égard du rôle que l'on est appelé à tenir ; incertitude sur ce que l'on doit faire exactement ; incertitude quant à son niveau de responsabilité ou à la latitude consentie dans l'exécution de ses tâches. Un très haut degré d'ambiguïté fait en sorte qu'une personne n'a plus aucun cadre de référence pour guider ses attitudes et ses comportements : c'est l'anomie.

Les rôles surchargés engendrent du stress. On parle de rôle surchargé lorsque les différentes exigences des tâches liées à ce rôle, sans être intrinsèquement incompatibles entre elles, excèdent qualitativement ou quantitativement la force ou la capacité de l'individu de les remplir, ou encore le poussent à agir de façon précipitée au détriment du soin ou de l'attention qu'il croit devoir y apporter. Chez les cadres intermédiaires et les cadres supérieurs pour lesquels les tâches ne sont souvent pas décrites de façon très précise, cette source de stress est exacerbée par l'incapacité apparente de certains individus de répondre négativement à toute demande de service, soit à cause de leur culte très élevé de l'efficacité et de la performance, soit parce qu'ils craignent que leur refus soit mal interprété et nuise à leur carrière. Cela devient un cercle vicieux lorsque ces individus, qui acceptent de prendre beaucoup de responsabilités et s'efforcent de bien les assumer, deviennent sollicités encore plus, ayant attiré, par leur disponibilité et leur efficacité, l'attention de tout le monde. Ce processus de surcharge progressive est une lame à double tranchant puisque l'accumulation graduelle des obligations, des engagements et des échéanciers à court et à long terme s'accentue avec le temps.

La variété des habiletés requises, le degré d'autonomie, la signification et la description de la tâche ainsi que la rétroaction sont autant de caractéristiques pouvant causer des symptômes de tension dans la mesure où elles sont discordantes par rapport aux besoins et aux aspirations de l'individu, à son sens des responsabilités, à son besoin de voir les résultats de son travail, à l'importance et à la signification qu'il y accorde.

Le nombre de personnes dont on doit répondre et le nombre d'objets matériels dont on est responsable, comme l'équipement et le budget, sont également des facteurs générateurs de stress. Une responsabilité accrue envers d'autres personnes comporte fréquemment des interactions plus nombreuses avec les autres, des réunions, des comités, du travail isolé et, par conséquent, une plus grande portion de temps passé à respecter des échéances, à subir des pressions.

Les caractéristiques physiques du travail apparaissent comme une cause possible de maladie. On a effectué de nombreux travaux sur les liens entre les conditions de travail particulières à un emploi et l'état de santé physique et mental. Kornhauser (1965) a mis en relief le lien entre la santé mentale et les conditions de travail désagréables, l'obligation de travailler vite et fort ou la nécessité de travailler selon des horaires longs et pénibles.

Plusieurs auteurs ont insisté sur l'importance des relations interpersonnelles comme source possible de stress dans le milieu de travail. La relation interpersonnelle s'enracine dans le besoin d'être reconnu et accepté. En tant qu'« animal social », l'humain accorde une grande importance à la qualité de ses relations avec les autres. Le fait d'être soutenu par les compagnons de travail atténue l'effet des différents facteurs de stress.

Lors de travaux effectués récemment, on s'est intéressé précisément à l'effet tampon du soutien social face à plusieurs des conséquences du stress. Des spécialistes en science du comportement prétendent que de bonnes relations interpersonnelles au sein d'une équipe de travail jouent un rôle primordial dans le maintien de la santé des individus et des organisations (Dolan, Van Ameringen et Arsenault, 1992).

9.4.2 Les agents de stress individuels

L'importance des facteurs individuels tels que les valeurs personnelles, les besoins, les habiletés et l'expérience ainsi que la personnalité et les aspirations dans la détermination de la susceptibilité de chacun au stress a été soulignée

par plusieurs auteurs. Ces facteurs individuels englobent aussi les caractéristiques particulières sur les plans perceptuel et cognitif qui influencent
l'interprétation subjective de ce qui est considéré comme stress, ainsi que la
réaction à ce stress.

Plusieurs facettes de la personnalité ont été étudiées en rapport avec le
stress. Ainsi, les réactions typiques au stress varient en fonction de dimensions
de la personnalité telles que l'anxiété névrotique, l'introversion et
l'extraversion, la rigidité et la flexibilité, l'ambition. La personnalité domine les
préoccupations parmi les facteurs individuels de stress. Une de ses dimensions
importantes est la volonté de réussir. Certains individus ont tendance à se fixer
des objectifs précis et des échéanciers qui sont très exigeants quant aux
habiletés et aux efforts requis. Il est aisé de concevoir qu'une telle façon d'être
soit aussi stressante que gratifiante. Des individus moins imprégnés de cette
volonté de réussir peuvent se sentir gratifiés tout en s'imposant moins de
stress. Il s'agit là d'un thème qui a été popularisé par les travaux sur les
personnalités de type A et de type B. Cette typologie des comportements,
initialement proposée par Rosenman et ses collègues, a été, par la suite,
largement utilisée dans les études sur le stress (Rosenman *et al.*, 1964). Ces
auteurs ont démontré que les individus de type A, qui sont combatifs, agressifs,
impatients, incapables de s'arrêter, continuellement pressés par le temps,
étaient significativement plus susceptibles de présenter une maladie
coronarienne que les individus de type B qui, à la rigueur, préfèrent laisser aux
autres le soin de définir les exigences au travail pour s'y adapter par la suite.

POINT DE VUE

D'UN GESTIONNAIRE

ROBERT LAVIGNE,
ex-directeur général
Sûreté du Québec

Le travail policier, le rendement et le stress

Afin de mieux saisir les facteurs de stress et ce qu'un gestionnaire peut faire pour les réduire, il nous faut tenir compte de la place qu'occupe le policier dans notre société, des devoirs qui lui sont dévolus par le législateur et des attentes des citoyens à l'égard des services qu'il offre.

Le policier joue un rôle de premier plan dans l'administration de notre système judiciaire et il lui faut donc faire preuve d'une grande efficacité. Il doit en effet maintenir la paix, l'ordre et la sécurité publique, assurer une présence sur les routes, prévenir le crime ainsi que les infractions aux lois et règlements, découvrir et arrêter leurs auteurs. Son travail doit être planifié, mais le policier est aussi appelé à réagir rapidement, parfois en situation de crise où la vie humaine peut être en danger.

Depuis les trois dernières décennies, notre société connaît des mutations profondes, mutations qui se sont accélérées ces dernières années. La demande en services a connu un accroissement supérieur à l'accroissement des ressources policières. Criminalité croissante, violence omniprésente, contrôles accrus, attentes plus grandes des citoyens en matière d'efficacité, de productivité, de visibilité et de qualité des services, décroissance des fonds publics, sont tous des phénomènes auxquels le policier a à faire face dans l'exécution des tâches et qui ont une influence sur le stress qu'il pourrait vivre.

Les interventions policières se font en bonne partie dans des circonstances où la tension est très présente, que l'on pense aux cas d'homicide, de violence familiale, d'attentats à la personne, de manifestation, de sinistres, de vols à main armée. Il est vrai que les stresseurs auxquels sont soumis les policiers ne leur sont pas exclusifs. Néanmoins, si leur travail n'est pas le plus dangereux physiquement, il est certes le plus difficile émotivement. Quand le policier est sur les lieux d'un accident, il doit, malgré l'énervement général, garder son sang-froid, faire respecter le périmètre de sécurité, écarter les curieux, réconforter et parfois panser les blessés. En intervenant sur les lieux d'un flagrant délit, il se demandera s'il y aura échange de coups de feu, ce qui l'attendra. Quand il affronte une situation urgente, il lui faut prendre immédiatement la bonne décision, Il voudra réussir ses enquêtes, malgré certaines contraintes parfois insurmontables. En fait, on s'attend de lui qu'il fasse respecter la loi et soit tour à tour psychologue, confident, arbitre, accoucheur, sauveteur, médiateur, rôles parfois difficiles à concilier.

→

Quotidiennement exposé au contact de gens en détresse, le policier doit être alerte pour affronter une situation imprévisible. Il est confronté à la peur et au danger, mais doit présenter en toute circonstance l'image d'une personne en pleine possession de ses moyens. Il doit répondre aux attentes de son supérieur, des membres de sa famille et des citoyens qu'il dessert. Il ressent souvent aussi de l'impuissance devant la souffrance d'autrui dont il est témoin.

Toutes ces exigences amènent inévitablement chez lui du stress qui, mal canalisé, pourra se traduire en problèmes médicaux et relationnels : hypertension, ulcères, troubles coronariens, léthargie, problèmes familiaux, alcoolisme et plus rarement suicide.

Les gestionnaires policiers doivent se préoccuper du stress vécu par leurs employés. Il est à ce sujet intéressant de noter l'étude de mon confrère Jacques Duchesneau, directeur du Service de police de la Communauté urbaine de Montréal, qu'il a réalisée en 1988 sur les réalités du stress en milieu policier. Se fondant sur un échantillon représentatif, il a dégagé quatre principaux facteurs de stress : les problèmes administratifs du service de police, le système judiciaire, les relations avec la communauté et les ressources matérielles, facteurs d'ailleurs reconnus dans la littérature spécialisée.

Les problèmes administratifs concernent particulièrement le style de gestion, la reconnaissance professionnelle, l'attribution de ressources humaines. On pourrait ajouter à cela la participation insuffisante au processus décisionnnel, les conflits interpersonnels, les difficultés engendrées par les quarts de travail, le manque de communication franche, la formation inadéquate et les possibilités d'avancement limitées.

Quant au système judiciaire, le traitement, les procédures et les résultats des causes ne sont pas toujours conformes aux attentes et aux efforts des policiers, ce qui entraîne parfois désillusion et démotivation.

En règle générale, les relations avec le public sont relativement bonnes, même si le policier se plaint souvent de l'incompréhension de la société à l'égard de son rôle.

Les ressources matérielles constituent le quatrième facteur de stress et concernent les défectuosités ou l'inefficacité des équipements, qu'ils soient de télécommunications ou autres.

C'est dans la compréhension de ces facteurs que le gestionnaire arrivera à dégager des pistes de solution. Une communication franche et régulière, des programmes de développement des ressources humaines bien adaptés, des politiques cohérentes, une vision de l'avenir qui tient compte de la mission première, des programmes d'aide au personnel qui répondent convenablement aux besoins et aux attentes, des critères de rendement bien définis, une participation active aux décisions, la possibilité de mettre de l'avant des idées créatrices, sont autant d'éléments qui respectent la personne et permettront à l'organisation d'avancer.

Les individus de type A présentent un comportement distinctif, étant toujours pressés et en état d'alerte combative : c'est la course contre la montre, la poursuite de deux lièvres à la fois. Dictant en conduisant, préparant un discours en regardant le match à la télé, ils sont incapables de tolérer les retards, s'énervent derrière un conducteur trop lent et deviennent excédés d'attendre un ascenseur. Paradoxalement, les individus de type A ne semblent pas ressentir subjectivement le stress ; à tout le moins les entend-on rarement se plaindre d'anxiété. Ils sont rarement grippés, ils n'en ont pas le temps ! Rosenman et ses collègues (1964) croient que la culture occidentale stimule considérablement l'éclosion du syndrome A typique, celui de l'individu obsédé par le temps et la quantité de choses à produire plutôt que par leur qualité.

Une autre dimension de la personnalité utilisée dans le domaine du stress au travail est le lieu de contrôle, interne ou externe. Une échelle, mise au point par Rotter (1966), décrit les individus selon leur tendance soit à attribuer ce qui leur arrive à leur propre comportement, à leurs propres capacités ou attitudes (site interne), soit, au contraire, à invoquer des facteurs extérieurs à eux comme la chance, la fatalité, les pouvoirs des autres, etc. Des travaux récents ont démontré que les individus dont le lieu de contrôle est interne possèdent une meilleure connaissance du monde du travail et de leur propre occupation que ceux dont le lieu de contrôle est externe. En outre, des études ont confirmé que ces derniers sont significativement plus tendus au travail (Organ, 1981 ; Batlis, 1980).

Bref, la personnalité intervient dans la genèse du stress, mais la nature et la gravité des conséquences seraient liées à l'interaction entre la personnalité et les exigences de la tâche plutôt qu'à la personnalité en tant que telle.

9.5 LES EFFETS NÉFASTES DU STRESS

9.5.1 Les conséquences individuelles

Une foule d'indicateurs sont utilisés pour montrer les effets néfastes du stress sur la santé des employés (Dolan et Schuler, 1995). Un indicateur des réactions affectives et émotionnelles utilisé largement ces dernières années, particulièrement pour les employés travaillant dans le secteur de la santé, est le concept d'« épuisement professionnel ». L'**épuisement professionnel**, selon certains chercheurs, est un type de stress organisationnel qui apparaît lorsque les individus travaillent dans des situations où ils ont peu de contrôle sur la qualité de leur travail, mais où ils se considèrent personnellement responsables du succès ou de l'échec de celui-ci. D'autres définissent le concept d'épuisement professionnel comme une accumulation de stress, comme un état de grande fatigue résultant d'un stress mental et émotionnel prolongé. Il se traduit alors par un épuisement physique, mental et émotionnel rendant l'employé incapable de satisfaire aux exigences de son travail. Il s'agit d'un état qui se développe progressivement, débutant par des sentiments d'inadéquation face à la tâche et évoluant au point où les fonctions physiques et mentales se détériorent réellement. Les gens les plus susceptibles d'avoir à affronter ce problème sont ceux que l'on appelle les bourreaux de travail, ceux qui travaillent trop longtemps et trop intensivement et qui ont peu d'emprise sur leur vie.

L'épuisement professionnel frappe tous les types de profession, toutes les catégories professionnelles, peu importe le milieu social. Néanmoins, les policiers, les gardiens de prison, les infirmières, les travailleurs sociaux et les professeurs sont des catégories à risque.

La dépression, l'anxiété, l'irritabilité et les problèmes somatiques sont d'autres manifestations du stress. De plus, des liens évidents ont été établis entre le tabagisme, l'acoolisme et les exigences professionnelles. Au chapitre des conséquences plus physiologiques, certaines recherches ont constaté une augmentation de la sécrétion de catécholamines (adrénaline et noradrénaline) et de stéroïdes et une élévation de la pression sanguine, tous des signes avant-coureurs d'ulcères de l'estomac et de malaises cardiovasculaires. Il est intéressant de noter qu'une étude récente portant sur l'hypertension a révélé un lien direct entre l'hypertension et le stress intrinsèque. Une conclusion peut être tirée de cette constatation : même les employés qui sont satisfaits de leur travail peuvent subir un stress (Van Ameringen, Arsenault et Dolan, 1988).

9.5.2 Les conséquences organisationnelles

Le stress et l'épuisement professionnel deviennent des concepts de plus en plus importants pour les dirigeants puisqu'on leur reconnaît maintenant des effets négatifs sur la productivité et sur le bien-être physique et mental des employés. On compte dorénavant sur les gestionnaires pour gérer l'exposition des travailleurs au stress et ainsi réduire les accidents de travail, l'absentéisme et les erreurs de production. Bien qu'il n'existe pas de formule universelle pour estimer le coût du stress au sein d'une organisation, ses conséquences sont néanmoins indéniablement coûteuses. Voici, à titre d'exemple, quelques estimations des coûts et des conséquences possibles du stress par rapport à différents indicateurs utilisés en milieu organisationnel (Dolan et Schuler, 1995) :

• Des données tirées de sondages récents effectués par la firme Angus Reid Research indiquent que 77 % des migraines, dont la plupart sont causées par le stress, ont des répercussions sur les employés, qui ont du mal à effectuer leurs activités habituelles : 19 % d'entre eux ont dû s'absenter de leur travail pour cette raison. Les migraines touchent environ 2,5 millions de Canadiens et génèrent des pertes de production annuelles estimées à 500 millions de dollars ;

• Les maladies de cœur asociées au stress sont responsables d'une perte annuelle de plus de 135 millions de jours de travail. Les problèmes psychologiques et psychosomatiques contribuent pour plus de 60 % des compensations versées à long terme pour inaptitude au travail ;

• On reconnaît que les coûts directs et indirects associés aux accidents du travail connaissent une hausse. Des recherches effectuées par le Conseil national de la sécurité et le National Institute for Occupational Safety and Health (NIOSH) des États-Unis ont révélé que de 75 % à 85 % de tous les accidents industriels sont causés par l'incapacité des employés de composer avec le stress ; dans l'industrie américaine, ce coût est évalué à 32 milliards de dollars annuellement ;

• Selon une enquête commandée par le Conseil des employeurs sur l'indemnisation des accidents du travail, les indemnisations liées au stress au travail ont fait l'objet de 9 000 réclamations auprès de la Commission des accidents du travail de l'Ontario, entraînant un coût moyen de 178 millions de dollars annuellement.

Bien que l'on puisse discuter de l'exactitude des données présentées ci-dessus, le message est tout de même clair : le coût du stress au travail en Amérique du Nord est énorme. Tout programme d'amélioration qui s'intéresse au stress et qui cherche à en réduire les coûts se révélera donc généralement bénéfique pour l'entreprise.

9.6 LES PROGRAMMES D'INTERVENTION

9.6.1 L'intervention individuelle

Le principal objectif de l'intervention au point de vue individuel est de déceler les facteurs qui sont susceptibles de causer, d'influencer ou d'accélérer les différentes conséquences négatives du stress chronique.

Le diagnostic individuel

L'activité visant à déceler des problèmes liés au stress, à la tension et à la santé est extrêmement importante puisqu'elle est la base même de l'élaboration d'une stratégie de prévention. Plusieurs des effets néfastes à la santé présentés ci-dessus sont le résultat de la présence de facteurs accumulés pendant plusieurs années. Il s'agit alors d'élaborer des méthodes d'analyse regroupant les individus selon des catégories précises : usine, section, équipe, type de travail, etc. La comparaison des fréquences attendues et des fréquences observées de chacune des catégories de regroupement permet d'établir une grille des sous-groupes qui sont susceptibles de souffrir du stress. Dans toute organisation convenablement structurée où il existe des dossiers médicaux adéquats et, *a fortiori*, partiellement ou totalement informatisés, il est possible d'effectuer cette surveillance de façon méthodique. Grâce aux examens périodiques et systématiques, on peut assurer une surveillance prospective et on peut observer l'évolution des indicateurs dans le temps. Ainsi, on peut voir, sur une grille tenant compte de l'âge et du sexe, la tension artérielle d'un individu passer du dixième percentile à 35 ans au quatre-vingt-dixième percentile à 39 ans. Ce type de grille d'analyse est déjà systématiquement utilisé en médecine clinique et, plus particulièrement, en pédiatrie. On n'a pas encore pris l'habitude, en médecine adulte, de faire une surveillance prospective avec des normes où chaque individu est comparé non pas à la moyenne globale d'une population incluant tous les âges et tous les sexes, mais à une valeur prédite par catégorie. L'informatisation du dossier médical permet, dans cette perspective, de faire un immense bond en avant dans la détection précoce des indicateurs de stress sur le plan individuel.

Mais tout n'est pas aussi simple, puisque l'on a récemment mentionné que le fait de poser un diagnostic et d'avertir les travailleurs qu'ils sont victimes d'une maladie hypertensive suscite en soi des conséquences négatives. En effet, Haynes *et al.* (1979) ont rapporté un accroissement de la fréquence de l'absentéisme des travailleurs à qui on avait souligné la présence d'une maladie hypertensive. Il apparaît donc clairement que le diagnostic peut servir de guide dans l'élaboration d'une forme d'intervention plus appropriée à la relation travailleur-organisation. Par exemple, si le travailleur est placé dans un environnement générateur de stress, dont il ressent psychologiquement les conséquences, mais d'où il ne peut fuir, la possibilité d'obtenir une attestation de maladie constitue un mécanisme d'évasion bénéfique de cet univers perçu comme malsain. Du point de vue de l'organisation, cet absentéisme médicalisé semble indésirable. Cependant, dans la perspective globale que nous proposons, il est possible d'imaginer que, dans de telles situations, le problème ne réside pas nécessairement sur le plan individuel, mais possiblement dans la structure même de la tâche que cet individu doit effectuer. La stratégie diagnostique et préventive devrait alors être réorientée non pas vers le travailleur en tant que tel, mais vers l'organisation.

Par ailleurs, un bon diagnostic de la personnalité aidera amplement l'intervention individuelle. Il semble, en effet, que le type de personnalité constitue la caractéristique primordiale pour comprendre l'interprétation que font les gens de leur milieu de travail ainsi que leurs réactions lorsqu'ils se sentent menacés à leur travail.

L'exemple suivant de typologie de la personnalité est tiré de plusieurs études de Dolan et Arsenault (Arsenault et Dolan, 1983a, 1983b, 1984 ; Arsenault *et al.*, 1988 ; Dolan et Arsenault, 1984). Ainsi dans le milieu hospitalier, on distingue quatre grands groupes de personnalité basés sur la combinaison du type A et du lieu de contrôle (voir la figure 9.4).

Les individus de type A, compétitifs, acharnés et toujours pressés, ont été qualifiés d'invidus *hot* ; à l'autre extrême, les individus de type B, plus calmes et réfléchis, ont été qualifiés de *cool*. Les individus ayant un lieu de contrôle interne, qui sont autonomes et, à la limite, têtus, tout comme leurs «correspondants» sur le plan animal, les félins, ont été qualifiés de *cat*. À l'inverse, les individus ayant un lieu de contrôle externe, qui sont plutôt contrôlés par l'environnement, tout comme leurs «correspondants» sur le plan animal, ont été qualifiés de *dog*.

Afin de mesurer le stress relatif à chacun de ces types de personnalité, les auteurs ont séparé les sources intrinsèques, liées au contenu, et les sources extrinsèques, liées au contexte. Il appert que les sources intrinsèques sont habituellement perçues par les individus, mais que leurs effets sont cachés ou difficilement observables – par exemple, la tendance à l'augmentation de la tension artérielle diastolique (Van Ameringen, Arsenault et Dolan, 1988) – tandis que les symptômes comportementaux classiquement associés au stress ne semblent pas touchés – par exemple, l'anxiété et l'excès de poids.

Par ailleurs, les sources extrinsèques sont également perçues, mais leur effet est plus immédiat et manifeste. Elles suscitent de l'irritation et de la dépression chez l'individu et une augmentation de l'absentéisme (Léonard *et al.*, 1987).

L'évaluation de la perception des deux sources de stress montre comment les *hot cats* dominent toujours la situation ; ils perçoivent très bien les deux sources de stress, mais ils inhibent l'expression de leurs conséquences par leur volet compétitif – il n'y a pas de défi qu'ils ne puissent relever – et par leur volet autonome – il n'y a rien qui puisse leur faire perdre le contrôle.

Les *hot dogs*, quant à eux, perçoivent aussi les deux types de stress mais gèrent les conséquences beaucoup plus difficilement. Le stress intrinsèque leur donne des troubles digestifs et musculo-squelettiques, sans qu'aucun symptôme psychologique ne soit apparent. Quant au stress extrinsèque, il les rend agressifs plutôt qu'anxieux (Dolan et Arsenault, 1984).

Les *cool dogs* sont plus sensibles au contexte qu'au contenu de la tâche. Le stress intrinsèque les laisse indifférents, mais le stress extrinsèque leur cause à peu près tous les symptômes psychiques et somatiques possibles et les rend susceptibles, entre autres, de prendre du poids. Leur côté non compétitif fait que tout conflit les rend malades, alors que leur côté hétéronome les porte à réagir très peu aux exigences du contenu de la tâche (Arsenault et Dolan, 1983a).

Enfin, les *cool cats* sont ceux qui perçoivent le moins les deux sources de stress ; mais ils réagissent aux deux : le stress intrinsèque les rend agressifs, alors que le stress extrinsèque les rend anxieux et provoque, chez eux, des problèmes cardiovasculaires et digestifs (Arsenault et Dolan, 1983a).

FIGURE 9.4
**Les quatre grands groupes de personnalité
basés sur la combinaison du type A et du lieu de contrôle**

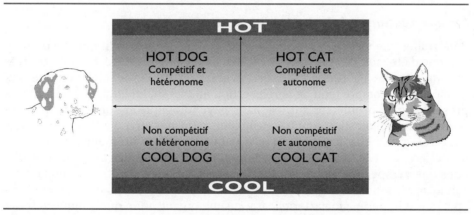

L'étude de ces phénomènes, bien que complexe, permet de dégager certains profils perceptuels et certaines formes d'expression du stress. Ainsi, les deux sources de stress entraînent des effets complètement différents (voir le tableau 9.1).

La recherche d'Arsenault et Dolan (1983a) a démontré que le stress intrinsèque pousserait d'abord à l'action et, à cause des valeurs comprises dans le défi à relever, pousserait l'individu à « se brûler » au travail. Ce stress tend à augmenter la tension artérielle diastolique. Le stress extrinsèque causerait d'abord de la détresse intrapsychique et, par l'impossibilité d'agir, favoriserait le recours à la fuite.

TABLEAU 9.1
Des formes d'expression du stress en fonction de sa source

Stress intrinsèque	Stress extrinsèque
Défi à relever	Conflit intrapsychique
Sollicitation somatique primaire	Sollicitation psychique primaire
Exhibition de l'action	Inhibition de l'action
Fuite impossible	Lutte impossible
Lutte sans relâche	Fuite acceptable
Augmentation de la tension diastolique	Augmentation de l'absentéisme

Le traitement individuel

Nous examinerons d'abord le traitement individuel à travers la grille médicale traditionnelle. Par la suite, nous présenterons deux types d'intervention de nature plus psychologique ou biopsychologique, soit les méthodes de relaxation et les méthodes de biofeedback. Nous terminerons en présentant notre point de vue.

Les interventions médicales traditionnelles

Pour traiter une maladie associée au stress, la médecine traditionnelle prescrit soit une diète, soit des exercices, soit des médicaments. Il existe toutefois très peu de travaux de recherche sur l'évaluation de l'efficacité clinique des médicaments compte tenu de la réinsertion au travail. En effet, des travailleurs présentant des problèmes sur les plans psychologique et somatique qui sont soumis à une médication sont fréquemment retournés au travail sans que nul ne s'intéresse aux effets secondaires attribuables au traitement qui risquent d'interférer avec le travail et de devenir une source secondaire de stress. Aussi, dans une perspective globale, il serait préférable que le traitement comme tel soit lui aussi soumis à un processus d'évaluation. Ainsi, supposons qu'une mini-épidémie d'hypertension artérielle frappe une organisation quelconque. Il serait alors intéressant de comparer les différents types d'intervention thérapeutique possibles: par exemple, un groupe serait traité à l'aide de médication pharmacologique classique, un groupe utiliserait des techniques de relaxation (voir ci-dessous) et, enfin, un groupe témoin serait soumis à un traitement placebo. Pendant le traitement, différentes données seraient recueillies afin d'évaluer quel traitement offre les meilleurs résultats. Évidemment, tout cela sous-tend qu'il y a, dans cette organisation, un système de gestion de la santé comportant des dossiers informatisés facilitant la collecte des données et l'analyse des résultats observés.

Les méthodes de relaxation

L'évaluation scientifique des méthodes à grande prétention, comme la méditation transcendantale, ouvre sûrement une porte à la présence d'un effet relaxant dont l'efficacité varie selon les individus. Le mystère et le caractère magique ou mystique dont s'entourent les protagonistes de ce genre d'approche tend toutefois à rendre les scientifiques méfiants. En réalité, il est évident qu'il y a plus d'une façon d'atteindre un certain degré de relaxation. Par exemple, on peut déclencher une réponse relaxante en suggérant à l'individu de s'installer confortablement et de se concentrer sur le chiffre « un » à chacune de ses respirations. L'effet observé est très semblable à celui que l'on note avec les techniques de méditation transcendantale, évidemment sans en avoir le faste et l'apparat.

Quoi qu'il en soit, il est évident que les techniques de relaxation procurent un moyen de soulager les symptômes du stress ; toutefois, elles sont difficilement considérées comme un traitement radical de la cause du stress. Si effectivement le stress est engendré par une exaltation de la perception subjective que l'individu a de sa tâche, il faut alors travailler sur la perception ou sur l'idée que ce travailleur se fait de sa tâche. Si, par contre, il existe effectivement un problème relativement à la tâche, peu importe l'individu, il existera toujours des problèmes d'adaptation ; c'est alors à la tâche, à son contenu et à son contexte qu'il faut s'attaquer.

Les techniques de biofeedback

Le biofeedback (rétroaction biologique) est une technique qui, à l'aide de détecteurs placés sur différentes régions ou divers organes du corps humain, permet à l'individu de percevoir des signaux par la vue ou par l'ouïe. Le fait de percevoir ces signaux entraîne l'individu à maîtriser une fonction qui, normalement, échapperait à son contrôle volontaire. Ces techniques ont fait l'objet d'un engouement considérable et conservent une certaine place dans le traitement symptomatique des conséquences entraînées par le stress. Ainsi, dans certains cas, la migraine répond bien au biofeedback, et on arrive à entraîner les individus à réduire leur tension artérielle en utilisant le même genre de technique. On peut cependant, à l'égard de ces techniques, faire le même genre d'observation générale que nous avons déjà fait quant aux techniques de relaxation psychologique : elles représentent une forme de traitement symptomatique et ne trouvent véritablement leur place que dans une stratégie générale où il est important de gagner du temps en attendant de découvrir de façon plus précise la cause du symptôme anormal ou de la maladie et de s'y attaquer directement.

Notre point de vue

Après un bref survol de ces trois types d'intervention individuelle, nous pouvons avouer notre nette préférence pour un autre type d'approche : l'approche cognitive.

Il s'agit d'amener le travailleur et le gestionnaire à analyser conjointement la situation comme elle se présente aux yeux de chacun. Cette analyse s'adresse à l'individu conscient et relève, à proprement parler, d'une philosophie générale d'éducation plutôt que d'une philosophie générale de dressage. L'éducation prime sur le dressage en ce sens que la démarche éducative entraîne la maîtrise d'une connaissance de la réalité et l'élaboration d'une stratégie intelligente face au réel qui vise à amener ce réel dans le domaine de la négociation.

L'intervention préventive

L'élaboration de stratégies d'intervention préventive sur le plan individuel relève aussi en grande partie de l'école médicale traditionnelle. Cependant, le caractère à la fois psychologique et somatique de tout ce qui touche de près ou de loin à l'univers du stress au travail entraîne et nécessite l'ouverture de l'équipe thérapeutique à une approche multidisciplinaire. Cette équipe, en plus de comporter un médecin et un psychologue, devrait compter un gestionnaire des ressources humaines et, évidemment, le travailleur lui-même ou son représentant. Il ne s'agit pas, par conséquent, d'un scénario de confrontation, mais d'un scénario de concertation, c'est-à-dire d'une mise en commun des ressources et des techniques caractéristiques de chacune des disciplines, de même que de celles du travailleur. Celui-ci est l'observateur direct et privilégié de la situation de travail dans laquelle il se trouve placé, et c'est lui qui peut le mieux reconnaître les problèmes, poser les hypothèses sur les causes vraisemblables des signes et des symptômes de stress observés, et élaborer ultérieurement un programme de prévention. Les techniques utilisées dans cette stratégie peuvent s'appliquer ou faire ressentir leurs effets à brève, à moyenne ou à longue échéance, mais ne devraient pas exclure, *a priori*, des méthodes telles que la méditation, le biofeedback, l'approche cognitive ou l'approche médicale traditionnelle. De manière générale, ces interventions ont des visées soit curatives, cherchant à créer un changement positif, soit préventives, cherchant à empêcher l'émergence de conséquences négatives.

Aux nombreuses questions, il n'existe pas de réponse simple. Comment faire face à l'anxiété et à l'angoisse ? Comment utiliser sagement les pouvoirs qui sont à notre disposition ? Comment faire face à la fatigue de l'âge ? On peut rêver d'une société qui se rapproche de plus en plus systématiquement de la prévention plutôt que du traitement symptomatique. En fait, on peut même dire que, pour beaucoup d'individus, l'absence d'une philosophie de prévention est en soi une source de stress. On trouve en effet de plus en plus, au sein des organisations, des travailleurs aussi bien que des gestionnaires des ressources humaines qui sont fondamentalement et profondément préoccupés par la nécessité d'une approche préventive face aux problèmes qu'ils vivent quotidiennement, problèmes que d'autres approchent à la manière de l'autruche.

9.6.2 L'intervention organisationnelle

Le principal objectif poursuivi par les programmes d'intervention axés sur l'organisation est d'améliorer la qualité de la concordance entre les aspirations des individus et les exigences de l'environnement de travail. On pourrait, comme nous l'avons fait dans la sous-section précédente, dégager, pour chaque type d'intervention, dans chaque sphère d'activité de la gestion des ressources humaines, des aspects plus proches du diagnostic, du traitement symptomatique, de la prévention ou de l'évaluation. Cependant, nous laisserons au lecteur le soin de dégager ces différentes composantes et présenterons plutôt les aspects opérationnels des programmes d'intervention selon une classification souvent utilisée en gestion des ressources humaines.

La sélection et la promotion du personnel Le processus de sélection et de promotion du personnel devrait élargir l'éventail des critères habituellement utilisés, afin d'englober des éléments descriptifs de la dimension psychosociale des exigences de la tâche. On devrait aussi, au départ, évaluer les risques de maladie physique auxquels un individu est exposé et distinguer les attentes et les besoins personnels de chaque candidat. De plus, afin d'éviter que les candidats ne se créent des attentes irréalistes à l'égard de leur future tâche, ils devraient être informés de l'ensemble des exigences requises de l'organisation en général et de la philosophie de gestion des ressources humaines (Dolan et Schuler, 1995). Même si un avertissement du genre « les conflits de rôle dans cette tâche peuvent comporter des risques pour votre santé » ne ferait probablement pas fuir les candidats à un poste, il les forcerait à tout le moins à aborder le nouvel emploi avec une certaine disposition d'esprit.

La description des tâches Dans cette sphère d'activité de gestion des ressources humaines, on tente de fournir un degré optimal de défi et de complexité. Quelque humanitaires que soient les intentions avouées des praticiens des ressources humaines quand ils remodèlent les descriptions de tâches, en guise de programme d'enrichissement ou d'élargissement, les résultats observés sont décevants lorsque ces nouvelles descriptions de tâches sont implantées sans discrimination dans l'ensemble de l'organisation. Ce type de programme d'enrichissement offre un excellent moyen de réduire le stress chez les employés qui recherchent plus de responsabilités et d'autonomie de gestion. Cependant, pour les autres, les conséquences s'avèrent préjudiciables à leur santé et à leur rendement. De plus, on admet que, même parmi ceux qui désirent avoir plus de responsabilités et d'autonomie de gestion, un manque de préparation ou d'autocontrôle risque d'avoir des conséquences néfastes. On doit aussi tenir compte d'autres aspects générateurs de stress quand on réexamine la description des tâches : par exemple, la clarification des rôles, leur charge inhérente et le niveau d'habileté exigé. En effet, dans ces trois cas, la présence de conflits d'ambiguïté, de surcharge ou de sous-utilisation constitue de véritables sources de stress.

Le plan de carrière   En gestion des ressources humaines, il est essentiel, lors de l'élaboration des plans de carrière, de préciser le plus clairement possible les critères explicites de promotion. On a critiqué, à juste titre, les organisations qui négligent de définir les plans de carrière, alors qu'aucune n'oserait négliger la planification financière et la planification de la production. Dans une organisation, le stress est fortement réduit lorsque les individus qui y travaillent ressentent moins d'ambiguïté face à leur carrière. Si les critères de promotion sont bien établis, chaque individu sait ce qu'il doit faire pour progresser au sein de l'organisation et risque moins d'être sujet au stress. En gestion des ressources humaines, on devrait faire des efforts pour proposer diverses options dans le cheminement de carrière qui prévoiraient tout aussi bien des réaménagements horizontaux que des promotions verticales.

La formation du personnel   Dans ce secteur, on doit bien sûr continuer d'assurer le maintien de la compétence technique du personnel. Une telle pratique est justifiée par le fait qu'elle a tendance à accroître la confiance de l'individu dans sa capacité d'exécuter convenablement son travail. Cela est d'ailleurs d'autant plus important lorsque le travailleur est surspécialisé et qu'il travaille dans une sphère où les connaissances ont tendance à devenir rapidement désuètes. On inclurait aussi, dans cette perspective, l'ensemble des différents programmes et techniques visant à atténuer les symptômes de stress et dont on a discuté précédemment dans la présentation des programmes d'intervention individuelle.

L'évaluation du rendement   Sur ce plan, la tendance actuelle est de faire participer les subordonnés à l'évaluation de leur propre rendement. Toute technique d'évaluation bilatérale, comme la gestion par objectifs, vise d'abord et avant tout à stimuler la motivation individuelle en laissant l'individu prendre part au processus d'évaluation, ce qui diminue ainsi la perception qu'il a du caractère unilatéral des jugements qui sont portés, et réduit du même coup les incertitudes et les sentiments d'injustice.

L'indemnisation   La tendance actuelle à individualiser de plus en plus les programmes d'indemnisation de façon qu'ils correspondent aux besoins de chaque travailleur devrait être accentuée. On aurait avantage à utiliser les connaissances récentes acquises grâce aux théories de la récompense comme la théorie de l'équité et la théorie des attentes (ou théorie de l'expectative). Sur le plan des attentes, les praticiens de la gestion des ressources humaines s'entendent généralement pour dire qu'un plan d'indemnisation solide établirait clairement la relation entre l'effort, le rendement et les récompenses ; on doit aussi s'efforcer de rendre ces relations le plus claires et le plus explicites possible. Quant à l'équité, la politique d'indemnisation de l'entreprise devrait être rendue publique. Cela suppose que les modifications ainsi que les critères qui y ont conduit sont transmis au travailleur et non pas gardés secrets.

Les horaires de travail On parle de plus en plus des horaires de travail flexibles. Cette approche gagne en popularité auprès des praticiens de la gestion des ressources humaines. Pour une organisation, ce type d'horaires résout en bonne partie les problèmes de retard tout en permettant aux employés de choisir les heures d'arrivée et de départ qui leur conviennent le mieux. Le concept de flexibilité des horaires de travail pourrait même être élargi pour permettre aux employés de fournir des semaines de travail de longueur variable.

Les relations de travail Dans le secteur des relations de travail, les gestionnaires de l'organisation devraient diminuer leur résistance traditionnelle face aux requêtes des syndicats qui demandent d'élargir la portée des négociations pour y inclure des points comme le contenu des tâches, qui représente en grande partie les sources intrinsèques du stress. Sur un autre plan, les gestionnaires devraient coopérer avec les syndicats dans l'établissement des programmes d'intervention thérapeutique et préventive visant à s'attaquer aux différents symptômes comportementaux de stress comme l'alcoolisme et l'usage non médical des drogues.

CONCLUSION

Dans ce chapitre, nous avons tenté de dégager la notion de stress au travail d'après ses origines et ses conséquences. Il est important de tenir compte du rôle de chaque travailleur pris individuellement dans la relation «agent stresseur–symptôme de tension» d'une part et «symptôme de tension–conséquence à long terme» d'autre part. Le stress, par définition, est un phénomène dynamique où les symptômes de tension de même que les conséquences finales à longue échéance sont la résultante nette d'une interaction entre un travailleur et les différents aspects de son travail. À tout moment, cette interaction individu-environnement contribue à définir la présence de symptômes de stress et, éventuellement, à entraîner des conséquences irréversibles. On doit garder à l'esprit qu'il existe deux caractéristiques individuelles extrêmement importantes à cet égard: premièrement, la personnalité de l'individu, son bagage génétique ou acquis, et, deuxièmement, la stratégie que cet individu élabore pour s'adapter à la situation stressante. Ces deux caractéristiques individuelles varient énormément d'un employé à l'autre et contribuent à expliquer les contradictions apparentes que l'on trouve dans les écrits sur le stress, particulièrement en milieu de travail. En conclusion, bien que le degré de généralisation que nous pouvons nous permettre soit limité quant aux différents aspects du travail et quant à leur contribution précise au stress engendré chez les individus et dans différentes occupations, la variété des indicateurs directs et indirects de tension ainsi que les conséquences à longue échéance de la présence d'un stress accumulé dans le temps constituent une séquence d'événements profondément et essentiellement individualisés.

CHAPITRE 9 Questions de révision

1. Pourquoi le paradoxe de la société industrielle peut-il être considéré comme un agent stresseur?

2. Existe-t-il un parallèle entre les conceptions physiologique et comportementale s'attardant à l'explication du stress? Précisez.

3. Quels sont les différents symptômes liés au stress et de quelle façon ces derniers affectent-ils la santé organisationnelle?

4. Les agents de stress individuels et les agents organisationnels sont les deux principales sources de stress. En existe-t-il d'autres? Si oui, lesquelles?

5. Par le croisement du type de personnalité (A ou B) et du lieu de contrôle (interne ou externe), Dolan et Arsenault ont distingué quatre grands groupes de personnalité. Nommez-les et discutez de leurs caractéristiques en fonction de leur réaction au stress.

6. Que peut faire une organisation afin de réduire le plus possible l'exposition des travailleurs au stress?

9 Autoévaluation

Comment reconnaître une personnalité de type A

Votre personnalité est-elle davantage du type A ou du type B? Nous vous proposons le questionnaire ci-dessous pour le découvrir. Ce questionnaire s'inspire des travaux de Rosenman et Friedman, qui ont les premiers découvert et nommé ces deux types de personnalité.

Lisez chaque question et indiquez si vous agissez ou non de la manière décrite la plupart du temps. Inscrivez la première réponse qui vous vient à l'esprit et évitez de la modifier par la suite. Essayez également de ne pas vous laisser influencer par ce que vous savez des caractéristiques associées à une personnalité de type A.

1. Lorsque vous parlez, avez-vous l'habitude d'accentuer certains mots et de prononcer les derniers mots de vos phrases à la hâte?　Oui _____ Non _____

2. Est-ce que vous bougez, mangez et marchez toujours rapidement?　Oui _____ Non _____

3. Êtes-vous impatient par nature et faites-vous montre d'irritation lorsque les choses ne vont pas aussi vite que vous le souhaitez?　Oui _____ Non _____

4. Essayez-vous fréquemment de faire plus d'une chose à la fois?　Oui _____ Non _____

5. Essayez-vous en général d'amener la conversation sur un sujet qui vous intéresse?　Oui _____ Non _____

6. Vous sentez-vous coupable lorsque vous prenez le temps de relaxer?　Oui _____ Non _____

7. Vous arrive-t-il souvent de ne pas remarquer ce qu'il y a de nouveau autour de vous?　Oui _____ Non _____

8. Vous intéressez-vous davantage à ce que vous pouvez obtenir qu'à ce que vous pouvez devenir?　Oui _____ Non _____

9. Cherchez-vous sans cesse à réaliser le plus de choses possible en un temps toujours plus court ?

Oui _____ Non _____

10. Vous arrive-t-il souvent de rivaliser avec d'autres personnes qui cherchent elles aussi à tirer le maximum de leur temps ?

Oui _____ Non _____

11. Vous arrive-t-il au cours d'une conversation de faire des gestes expressifs, comme serrer le poing ou en frapper la table pour donner plus de poids à vos paroles ?

Oui _____ Non _____

12. Croyez-vous que ce rythme effréné est essentiel à votre réussite ?

Oui _____ Non _____

13. Évaluez-vous le succès en vous basant sur des chiffres, comme la valeur des ventes réalisées, le nombre de voitures possédées, etc. ?

Oui _____ Non _____

Résultats

Si vous avez répondu « oui » à presque toutes ces questions, vous êtes une personne du type A. Si vous avez répondu par l'affirmative à plus de la moitié d'entre elles, vous tendez vers ce type de personnalité sans toutefois représenter un cas extrême.

Source : Traduit de Friedman et Rosenman (1974). Reproduit avec l'autorisation d'Alfred A. Knopf Inc.

Références

ARSENAULT, A., et DOLAN, S.L. (1983a). «Le stress au travail et ses effets sur l'individu et l'organisation», Notes et rapports scientifiques et techniques, Institut de recherche en santé et en sécurité du travail du Québec, Montréal.

ARSENAULT, A., et DOLAN, S.L. (1983b). «The Role of Personality, Occupation and Organization in Understanding the Relationship between Job Stress, Performance and Absenteeism», *Journal of Occupational Psychology*, vol. 56, n° 2, p. 227-240.

ARSENAULT, A., et DOLAN, S.L. (1984). «Les variables socio-démographiques et la personnalité comme modulatrice de la perception du stress et de son expression psychosomatique», dans P. GOGELIN (sous la direction de), *Psychologie du travail et société post-industrielle*, EAP, Paris.

ARSENAULT, A., DOLAN, S.L., LÉONARD, C., et VAN AMERINGEN, M.R. (1989). «Rapport de recherche déposé à l'IRSST», Montréal.

ARSENAULT, A., DOLAN, S.L., et VAN AMERINGEN, M.R. (1988). «An Empirical Examination of the Buffering Effects of Social Support on the Relationship between Job Demands and Psychological Strain», dans D.S. COOK et N.J. BEUTELL (sous la direction de), *Managerial Frontiers: The Next Twenty Five Years*, Eastern Academy of Management, Washington, D.C.

BATLIS, N.C. (1980). «Job Involvment and Locus of Control as Moderators of Role Perception-Individual Outcome Relationship», *Psychological Report*, vol. 96, p. 111-119.

BECK, K.H. (1983). «Perceived Risk and Risk Acceptance: Implications for Personal Efficacy», dans F. LANDRY (sous la direction de), *Health Risk Estimation, Risk Reduction and Health Promotion*, Canadian Public Health Association, Ottawa.

CANNON, W.B. (1929). *Bodily Changes in Pain, Hunger, Fear and Rage: An Account of Recent Researches into the Function of Emotional Excitment*, Appleton, New York.

CAPLAN, R.D., COBB, S., FRENCH, J.R.P., HARRISON, R.D., et PINNEAU, S.R. (1975). *Job Demands and Workers Health*, NIOSH, Washington.

DOLAN, S.L. (1987). «Job Stress among College Administrators: An Empirical Study», *The International Journal of Management*, vol. 4, n° 4, p. 553-560.

DOLAN, S.L., et ARSENAULT, A. (1979). «The Organizational and Individual Consequences of Stress at Work: A New Frontier to Human Resource Management», dans V.V. VEYSEY et G.A. HALL (sous la direction de), *The New World of Managing Human Resources*, California Institute of Technology, Pasadina.

DOLAN, S.L., et ARSENAULT, A. (1980). *Stress, santé et rendement au travail*, École de relations industrielles, monographie n° 5, Université de Montréal, Montréal.

DOLAN, S.L., et ARSENAULT, A. (1984). «Job Demands Related Cognitions and Psychosomatic Aliments», dans R. SCHWARZER (sous la direction de), *The Self in Anxiety, Stress and Depression*, Elsevier Science Publishers, Amsterdam, North Holland, p. 265-282.

DOLAN, S.L., et BALKIN, D. (1987). «A Contingency Model of Occupational Stress», *The International Journal of Management*, vol. 14, n° 3, p. 328-340.

DOLAN, S.L., et SCHULER, R.S. (1995). *La gestion des ressources humaines au seuil de l'an 2000*, ERPI, Montréal.

DOLAN, S.L., VAN AMERINGEN, M.R., et ARSENAULT, A. (1992). «The Role of Personality and Social Support in the Etiology of Worker's Stress and Psychological Strain», *Relations industrielles*, vol. 47, n° 1.

ELLIS, A. (1962). *Reason and Emotion in Psychotherapy*, Lyle-Stuart, New York.

ELLIS, A., et HARPER, R.A. (1975). *A New Guide to Rational Living*, Prentice-Hall, Englewood Cliffs, New Jersey.

FRIEDMAN, M., ET ROSENMAN, R.H. (1974). *Type A Behavior and your Heart*, Knopf, New York.

HAMBERGER, L.K., et LOHR, J.M. (1984). *Stress and Stress Management*, Springer Publishing Co., New York.

HAYNES, R.B., SACKETT, D.L., TAYLOR, D.W., GIBSON, E.S., et JOHNSON, A.L. (1979). « Increased Absenteeism from Work after Detection and Labeling of Hypertensive Patients », dans L. SECHREST (sous la direction de), *Evaluation Studies-Review Annual*, vol. 4, Sage Publications, Beverly Hills.

JAREMKO, M.E. (1978). « Cognitive Strategies in the Control of Pain Tolerance », *Journal of Behavior Therapy and Experimental Psychiatry*, vol. 9, p. 239-244.

KORNHAUSER, A. (1965). *Mental Health of the Industrial Worker*, Wiley, New York.

LAZARUS, R.S. (1966). *Psychological Stress and the Coping Process*, McGraw-Hill, New York.

LAZARUS, R.S., et FOLKMAN, S. (1984). *Stress, Appraisal and Coping*, Springer Verlag, New York.

LÉONARD, C., VAN AMERINGEN, M.R., DOLAN, S.L., et ARSENAULT, A. (1987). « L'absentéisme et l'assiduité au travail : deux moyens d'adaptation au stress ? », *Relations industrielles*, vol. 42, n⁰ 4, p. 774-789.

MEICHENBAUM, D. (1975). « A Self Instructional Approach to Stress Management : A Proposal for Stress Inoculation Training », dans I.G. SARASON et C.D. SPIELBERGER (sous la direction de), *Stress and Anxiety*, vol. 1, Wiley, New York.

MEICHENBAUM, D. (1977). *Cognitive Behavior Modification*, Plenum Press, New York.

MENNINGER, K. (1954). « Psychological Aspects of the Organism under Stress », 1ʳᵉ et 2ᵉ parties, *Journal of the American Psychoanalytic Association*, p. 67-106 et 280-310.

ORGAN, D.W. (1981). « Direct and Indirect Effects of Personnality Variables on Role Adjustment », *Human Relations*, vol. 34, p. 573-587.

O'TOOLE, J. (1973). *Work in America*, Report of a Special Task Force to the Secretary of Health, Education and Welfare, MIT Press, Cambridge.

ROSENMAN, R.H., FRIEDMAN, M., STRAUS, R., WURM, M., KOSITCHEK, R., HAHN, W., et WERTHESSEN, N.T. (1964). « A Predictive Study of the Coronary Heart Disease : The Western Collaborative Group Study », *Journal of the American Medical Association*, n⁰ 189, p. 15-22.

ROTTER, J.B. (1966). « Generalized Expectancies of Internal vs. External Control of Reinforcement », *Psychological Monographs*, vol. 80, n⁰ 609.

SELYE, H. (1976). *The Stress of Life*, McGraw-Hill, New York.

VAN AMERINGEN, M.R., ARSENAULT, A., et DOLAN, S.L. (1988). « Intrinsic Job Stress as Predictor of Diastolic Blood Pressure among Female Hospital Workers », *Journal of Occupational Medicine*, vol. 30, n⁰ 2, p. 93-97.

VAN AMERINGEN, M.R., LÉONARD, C., DOLAN, S.L., et ARSENAULT, A. (1987). « Stress and Absenteeism at Work : Old Questions and New Research Avenues », dans S.L. DOLAN et R.S. SCHULER (sous la direction de), *Canadian Readings in Personnel and Human Resource Management*, West Publishing Co., St. Paul, Minnesota.

VÉZINA, M., COUSINEAU, M., MURGLER, D., VINET, A., avec le concours de LAURENDEAU, M.C. (1992). *Pour donner un sens au travail*, Bilan et orientations du Québec en santé mentale au travail, Gaëtan Morin Éditeur, Boucherville.

CHAPITRE

10

L'orientation et la gestion de carrière

Plan

CHAPITRE 10 Objectifs d'apprentissage

Dans ce chapitre, le lecteur se familiarisera avec :

– les concepts de choix de carrière, de développement de carrière et de cheminement de carrière ;

– l'évolution des courants de pensée (déterministe et développementaliste) s'attardant au choix et au développement de carrière ;

– les distinctions et les recoupements théoriques existant entre les auteurs expliquant la dynamique de l'orientation de carrière ;

– les distinctions et les recoupements théoriques existant entre les auteurs expliquant la dynamique du développement de carrière ;

– la typologie des cheminements de carrière ainsi que son utilité afin d'accéder à une compréhension holistique des travailleurs ;

– les thématiques contemporaines de la gestion individuelle et organisationnelle de la carrière.

POINT DE VUE
D'UN GESTIONNAIRE

JOHN E. CLEGHORN,
président
Banque Royale du Canada

La gestion et la planification de carrière à la Banque Royale

Une bonne gestion de carrière se résumait autrefois à suivre respectueusement et même volontairement le cheminement que traçait pour vous votre employeur. Les temps ont changé. Une carrière n'est plus considérée comme un escalier dont il faut gravir les marches une à une, jusqu'au sommet. Chaque employé prend désormais une part active à la définition et à la gestion de son plan de carrière. Les choix de carrière sont dorénavant la responsabilité de chaque individu et non plus de la société qui l'emploie.

Les entreprises ont radicalement évolué depuis vingt ans. Je sais que la Banque Royale a totalement modifié ses méthodes depuis l'époque où j'y suis entré, en 1974. Nous avons aplati notre hiérarchie, décentralisé les pouvoirs et nous nous diversifions chaque fois que nous le pouvons dans des activités non traditionnelles. Nous entendons poursuivre cette évolution en nous positionnant comme la principale entreprise de services financiers au Canada, offrant une gamme complète de produits à sa clientèle.

Cette réorientation nous a également conduits à créer de toutes nouvelles catégories d'emplois, diversité qui donne à chacun la possibilité de faire savoir quels sont les domaines qui l'intéressent et quel cheminement de carrière il envisage. On ne peut exiger qu'un supérieur soit au courant de tous les postes disponibles au sein de l'entreprise ou qu'il puisse systématiquement deviner les pensées de ses subordonnés.

Aujourd'hui, le marché est plus difficile que jamais. Les besoins de la clientèle sont sans cesse plus complexes et ses attentes plus grandes. Pour nous distinguer de la concurrence, nous savons que notre plus grand avantage est notre personnel. Nous avons besoin de gens capables d'innover, de créer et d'exploiter les défis qui se présentent. Cependant, il ne suffit pas d'en parler. Il faut que ces efforts soient appuyés par une formation spécialisée à tous les paliers, des programmes d'orientation pour les nouveaux employés aux programmes de perfectionnement professionnel de haut calibre pour le personnel en cours de carrière.

La Banque offrant des chances égales dans l'emploi, notre personnel est plus diversifié que jamais, qu'il s'agisse d'âge, de genre, d'aptitudes ou de valeurs. Ce qui, entre autres, signifie que nos employés ont des attentes et des besoins différents. Par exemple, toute personne qui doit équilibrer les exigences d'un emploi avec des responsabilités familiales peut envisager un partage de poste pour consacrer plus de temps à son foyer.

→

Cette option et d'autres, telles que les horaires flexibles et le «flexi-place», peuvent contribuer de différentes façons au succès d'une carrière.

Il ne fait aucun doute que, dans notre monde complexe, la gestion de carrière est beaucoup plus exigeante qu'auparavant, tant pour l'individu que pour la société qui l'emploie. La nature des tâches et les possibilités de carrière continuent d'évoluer, et les sociétés comme leurs employés doivent se pencher de plus en plus attentivement sur l'évolution des besoins, plutôt que de se concentrer sur les habitudes acquises et les méthodes traditionnelles.

La première étape de mise en place d'un processus de gestion de carrière est d'établir une communication efficace. Quel que soit le lieu ou la nature de son emploi, chaque employé de la Banque Royale est informé des politiques et des engagements de la Banque en ce domaine. Nous pensons que le personnel est en droit de savoir dans quelles directions nous nous orientons et quelles carrières lui sont accessibles.

À cet effet, nous mettons à la disposition de nos employés un certain nombre de moyens de planification qui leur permettent de définir leur stratégie personnelle. Récemment, nous avons produit un vidéo qui décrit dans la pratique le processus de planification de carrière et les divers rôles et responsabilités de l'employé, de son supérieur et de la Banque.

Nous avons également préparé à cette intention un certain nombre de brochures d'information, notamment : un cahier de planification qui permet à chacun d'évaluer ses points forts, ses points faibles et ses centres d'intérêt ; des guides détaillés donnant des renseignements de base sur les postes cadres et non cadres, ainsi qu'un livret détaillé sur les nombreuses possibilités de formation offertes au personnel pour accroître ses qualifications professionnelles.

Nous continuons d'étudier d'autres méthodes pour informer nos employés des choix de carrière qui leur sont offerts. À ce titre, les présentations de carrière, la publication d'organigrammes détaillés et l'affichage des postes sont de plus en plus fréquemment utilisés dans toute la Banque.

La gestion de carrière s'appuie également sur deux éléments fondamentaux : le suivi et l'encadrement. Dans ce domaine, la personne la mieux placée pour fournir les données nécessaires est le supérieur de l'employé. Chaque année, nos directeurs rencontrent officiellement, et en personne, leurs subordonnés pour discuter de leur rendement et de diverses autres choses. Cependant, le suivi et l'encadrement ne se limitent pas à cette rencontre. Les employés doivent chercher eux-mêmes à obtenir les commentaires de leur supérieur, de leurs collègues et même des clients, tout au long de l'année. Chaque individu se doit de connaître en détail ses points forts et ses points faibles pour pouvoir se fixer des objectifs de carrière réalistes et suivre un cheminement approprié.

Nos employés ont accès à un conseiller en ressources humaines qui peut leur donner des renseignements complémentaires sur la planification d'une carrière ainsi que des conseils sur les possibilités et les exigences de différentes fonctions dans la Banque.

→

La gestion de carrière n'est plus un processus à sens unique. Toute cette infrastructure d'appui est conçue pour encourager chacun à prendre l'initiative et la responsabilité de son cheminement de carrière, en toute connaissance des stratégies de la Banque et des obligations qu'elles imposent et en sachant comment mettre à profit ou développer ses aptitudes en fonction des objectifs de l'entreprise. Parallèlement, il incombe à chaque individu d'évaluer de façon réaliste ses objectifs personnels.

Ce processus d'autoévaluation de notre comportement face à nos rêves et à nos aspirations est une démarche courageuse. Il faut une détermination sans faille pour accomplir chaque jour les menues tâches indispensables à la matérialisation éventuelle d'un rêve.

Nous ne pouvons nous bercer d'illusions. La vie ne permet pas de retour en arrière. Nous devons donc prendre nos propres décisions et responsabilités face à la carrière que nous souhaitons et pour laquelle nous nous sentons qualifiés. Ceux qui procèdent ainsi ont de bien meilleures chances de réaliser une carrière gratifiante.

INTRODUCTION

Bien que la notion de carrière soit une thématique contemporaine au cœur même des préoccupations de tous et chacun, une telle réalité, ou du moins la prise de conscience de cette réalité, n'est que très récente. En fait, c'est principalement la fin des «trente glorieuses» (1945-1975), période fulgurante de croissance économique et de bouleversements sociaux, qui a permis à la dynamique de la carrière de prendre toute son importance et son articulation. Par le biais d'une accentuation de la mobilité des travailleurs et par une fragmentation des balises sociales traditionnelles, le concept de la carrière a inévitablement connu une redéfinition de ses paramètres de base.

Auparavant, une carrière était caractérisée par une forte stabilité et par une permanence dans le temps, l'évolution de cette dernière étant pratiquement inexistante. Dictée par le choix initial que l'on faisait à un très jeune âge, la carrière se définissait alors principalement par l'emploi que l'on occupait. Naturellement, ce statisme occupationnel était causé, entre autres, par la quasi-impossibilité de transgresser les strates sociales qui dictaient *ipso facto* le domaine d'activité dans lequel on devait se diriger. De plus, la mobilité horizontale des travailleurs était très peu fréquente et on ne s'étonnait pas, à cette époque, de travailler toute sa vie dans une même entreprise.

Ce n'est que depuis la fin des années 1960 que la carrière a vu ce qu'on peut appeler un décloisonnement structurel. Loin d'être restreints à un champ occupationnel précis ou d'être figés dans un niveau hiérarchique prédéterminé, les travailleurs ont aujourd'hui le loisir de progresser sur le marché du travail au gré de leurs intérêts et de leurs besoins. Ainsi, la carrière ne se limite plus au seul choix de l'occupation mais comprend toute évolution, quelle qu'en soit sa nature, de l'individu à l'intérieur de la sphère du travail. Au-delà du choix vocationnel, qui demeure néanmoins central dans ce processus, tous changements, réorganisations ou réorientations s'inscrivent dans le déve-loppement de la carrière qui s'étend maintenant sur toute la vie. La carrière ne se veut donc plus restrictive mais extensive, allant jusqu'à inclure, pour certains auteurs, les activités hors travail.

Dans ce chapitre, nous avons voulu illustrer les modifications et l'évolution du champ d'étude de la carrière. Pour ce faire, nous l'avons divisé en deux sections permettant d'illustrer tant la dimension théorique que la dimension pragmatique des connaissances actuelles sur ce champ d'intérêt. La première section viendra esquisser les deux grands axes théoriques, soit le courant déterministe, qui se concentre sur le choix de carrière, et le courant développementaliste, qui décrit l'évolution temporelle de la carrière. Cette section se terminera par la présentation d'une typologie des cheminements de carrière dans laquelle sont illustrées les différentes «pistes» de carrière empruntées par les individus.

Dans la seconde section, plus pratique, nous traiterons de la gestion individuelle et organisationnelle de la carrière. Plus particulièrement, nous aborderons des thèmes récents ayant trait à l'individualisation de la prise en charge de la progression de carrière. Nous décortiquerons et expliciterons, entre autres, les notions d'employabilité, de plateau de carrière et d'asynchronisme des doubles carrières. Nous regarderons plus précisément l'influence de ces phénomènes sur l'efficience organisationnelle et discuterons de certains éléments de gestion permettant de réduire l'écart entre l'offre et la demande de carrière.

10.1 LES THÉORIES DU CHOIX, DU DÉVELOPPEMENT ET DU CHEMINEMENT DE CARRIÈRE

Le premier auteur s'étant intéressé à la thématique de la carrière est F. Parson qui, en 1909, jeta les bases de la théorie traits-facteurs, considérée comme la première et la plus influente des théories sur l'étude de l'orientation de la carrière. En fait, les prémisses de la théorie de Parson, ancrées dans la logique de la psychologie différentielle, sont d'une simplicité déconcertante. Selon lui, la personnalité d'un individu est constituée d'une multitude de **traits** qui sont agencés de façon idiosyncratique, c'est-à-dire de façon particulière et singulière. Ainsi, chaque individu est unique en fonction de son « patron » de traits qui constitue sa personnalité propre. Par ailleurs, chaque occupation ou environnement de travail peut être défini selon une série de **facteurs** qui représentent tant les aspects intrinsèques (habiletés, compétences) qu'extrinsèques (culture, valeurs) du travail. Par le biais de ces deux postulats de base, Parson postule que la direction du choix de carrière dépend de la congruence entre les traits d'un individu et les facteurs particuliers d'une occupation.

Bien qu'une telle logique soit aujourd'hui devenue une évidence que peu oseraient mettre en doute, il demeure qu'au début du siècle une telle conception demeurait très innovatrice. Entre autres, cette vision de la carrière venait à l'encontre de la conception de l'époque qui concevait l'orientation de carrière comme un fait accidentel, sur lequel l'individu n'avait que peu de contrôle (de façon consciente ou inconsciente). L'appariement nécessaire entre les traits et les facteurs que propose Parson vient donc mettre en lumière le rôle des caractéristiques individuelles (besoins, habiletés, aspirations, etc.) dans l'orientation que prendra la carrière d'un individu.

De plus, soulignons que l'approche traits-facteurs se veut l'ancre théorique de toutes les conceptions modernes du choix et du développement de la carrière. Comme nous le montrerons à l'intérieur de ce chapitre, toutes les théories ayant été développées au courant du XXe siècle épousent, plus ou moins fidèlement, la logique qui veut que la carrière soit l'aboutissement d'un agencement entre la réalité individuelle et la réalité occupationnelle.

10.1.1 Le choix de carrière (le courant déterministe)

Le courant déterministe est le plus ancien des deux courants constituant le corpus théorique entourant la carrière. Les auteurs appartenant à ce courant de pensée adhèrent à l'idéologie qui préconise la primauté du choix de carrière en fonction de sa stabilité et de sa permanence dans le temps. Articulé principalement dans la première moitié du XXe siècle, ce courant s'intéresse strictement au choix de carrière, tentant ainsi de déceler les indices permettant de circonscrire l'orientation du choix occupationnel.

Bien qu'une multitude d'auteurs empruntent cette logique, seulement trois conceptions seront présentées dans cette sous-section. Cependant, chacune d'elles a été sélectionnée en fonction de l'importance qu'elle revêt dans la compréhension de l'apport de ce courant, créant ainsi une bonne illustration de la contribution de ces auteurs aux connaissances actuelles.

Nous commencerons donc par l'étude des travaux d'A. Roe (1956), qui élabore une conception constituant par définition une théorie des besoins dans l'approche du choix de carrière. Ensuite, nous aborderons l'auteur le plus influent dans le domaine de la carrière, soit J.L. Holland (1959), qui présente un modèle juxtaposant les types de personnalité aux types d'occupations. Et finalement, nous scruterons la vision psychanalytique du choix de carrière en centrant principalement notre intérêt autour des travaux de E.S. Bordin, B. Nachmann et S. Segal (1963), mais en regardant néanmoins l'ensemble de la contribution de cette école de pensée à la progression des connaissances dans le domaine.

La conception de Roe : l'influence du milieu familial

Paradoxalement, la théorie élaborée par A. Roe est l'une des plus influentes et l'une des plus contestées. Issue de recherches sur différentes professions, cette théorie est l'une des premières à faire le pont entre la personnalité de l'individu et son occupation. Par contre, malgré la richesse des hypothèses apportées par cette théorie, il a été impossible, jusqu'à présent, d'en démontrer la validité empirique. En effet, plusieurs chercheurs s'y sont intéressés mais n'ont pu parvenir à démontrer la congruence entre les concepts de Roe et la réalité.

L'hypothèse centrale de Roe est très simple. Elle affirme que ce sont les relations entre les parents et l'enfant qui influenceront la direction vocationnelle de l'individu. Plus précisément, elle stipule que le climat familial dans lequel baigne l'enfant aura une influence majeure sur le développement des caractéristiques particulières de ses besoins. De façon synthétique, disons qu'elle soutient que les individus développent un schème personnalisé de satisfaction des besoins. Cette organisation des besoins, qui est un élément de la personnalité, serait prioritairement façonnée par les expériences infantiles mais aussi par des facteurs d'ordre génétique qui sont difficilement pondérables.

L'hypothèse de Roe établit formellement le lien existant entre le milieu familial et la prédominance ou l'extinction de certains besoins. Six dynamiques familiales précises sont utilisées et regroupées à l'intérieur de trois contextes globaux. Ainsi, l'atmosphère familiale peut être caractérisée par l'**acceptation** (chaleureuse ou indépendante), par l'**indifférence** (négligence ou rejet) ou par le **centralisme** (surprotecteur ou exigeant). L'atmosphère familiale dans laquelle un enfant grandit viendra directement influer sur la naissance et l'orientation de ses besoins en fonction de la canalisation de son énergie psychique.

En ce sens, Roe propose les trois postulats suivants :

- Un enfant issu d'une famille prônant l'acceptation développera un équilibre motivationnel qui provient d'une bonne répartition des besoins (inférieurs et supérieurs) ;

- Un enfant provenant d'une famille où l'indifférence règne développera une prédominance des besoins inférieurs (physiologiques et de sécurité) puisque ces derniers seront peu satisfaits ;

- Un enfant issu d'une famille ou règne un centralisme de sa personne développera une prédominance de ses besoins supérieurs (d'amour, d'estime et d'actualisation) causée par une sursatisfaction de ces derniers.

Ces trois postulats sont le cœur de la conception de Roe et la source de la distinction qu'elle fait entre les carrières orientées vers les personnes et les carrières orientées vers les choses (les non-personnes). Dressant, au cours des années, une liste exhaustive des genres d'emplois se retrouvant dans ces deux types de carrières (classification des occupations), elle mentionne que la structure des besoins, déterminée principalement par l'atmosphère familiale, dirigera les individus dans l'une ou l'autre de ces deux sphères d'activité. Ainsi, c'est le type précis d'atmosphère familiale qui sert d'indice à l'orientation donnée à la carrière.

Dans les familles qui sont indifférentes, il s'opère une objectivation du réel chez l'enfant. Cette objectivation se traduit par une canalisation de l'énergie psychique qui privilégie les choses comme matière permettant la satisfaction des besoins. Il devient donc évident que ces individus figés dans une telle dynamique orienteront leur carrière vers les choses.

De l'autre côté, les enfants qui sont le centre de l'univers familial développent une très grande sensibilité à l'opinion d'autrui. Afin de maintenir leur position d'élite et de reproduire l'attention parentale, ces individus auront tendance à occuper des emplois qui sont orientés vers les personnes.

Pour ce qui est des enfants qui jouissent d'une acceptation inconditionnelle, la direction de leur carrière est plus ambiguë. En fait, ils pourront s'orienter soit vers les choses soit vers les personnes, cette décision s'appuyant sur des caractéristiques plus personnelles de leur situation.

La tableau 10.1 présente une synthèse de l'effet des relations familiales sur l'orientation de la carrière en dénotant, selon la classification de Roe, les domaines d'activités congruents avec chacune des situations.

Comme on le constate, la vision de Roe est très déterministe et fonde tout son intérêt sur la relation parents-enfant, génératrice de sa conception. Néanmoins, il est important de souligner qu'elle n'écarte pas toutes les autres sources (par exemple, l'hérédité) comme étant potentiellement déterminantes sur la carrière.

En résumé, notons que l'approche de Roe démontre, du moins théoriquement, l'influence du milieu familial sur l'orientation de la carrière d'un individu. Soulignant l'importance de la relation parents-enfant, elle utilise le concept de canalisation de l'énergie psychique afin d'expliquer le transfert des expériences infantiles dans le domaine de la vie adulte. Ceci se concrétise par l'orientation de l'individu vers un secteur d'activité qui lui est, d'une certaine façon, prédestiné.

L'aspect le plus intéressant de cette conception est sans aucun doute la mise en pratique de la théorie traits-facteurs. La détermination de l'importance du milieu occupationnel dans le soutien de la structure des besoins est

TABLEAU 10.1
L'influence de l'atmosphère familiale sur l'orientation de la carrière

Atmosphère familiale	Caractéristiques	Orientation de la carrière	Domaines d'activités
Indifférence	Négligence	Vers les choses	Technologie
	Rejet		Travail extérieur
Acceptation	Indépendante		Sciences
	Chaleureuse		Services
Centralisme	Surprotecteur	Vers les personnes	Affaires
	Exigeant		Organisations
			Culture
			Arts

incontestablement un apport significatif à l'étude des carrières. De plus, la formulation d'une classification des emplois relative à une dynamique familiale précise se veut aussi une innovation non négligeable.

Somme toute, malgré le peu de validation empirique dont jouit cette approche, elle constitue un jalon important de l'avancement des connaissances dans le domaine des carrières; le nombre d'études qu'elle a suscitées ainsi que l'influence qu'elle a exercée sur des auteurs subséquents en font largement preuve.

La conception de Holland: l'influence de la personnalité

Bien que la théorie de Roe soit fort intéressante, il revient à J.L. Holland de décrocher la palme de l'approche la plus utilisée dans les vingt dernières années.

Cataloguée comme étant une théorie psychologique du choix vocationnel, cette conception fait entrer en scène l'approche traits-facteurs dans une application de la nécessité inévitable d'un appariement entre la personnalité de l'individu et la personnalité de l'environnement occupationnel. Selon Holland, chaque individu développe, dans ses premières années de vie, la structure de sa personnalité qui se caractérise essentiellement par la différenciation des intérêts, des aptitudes et des attitudes. Cette personnalité devra être jumelée à un environnement de travail compatible afin que la personne puisse effectuer un choix vocationnel efficient. Ainsi, la conception de Holland repose sur le principe que les gens se trouvant dans un même environnement de travail possèdent des traits de personnalité similaires, et c'est en ce sens qu'on peut parler de la personnalité de l'environnement de travail. Cette similarité représente une adéquation efficiente entre un ensemble de traits de personnalité et un environnement de travail particulier. Aussi, une personne qui aurait des traits de personnalité semblables à ceux de personnes qui œuvrent déjà dans cet environnement de travail effectuerait un choix vocationnel approprié si elle s'orientait vers un tel environnement de travail. Cette constatation de Holland démontre bien le lien étroit existant, du moins pour lui, entre la personnalité et l'environnement de travail, lequel comprend autant le type d'occupation que la manière d'exercer les tâches s'y rapportant et l'environnement dans lequel elles s'exercent. Toutefois, notons qu'en fonction de cela tout le poids du choix vocationnel repose sur le développement de la personnalité, seule responsable de l'orientation professionnelle.

La force de Holland ne repose naturellement pas sur cette seule conception du choix de carrière. Outre cet état de fait, c'est tout le bagage opérationnel mis au point par cet auteur qui justifie la réputation qu'il s'est méritée. Donc, loin de se contenter de postulats théoriques, il présente tout un appareillage pratique permettant de vérifier et d'opérationnaliser sa conception.

En premier lieu, il définit les types de personnalité ainsi que les types d'occupations selon six qualificatifs bien précis. Il y a les types réaliste, investigateur, artistique, social, entrepreneur et conventionnel. Ces types s'accolent autant à la personne (personnalité) qu'à l'occupation (environnement). Ce système est très efficace puisqu'il permet, en fonction d'un même barême, de vérifier l'appariement personne-occupation. Le tableau 10.2 fait état des caractéristiques rattachées à chacun des types de personnalité.

Toutefois, pour tenir compte de la diversité des différences tant individuelles qu'occupationnelles, le type de personnalité est un élément trop englobant, qui ne permet pas de discriminer les sous-catégories comprises à l'intérieur même d'un type. Ainsi, un individu de type « entrepreneur » n'a pas nécessairement les mêmes traits ou le même agencement de traits qu'une autre personne elle aussi de type « entrepreneur ». Cette diversité est aussi applicable lorsque l'on parle de la personnalité d'un environnement de travail. Afin de circonscrire les dissemblances à l'intérieur d'un type précis de personnalité, Holland crée le concept de **patron de personnalité**, qui consiste en un raffinement de la précision avec laquelle on détermine la personnalité d'un individu ou d'un environnement. Le patron prend en considération, non seulement le type dominant, mais aussi les deux types secondaires qui définissent, dans l'ordre, la personnalité précise de l'individu ou de l'environnement. S'exprimant par trois lettres, la première étant le type dominant et les deux autres les types secondaires, le patron de personnalité permet de vérifier de façon exacte la compatibilité d'un individu et d'une occupation. Ainsi, le psychologue clinicien et l'enseignant au primaire occupent deux emplois à dominance sociale ; cependant, le patron de personnalité d'un psychologue clinicien est SIA (social–investigateur–artistique) tandis que celui de l'enseignant au primaire est SAE (social–artistique–entrepreneur). Une telle distinction permet de mieux reconnaître quel type d'individu est le plus apte à œuvrer dans un environnement occupationnel précis.

TABLEAU 10.2
Un parallèle entre les types de personnalité individuel et occupationnel

Type de personnalité	Caractéristiques particulières	Activités professionnelles
Réaliste	Les personnes réalistes préfèrent les activités et les emplois qui demandent des intérêts pour la nature et le plein air, les activités mécaniques, la construction et les réparations. Elles sont intéressées par l'action plutôt que par la pensée, préfèrent les problèmes concrets aux problèmes abstraits et ambigus.	• Faire fonctionner des machines • Utiliser des outils • Construire, réparer, bâtir
Investigateur	Les personnes investigatrices ont une orientation déterminée. Elles aiment amasser de l'information, découvrir, analyser et interpréter des données. Elles préfèrent travailler de façon autonome plutôt que de coopérer à un projet de groupe.	• Accomplir des tâches abstraites • Amasser et organiser des données • Résoudre des problèmes • Produire des analyses • Faire de la recherche
Artistique	Les personnes de ce type valorisent les qualités artistiques des choses et ont un grand besoin de s'exprimer. Elles expriment leurs intérêts tant par les loisirs que par le travail professionnel ou l'environnement.	Travailler dans les domaines touchant : • la création • la décoration et le design • la composition et l'écriture
Social	Les personnes ayant ce type de personnalité aiment travailler avec les gens ; elles se plaisent à travailler en groupe, à partager des responsabilités et à être le centre d'attention. Elles préfèrent résoudre les problèmes par la discussion et interagir avec les autres.	• Enseigner et expliquer • Aider et guider • Informer et organiser • Résoudre des problèmes et animer des groupes
Entrepreneur	Les personnes de type « entrepreneur » recherchent des positions de direction (leadership), de pouvoir et de prestige. Elles apprécient la coopération vers des objectifs organisationnels et le succès économique. Elles aiment prendre des risques financiers ainsi que participer à des activités compétitives.	• Travailler dans le domaine de la vente et des achats • S'engager dans des activités politiques • Animer des activités et des groupes • Donner des discours et des présentations • Gérer du personnel et des projets
Conventionnel	Les personnes conventionnelles œuvrent bien auprès de grandes corporations, mais elles préfèrent les rôles de subalternes plutôt que les postes de direction. Elles affectionnent particulièrement les activités qui demandent de la minutie et de la précision.	• Dactylographier et classer • Organiser le travail de bureau • Tenir les livres • Rédiger des rapports

Un fait important à souligner en ce qui a trait au patron de personnalité est qu'il a tendance à se structurer selon une dynamique hexagonale. Comme on peut le constater à la figure 10.1, les probabilités d'agencement des types, pour former le patron de personnalité, sont d'autant plus fortes lorsque les types sont contigus dans leur répartition hexagonale. Ainsi, si le type dominant est « social », il y a de fortes chances que le patron soit SEA (ou SAE). Ce modèle hexagonal des relations intertypes ne se veut pas un absolu, mais représente une façon simple et largement valide de prédire le patron de personnalité en fonction de la seule connaissance du type dominant.

FIGURE 10.1
**Le modèle hexagonal de Holland définissant les liens
entre les différents types de personnalité**

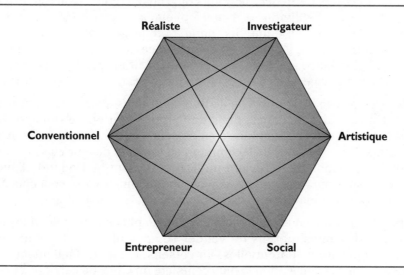

Source : Traduit et adapté de Holland (1973), p. 23.

Bien que la nécessité d'apparier le patron de personnalité de l'individu et de l'occupation soit cruciale, la vérification de cette concordance serait impossible sans une instrumentation simple et efficace. À cet effet, plusieurs instruments ont été élaborés afin d'estimer et de vérifier le type de personnalité d'un individu ainsi que l'association qu'il est possible de faire selon les occupations correspondantes. Le plus connu de ces instruments est sans contredit le Strong-Campbell Interest Inventory (SCII) qui permet, entre autres, de mesurer l'intérêt d'un individu pour des domaines généraux d'activités, ses préférences pour des occupations précises ainsi que leur ressemblance avec les types purs. En plus de cet inventaire d'intérêt, plusieurs autres instruments peuvent être utilisés afin de soutenir l'approche de Holland. Nommons, à titre d'exemples, l'Occupation Finder, le Dictionary of Holland Occupational Codes ainsi que le Self-Directed Search. Ces instruments de mesure ont comme principal objectif d'identifier le type de personnalité d'un individu ainsi que le patron de personnalité (sous-types) auquel il se rapporte.

Ce que nous venons de décrire constitue ce qui est généralement considéré comme la mécanique de base de la conception de Holland. Au-delà de cette première analyse se trouvent plusieurs éléments importants qui ont été juxtaposés à sa théorie au cours de ses nombreuses recherches sur le choix vocationnel. Parmi ces éléments, les principaux concepts qui ressortent sont l'identité, la cohérence, la différenciation (interactions individu-personnalité) et la congruence (interactions individu-occupation). Les concepts reliés aux interactions entre l'individu et la personnalité font référence à un processus interne d'autoéquilibre. Alors que l'identité désigne la stabilité de la structure des intérêts de la personne, la cohérence et la différenciation ont rapport au dynamisme de son patron de personnalité. Par ailleurs, les interactions entre l'individu et l'environnement obligent à définir un concept permettant d'évaluer l'appariement entre ces deux réalités. La congruence désigne donc **la correspondance entre le type de personnalité d'un individu et l'environnement dans lequel il évolue**. Cette nécessité de congruence (consonance) entre un élément interne de l'individu et l'environnement implicite désignant la profession ou l'occupation d'une personne a été largement démontrée par plusieurs études. De plus, il appert qu'en l'absence de congruence l'individu aura une forte tendance à être insatisfait au travail et, par le fait même, à effectuer plusieurs changements d'occupations jusqu'à l'atteinte de la congruence.

Toute la créativité de l'approche de Roe, dont nous avons discuté précédemment, transparaît bien par le biais de l'argumentation de Holland. Les parallèles entre ces deux conceptions sont évidents, que se soit en fonction de leur allégeance à la logique traits-facteurs ou en fonction de leur classification des emplois. Cependant, il revient indiscutablement à Holland d'avoir démythifié et, plus important encore, d'avoir opérationnalisé ces concepts afin de permettre l'application de cette dynamique du choix de carrière.

L'approche de Holland est complète et riche de plusieurs vérifications qui ont, au cours du temps, permis de valider ses postulats et d'étendre ses domaines d'applications potentielles. En ce sens, elle peut facilement être catégorisée comme la conception la plus complète du choix de carrière, et ceci en fonction de la parcimonie de son raisonnement, de la clarté de ses concepts et de la synergie existant entre ses principes.

La conception psychanalytique : l'influence des besoins

Ayant jusqu'à présent exposé en détail les deux approches les plus influentes dans le courant de pensée déterministe du choix de carrière, nous présenterons maintenant les travaux d'un groupe d'auteurs ayant aussi, mais de façon plus discrète, fait leur marque dans le domaine.

Étroitement associés au courant psychanalytique freudien, E.S. Bordin, B. Nachmann et S.S. Segal élaborent le schème le plus développé de ce courant. Contrairement à d'autres auteurs de tendance psychanalytique s'étant intéressés au sujet, ils ne se contentent pas de présenter quelques affirmations fragmentaires ; ils étoffent leur vision jusqu'à une présentation globale du choix de carrière individuel.

Prenant pour base la conception traits-facteurs de Parson, ces auteurs relient les gratifications pouvant être apportées par les diverses tâches d'une occupation aux pulsions et besoins physiologiques primordiaux chez un individu. La complémentarité entre l'individu et son occupation, telle qu'ils la conçoivent, n'est pas sans rappeler l'explication qu'apporte Holland du choix initial de la carrière. Il est évident que l'approche de Bordin, Nachmann et Segal et celle de Holland présentent des similitudes ; cependant, c'est dans la définition du concept de personnalité que les auteurs se différencient diamétralement. En effet, si pour Holland la personnalité se forge selon les récompenses et les punitions des premières expériences, Bordin, Nachmann et Segal voient d'un tout autre œil cette réalité existentielle.

Ainsi, selon eux, la personnalité se compose de l'ensemble des besoins, des motivations et des impulsions de l'individu. Ils ont ainsi défini quelque vingt-quatre dimensions pouvant et devant se voir assouvies à l'intérieur du travail de l'adulte. Naturellement, on ne trouve pas toutes ces dimensions chez chaque individu, et c'est l'agencement des dimensions présentes qui forme sa personnalité.

D'autre part, les occupations sont structurées de telle façon qu'elles ne peuvent répondre positivement qu'à un nombre limité de dimensions. L'individu doit donc se diriger vers l'occupation la plus concordante avec son « patron » dimensionnel.

Afin de résumer de manière plus concise la conception de ces auteurs, voici les trois principes de base de leur approche (Bujold, 1989, p. 101-102) :

- **Principe 1** : Il y a dans le développement une continuité selon laquelle les premières activités de l'organisme (nutrition, maîtrise des fonctions corporelles, réaction aux stimuli du milieu) sont reliées aux activités physiques et intellectuelles les plus complexes et les plus abstraites ;

- **Principe 2** : Les gratifications instinctuelles qui sont à la base des activités de l'enfant sont les mêmes gratifications que l'on trouve à la base des activités beaucoup plus complexes de l'adulte ;

- **Principe 3** : Le patron général des besoins se détermine au cours des six premières années de la vie, même si l'organisation et l'intensité sont sujettes à des modifications continuelles au cours des années subséquentes.

Très solide théoriquement, la conception de Bordin, Nachmann et Segal est néanmoins beaucoup plus faible lorsqu'elle est examinée sous l'angle de son applicabilité et de sa base instrumentale. Il n'existe actuellement aucun instrument pour mesurer la compatibilité entre l'individu et l'occupation sur la base de cette conception psychanalytique.

Il est certain que cette approche ne permet pas, du moins dans sa version actuelle, de connaître les sources profondes du choix de carrière. Ainsi, même si elle accorde une attention beaucoup plus explicative au concept de la personnalité, il n'en demeure pas moins que la structure de cette dernière demeure obscure et par le même fait invérifiable. Cependant, peu d'études ont été menées, et cette approche demeure encore aujourd'hui mal explorée.

Néanmoins, les recherches de Bordin, Nachmann et Segal ont suscité l'intérêt, et certaines études récentes permettent d'entrevoir l'avenir des conceptions psychanalytiques dans le domaine du choix vocationnel. Ainsi, quelques auteurs persistent dans l'exploration de la pensée psychanalytique, que l'on parle de Grotevant et Thorbecke (1982), de Bordin (1984) ou même de

Savickas (1985); toutes ces études sont orientées vers une compréhension psychanalytique (identité du moi, mécanismes de défense, effet de l'accomplissement) des choix influençant l'orientation de la carrière de l'adulte. Il est donc à noter que, malgré leur inaptitude à apporter une conception utilitaire du choix de carrière, Bordin, Nachmann et Segal permettent de susciter l'intérêt et les recherches dans une ligne de pensée qui devient, bon gré, mal gré, de plus en plus importante dans ce domaine d'étude.

Ceci termine le tour d'horizon des approches déterministes du choix de carrière. Bien que succincte, cette section permet de comprendre la logique de ce courant qui s'articule principalement autour de l'énumération des facteurs individuels intervenant directement ou indirectement lors du choix initial de carrière. Très imbriquée dans le dynamisme de l'approche traits-facteurs, la vision déterministe du choix de carrière ne débouche néanmoins que sur une compréhension parcellaire de ce phénomène. Cependant, elle peut être considérée comme un point d'ancrage important dans l'émergence d'une construction théorique plus holistique qui s'actualise par l'avènement du courant développementaliste.

10.1.2 Le développement de carrière (le courant développementaliste)

Nous allons maintenant aborder le second courant d'influence et d'importance dans le choix de la carrière. S'étant développé concurremment au premier, ce courant favorise l'aspect développemental et dynamique de la carrière sans pour autant nier le rôle central du choix initial de carrière. Comme nous l'avons effectué dans la section précédente, nous tenterons maintenant, par la présentation des deux conceptions les plus reconnues (Super et Riverin-Simard), de comprendre les principes de base ainsi que la logique sous-tendant cet axe conceptuel de la carrière.

Les étapes développementales de Super

Bien plus qu'une simple théorie, D.E. Super (1953) présente, par le biais de ses travaux, le fruit d'une vie entière consacrée à la réflexion théorique et pratique sur le phénomène de la carrière. Inspiré de l'approche élaborée par C. Buehler (1933) et des travaux d'E. Ginzberg *et al.* (1951), Super met sur pied une conception développementale de la carrière à une époque où tous s'étaient limités à l'importance stricte du choix de carrière.

Les multiples concepts apportés par Super ainsi que l'interrelation existant entre ceux-ci traduisent bien le désir constant de cet auteur d'apporter une explication globale et multidisciplinaire du phénomène décisionnel et développemental de la vocation chez les individus. L'approche mise au point par Super doit être perçue comme une conception générale regroupant plusieurs théories. Comme il le mentionne lui-même (Super, 1984) :

> [...] *ce que j'ai proposé n'est pas une théorie exhaustive et intégrée au sens strict mais plutôt une théorie segmentale ou un ensemble de théories qui devraient avec les recherches déboucher éventuellement sur un système unifié.*

Donc, cette approche n'est pas hermétique et invite les chercheurs à emboîter le pas afin que ce modèle puisse se développer pleinement. De nombreux auteurs ont d'ailleurs travaillé avec Super pour élaborer cette approche, ce qui lui confère une vision « spirale », c'est-à-dire une cohérence et une complicité entre la construction théorique et la vérification empirique.

L'approche de Super présente une structure simple et sans ambiguïté. S'appuyant sur la vision développementale qui suggère que le choix vocationnel est un processus continu et progressif, Super présente une infrastructure séquentielle où le cheminement de l'individu peut être suivi, de la prime enfance jusqu'à la retraite. Chacun des stades présente plusieurs tâches développementales qui doivent être effectuées afin d'en arriver au stade subséquent. C'est ainsi que l'individu passera au cours de sa carrière par les stades de croissance (0-14 ans), d'exploration (15-25 ans), d'établissement (26-45 ans), de maintien (46-65 ans) et naturellement de déclin (66 ans et plus). Le tableau 10.3 résume le contenu de chacune des phases ainsi que la principale tâche développementale l'accompagnant.

Comme on peut le constater, le développement et la dynamique de la carrière d'un individu progresse lentement, de l'enfance jusqu'à la retraite. L'élaboration de ces stades ne constitue cependant qu'une base explicative permettant de suivre et de situer l'individu dans son développement personnel. Au-delà de cela résident de nombreux éléments gravitant autour de cette structure de base et qui constituent toute la force de cette approche. L'immense capacité « synthétique » de Super permet d'intégrer l'ensemble de ces sous-éléments à un corpus concret et synergique d'explication.

TABLEAU 10.3
**Les phases développementales et les tâches développementales associées
à l'évolution de la carrière selon Super**

Étape	Sous-étape	Description	Tâche
Croissance (0-14 ans)		Période des choix de carrière fantaisistes qui sont principalement influencés par une identification aux personnes de l'entourage immédiat (famille, école, médias)	Aucune tâche développementale précise
Exploration (15-25 ans)	Choix provisoire	Période des choix réalistes de carrière. Par le biais d'une identification plus accentuée et par un raffinement de l'image de soi, l'individu connaît ses intérêts, ses habiletés et son potentiel. Cette prise de conscience permettra de choisir un champ d'intérêt qui se concrétisera par l'entrée dans une occupation précise à la fin de cette étape.	Cristallisation d'une préférence vocationnelle
	Période de transition		Précision de la préférence vocationnelle
	Période d'essai		Actualisation de la préférence occupationnelle
Établissement (26-45 ans)	Période de stabilisation	Période se définissant par l'entrée dans une occupation stable et par l'établissement des connaissances appropriées. Lorsqu'il sera bien installé dans l'occupation, l'individu progressera dans cette dernière selon les talents qu'il aura développés.	Contrôle des paramètres de la vocation
	Période d'avancement		Consolidation de la position et avancement dans la vocation
Maintien (46-65 ans)		Période où l'individu cherche à maintenir les acquis qu'il possède à l'intérieur de son occupation	Développement de certaines nouvelles habiletés en fonction des limites qui sont propres à l'individu
Déclin (66 ans et plus)		Période de retrait graduel de la sphère occupationnelle	Réduction du rythme de travail et actualisation par le biais de rôles non occupationnels

Cette intégration se fait par le biais d'une multitude de concepts permettant d'articuler une métathéorie de la carrière. Deux de ces concepts retiennent principalement notre attention, soit les concepts de rôles occupationnels et de maturité vocationnelle.

En ce sens, loin de se contenter de la définition traditionnelle de la carrière, Super innove avec une définition peu orthodoxe de cette notion. Ainsi, pour lui, la carrière représente **la succession de tous les rôles occupés par un individu tout au long de sa vie**. Le rôle de travailleur ne représente ainsi qu'un rôle parmi tant d'autres, la carrière étant également définie en fonction des rôles d'enfant, d'étudiant ou de parent par exemple. Donc, ce n'est plus la succession simple et chronologique des occupations qui constitue la carrière mais bien l'accumulation des rôles sociaux dans lesquels un individu est cantonné. Chacun de ces rôles aura une place prépondérante dans la vie de l'individu en fonction du stade développemental dans lequel il se situera, et il pourra y avoir coexistence de plusieurs rôles à l'intérieur d'un même stade. C'est en fonction de cette coexistence des rôles et aussi des différentes tâches développementales qu'il est possible de situer un individu particulier selon un schème développemental idéalisé, voire normal. Cette comparaison entre l'évolution réelle et l'évolution habituelle de la carrière permet de vérifier le degré de maturité vocationnelle d'un individu.

Cette réalité multidimensionnelle de la carrière est illustrée à l'aide de «l'arc-en-ciel de la carrière» (*life-career rainbow*) qui permet de bien comprendre la juxtaposition de chacun des rôles en fonction des périodes clés du développement de carrière (voir la figure 10.2). Cette réinterprétation et redéfinition de la carrière permet de bien situer l'évolution de l'individu dans sa dimension holistique et de comprendre la décentralisation du travail, à l'intérieur de la société post-industrielle, au profit des rôles familiaux et sociaux.

FIGURE 10.2
L'arc-en-ciel de la carrière

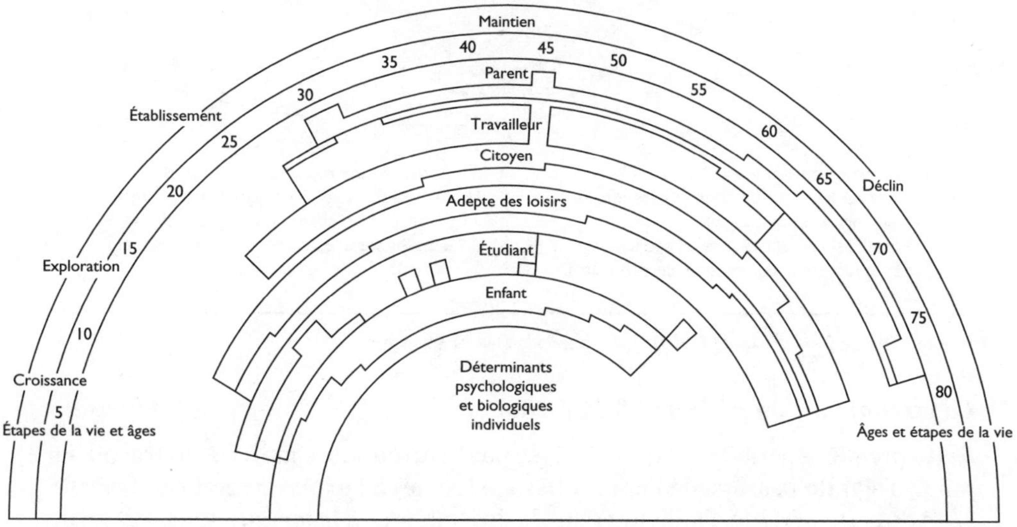

Source: Traduit de Super (1984).

L'univers vocationnel de Riverin-Simard

Loin de contredire les allégations de ses prédécesseurs, et particulièrement celles de Super, D. Riverin-Simard (1984), par le biais d'une vaste étude comptant plus de sept cents sujets, vient peaufiner les connaissances que nous avions jusqu'alors sur la progression développementale de la carrière. Plus particulièrement, son étude permet de mieux circonscrire l'individu dans sa réalité de travailleur, et ceci en fonction de chacune des étapes de l'évolution de sa carrière. Se servant de l'analogie du voyage interplanétaire afin de caractériser la carrière, Riverin-Simard définit trois périodes importantes dans la carrière, soit la circonvolution pédestre, la circonvolution orbitale et la manœuvre de transfert interplanétaire (voir la figure 10.3). Nous les présentons plus en détail dans les pages qui suivent.

FIGURE 10.3
L'univers vocationnel

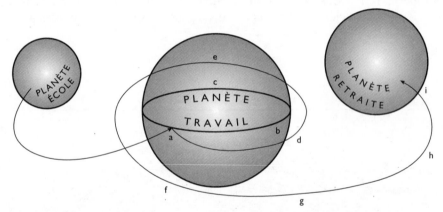

a.....B : Atterrissage sur la planète Travail
b.....C: À la recherche d'un chemin prometteur
c.....A : Aux prises avec une course
a.....D : Essai de nouvelles lignes directrices
d.....E : En quête du fil conducteur de son histoire

e.....F : Affairé à une modification de trajectoire
f.....G : À la recherche d'une sortie prometteuse
g.....H : Transfert de champ gravitationnel
h.....I : Aux prises avec l'attraction de la planète Retraite

Source : Tiré de Riverin-Simard (1984), p. 22. Reproduit avec permission.

La circonvolution pédestre (23-37 ans)

Cette première période est caractérisée par l'entrée sur le marché du travail. En fait, il s'agit du passage de l'apprentissage (école) à l'expérimentation (travail). Lors de cette période, l'individu tentera de s'intégrer à la logique structurelle du marché en tentant de définir la niche ou le créneau qui lui est propre. Par l'utilisation des habiletés et des compétences qui lui sont propres, l'individu circonscrira la place qui lui revient en se positionnant en fonction de la hiérarchie tant sociale qu'organisationnelle. Pouvant facilement être associée aux périodes de croissance et d'exploration de la classification de Super, cette première période est subdivisée en trois étapes distinctes :

• **L'atterrissage sur la planète Travail (23-27 ans).** Au cours de cette étape le jeune travailleur s'identifiera aux divers paramètres de son nouveau rôle social. Il expérimentera ses premiers emplois, ce qui lui permettra d'orienter ses aspirations vocationnelles en fonction des valeurs et de l'identité qu'il aura jusqu'alors développées. Cette période d'adaptation apportera un raffinement de l'identité vocationnelle en fonction de la confrontation de cette dernière à la réalité du marché du travail. La modification de l'identité vocationnelle sera souvent précipitée par le «choc de la réalité» qui se caractérise par un désillusionnement face à la réalité qu'offre le monde du travail;

- **La recherche d'un chemin prometteur (28-32 ans).** Cette étape correspond à une période de questionnement sur les aboutissants de la carrière. Ainsi, dans cette strate d'âge apparaît une confrontation entre la vie personnelle et la vie professionnelle. Par ce questionnement, l'individu définira ses limites de façon réaliste, ce qui lui permettra de cristalliser définitivement son identité vocationnelle et d'entreprendre les actions afin de l'actualiser;

- **La course occupationnelle (33-37 ans).** La course occupationnelle se définit comme étant l'étape où l'individu déploiera toutes ses énergies, en fonction du cadre imposé par son identité vocationnelle, afin d'affiner et d'exploiter l'essence même de ses potentialités. Très préoccupé par le classement de ses compétences, le travailleur tentera d'assouvir ses idéaux de réussite afin d'atteindre les sommets qu'il s'est préalablement fixés. Cette étape sera fondamentalement caractérisée par un effort soutenu d'émancipation (motivation intrinsèque) et régie par une prise de conscience des limites temporelles délimitant la carrière.

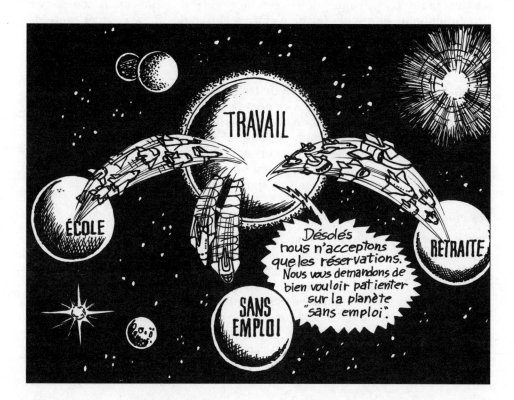

La circonvolution orbitale (38-52 ans)

Cette seconde période de la carrière se traduit par l'établissement du travailleur à l'intérieur d'une réalité précise du monde du travail. Ayant bien exploré les différents aspects de son champ d'intérêt, l'individu se cantonnera dans un secteur donné où il maximisera l'utilisation de ses connaissances et de son expérience. Bien installée dans une «orbite» déterminée, la vision de l'individu devient plus globale et holistique, laissant ainsi plus de place à l'équilibre et à l'investissement judicieux d'énergie plutôt qu'à la diffusion irréfléchie des efforts. Comme on peut le constater, cette seconde période s'apparente aux étapes d'établissement et de maintien de Super. Et, encore une fois, trois étapes sont présentes dans cette période de la carrière :

- **L'essai de nouvelles lignes directrices (38-42 ans).** Cette étape enveloppe le phénomène que l'on se représente comme étant le mitan de la vie. Par la constatation que le temps passé prend l'avantage sur le temps futur, l'individu procédera à une remise en question du cheminement parcouru et du degré d'accomplissement de ses aspirations vocationnelles. En fonction des conclusions de cette mise à jour, l'individu pourra poursuivre le chemin vocationnel tracé ou modifier sa philosophie de carrière, ce qui entraînera une modification, plus ou moins draconienne, de l'orientation de carrière. Néanmoins, peu importe les décisions prises, cette étape représente un moment névralgique de la carrière et a ainsi une incidence significative sur l'orientation future de la vie professionnelle ;

- **La quête du fil conducteur de son histoire (43-47 ans).** La mi-quarantaine se veut un point d'arrêt et de réflexion sur les accomplissements passés et à venir. Étant très avancé dans la temporalité de son espérance de vie vocationnelle, l'individu fait une rétrospective de sa carrière et tente de comprendre les liens directionnels de son évolution. Le travailleur dresse alors le bilan de sa vie professionnelle et relève les éléments manquants afin de fermer harmonieusement la boucle vocationnelle ;

- **L'affairement à une modification de trajectoire (48-52 ans).** De plus en plus préoccupé par des intérêts s'orientant vers des activités hors travail, l'individu arrivé à cette période procède à des modifications incrémentielles de ses responsabilités professionnelles afin de favoriser les autres rôles de sa vie. Surviennent donc alors une certaine stagnation de la carrière et une préparation, lente et calculée, du retrait de la vie active par l'investissement de temps et d'énergie dans d'autres sphères sociales.

Les manœuvres de transfert interplanétaire (53-67 ans)

Après deux circonvolutions, l'une pédestre et l'autre orbitale, autour de la planète Travail, l'individu prépare son arrivée sur la planète Retraite. Comme lors du passage de la planète École à la planète Travail, ce transfert planétaire se réalise par le biais d'une déstabilisation temporaire de l'univers individuel. Bien qu'elle puisse être émotivement pénible, cette troisième période, qui représente l'apogée de la carrière, se caractérise principalement par l'explosion de l'identité vocationnelle en une multitude d'intérêts permettant l'élargissement des possibilités offertes à l'individu. Définie plus positivement que dans l'approche de Super – qui, lui, parlait de déclin –, cette dernière période de la vie vocationnelle est composée de trois réalités :

- **La recherche d'une sortie prometteuse (53-57 ans).** Face à l'éventualité d'un départ imminent, l'individu cherche à laisser une trace de son passage sur le marché du travail. Conscient que sa carrière s'éteint lentement, l'individu voudra immortaliser son « œuvre » en accomplissant un dernier projet d'envergure ou en soulignant les apports de sa contribution passée. Afin d'assurer le prolongement symbolique de leur propre carrière, certains travailleurs opteront pour le mentorat afin de léguer en héritage leurs connaissances ;

- **Le transfert de champ gravitationnel (58-62 ans).** Le passage de la planète Travail à la planète Retraite se situe au cœur de cette étape. Isolé entre deux mondes, l'individu modifiera sa philosophie générale de vie et cherchera à se doter d'objectifs de travail à très court terme. Cette étape s'accompagnera souvent d'une mobilité occupationnelle favorisant le retrait de la sphère active afin de mieux habiter et aménager la retraite ;

- **Aux prises avec la retraite (63-67 ans).** Cette étape est caractérisée par l'entrée réelle dans la retraite. Laissant derrière lui près de quarante ans d'existence, le nouveau retraité s'acclimate lentement aux réalités de sa nouvelle situation, de sa nouvelle « citoyenneté ». Naturellement, cette étape s'accompagne de plusieurs prises de conscience, principalement quant aux aspects émotif, économique et interpersonnel.

Comme on peut le constater par la présentation du schème développemental de la carrière proposé par Riverin-Simard, la carrière est une évolution lente et constante vers des questionnements perpétuels, menant l'individu à une définition et à une actualisation de son moi vocationnel. Il est important de souligner que les questionnements ont toujours une double nature, soit ceux touchant les objectifs de la vie au travail (« métafinalités ») et ceux s'orientant vers les moyens à utiliser afin d'atteindre ces finalités (« métamodalités »). De plus, bien que la structure présentée puisse sembler rigide, l'évolution vocationnelle se veut multirythmique, c'est-à-dire adaptée à chaque individu en fonction de la perception de la chronologie biologique et des composantes internes du travail (réalité bio-occupationnelle).

Bien qu'originale et unique dans son expression, cette typologie des étapes de carrière n'est cependant pas une innovation pure. Ancrée dans les jalons des théories développementales plus classiques (par exemple celles d'Erikson et de Super), cette nouvelle conceptualisation vient cependant enrichir grandement les connaissances actuelles en permettant de suivre plus étroitement le déroulement de la carrière et en déterminant plus concrètement les défis s'opérant aux différents tournants de la vie.

Comme on le constate, le courant développementaliste modifie la conception de la carrière, et cela sans anéantir ou effacer les connaissances léguées par le courant déterministe. Il faut en fait considérer l'apport des auteurs s'attardant au développement de la carrière comme étant un ajustement permettant de mieux circonscrire la réalité véhiculée par la carrière, réalité en perpétuel changement. Il demeure néanmoins que l'aspect développemental de la carrière permet d'expliquer des phénomènes qui demeuraient jusqu'alors incompréhensibles. Entre autres, toute la dimension de la réorientation de carrière, fortement en vogue aujourd'hui, peut facilement être élucidée en s'appuyant sur l'évolution temporelle constituant le propre des étapes de carrière.

10.1.3 Le cheminement de carrière

Différentes typologies des cheminements de carrière ont été élaborées jusqu'à aujourd'hui. Cependant, la typologie la plus explicite et la plus validée est sans contredit celle développée par M. Driver (1979). Imbriquée dans la logique des « ancres de carrière » (Schein, 1978), cette typologie permet de conceptualiser les agencements potentiels entre chacun des mobiles (ancres) qui sont à la source des motivations dirigeant la carrière. Dans cette foulée et sur la base d'une étude effectuée chez AT&T aux États-Unis, Driver circonscrit quatre types de cheminement de carrière qui permettent de définir tant l'aspect temporel que directionnel de la carrière, soit le cheminement de carrière de types transitoire, homéostatique, linéaire et spiral. Voici la définition qu'accole Driver (1983, p. 24-25) à chacun de ces concepts :

1. Le concept de carrière transitoire désigne un cheminement selon lequel un travail ou un champ occupationnel n'est jamais choisi de façon permanente. Un individu qui suit un cheminement transitoire va simplement de travail à travail sans dessein particulier. Il y a rarement chez ce dernier un mouvement vers le haut dans le sens de l'acquisition d'une position plus élevée ;

2. À l'opposé, le concept de carrière homéostatique s'applique à celui qui choisit un travail ou un champ occupationnel tôt dans la vie et y demeure à jamais. Chez ce dernier, il n'y a aucun mouvement, sauf peut-être pour obtenir un revenu plus élevé ou une plus grande qualification professionnelle ;

3. Le concept de carrière linéaire renvoie aussi à une situation où un champ occupationnel est choisi très tôt dans la vie. Toutefois, un plan de mobilité ascendante à l'intérieur du champ est développé et mis en application. Le mouvement vers le haut peut se faire à l'intérieur d'une hiérarchie organisationnelle ou à l'intérieur d'un groupe de référence, par exemple une association professionnelle ;

4. Le concept de carrière de type spiral renvoie à une insertion de moyenne durée dans un champ d'occupation donné suivie, de façon assez cyclique, par une réorientation professionnelle dans un autre champ d'activité. Des indications préliminaires suggèrent qu'un mouvement cyclique peut souvent s'opérer dans un intervalle de cinq à sept ans.

Le fait d'adhérer à un ou l'autre de ces cheminements de carrière est largement dicté par la structure des besoins qui déterminera la dynamique des mobiles de carrière. Ainsi, en fonction de la prépondérance de certains mobiles précis, l'individu aura tendance à se cantonner dans un type de cheminement. On peut aussi considérer, sur cette base, que la structure de personnalité des individus se trouvant dans un même type de cheminement de carrière aura fortement tendance à être similaire. Dans un tel ordre d'idées, cette conception de l'évolution de la carrière se veut très statique et déterministe puisqu'elle ne propose que des types purs de cheminement prédéterminé par les aspects de la personnalité.

PROPOS DE

CHERCHEUR RENOMMÉ

EDGAR H. SCHEIN

Les principes de gestion qui nous guident depuis un siècle semblent osciller constamment entre la théorie de l'organisation scientifique du travail, qui fait fi de la diversité de la main-d'œuvre et ignore le potentiel humain, et le courant des relations humaines, qui surestime le rôle des individus et évince l'aspect technologique. Évidemment, puisque ce sont des personnes qui composent les entreprises, il est clair que le facteur humain doit être considéré avec attention. Par ailleurs, puisque la raison d'être des entreprises est de produire un certain travail, il est évident que le recours aux techniques évoluées sera souvent primordial.

Ainsi, pour vraiment bien comprendre les organisations et pour savoir comment les gérer efficacement, nous devons nous inspirer d'une perspective sociotechnique. De fait, il nous faut prendre en compte à la fois la technologie et l'aspect humain en cherchant des concepts et des modèles qui nous permettent de réfléchir de façon systématique et intégrée à ces deux groupes de facteurs. Plutôt que de continuer à subir le rythme cyclique des modes, nous devons développer des modèles intégrés qui ont d'autant plus leur place dans l'environnement complexe et changeant d'aujourd'hui.

Notice biographique

Edgar H. Schein est maître de conférences à la Sloan School of Management du Massachusetts Institute of Technology (MIT), où il enseigne depuis 1956 et occupe également la chaire de gestion Sloan à titre de professeur émérite. On lui doit l'ouvrage intitulé *Organizational Psychology* (3ᵉ éd. parue en 1980), dans lequel il a défini en 1965 la psychologie des organisations. Il est aussi l'auteur de *Process Consultation* (1987), de *Organizational Culture and Leadership* (2ᵉ éd. parue en 1992) et de *Career Anchors* (2ᵉ éd. parue en 1993), un ouvrage inspiré d'une étude sur les carrières qu'il a réalisée en 1978 (*Career Dynamics*, 1978). Codirecteur d'une collection consacrée au développement organisationnel chez Addison-Wesley, il travaille actuellement à l'Organizational Leadership Center du MIT.

Note : Texte traduit de l'anglais.

Le tableau 10.4 synthétise les différentes caractéristiques de chacun des types en fonction des ancres de carrière prépondérantes, de la fréquence de la mobilité ainsi que de la direction de cette dernière.

La typologie de Driver a suscité l'intérêt de plusieurs chercheurs qui ont tantôt validé les différents types de cheminement, tantôt raffiné la typologie par la définition de certains éléments complémentaires. Plus particulièrement, trois chercheurs québécois se sont intéressés à cette approche. Par leurs recherches, R.-P. Bourgeois, T. Wils et D. Mercure, ont largement enrichi la vision initiale de Driver en fonction de deux contributions précises, soit l'ajout

TABLEAU 10.4
Les caractéristiques de chacun des types de cheminement de carrière

Type	Mobiles de carrière	Fréquence de la mobilité	Direction de la mobilité	Caractéristiques individuelles
Homéo-statique	Compétence Sécurité	Nulle	Nulle	• Possède un faible besoin de réussite • S'adapte difficilement aux changements • Aime les milieux structurés • Ne recherche pas les positions d'autorité • Est un travailleur retiré • A besoin de beaucoup de sécurité
Linéaire	Pouvoir Réalisation Changement Autonomie	Fréquente (2-4 ans)	Verticale	• Possède un besoin de réussite élevé • Aime les responsabilités • Fait preuve de sociabilité • Déteste l'ambiguïté et l'incertitude • Possède une bonne capacité de leadership • Aime les postes de pouvoir
Transitoire	Autonomie Changement Identité	Fréquente (2-4 ans)	Horizontale	• Est très peu sociable • Est très motivé par le salaire • Possède un grand besoin de changement • Aime prendre des risques • Se montre très résistant psychologiquement • Aime être le centre d'attention
Spiral	Dévelop-pement Identité Créativité	Rare (5-7 ans)	Horizontale	• Est une personne introvertie • Se montre peu attiré par le pouvoir et la supervision • Est prudent en ce qui concerne la prise de décision • A besoin d'être compris par les gens qui l'entourent • Fait montre d'un grand besoin d'autonomie et d'indépendance
Étapiste	Sécurité Compétence Réalisation	Rare (5-7 ans)	Verticale	• Possède une grande autonomie émotive • Possède un grand besoin de domination • Démontre un intérêt moyen pour le pouvoir et le leadership • Est très orienté vers l'autoformation • Possède une grande confiance en soi

d'un cinquième élément à la typologie – le type étapiste – et la dynamisation de la typologie par la définition des types mixtes.

Afin de rendre la typologie de Driver plus systématique, Mercure, Bourgeois et Wils (1991) ont procédé à une recatégorisation de chacun des types de cheminement. À l'aide de trois facteurs (la mobilité, la direction et la fréquence), ces auteurs cherchaient à « restructurer la logique combinatoire des dimensions existantes ou implicites des types purs sur la base des éléments de contenu existants » (Bourgeois, 1989, p. 11).

Comme le démontre la figure 10.4, cette opération a permis de mettre en lumière un cinquième type qui naît du croisement d'une mobilité à l'intérieur d'un même champ occupationnel et d'une faible fréquence de déplacement. Ce nouveau type que l'on nomme « étapiste » est un type hybride, se situant à mi-chemin entre les concepts « homéostatique » et « linéaire ». Plus précisément, l'individu étapiste est un carriériste qui progresse lentement (changement tous les cinq à sept ans) et qui gravit hiérarchiquement les échelons à l'intérieur d'un même champ d'occupation. Il est intéressant de noter que, selon Bourgeois (1989), 22 % des travailleurs ont un cheminement de carrière de type étapiste.

De plus, alors que les recherches préliminaires de Driver ne définissaient que quatre types de cheminement de carrière qui se voulaient des types purs, c'est-à-dire persistants et permanents dans le temps, l'étude de Mercure, Bourgeois et Wils (1991) relève les transferts potentiels pouvant être effectués entre les types de cheminement. Cette approche vient reconnaître ce qu'on qualifie de types mixtes, qui se définissent concrètement par un agencement de

FIGURE 10.4
La nouvelle construction de la typologie de Driver

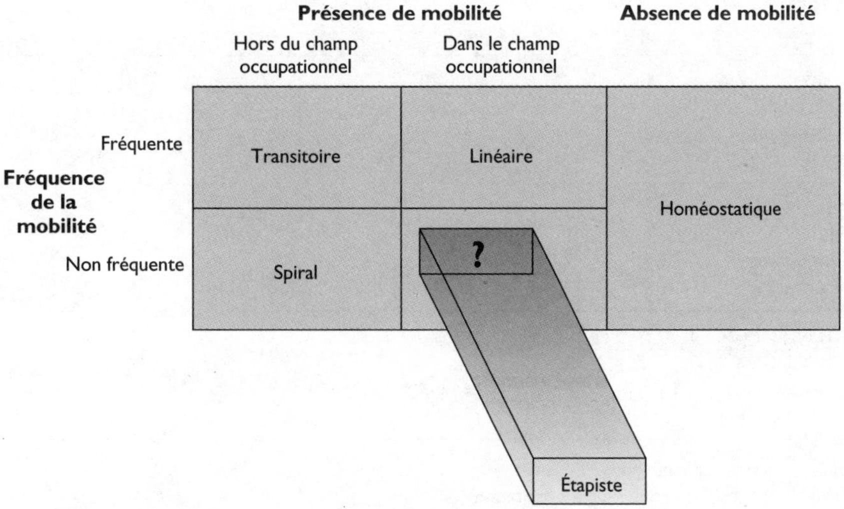

Source: Tiré de Mercure, Bourgeois et Wils (1991), p. 126. Reproduit avec l'autorisation de la revue *Relations industrielles*.

différents types purs de carrière dessinant un cheminement multitypes. Plus précisément, un individu peut, par exemple, pendant une certaine période de sa vie, être de type linéaire et par la suite se stabiliser et emprunter un cheminement de carrière homéostatique. Un tel cheminement de carrière serait un cheminement de type mixte.

Afin d'évaluer les probabilités de modification des cheminements de carrière, Mercure, Bourgeois et Wils (1991) ont construit une matrice permettant de considérer la potentialité de chacun des types de se réorienter (tableau 10.5). S'appuyant sur le nombre de facteurs différents entre chacun des types purs, cette matrice permet d'estimer la direction d'une réorientation potentielle de carrière. Ainsi, plus le nombre de différences est important et plus les probabilités qu'une réorientation prenne la direction de ce type sont minimes. À l'opposé, lorsqu'il existe peu de différences entre deux types, il est fort probable que la réorientation du cheminement de carrière (s'il y a lieu) se dirigera vers ce type précis.

TABLEAU 10.5
La matrice qualitative des changements potentiels

Type de carrière	Transitoire Mobile Hors champ Fréquent	Spiral Mobile Hors champ Peu fréquent	Linéaire Mobile Dans le champ Fréquent	Étapiste Mobile Dans le champ Peu fréquent	Homéostatique Non mobile Dans le champ Aucune fréquence
Transitoire Mobile Hors champ Fréquent	0	1	1	2	3
Spiral Mobile Hors champ Peu fréquent	1	0	2	1	3
Linéaire Mobile Dans le champ Fréquent	1	2	0	1	2
Étapiste Mobile Dans le champ Peu fréquent	2	1	1	0	2
Homéostatique Non mobile Dans le champ Aucune fréquence	3	3	2	2	0

Légende : 0 = continu : sans réorientation
1 = discontinu : faible orientation
2 et 3 = discontinu : forte réorientation

Source : Tiré de Mercure, Bourgeois et Wils (1991), p. 131.

Somme toute, la typologie que nous offre Driver ainsi que les ajouts apportés par Mercure, Bourgeois et Wils permettent de mieux comprendre le patron général de carrière d'un individu. Au-delà de la compréhension de l'orientation (choix) et du développement de carrière, le cheminement nous offre une vision plus globale, riche d'une ouverture sur l'intégration de facteurs externes tels que l'économie et la structure du marché du travail. De plus, notons qu'une telle conception typologique facilite la compréhension de la réalité en éliminant les balises traditionnelles du cheminement linéaire et graduel de carrière.

10.2 LA GESTION INDIVIDUELLE ET ORGANISATIONNELLE DE LA CARRIÈRE

10.2.1 La gestion individuelle de la carrière

Bien que les conceptions présentées aux pages précédentes fournissent de l'information sur la direction et le développement de la carrière d'un individu, elles ne peuvent, à elles seules, englober l'ensemble de la réalité idiosyncratique que représente la carrière. En effet, au-delà de la volonté même de l'individu, certains éléments que l'on peut qualifier d'externes ont des répercussions marquées sur le déroulement et la progression de la carrière. Ces facteurs, échappant plus ou moins au contrôle individuel, viennent soit modifier la ligne de carrière par un ralentissement de sa progression, soit, à l'inverse, accentuer le rythme de la carrière par l'élimination de certains éléments «perturbateurs». Par ailleurs, bien que ces facteurs puissent prendre une multitude de formes, nous nous arrêterons, à l'intérieur de cette sous-section, à trois d'entre elles, soit les couples à double carrière, le plateau de carrière et l'employabilité comme élément d'avancement.

Les couples à double carrière

L'émancipation de la femme et son entrée massive sur le marché du travail viennent modifier grandement les rôles familiaux traditionnels. Ainsi, la famille est maintenant constituée d'une double préoccupation en ce qui a trait à la carrière; il y a la carrière de l'homme, mais aussi, et de façon aussi importante qu'actuelle, la carrière de la femme. Plusieurs études ont été menées depuis le début des années 1970 afin de circonscrire cette nouvelle dynamique et afin de connaître tant les problèmes que les contraintes occasionnés par cette nouvelle réalité.

Le premier point important à souligner est l'existence d'un asynchronisme entre la carrière de l'homme et celle de la femme. Il est démontré que la carrière des hommes progresse beaucoup plus rapidement et atteint naturellement un sommet à un âge moins avancé que celle des femmes – en raison principalement de la fonction reproductrice de ces dernières. À l'opposé, la progression de la carrière des femmes serait plus lente dans les premières années de la vie active pour connaître une recrudescence une fois que les enfants ont atteint l'âge scolaire. La carrière de l'homme et celle de la femme ne se développent donc pas de façon parallèle mais plutôt dans une temporalité intercalée. Ainsi, dans une vision développementale, l'homme et la femme ne se rejoindront que rarement en fonction de leur préoccupation de carrière.

De plus, au-delà de ce débalancement temporel de la progression des carrières, plusieurs études stipulent que la carrière du conjoint (homme ou femme) est une barrière importante à l'émancipation de la carrière de l'autre. Ainsi, tant en ce qui a trait au salaire qu'au prestige occupationnel, il est démontré que les personnes ayant un conjoint poursuivant simultanément une carrière souffrent d'un ralentissement par rapport aux individus poursuivant une carrière en solo. Entre autres, Mooney (1981) constate que les revenus des maris dont l'épouse ne travaille pas à l'extérieur sont de 20 % supérieurs à ceux des maris dont la femme travaille à l'extérieur. Bien que cette étude se préoccupait exclusivement de la carrière des hommes, il est évident que des conclusions inverses, bien que quelque peu différentes, pourraient être obtenues lorsqu'il s'agit de la carrière des femmes. Les causes d'une telle réalité sont évidentes. On dénote particulièrement le rôle de soutien que représente le conjoint ne travaillant pas à l'extérieur, la possibilité de s'investir plus dans le travail lorsque le conjoint ne poursuit pas de carrière et, finalement, une plus grande mobilité géographique chez les couples où une seule des personnes fait carrière.

Cependant, bien que les couples puissent rencontrer plusieurs embûches dans le développement de leur carrière, il demeure que ces derniers récoltent certains avantages de cette situation. Ainsi, les travailleurs célibataires sont généralement moins satisfaits que les gens vivant en couple, et ceci autant en ce qui a trait au travail qu'à la vie en général (Austrom, Baldwin et Macy, 1988). De

plus, bien que cela puisse être discriminatoire, il semble que les organisations favorisent les gens mariés lorsqu'il est question de promotion. C'est principalement la stabilité sociale et émotive des travailleurs mariés qui leur confère cet avantage.

Naturellement, les organisations sont de plus en plus conscientes des difficultés d'harmoniser les préoccupations professionnelles et les préoccupations familiales. En ce sens, bon nombre d'entreprises adoptent des règles favorisant l'équilibre entre le travail et la famille. Bien que les actions concrètes puissent prendre plusieurs formes, notons que 15 % des entreprises québécoises ont instauré des garderies en milieu de travail, que 36 % possèdent des horaires flexibles de travail, que 60 % offrent la possibilité d'obtenir des congés parentaux et que 10 % d'entre elles adaptent la gestion des carrières aux exigences familiales (Guérin *et al.*, 1994).

Le plateau de carrière

Le plateau de carrière, ou le plafonnement de carrière, est une période plus ou moins longue de stagnation dans la progression de la carrière. Les causes d'une telle stabilité sont multiples, mais il appert que les causes organisationnelles (congestion hiérarchique) prédominent sur les causes personnelles (manque de compétence ou d'ambition). Dans cette logique, deux types de plateaux de carrière existent : le plateau structurel (de mobilité), qui est caractérisé par une absence de mobilité tant verticale que latérale liée à un plafonnement dans la lignée de carrière ; le plateau fonctionnel (de contenu), qui représente une baisse momentanée de motivation et d'enthousiasme, entraînant une décentralisation du travail et naturellement un immobilisme de la carrière.

Le plateau de carrière a des répercussions importantes tant pour l'organisation que pour l'individu. Ainsi, pour l'organisation, le plateau de carrière entraîne une perte considérable de productivité reliée à une absence de créativité, à une baisse de la motivation et à une perte d'intérêt dans le travail. Pour le travailleur, les conséquences du plateau peuvent comporter une connotation plus néfaste, voire dramatique. Ainsi, à la suite d'une stagnation de sa carrière, le travailleur peut se sentir trahi et ainsi développer une grande agressivité face à l'organisation ; il peut également souffrir de troubles psychosomatiques causés par une augmentation significative du stress ; il peut finalement, dans des cas plus extrêmes, faire face à certains problèmes de santé psychologique tels que la perte d'estime de soi, la perte d'identité et la dépression.

La problématique que représente le plafonnement de carrière est de plus en plus présente à l'intérieur des organisations. Plus précisément, on estimait en 1990 que 50 % des cadres québécois étaient plafonnés et on s'attend à ce que cette proportion atteigne 90 % au cours de la prochaine décennie (Tremblay et Roger, dans Cardinal et Lamoureux, 1993). Bien que le plateau de carrière soit une réalité de plus en plus courante chez les travailleurs, il demeure difficile de distinguer clairement la progression normale et volontaire de la stagnation imposée. La personne la plus efficace pour faire cette distinction est sans doute le travailleur lui-même. À cet effet, voici quelques indices, tirés de Hall et

Rabinowitz (1986), permettant d'évaluer l'occurrence d'un plafonnement de carrière :

- Demeurer dans une position pour une période de temps beaucoup plus longue que celle passée dans les postes précédents ;

- Ne pas avoir accompli d'action digne de mention dans la dernière année ;

- Avoir un poste qui ne possède plus aucun élément de surprise ; avoir le plein contrôle de toutes ses tâches ;

- Ressentir un certain sentiment d'aliénation face aux tâches associées à son poste ;

- Se sentir anxieux et compétitif face aux collègues plus jeunes ;

- Considérer qu'un changement d'organisation ou de carrière serait trop coûteux ;

- Avoir des augmentations de salaire constantes, sans variation ;

- Se sentir plus fréquemment en position de défense face à son poste ;

- Ne plus apprendre, ne plus s'accomplir par le biais de son travail.

Bien que le plateau de carrière puisse être très néfaste organisationnellement et individuellement, peu de solutions concrètes s'offrent afin de résorber ce phénomène issu des modifications sociales (carrière des femmes, renversement de la pyramide des âges) et de chambardements économiques (crise structurelle, mondialisation des marchés). Les organisations peuvent néanmoins diminuer les conséquences de ce phénomène, même si elles ne peuvent l'éliminer complètement. Ainsi, dans une logique organisationnelle stricte, voici quelques pistes de solutions proposées par Cardinal et Lamoureux (1993).

Le changement de structure   Par l'aplatissement des structures organisationnelles, les entreprises peuvent réduire les effets de la stagnation de carrière. Étant moins exposés à des promotions de type vertical, les travailleurs ressentiront moins de frustration face à l'impossibilité de gravir les échelons. Bien qu'elle ne réduise en rien le plafonnement de carrière, une telle action permet d'éliminer ou de limiter la culture organisationnelle qui définit la réussite en fonction du niveau hiérarchique atteint. De plus, un tel aplatissement de la structure permet de favoriser la mobilité latérale, ce qui offre au travailleur la possibilité de poursuivre sa quête d'expériences et de compétence, tout en lui donnant la chance, périodiquement, de relever de nouveaux défis.

La stratégie de recrutement et de sélection   Dans la problématique des plateaux de carrière, toute la dimension du recrutement et de la sélection des travailleurs prend une importance considérable. Il est plus que jamais primordial de bien apparier les travailleurs avec le type d'emploi qui leur convient. Les chances de mobilité étant de plus en plus faibles, il devient essentiel que chaque travailleur se trouve dans un environnement de travail où ses compétences et ses habiletés particulières sont mises à contribution. Donc, la logique préconisée par la théorie traits-facteurs doit être respectée par le biais d'une sélection judicieuse des candidats et d'une communication franche et ouverte en ce qui a trait aux caractéristiques intrinsèques des postes.

Le système formel de mentorat　Il est primordial de renforcer le sentiment d'utilité et de compétence des travailleurs plafonnés. Ces travailleurs se trouvant souvent à la mi-carrière ou encore en période de pré-retraite peuvent être utilisés afin de former des travailleurs moins expérimentés. Ainsi, l'instauration d'un système formel de mentorat, qui se veut une forme de parrainage entre les nouveaux et les anciens travailleurs, favorise la motivation par la reconnaissance de l'expérience et réduit d'emblée l'animosité pouvant exister entre la cohorte des travailleurs plafonnés et celle des jeunes loups (recrues).

L'employabilité

Le terme « employabilité » est un néologisme introduit par R.M. Kanter (1989) afin de définir les carrières de type entrepreneurial ou professionnel qui se caractérisent principalement par une prise en charge individuelle. En effet, Kanter soutient que les carrières traditionnelles ou « corporatives » sont en voie de disparition. Les changements structurels au sein du marché du travail obligent les organisations à utiliser divers subterfuges afin de se resituer, de façon compétitive, dans une logique mercantile en pleine mutation. Ainsi, la flexibilité et la polyvalence sont maintenant deux qualités essentielles de la prospérité organisationnelle. Afin d'atteindre de tels objectifs, les entreprises sacrifient, entre autres, la sacro-sainte sécurité d'emploi à la faveur d'une structure organisationnelle décentralisée, d'une embauche sur l'ensemble du marché et de l'utilisation de sous-traitants. La disparition de la sécurité d'emploi ébranle *ipso facto* la dynamique de la carrière traditionnelle par l'élimination des lignées de carrière qui constituaient des voies de progression linéaire et temporelle.

Ainsi, alors que la carrière était jusqu'à aujourd'hui encadrée par la structure organisationnelle (formation, perfectionnement, promotion, etc.), c'est maintenant le travailleur lui-même qui doit s'assurer d'une continuité dans l'évolution de sa carrière. Pour ce faire, il doit atteindre un certain niveau d'employabilité, c'est-à-dire une compétence et une expertise qui lui sont reconnues. Donc, les travailleurs passent d'une loyauté envers l'organisation à une loyauté envers eux-mêmes, et aussi d'une sécurité d'emploi offerte par l'employeur à une sécurité d'emploi soutenue par leur employabilité.

Dans cette logique, c'est l'individu qui a maintenant le plein contrôle de sa formation, de son perfectionnement, de ses choix de carrière. C'est à lui que revient la responsabilité de sa sécurité d'emploi, sécurité qu'il obtiendra par la réputation qu'il se forgera, par la polyvalence qui sera sienne et par les réseaux de communication et de relations qu'il saura entretenir. Ainsi, chaque emploi occupé doit être intégré dans une planification stratégique en fonction de son choix et en fonction de sa portée (c'est-à-dire le temps d'occupation). Chaque poste occupé, chaque cours de formation suivi, chaque élément de compétence acquis seront donc autant de cordes à l'arc de la sécurité d'emploi. En ce sens, il va sans dire que le meilleur instrument pour évaluer l'employabilité (sécurité d'emploi) d'un individu est son curriculum vitæ.

10.2.2 La gestion organisationnelle de la carrière

Ce n'est souvent qu'après dix, vingt ou trente années de travail que certaines personnes commencent à prendre conscience, pour différentes raisons, qu'elles n'apprécient plus leur travail. Ces personnes trouvent alors leur emploi trop stressant, ennuyeux, ou le perçoivent comme une suite aliénante de tâches répétitives. Parfois, d'autres réalités peuvent également laisser l'individu sans emploi. Pour se préparer à l'avènement de telles situations, qui peuvent se produire à un moment ou à un autre de leur vie professionnelle, les travailleurs devraient s'engager tôt dans une planification et une gestion de carrière continues. Mais c'est aux employeurs que revient traditionnellement la responsabilité d'offrir de tels services.

Une organisation peut avoir recours à deux stratégies différentes en matière de planification et de gestion des carrières : la première est centrée sur les besoins individuels de planification, et la seconde est davantage orientée vers les besoins de l'organisation en planification des ressources humaines. La planification de carrière centrée sur l'individu a trait aux plans élaborés par les individus afin de satisfaire leurs besoins de croissance. La planification de carrière centrée sur l'organisation, quant à elle, porte plus sur les emplois et sur l'élaboration des cheminements de carrière qui permettront aux employés de progresser en occupant différents postes au sein de l'organisation. La figure 10.5 donne différents exemples d'activités de développement de carrière. Cette figure ne contient pas la liste complète des programmes existant en matière de planification de carrière, mais elle permet de situer bon nombre d'entre eux sur un continuum allant de l'approche centrée sur l'individu à l'approche centrée sur l'organisation.

La planification centrée sur l'individu

Comme nous l'avons indiqué dans la première section de ce chapitre, plusieurs recherches indiquent que les choix de carrière sont influencés par plusieurs traits individuels (par exemple, les intérêts, l'identité de soi, la personnalité). On trouve sur le marché plusieurs livres de référence, des documents et même des cassettes vidéo qui ont pour but d'aider les utilisateurs à évaluer eux-mêmes leur potentiel de carrière. Les tests psychologiques écrits, souvent menés dans les organisations, peuvent également aider les individus à mieux cerner leurs intérêts professionnels et leurs préférences. D'autres outils concernant la personnalité et l'identité de soi sont disponibles pour la mise sur pied d'ateliers de travail ou de séminaires, au cours desquels on donne aux employés des lignes de conduite et des conseils sur des sujets tels que la planification de carrière ou l'attitude positive dans la planification de carrière. Lors de ces ateliers ou de ces séminaires, on apprend aussi aux employés à mieux se présenter (en leur indiquant, par exemple, comment se préparer pour une entrevue, comment mettre au point une présentation orale), à être plus confiant lorsqu'ils font part de leurs objectifs de carrière, à évaluer différents cheminements de carrière et à faire des choix appropriés. Bien entendu, le contenu de ces activités peut varier d'une organisation à l'autre.

Un bon nombre d'organisations n'appliquent pas leur programme de développement de carrière à l'ensemble de l'organisation, mais l'orientent plutôt vers quelques personnes qui désirent évaluer plus systématiquement

FIGURE 10.5
Les activités reliées au développement de la carrière

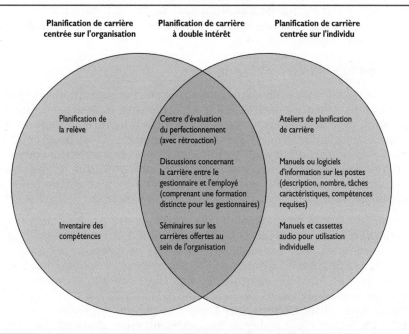

**Planification de carrière
centrée sur l'organisation**   **Planification de carrière
à double intérêt**   **Planification de carrière
centrée sur l'individu**

Planification de
la relève

Centre d'évaluation
du perfectionnement
(avec rétroaction)

Ateliers de planification
de carrière

Discussions concernant
la carrière entre le
gestionnaire et l'employé
(comprenant une formation
distincte pour les gestionnaires)

Manuels ou logiciels
d'information sur les postes
(description, nombre, tâches
caractéristiques, compétences
requises)

Inventaire des
compétences

Séminaires sur les
carrières offertes au
sein de l'organisation

Manuels et cassettes
audio pour utilisation
individuelle

Source: Tiré et adapté de Mercure, Bourgeois et Wils (1991), p. 131. Reproduit avec l'autorisation de la revue *Relations industrielles*. Reproduit avec l'autorisation des Éditions du Renouveau pédagogique.

l'image qu'elles ont d'elles-mêmes ainsi que leurs besoins de pouvoir, d'affiliation et d'accomplissement. De tels exercices peuvent apporter des informations précieuses aux individus et à l'organisation si les activités sont menées adéquatement. La différence majeure existant entre les évaluations réalisées en groupe et les autoévaluations réside dans l'interprétation des résultats. L'interprétation nécessite, en effet, la compréhension des caractéristiques psychométriques des tests écrits (particulièrement en ce qui concerne la validité et la fidélité) et ne devrait pas être laissée à la discrétion de débutants dans le domaine. Beaucoup d'organisations offrent, par conséquent, un service de consultation dirigé par un spécialiste en ressources humaines qui sera parfois assisté par un spécialiste externe en psychologie organisationnelle et industrielle.

Il existe cependant des organisations qui croient que le développement de carrière demeure la responsabilité entière des individus et non des organisations. Cette philosophie est justement celle soutenue par le programme de gestion de carrière préparé par la Société des comptables en gestion du Canada. Ce programme dirige effectivement ses membres vers des méthodes et des moyens de réussir dans leur profession et leur entreprise. Il leur enseigne, en fait, à prendre en main leur propre carrière.

Comme on le constate, la planification de carrière semble mener à des résultats tangibles. Néanmoins, plusieurs soutiennent au contraire que la progression de la carrière est plus une question de hasard que de planification. En ce sens, un récent article dessinant le profil de carrière de trois femmes qui ont atteint les niveaux supérieurs de trois champs d'activité différents explorait leurs cheminements de carrière respectifs. L'article en question donnait l'impression générale que le cheminement de ces femmes vers le sommet avait été caractérisé par la chance plutôt que par une planification serrée. Une des femmes interviewées a même indiqué clairement qu'elle n'avait jamais établi de plan de carrière formel.

La planification centrée sur l'organisation

L'activité de planification de carrière centrée sur l'organisation est similaire à l'activité de planification individuelle. La différence majeure est que dans la planification de carrière organisationnelle on cherche directement à satisfaire ses besoins en planification de ressources humaines. C'est pour cette raison que plusieurs organisations mettent sur pied des programmes qui couvrent tant la progression de carrière (par exemple, une politique claire que l'on communique aux employés) que les modalités de fin de carrière telles que la retraite ou la préretraite.

Le phénomène de progression de carrière s'illustre par les échelons (lignée de carrière) que les employés doivent gravir afin d'atteindre certaines unités organisationnelles. Par exemple, le cœur du programme de progression d'emploi chez Sears est la description des exigences reliées aux différents postes de travail. Ainsi, Sears utilise le plan Hay pour analyser les emplois en fonction de trois dimensions : le savoir-faire, la résolution de problèmes et la gestion-comptabilité. Comme ces trois dimensions requièrent différentes habiletés de la part des employés, des séries logiques d'affectation de postes sont préparées de façon à tenir compte de toutes ces dimensions (par exemple, que l'employé progressera du service des ventes à celui de la comptabilité, pour passer au budget, etc.). L'entreprise peut donc utiliser son programme pour tracer des cheminements de carrière rationnels visant à atteindre des emplois cibles (soit les emplois qui représentent la fin du cheminement de carrière de l'employé), pour classer les cheminements de carrière selon la vitesse et le niveau atteints, et pour justifier, s'il y a lieu, les mutations latérales et les rétrogradations de personnel.

Les cheminements de carrière, comme nous l'avons mentionné précédemment, ne sont donc pas toujours linéaires, ni éternellement orientés vers un mouvement ascendant dans la structure organisationnelle. En effet, bon nombre de professionnels et de techniciens sont associés à un phénomène qui est appelé l'« échelle de carrières doubles ». On donne souvent à ces travailleurs le choix soit de progresser dans leur emploi professionnel ou technique (bien que le cheminement de carrière soit très court) ou de se diriger vers des postes de gestion. La possibilité de carrières doubles procure donc l'occasion de grimper dans l'échelle des emplois de gestion ou dans l'échelle des emplois techniques ou professionnels.

Pour mieux planifier les cheminements de carrière et les avantages reliés à la carrière, beaucoup d'organisations utilisent des banques de données informatisées qui contiennent de l'information sur les profils de carrières, la liste des compétences et les préférences de carrière des employés. L'organisation peut alors plus facilement retracer les individus dont les objectifs de carrière satisfont aux ouvertures existantes. Les Forces armées canadiennes utilisent un tel inventaire des compétences dans quelques-unes de leurs divisions, et le Canadien National a également eu recours à différents inventaires de ce type lors de l'application de son programme de planification de la relève.

D'autres entreprises canadiennes utilisent diverses méthodes pour encourager la planification et la gestion de la carrière. La société Hydro-Ontario, par exemple, déterminée à augmenter la rotation des tâches dans son entreprise, a entrepris de faire connaître son programme de développement de carrière à ses employés. Notamment, ce programme récompense les gestionnaires qui participent activement au développement des employés en incluant cette fonction de gestion dans l'évaluation de leur rendement. Imperial Oil offre également à ses gestionnaires un centre de carrière où ils peuvent évaluer leurs objectifs, prendre de l'information sur les cours offerts par l'entreprise et discuter avec une personne-ressource de leurs aspirations en fonction des buts de l'entreprise. Lorsque Imperial Oil et Texaco Canada ont fusionné, on a demandé aux employés de remplir un questionnaire dans lequel ils devaient préciser les postes qui les intéressaient dans la nouvelle organisation. Par cette méthode, 79 % des employés ont obtenu leur premier choix d'occupation, et 93 % au total ont obtenu l'un de leurs trois premiers choix exprimés.

CONCLUSION

Comme on l'a vu à l'intérieur de ce chapitre, le choix, le développement et le cheminement de carrière sont autant de facettes d'une même réalité. Bien qu'il existe une chronologie historique dans l'apparition des conceptions rattachées à chacune de ces facettes, il n'en demeure pas moins que, par le biais d'un regard actuel, chacune de ces idéologies s'imbrique harmonieusement dans une explication globale du phénomène de la carrière. Bien sûr, et on est à même de le constater, la panoplie des angles observés complexifie d'emblée l'analyse de ce fait social ; elle propose néanmoins une riche capacité d'interprétation de ses multiples paramètres.

Les différentes théories et conceptions que nous avons explorées dans ce chapitre doivent être considérées comme autant d'instruments permettant de bien circonscrire une réalité fondamentalement individuelle et intrinsèquement malléable. Bien qu'elles présentent, en certaines occasions, des attributs fortement prescriptifs, ces explications n'en demeurent pas moins des généralisations ne pouvant en aucun cas être accolées intégralement à l'évolution d'une carrière en particulier. Il appert donc que ces outils de compréhension représentent un cadre d'analyse fiable, sans pour autant répondre instantanément à toutes les problématiques individuelles ou organisationnelles concernant la carrière.

Malgré les changements dans sa nature et sa signification, la carrière demeure et demeurera ancrée dans les préoccupations des gens. Cependant, alors qu'elle était traditionnellement gérée de l'extérieur (organisation), il revient aujourd'hui au travailleur de façonner son cheminement et de prendre les décisions appropriées afin de faciliter l'assouvissement de ses besoins et l'accomplissement de ses aspirations. Il est donc de rigueur que chaque travailleur, chaque individu, soit conscient de ses possibilités et qu'il exploite de façon judicieuse les avenues qui lui sont offertes. Nous croyons qu'il revient au travailleur de prendre sa carrière en main et de naviguer, en fonction des différentes embûches fonctionnelles et structurelles, vers l'émancipation de ses potentialités. D'où l'importance, pour quiconque, de connaître les tenants et aboutissants de ses choix initiaux et secondaires concernant sa carrière.

1. Expliquez l'importance de l'approche traits-facteurs en démontrant l'influence de cette théorie sur les conceptions de Roe et de Holland.

2. Deux idéologies composent le corpus théorique s'intéressant à la carrière, soit le déterminisme et le développementalisme. Est-ce que ces idéologies sont en opposition ou sont-elles simplement complémentaires? Justifiez votre réponse.

3. Choisissez trois personnes de votre entourage (parents, amis, etc.) et, en fonction de la typologie de Holland, identifiez le patron de personnalité qui leur est propre.

4. Quels sont les différents indices permettant d'évaluer l'adéquation entre la personnalité d'un individu et le type d'emploi qu'il occupe?

5. En fonction des postulats proposés par Super, de quelle façon doit-on définir la carrière?

6. Expliquez le processus utilisé par Mercure, Bourgeois et Wils afin d'ajouter un cinquième type de cheminement de carrière (l'étapiste) à la typologie de Driver.

7. Comparez et distinguez les concepts de choix de carrière, de développement de carrière et de cheminement de carrière.

8. Kanter explique que les carrières de type traditionnel sont portées à disparaître. Dans quelle mesure peut-on considérer le phénomène du plateau de carrière comme étant un effet secondaire de cette transformation des carrières?

CHAPITRE **10** Autoévaluation

Répondez au questionnaire ci-dessous en encerclant la réponse qui correspond le mieux à ce que vous pensez. Reportez-vous à la fin de l'exercice pour interpréter vos résultats.

	Absolument en désaccord	Pas d'accord	D'accord	Tout à fait d'accord
1. Je quitterais mon employeur plutôt que d'être promu à un poste ne correspondant pas à mes compétences.	1	2	3	4
2. Je considère qu'il est important de devenir très spécialisé et très compétent dans un domaine ou à un poste particulier.	1	2	3	4
3. Il est important que ma carrière ne soit pas soumise à des restrictions de la part de mon employeur.	1	2	3	4
4. J'ai toujours recherché une carrière dans laquelle je pourrais rendre service aux autres.	1	2	3	4
5. Il est important que ma carrière m'offre une très grande variété d'affectations et de projets de travail.	1	2	3	4
6. Il est important pour moi d'être promu à un poste de direction générale.	1	2	3	4
7. J'aime être associé à une entreprise en particulier et à son image de marque.	1	2	3	4
8. Je préfère rester dans la région où j'habite plutôt que de déménager en raison d'une promotion.	1	2	3	4
9. Je souhaiterais utiliser mes habiletés pour mettre sur pied une nouvelle entreprise.	1	2	3	4
10. J'aimerais détenir assez de responsabilités dans une entreprise pour que mes décisions aient une influence réelle.	1	2	3	4
11. Je me vois davantage comme un généraliste que comme un spécialiste.	1	2	3	4

12. Il est important pour moi d'avoir un nombre infini de défis dans ma carrière.	1	2	3	4
13. Il est important pour moi d'être associé à un employeur qui a du pouvoir et du prestige.	1	2	3	4
14. L'exaltation de participer à des activités variées dans le cadre du travail que j'ai choisi a été la motivation sous-jacente à mon choix de carrière.	1	2	3	4
15. Il est important pour moi de superviser, d'influencer et de diriger les gens sur tous les plans.	1	2	3	4
16. Je suis prêt à sacrifier un peu de mon autonomie pour stabiliser ma situation générale.	1	2	3	4
17. Il est important pour moi de travailler dans une entreprise qui m'offre une sécurité d'emploi, des avantages sociaux, une bonne retraite, etc.	1	2	3	4
18. Au cours de ma carrière, ma liberté et mon autonomie me tiendront à cœur.	1	2	3	4
19. Pendant toute ma carrière, je serai motivé par le nombre de produits que j'aurai contribué à créer.	1	2	3	4
20. Je veux que les autres s'associent à mon travail et à mon entreprise.	1	2	3	4
21. Il est important pour moi de pouvoir mettre mes talents et mes habiletés au service d'une cause importante.	1	2	3	4
22. Il est important que l'on reconnaisse mon titre et mon statut.	1	2	3	4
23. Il est important pour moi d'avoir une carrière qui me laisse beaucoup de liberté et d'autonomie dans le choix de mon travail, de mon horaire, etc.	1	2	3	4
24. Il est important pour moi d'avoir une carrière offrant beaucoup de flexibilité.	1	2	3	4
25. Je n'accepterai un poste de direction que si cela relève de mes compétences.	1	2	3	4
26. J'aimerais accumuler une fortune personnelle afin de me prouver, et de prouver aux autres, que je suis compétent.	1	2	3	4

27. Il est important pour moi de travailler dans une entreprise qui m'offre une stabilité à long terme.	1	2	3	4
28. Il est important pour moi d'être capable de créer ou de construire quelque chose qui soit entièrement le produit de mes efforts.	1	2	3	4
29. Il est important pour moi de rester dans mon champ de spécialisation plutôt que d'être promu à un poste ne correspondant pas à mes compétences.	1	2	3	4
30. Je ne veux être contraint ni par mon employeur, ni par le monde des affaires.	1	2	3	4
31. J'aime constater que mes efforts ont changé ceux qui m'entourent.	1	2	3	4
32. Je souhaite que ma carrière me permette de satisfaire mes besoins et d'aider les autres.	1	2	3	4

Résultats

Pour obtenir votre résultat pour chacun des huit éléments ci-dessous, additionnez le pointage obtenu pour chaque question indiquée et divisez le résultat par 4.

Compétence

Question	1	pointage :	_____
	2		_____
	25		_____
	29		_____
	Total		_____ ÷ 4 = _____

Autonomie :   questions 3, 18, 23, 30

Esprit d'entraide :   questions 4, 21, 31, 32

Reconnaissance :   questions 7, 13, 20, 22

Diversité :   questions 5, 12, 14, 24

Qualités de gestionnaire :   questions 6, 10, 11, 15

Sécurité :   questions 8, 16, 17, 27

Créativité :   questions 9, 19, 26, 28

Source : Traduit et adapté de Delong (1982), p. 56-57.

Références

AUSTROM, D.R., BALDWIN, T.T., et MACY, G.J. (1988). « The Single Worker : An Empirical Exploration of Attitudes, Behavior, and Well-Being », *Canadian Journal of Administrative Sciences*, décembre, p. 22-29.

BORDIN, E.S. (1984). « Psychodynamic Model of Career Choice Satisfaction », dans D. BROWN et L. BROOKS (sous la direction de), *Career Choice and Development*, Jossey-Bass, San Francisco.

BORDIN, E.S., NACHMANN, B., et SEGAL, S.S. (1963). « An Articulated Framework for Vocational Development », *Journal of Counseling Psychology*, vol. 10, p. 107-117.

BOURGEOIS, R.-P. (1989). « Réflexion sur les carrières des travailleurs dans la perspective d'une saine gestion des ressources humaines », Chapitre tiré de l'ouvrage collectif en management publié par les professeurs du Département d'administration de l'Université du Québec à Hull.

BUEHLER, C. (1933). *Der Menschliche Lebebslauf als Psychologiches Problem*, Hirzel, Leipzig.

BUJOLD, C. (1989). *Choix professionnel et développement de carrière : théories et recherches*, Gaëtan Morin Éditeur, Boucherville.

CARDINAL, L., et LAMOUREUX, C. (1993). « Plateau de carrière et spécificité individuelle », Centre de recherche en gestion, Université du Québec à Montréal.

DRIVER, M. (1979). « Career Concepts and Career Management in Organizations », dans C.L. COOPER (sous la direction de), *Behavioral Problems in Organizations*, Prentice-Hall, Englewood Cliffs, p. 79-139.

DRIVER, M. (1983). « Career Concepts and Individual Differences », Conférence prononcée à l'Association des sciences administratives du Canada, mai.

GINZBERG, E., GINSBURG, S.W., AXELRAD, S., et HERMA, J.C. (1951). *Occupational Choice*, Columbia University Press, New York.

GROTEVANT, H.D., et THORBECKE, W.L. (1982). « Sex Differences in Styles of Occupational Identity Formation in Late Adolescence », *Developmental Psychology*, n° 18, p. 396-405.

GUÉRIN, G., ST-ONGE, S., TROTTIER, R., SIMARD, M., et HAINES, V. (1994). « Les pratiques organisationnelles d'aide à la gestion de l'équilibre travail-famille : la situation du Québec », *Gestion*, mai, p. 74-84.

HALL, D.T., et RABINOWITZ, S. (1986). « Maintening Employee Involvement in a Plateau Career », dans M. LONDON et E.M. MONE (sous la direction de), *Career Growth and Human Resource Strategies*, Quorum Books, New York, p. 67-81.

HOLLAND, J.L. (1959). « A Theory of Vocational Choice », *Personnel and Guidance Journal*, vol. 6, p. 35-45.

HOLLAND, J.L. (1973). *Making Vocational Choices*, Prentice-Hall, Englewood Cliffs.

KANTER, R.M. (1989). *When Giants Learn to Dance*, Simon and Shuster, New York.

MERCURE, D., BOURGEOIS, R.-P., et WILS, T. (1991). « Analyse critique de la typologie des choix de carrière », *Relations industrielles*, vol. 46, n° 1, p. 120-140.

MOONEY, M. (1981). « Does It Matter if his Wife Works ? », *Personnel Administrator*, vol. 26, p. 43-49.

PARSON, F. (1909). *Choosing a Vocation*, Houghton Mifflin, Boston.

RIVERIN-SIMARD, D. (1984). *Étapes de vie au travail*, Éditions Saint-Martin, Montréal.

ROE, A. (1956). *The Psychology of Occupations*, Wiley, New York.

SAVICKAS, M.L. (1985). « Identity in Vocational Development », *Journal of Vocational Behavior*, n° 27, p. 329-377.

SCHEIN, E.H. (1978). *Career-Dynamics : Matching Individual and Organizational Needs*, Addison-Wesley, Reading, Mass.

SERAKAN, V., et HALL, D.T. (1990). « Asynchronism in Dual-Career and Family Linkages », dans M.B. ARTHUR, D.T. HALL et B.S. LAWRENCE (sous la direction de), *Handbook of Career Theory*, Cambridge, New York.

SUPER, D.E. (1953). « A Theory of Vocational Development », *American Psychologist*, vol. 8, p. 185-190.

SUPER, D.E. (1984). « Career Choice and Development », dans D. BROWN et L. BROOKS (sous la direction de), *Career Choice and Development*, Jossey-Bass, San Francisco, p. 192-234.

SUPER, D.E., et JORDAAN, J.-P. (1973). « Career Development Theory », *British Journal of Guidance and Counselling*, vol. 1, p. 3-16.

SUPER, D.E., et THOMPSON, A.S. (1981). *Adult Career Concerns Inventory*, Columbia University Press, New York.

La planification et la gestion du changement organisationnel

Plan

CHAPITRE

11 Objectifs d'apprentissage

Dans ce chapitre, le lecteur se familiarisera avec :

– la nécessité et l'utilité du changement comme processus d'adaptation de l'organisation ;

– l'influence des forces internes et des forces externes comme déterminants de la nature des changements organisationnels ;

– le concept de résistance aux changements ainsi que les diverses causes le justifiant ;

– les moyens dont disposent les organisations afin de diminuer l'influence de la résistance aux changements ;

– la logique sous-jacente à certaines études expliquant la dynamique du changement organisationnel ;

– les étapes nécessaires à la bonne marche du développement organisationnel ;

– les liens étroits unissant le développement organisationnel et le changement organisationnel.

POINTDEVUE

D'UN GESTIONNAIRE

JEAN-JACQUES BOURGEAULT,
premier vice-président général
Air Canada

La gestion du changement et le développement de l'organisation

Au cours des dernières années, Air Canada a dû relever l'énorme défi du changement entraîné par la déréglementation du transport aérien, la privatisation et la restructuration mondiale de l'industrie.

Le changement est donc devenu partout dans l'entreprise le quotidien qu'il fallait apprivoiser et auquel il fallait s'adapter. Nous nous sommes rendus à l'évidence qu'il fallait repenser notre mission, notre vision, nos valeurs, notre culture, nos produits et services, notre structure de coût, notre compétitivité, nos structures organisationnelles de même que la productivité de la main-d'œuvre, et améliorer globalement notre efficacité.

Modifier le cap d'une grande entreprise ne se fait pas sans difficultés ni douleur. Sur le plan humain, il a fallu réduire la taille de la société de 25 % – c'est-à-dire de 6 000 employés –, regrouper des fonctions ou recourir à l'impartition, modifier la structure traditionnelle et demander au personnel d'accepter un gel et même une réduction de salaire. Notre main-d'œuvre a connu ces trois ou quatre dernières années plus de change-ments radicaux et douloureux qu'elle n'en a connu à tout autre moment au cours de ses cinquante-sept années de fière existence en qualité de transporteur national du Canada.

Nous avons beaucoup appris sur le processus permanent de gestion du changement et de raffermissement de la capacité de l'entreprise à s'adapter et à se renouveler. La gestion fructueuse du changement a pour composante clé le rôle grandissant des spécialistes des ressources humaines comme agent du changement interne. Ce rôle consiste à construire des partenariats de travail efficaces avec les cadres hiérarchiques et à contribuer à la mise au point de stratégies de changement et de développement de l'organisation.

Les domaines d'expertise dans lesquels les professionnels des ressources humaines peuvent se révéler particulièrement utiles à leurs services clients sont notamment :

• la formation sur la dynamique et les composantes d'un processus efficient de gestion du changement ;

• l'animation visant à mettre sur pied des équipes efficientes et très performantes à tous les niveaux de l'organisation ;

→

- l'aide favorisant l'émergence d'un consensus sur une nouvelle vision, de nouvelles compétences, de la confiance dans l'action et de la cohésion dans la poursuite des buts et objectifs fixés ;

- la mise en place de systèmes efficients destinés à poser un diagnostic sur l'organisation humaine, à déceler les obstacles au changement et les conditions nécessaires à une action efficiente ;

- en tant qu'architecte de l'organisation, la conception de la structure et de la culture de même que l'adaptation des systèmes de ressources humaines voulus à l'appui des buts et objectifs de l'entreprise.

De plus en plus, le personnel d'Air Canada ne considère plus le changement comme une source de perturbation dans le travail, mais comme l'élément sur lequel il doit concentrer son travail. De toute évidence, le changement est devenu partie intégrante de la vie dans l'entreprise et il est tout probable qu'il s'accélérera tout au long de la présente décennie, tandis que les entreprises s'efforcent de demeurer compétitives et de marquer des points sur un marché où la concurrence s'intensifie et se mondialise.

D'administration et de maintien des systèmes existants, le rôle des ressources humaines s'est mué en agent de changement instillant de nouvelles valeurs aux services clients et gérant le changement continu et la transformation de l'organisation.

INTRODUCTION

Certaines personnes ont dû, dans le passé, adopter des comportements qui leur ont permis de s'adapter aux situations et de résoudre en partie les difficultés auxquelles elles faisaient face. Si, autrefois, ces comportements étaient appropriés, il arrive souvent que ces mêmes comportements soient, aujourd'hui, répétés et maintenus, alors que les circonstances et les événements qui les ont vus apparaître n'existent plus, sinon dans l'imaginaire de ces personnes. L'environnement a changé, mais pas leurs comportements. Ces derniers sont dès lors inappropriés et dysfonctionnels.

Sans verser dans le réductionnisme psychologique, on peut affirmer que, dans le monde du travail, les entreprises font face à des situations similaires, car les changements s'effectuent de plus en plus rapidement ; les entreprises doivent s'adapter aux nouvelles exigences de leur environnement si elles veulent survivre et continuer d'exercer leurs fonctions sociale et économique. Le changement est non seulement possible, mais nécessaire, et c'est souvent le refus ou l'impossibilité de changer qui entraîne la perte des organisations. Toutefois, le changement mène inévitablement à la formation du personnel à tous les niveaux de l'organisation. Que ce soit pour acquérir de nouvelles compétences techniques ou pour élaborer une nouvelle culture d'entreprise, la formation du personnel est un outil stratégique de développement organisationnel.

Ayant déjà discuté des composantes de la structure organisationnelle, des modèles organisationnels auxquels elles correspondent et des facteurs importants qui la déterminent (voir le chapitre 1), nous traiterons, dans le présent chapitre, du changement pouvant survenir à l'intérieur d'une organisation. Des forces internes et externes de changement poussent parfois l'organisation à recourir à des interventions en développement organisationnel afin de s'adapter efficacement à ce changement. La résistance au changement de la part des employés et des gestionnaires est un phénomène connu ; nous ferons un survol des causes, des comportements qui la caractérisent et des alternatives possibles afin d'en réduire l'impact. Le processus de changement sera aussi expliqué, de même que les différentes méthodes pouvant être utilisées pour l'implanter. Les étapes du développement organisationnel, les différentes interventions sur le plan des processus humains et techno-structurels, ainsi que les avantages et désavantages d'une telle démarche seront également abordés dans ce chapitre.

11.1 LE CHANGEMENT

Il est normal et même nécessaire que les organisations changent. On peut même dire que c'est l'inaptitude des organisations à s'adapter aux contraintes de l'environnement sans cesse changeant qui les rend dysfonctionnelles et qui entraîne leur perte. En fait, cet environnement s'est, depuis dix ans, modifié complètement. On n'a qu'à mentionner les changements technologiques accélérés, la concurrence implacable, la transformation des mentalités au chapitre de la main-d'œuvre, la transformation du marché du travail, la désuétude accélérée des produits et l'explosion des connaissances. Les gestionnaires et le personnel des organisations ne peuvent ignorer ces transformations. Pour survivre, les organisations doivent donc élaborer une nouvelle stratégie dite proactive. Ce type de stratégie force l'entreprise à prévoir et à agir en fonction des contraintes environnementales. La stratégie proactive assure, par conséquent, la survivance de l'organisation à longue échéance.

11.1.1 La définition du changement

Le changement organisationnel se définit comme **toute altération de l'équilibre fonctionnel d'un système de travail**. Il est nécessité par la constatation ou l'anticipation d'un dysfonctionnement de l'entreprise dans son environnement.

Le changement organisationnel peut être applicable aux buts et aux stratégies de l'entreprise, à sa technologie, à la division de ses tâches, à sa structure ainsi qu'à ses ressources humaines. Le changement dans l'une de ces dimensions entraîne possiblement des changements dans les autres.

Le concept de changement a suscité un grand nombre de recherches, et de nombreuses théories en résultent ; en voici trois types :

- **Les théories des stratégies.** Ces théories abordent la question du changement de façon générale. Elles ne décrivent pas de modèles fonctionnels et ne peuvent servir de guides pour des activités précises. Cependant, elles traitent des pouvoirs qui s'exercent, des facteurs organisationnels cibles et des mécanismes cognitifs inclus dans le processus de changement ;

- **Les théories de procédés.** Les théories de procédés sont plus fonctionnelles. On y explique le processus dynamique de changement en précisant les variables contrôlables et les résultats attendus ; on y trouve la description des étapes ainsi que certaines recommandations ;

- **Les théories techniques.** Les théories techniques sont les plus précises ; elles s'appliquent à une étape particulière du processus de changement : le diagnostic, l'intervention, la planification ou l'évaluation.

11.1.2 Les facteurs de changement

De nombreux facteurs peuvent être à l'origine d'un besoin de changement dans une organisation. Ces facteurs découlent des forces externes, soit celles qui ne sont pas sous le contrôle des gestionnaires, ou des forces internes, soit celles reliées aux situations qui surviennent dans l'entreprise.

Les forces externes

Les forces externes regroupent essentiellement les facteurs sociologiques, économiques et juridiques auxquels l'entreprise doit s'adapter afin de maintenir une certaine stabilité dans un contexte dynamique d'intégration des intrants de l'environnement et de leur transformation en extrants qui retournent dans l'environnement externe de l'entreprise. Les principales forces externes de changement sont les suivantes :

CHERCHEUR RENOMMÉ

EDWARD E. LAWLER III

**Une nouvelle logique
qui est là pour de bon**

La logique traditionnelle qui sous-tendait auparavant l'excellence des entreprises performantes ne tient plus. Une nouvelle logique est en train de voir le jour. Quelle est-elle donc? Voici les principaux éléments qui la caractérisent :

- **La valeur ajoutée : du sommet à la base.** Cette nouvelle logique s'appuie essentiellement sur le principe selon lequel la valeur ajoutée peut se manifester à tous les niveaux hiérarchiques de l'organisation. Selon la logique traditionnelle, cette valeur ajoutée se concentre aux plus hauts échelons des organisations dont la structure hiérarchique est bien établie. Or, la nouvelle logique propose de permettre aux employés de tout niveau d'assurer la coordination et le contrôle de leur propre travail et suggère donc de réduire le nombre de paliers hiérarchiques ;

- **Des structures pyramidales aux unités d'affaires.** L'ancienne logique stipulait que le contrôle ne pouvait s'exercer que dans un environnement hiérarchisé. L'exercice du pouvoir supposait souvent la présence d'une imposante structure pyramidale. Il ne suffisait pas de mettre sur pied des équipes de résolution de problèmes, comme le suggèrent les programmes de qualité totale, ou encore de redéfinir les processus, comme le soutiennent les partisans de la réingénierie. La nouvelle logique préconise l'aplanissement des organisations et favorise l'émergence d'entreprises dont la structure n'est pas articulée autour des fonctions mais plutôt fondée sur des groupuscules ou micro-entreprises ;

- **De l'individualisme au travail d'équipe.** Le succès des processus latéraux repose sur le regroupement des individus en équipes multifonctionnelles. Ainsi, là où la logique traditionnelle consacrait la primauté de la responsabilité individuelle, la nouvelle logique suppose plutôt que les individus sont relativement impuissants devant des situations d'une grande complexité. Il vaut donc mieux responsabiliser l'équipe et s'organiser autour du travail de groupe.

Les conséquences de l'émergence de cette nouvelle logique pour les gestionnaires sont claires. Les anciennes façons de faire, si elles étaient rassurantes et prévisibles, sont appelées à disparaître. Cette nouvelle logique n'a d'ailleurs rien à voir avec les tendances à la mode qui ont

→

envahi le monde de la gestion au cours des dernières années. Elle suggère plutôt des changements en profondeur du fonctionnement des entreprises. Seules réussiront les personnes qui auront acquis les compétences nécessaires pour être efficaces dans les organisations qui ont adopté les nouveaux principes de gestion. Les autres seront tout simplement aussi dépassées que des travailleurs peu qualifiés dans une entreprise manufacturière à la fine pointe de la technologie.

Notice biographique

Edward E. Lawler III est professeur de gestion et de sciences organisationnelles à l'école de commerce de la University of Southern California (USC) depuis 1978. En 1979, il a fondé le Center for Effective Organizations. Il a travaillé à titre de consultant auprès d'une centaine d'entreprises en matière de participation des employés, de changement organisationnel et de rémunération. Il est considéré comme une sommité dans les domaines du développement organisationnel, du comportement organisationnel et de la rémunération. Il est l'auteur de plus de deux cents articles et de vingt livres qui ont été traduits en sept langues. Au nombre de ses ouvrages les plus récents figurent *Strategic Pay* (1990), *Employee Involvement and Total Quality Management* (1992), *The Ultimate Advantage* (1992) et *Organizing for the Future* (1993).

Note: Texte traduit de l'anglais.

- Sur le plan sociologique:
  - des aspirations nouvelles: conditions de travail, accomplissement de soi, utilisation des connaissances, demandes de loisirs, etc.;
  - un niveau d'éducation croissant: tâches plus intellectuelles, etc.;
  - de nouvelles actions collectives: mouvements féministe, écologique, de consommateurs, etc.;
  - un affaiblissement du modèle autoritaire et paternaliste propre aux modèles mécanistes;

- Sur le plan économique:
  - une concurrence ou une compétition: qualité, productivité, image de marque, etc.;
  - une croissance du secteur tertiaire;
  - des fluctuations monétaires imprévisibles: évolution des coûts, etc.;
  - un changement des ressources du marché: matériel, techniques (par exemple, on peut se demander comment la technologie du courrier électronique influera sur la rentabilité de la Société canadienne des postes, et comment cette dernière réagira à cette concurrence), etc.;
  - la récession ou la croissance;

- Sur le plan juridique:
  - de nouvelles lois: comités consultatifs, expression des salariés, semaine de travail, équité salariale, charte des droits, etc.

Les forces internes

Les forces internes sont associées aux différents membres de l'organisation qui contribuent à la réalisation des produits ou des services, à la division des tâches et aux responsabilités dans un cadre fonctionnel et hiérarchique, à la gestion de l'entreprise et enfin aux techniques et aux modes de production des biens et services. Les principales forces internes de changement sont les suivantes :

- Les individus :
  - le vieillissement des ressources humaines ;
  - le taux de roulement, l'absentéisme, la satisfaction, la productivité ;
  - les grèves : demandes d'accréditation, etc. ;
  - les changements des buts et des aspirations des gestionnaires ;
  - les conflits interpersonnels et intergroupes ;
  - l'arrivée de nouveaux employés : effets sur les tâches, priorités, méthodes, rapports avec les autres services, réseaux de communication, nouvelles mentalités, etc. ;

- Les structures :
  - les réorganisations : révision de la ligne hiérarchique, etc. ;
  - les suppressions ou les ajouts de tâches ;
  - le changement dans l'exercice des tâches reliées à la gestion des ressources humaines ;
  - les réseaux de communication ;

- La gestion de l'entreprise :
  - les investissements ;
  - les profils ;
  - la croissance ou la décroissance ;
  - la recherche de capitaux ;
  - les accords entre organisations : fusions d'entreprises, etc. ;

- Les techniques et les modes de production :
  - le développement technique : informatique, bureautique, télématique, etc. ;
  - les modes de production : rotation, élargissement et enrichissement des tâches, groupes autonomes, etc. ;
  - les produits et services : nouvelles demandes, concurrence, matériaux, désuétude, etc.

Toutes ces forces, prises isolément ou le plus souvent regroupées, peuvent pousser l'entreprise à réviser ses positions, ses stratégies ainsi que ses politiques et pratiques de gestion. Cependant, la nécessité du changement, même perçue par les membres de l'organisation, n'entraîne pas d'emblée un mouvement de changement, car très souvent des forces pour maintenir le *statu quo* s'opposent à ces forces de changement.

Si l'entreprise ou ses gestionnaires font face à l'une ou l'autre de ces forces poussant au *statu quo*, il est plus risqué d'entreprendre un changement significatif. Ne pas croire en la solution, ne pas croire en ses ressources, avoir peur ou appliquer la solution par complaisance, voilà autant de façons de compromettre les chances de succès de l'entreprise. Ces questions nous amènent à regarder de plus près le phénomène de la résistance au changement.

11.2 LA RÉSISTANCE AU CHANGEMENT

Dans cette section, nous traiterons des causes et des activités de résistance au changement, ainsi que des moyens qui s'offrent à l'entreprise pour contrer cette résistance et faciliter le changement.

11.2.1 Les causes de la résistance au changement

Tout changement est susceptible de provoquer une certaine résistance de la part des employés, des groupes et même de l'organisation entière. La figure 11.1 présente les principales causes individuelles et collectives de résistance au changement.

La résistance se manifeste quand les changements touchent les travailleurs ou bien la structure organisationnelle. La résistance au changement est donc une attitude négative adoptée par les employés lorsque des modifications sont introduites dans le cycle normal de travail. Plus les facteurs de résistance sont nombreux lors de l'adoption d'un changement, plus les instigateurs du changement doivent déployer d'énergie pour réduire cette résistance. Essentiellement, les individus réagissent négativement au changement parce qu'ils doivent alors passer de la certitude à l'incertitude. L'individu doit apprendre de nouveaux comportements, adopter de nouvelles attitudes, établir de nouvelles relations interpersonnelles qui risquent de modifier la configuration formelle et informelle du pouvoir, des rôles et des statuts ; il doit également acquérir de nouvelles méthodes de travail, et ce sans être convaincu de la nécessité d'abandonner celles auxquelles il a consacré beaucoup d'effort d'apprentissage.

Différentes causes peuvent donc expliquer le phénomène de la résistance au changement chez les travailleurs, aussi bien chez les employés que chez les cadres de l'organisation. La résistance au changement peut se définir comme une attitude individuelle ou collective, qui se manifeste dès que l'idée d'une transformation est évoquée. Cette résistance se traduit de diverses façons, mais il est certes possible de contrer ses manifestations, bien qu'en certaines circonstances la résistance au changement puisse être reliée au désir de conserver sa liberté de pensée et d'action face aux efforts de l'entreprise pour implanter une certaine rationalité administrative.

FIGURE 11.1
Les quatre groupes de causes de résistance au changement

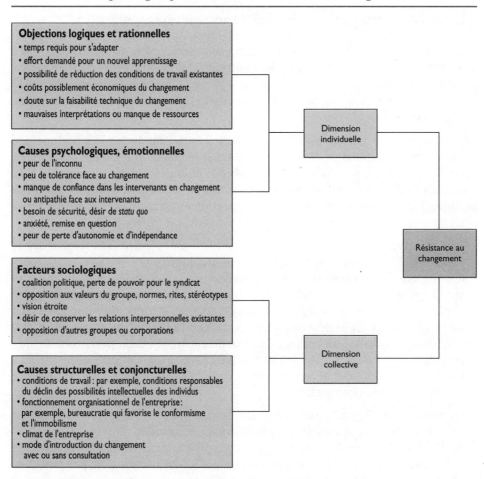

11.2.2 Les activités de la résistance au changement

La résistance des employés et des gestionnaires au changement peut se traduire de multiples façons :

- les récriminations multiples ;
- la croissance de l'activité syndicale ;
- les conflits de travail ;
- la lenteur dans l'exécution des nouvelles tâches ;
- l'oubli des nouvelles responsabilités ;
- le blocage partiel de l'information ;
- la diffusion de rumeurs ;
- le refus de formation ;
- l'absentéisme et le roulement de la main-d'œuvre ;
- les accidents de travail.

11.2.3 La diminution de la résistance au changement

Avant de véritablement faire échec aux résistances qui sont manifestées face aux changements réels et éventuels, la direction de l'entreprise peut se servir de cette résistance comme d'un signal pour réévaluer la pertinence des changements en estimant la portée de ceux-ci tant à courte, à moyenne qu'à longue échéance.

Ainsi, même s'il existe plusieurs stratégies afin d'amoindrir la résistance au changement, il convient tout d'abord d'évaluer le changement avec objectivité, en tenant compte des forces pour ou contre le changement (voir la figure 11.2). Cela étant fait, différents moyens préventifs peuvent être appliqués afin de faciliter l'implantation des changements tout en diminuant les effets de la résistance à ces changements. Parmi ces moyens, on trouve les suivants :

- **La formation.** En fournissant une formation à ses employés, l'employeur prouve qu'il se soucie des effets des changements sur ceux-ci. Il y a alors discussion entre l'employeur des employés sur les changements en cours et sur la collaboration nécessaire à leur bonne implantation. L'attitude adoptée par le gestionnaire face à la formation influencera l'attitude des employés face au changement. Si le gestionnaire considère la formation comme un mal nécessaire, une perte de temps ou une dépense inutile, il est peu probable que lui-même et ses subalternes soient motivés à fournir les efforts nécessaires à l'acquisition des connaissances théoriques et techniques qui faciliteront l'implantation du changement ;

- **La promotion.** Si, par contre, le gestionnaire présente la formation comme une occasion exceptionnelle de croissance personnelle et professionnelle – bref, s'il fait la promotion du changement –, il augmente la motivation de ses subalternes et réduit leurs résistances. Le gestionnaire doit présenter le changement de façon qu'il devienne lui-même une source de motivation. Il

FIGURE 11.2
Les forces pour et contre le changement

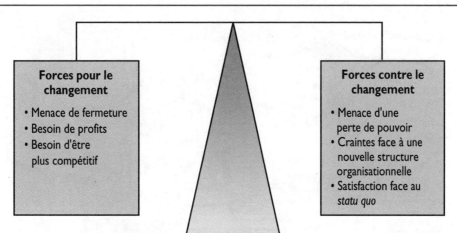

doit alors y avoir promotion de l'accomplissement personnel, promotion salariale et promotion de cheminement de carrière pour habituer l'employé au phénomène du changement. Les incitations s'avèrent ainsi très importantes ;

- **L'information.** Cette information ne doit pas être ponctuelle et limitée. Elle doit s'adresser à tout le personnel, de façon continue, sans être limitative ; elle doit être compréhensible et accessible pour tous. Les informations portant sur les étapes du changement sont particulièrement pertinentes ;

- **L'institutionnalisation.** Institutionnaliser le changement, c'est le faire accepter comme état permanent ou récursif ; c'est choisir, également, une structure organisationnelle qui permet l'évolution vers le changement. La décentralisation est une solution qui permet cette adaptabilité au changement.

Le choix des moyens de diminution de la résistance au changement se fait en tenant compte de la taille de l'organisation, de ses activités, de la capacité de ses salariés, etc. Chaque situation organisationnelle est particulière et seule une bonne connaissance de cette situation permettra aux gestionnaires de choisir la méthode ou la combinaison de méthodes appropriée.

11.3 LE PROCESSUS DE CHANGEMENT

11.3.1 Une présentation des travaux expliquant le processus de changement

Nous nous pencherons, maintenant, sur quelques études menées sur le processus de changement. Plus précisément, nous chercherons, à la lecture de travaux classiques, à comprendre comment s'effectue l'assimilation du changement chez les individus.

Les recherches de Lewin

Les recherches de K. Lewin (1948), qui visaient à changer les comportements alimentaires des Américains, démontrent que les exposés théoriques sont d'une faible efficacité à court et à moyen terme, tandis que les méthodes participatives sont plus probantes. En effet, lors de la Seconde Guerre mondiale, on a tenté d'encourager les ménagères américaines à utiliser et à consommer plus d'abats de bœuf (la viande étant exportée afin d'alimenter les troupes américaines installées en sol étranger). Afin d'atteindre cet objectif et de déterminer la méthode la plus appropriée pour motiver les ménagères américaines à consommer ces abats, on a eu recours aux exposés théoriques au cours desquels les ménagères se voyaient vanter par un conférencier les mérites des abats de bœuf. Par ailleurs, on a aussi utilisé des petits groupes de discussion où un animateur discutait avec les ménagères des utilisations possibles des abats de bœuf dans l'alimentation. Par la suite, lors d'une enquête, il a été démontré que les ménagères qui avaient participé aux groupes de discussion avaient utilisé les abats de bœuf dans une plus grande proportion que les ménagères qui avaient assisté aux exposés théoriques.

En outre, Lewin a proposé trois étapes afin de diminuer la résistance au changement:

- **1re étape: le dégel.** Il s'agit de la période pendant laquelle les habitudes et les traditions sont brisées; c'est le moment d'établir de bonnes relations, d'acquérir une crédibilité, d'adopter un esprit d'ouverture. C'est aussi l'étape où prennent naissance la motivation et le désir du changement. À cette étape l'agent de changement doit s'assurer de bien accomplir les quatre tâches suivantes:

- il doit y avoir établissement de contacts avec l'unité administrative qui subira le changement ;
- l'agent de changement doit établir de bonnes relations ;
- l'agent de changement doit acquérir une certaine crédibilité auprès des gens faisant partie de l'unité visée par le changement ;
- l'agent de changement doit cultiver un esprit d'ouverture chez les employés ;

- **2ᵉ étape : la transformation.** C'est la période d'acquisition de nouvelles habitudes et compétences ; on conçoit et on implante le changement en stimulant chez les employés l'intériorisation de la motivation et du désir de changement, ou en suscitant l'identification des employés à de nouveaux modèles (par apprentissage). Il y a donc acquisition de nouvelles attitudes et de nouveaux comportements. Cette étape se poursuit jusqu'à ce que les membres de l'unité se sentent à l'aise dans leurs nouvelles attitudes ;

- **3ᵉ étape : le gel.** C'est l'étape où les comportements acquis deviennent des comportements d'un nouveau type ; c'est la stabilisation des nouveaux comportements, des nouvelles attitudes et des méthodes apprises. Les attitudes nouvellement acquises deviennent des habitudes. À ce moment, l'agent de changement ne joue pas un rôle essentiel.

L'école de Palo Alto (Watzlawick)

L'école de Palo Alto, sous le leadership de P. Watzlawick, mise sur des stratégies qui demandent de poser le problème du changement sous un angle moins conventionnel. On utilise ces techniques pour tenter de régler des problèmes auxquels on a déjà essayé de remédier par d'autres stratégies plus usuelles. Un des principes importants de ce mode d'intervention est de tenir compte des tentatives de changement qui ont déjà été utilisées, mais sans succès, de les analyser, d'en découvrir le mécanisme, de s'en détourner ensuite complètement pour imaginer une stratégie contraire et originale.

Il s'agit d'une approche très originale et très logique qui a pour principale limitation de n'avoir été éprouvée que sur des individus, des couples et des familles, mais qui mériterait une plus profonde investigation auprès de grands groupes et d'entreprises importantes. Une des forces de cette approche réside dans l'excellente compréhension et dans l'opérationnalisation de la notion de système ainsi que dans l'originalité des interventions ayant pour objectif de modifier l'état des systèmes (Watzlawick, Weakland et Fisch, 1975 ; Watzlawick, 1980 ; Fisch, Weakland et Segal, 1983). De ces techniques de changement, nous en retenons deux :

- **Le recadrage.** La technique du recadrage consiste à se demander s'il y a d'autres façons de présenter la situation à laquelle on veut apporter un changement. Ainsi, on ne modifie pas le problème, mais on en modifie la signification. Par exemple, dans toutes les organisations bureaucratiques où l'accroissement de la documentation amène une situation problématique, on pourrait penser à implanter un système de documentation informatisé, mais on pourrait également se demander si toute cette documentation est véritablement utile. Cette deuxième façon d'envisager le problème peut être reliée à la technique du recadrage ;

- **Le paradoxe.** La technique du paradoxe tente de modifier le comportement des individus en encourageant l'intensification des conduites trouvées justement inadaptées. On s'attend alors à ce que l'individu, trouvant la proposition exagérée, réagisse dans le sens contraire. Cette technique est, bien entendu, risquée et manipulatrice, et elle ne doit pas s'appliquer à toutes les situations problématiques, mais plutôt en dernier recours lorsqu'on semble être dans une impasse.

Les recherches de Hersey et Blanchard

P. Hersey et K.H. Blanchard distinguent quatre niveaux auxquels s'opère le changement, soit les connaissances, les attitudes, le comportement individuel et le comportement de groupe organisationnel (Guest, Hersey et Blanchard, 1986). Les deux méthodes suivantes sont reconnues en rapport avec ce processus de changement opérationnel :

- **Le modèle participatif.** Les connaissances sont apportées à un individu ou à un groupe dans l'espoir qu'une attitude naîtra en réponse aux idées lancées (voir la figure 11.3) ;

- **Le modèle directif.** Le changement est imposé par une force externe, soit la haute direction, des lois ou des pressions autres que l'environnement (voir la figure 11.4).

11.3.2 Les méthodes d'introduction du changement

Les travaux classiques sur les processus de changement laissent largement deviner quelles méthodes semblent les plus appropriées pour introduire le

FIGURE 11.3
Le changement et le modèle participatif

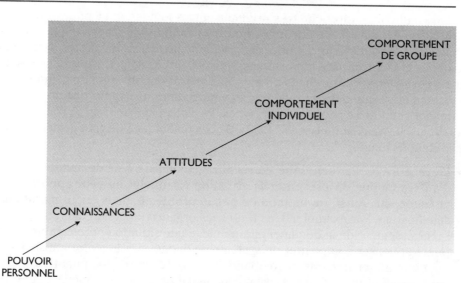

FIGURE 11.4
Le changement et le modèle directif

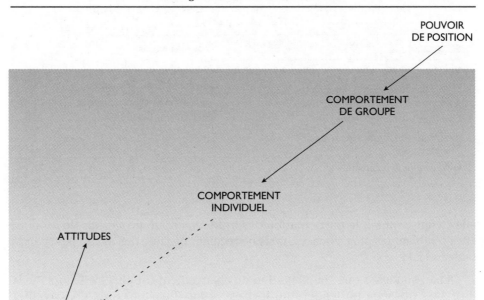

changement. Cependant, les méthodes utilisées par les employeurs ne sont pas toujours les plus positives. Six méthodes peuvent être rapportées :

- l'éducation et la communication ;
- la participation et l'engagement ;
- la facilitation et le soutien ;
- la négociation et l'entente ;
- la manipulation ;
- la coercition implicite ou explicite.

On peut regrouper ces six méthodes sous trois dimensions, soit les méthodes introduites par la raison (la négociation et l'entente, l'éducation et la communication), par le pouvoir (la manipulation, la coercition) ou par la rééducation (cette dernière étant considérée comme une méthode plus appropriée et comprenant la facilitation et le soutien, la participation et l'engagement). Les méthodes introduites par le pouvoir ne devraient être utilisées qu'en situation de crise organisationnelle. Au lieu de reproches, de menaces de licenciement, d'ordres ou d'autorisation, les employeurs auraient avantage à utiliser des renforcements positifs (salaires, conditions de travail) et à tenter plutôt de diminuer les forces qui s'opposent au changement par l'éducation (information) et la communication. Les méthodes rationnelles, qui comportent cette information et cette communication, semblent en effet obtenir des résultats à plus longue échéance. Les méthodes de rééducation, quant à

TABLEAU 11.1
Les avantages et les désavantages des méthodes participatives
(ou de rééducation)

Avantages	Désavantages
Valorisent les individus	Prennent beaucoup de temps, en réunions, en organisation
Favorisent l'expression des craintes, entraînent la sécurisation	Peuvent provoquer l'hostilité de certaines personnes
Clarifient la situation, informent	
Modifient les attitudes, provoquent l'autocontrôle	
Encouragent la créativité	

---

elles, comprennent la participation des individus et un processus de groupe ; elles semblent les plus efficaces, mais ne recèlent pas que des avantages (voir le tableau 11.1).

Il faut souligner que l'implantation du changement est plus facile lorsque la direction possède un leadership fort et lorsqu'il est possible de travailler conjointement avec le syndicat.

11.4 LE DÉVELOPPEMENT ORGANISATIONNEL

Afin de s'adapter à ces multiples changements qui assaillent le milieu de travail, les gestionnaires peuvent recourir au développement organisationnel. Le développement organisationnel est une stratégie d'intervention qui porte sur toute l'organisation et qui permet un changement planifié et global. Il vise à transformer les croyances, les attitudes, les valeurs, les structures et les pratiques pour rendre l'organisation plus apte à s'adapter au changement.

11.4.1 La définition du développement organisationnel

Un consensus assez large est établi autour de la définition du développement organisationnel. Cette définition comporte cependant plusieurs éléments. Dans son sens large, on peut définir le développement organisationnel comme étant **un effort planifié, dans toute l'organisation, géré par le haut, afin d'améliorer le bien-être et la productivité à long terme.**

Plus particulièrement, les différents éléments du développement organisationnel sont les suivants :

• Il s'agit d'un processus planifié et géré par la direction, à longue échéance, basé sur la collaboration ;

• Il est entrepris afin que l'organisation devienne plus efficace et plus humaine ;

• Les sciences du comportement y sont utilisées ; on veut changer les attitudes, les valeurs, les comportements et la culture, ainsi que la structure si possible ;

• Il répond à un changement externe ou interne ainsi qu'à un besoin de flexibilité.

Ces différents éléments devraient entraîner des changements sur le plan des processus (interactions, communication, prise de décision) et des résultats (produits, tâches).

Par ailleurs, les principales caractéristiques du développement organisationnel pourraient se résumer ainsi :

- Il est orienté vers la résolution d'un problème ;
- Il est orienté vers l'action ;
- Il permet d'utiliser l'approche systémique et systématique ;
- Il comprend le recours à des agents de changement ;
- Il entraîne un apprentissage des principes.

11.4.2 Les étapes du développement organisationnel

Le développement organisationnel comprend plusieurs phases, et plusieurs auteurs en ont parlé abondamment. La figure 11.5 présente les étapes d'un changement planifié. Le processus est complexe et il peut s'échelonner sur un an ou plus ; il peut même se poursuivre indéfiniment. L'appui de la haute direction est essentiel pour qu'un programme d'une telle envergure soit possible. Voici quelques éléments de description d'un changement planifié :

FIGURE 11.5
Les étapes d'un changement planifié

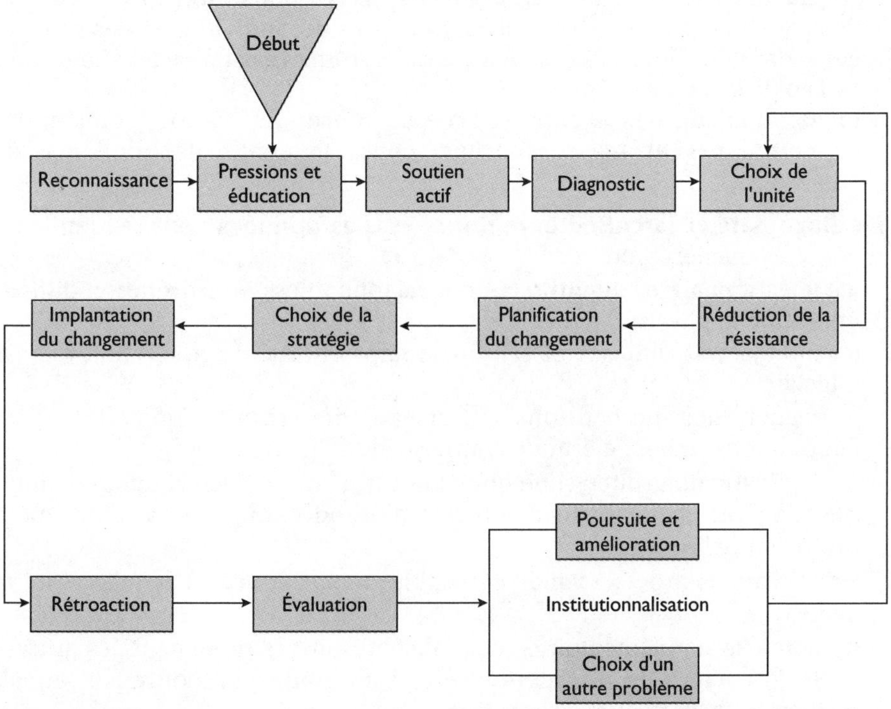

- **La reconnaissance d'un problème** et la diffusion auprès des décideurs d'une définition claire du problème ;

- **Le choix de l'agent de changement** comme soutien actif à la résolution du problème. Il faut alors tenir compte des caractéristiques suivantes :
  - l'agent externe est temporaire ; il est parfois vu par les employés comme un étranger auquel ils n'accorderont pas leur confiance ;
  - l'agent interne est l'un des membres de l'organisation qui est un peu familiarisé avec le problème ; il est plus près des individus et des groupes ; cependant, le choix de cet agent peut créer une résistance au changement de la part des autres employés ;
  - la combinaison des agents externe et interne en équipe, cumulant les connaissances et les ressources, peut augmenter la confiance des employés ;

- **Le diagnostic et la collecte de données.** Les données sont recueillies de différentes manières, soit par :
  - les questionnaires : quantité et coût raisonnables ; interprétation difficile ; utilisation la plus fréquente ;
  - les interviews : richesse et validité ; temps et argent requis ; analyse plus difficile ;
  - le recueil des perceptions : interview de groupes non structurés ; informations riches ; méthode coûteuse et moins rigoureuse ;
  - le diagnostic du groupe (une question est proposée, le groupe redéfinit la question ou en propose d'autres) : méthode simple et rapide, moins professionnelle ;
  - l'observation : procédé valide et flexible ; temps et argent requis ; résultats limités ;
  - les données supplémentaires (sur l'absentéisme, le roulement, les griefs, la santé financière, la production, etc.) : méthode peu coûteuse ; aucune relation avec les employés ; résultats limités ;

- **La planification du changement.** Il faut alors établir :
  – le temps approprié selon les cycles d'exploitation ;
  – la portée souhaitée selon les groupes visés ;

- **Le choix de la stratégie d'intervention.** Il s'agit de choisir les processus d'intervention : individuel ou de groupe ; conseil, formation et développement ou recrutement et sélection ; construction d'équipe ou rencontres intergroupes, etc. Le changement planifié est orienté vers l'une des quatre dimensions de l'organisation. Différentes approches sont appropriées pour effectuer un changement planifié ; l'accent peut alors être mis sur :
  – la tâche (enrichissement ou simplification de la tâche ; formation de groupes divers) ;
  – la structure organisationnelle (description de la tâche ; organigramme ; salaire) ;
  – la technologie (méthode de production ; nouveaux équipements ; informatisation) ;
  – les individus (information) ;

- **L'évaluation.** Avant d'en arriver à l'évaluation, il faut avoir déterminé les objectifs et avoir décrit les actions prises pour atteindre ces objectifs. On mesure ensuite les effets du programme par la comparaison. On doit contrôler les facteurs externes au changement à l'aide d'un groupe témoin et détecter, finalement, les conséquences non prévues. Les résultats peuvent varier en fonction de certaines composantes : le leadership, la structure formelle de l'organisation, la culture organisationnelle, etc.;

- **L'institutionnalisation.** Lorsque l'évaluation est positive, l'institutionnalisation est recommandée comme mesure réduisant la résistance au changement. C'est en ce sens que le développement organisationnel peut avoir une durée indéterminée et devenir un processus permanent.

11.4.3 Les interventions en développement organisationnel

Les interventions sont bien entendu au cœur du développement organisationnel. Différents types d'intervention peuvent être distingués :

- la consultation individuelle ;
- la formation de groupe non structuré ;
- la formation de groupe structuré ;
- le processus de consultation ;
- le sondage d'entreprise ;
- la redéfinition des tâches ;
- la pratique des ressources humaines ;
- le design organisationnel ;
- les approches intégrées.

On peut regrouper ces interventions sous deux titres, soit les interventions au chapitre des processus humains (les cinq premières énumérées) et les interventions technostructurelles (les quatre autres). Par « interventions technostructurelles », on entend des interventions qui modifient certaines composantes formelles de l'entreprise, allant d'une tâche à la structure même. Par ailleurs, par « interventions au chapitre des processus humains », on fait davantage allusion aux composantes informelles de l'organisation, comme les caractéristiques individuelles et de groupe, les normes de groupe, les interactions, etc. Il ne faut surtout pas oublier que les interventions doivent souvent être combinées, ce qui rejoint davantage le dernier type d'intervention cité : les approches intégrées.

Les interventions au chapitre des processus humains

La consultation individuelle

Cette méthode est actuellement en expansion. Il s'agit de consultation individuelle, touchant autant les sujets de planification de carrière et de vie que les problèmes comportementaux ou les conseils et les avis donnés relativement aux divers autres sujets.

La formation de groupe non structuré

Le processus appelé *T-Group* est le plus caractéristique de cette catégorie. Il a vu le jour vers 1940 dans les locaux des National Training Laboratories. Il sert à sensibiliser les participants aux comportements interpersonnels et aux mécanismes de défense en suggérant que les causes des problèmes organisationnels sont souvent d'origine émotionnelle. Cette méthode s'attarde plus à l'origine et à l'évolution du problème qu'à son contenu. Une dizaine de personnes participent à des réunions pouvant durer de deux ou trois jours à deux ou trois semaines. Les groupes sont formés soit de personnes de la même entreprise mais de services différents, soit de gens de la même entreprise et du même groupe de travail. Les réunions sont informelles et non structurées. Elles se déroulent à peu près de la façon suivante :

- Au début de la rencontre, les gens se mettent à parler à bâtons rompus ; la conversation ne menant nulle part, la frustration commence à se faire sentir chez les participants ;

- Un leader suggère alors un certain ordre du jour ; cependant, comme il est improvisé et, donc, plus ou moins clair, la frustration continue de s'amplifier ;

- À ce moment, l'animateur tente d'intervenir afin de faire prendre conscience aux gens de leurs réactions, des processus sociaux et des processus de groupe.

Une certaine controverse est née au sujet de ce processus de groupe à la suite de la constatation que des problèmes psychologiques sérieux, du stress et de l'anxiété pouvaient résulter de cette expérience. De plus, cette formation en laboratoire peut poser des problèmes d'application en entreprise.

La formation de groupe structuré

La **grille managériale** de Blake et Mouton (1961) est certainement parmi les plus populaires dans la formation de groupe structuré.

Elle vise à concevoir et à élaborer un style de leadership approprié aux besoins de l'entreprise. Ce processus est né dans les années 1960 et connaît une grande popularité à travers le monde (États-Unis, Japon, Mexique, Angleterre, Allemagne, etc.). Le principe de base est que l'excellence peut être atteinte par la découverte d'un intérêt commun, le maintien d'un climat psychologique sain au travail et un rendement élevé. Deux dimensions du leadership sont à distinguer, soit l'intérêt pour la production et l'intérêt pour les individus (voir le chapitre 7).

L'application de la grille managériale s'étend sur une période de trois à cinq ans et comprend les six étapes suivantes :

- l'entraînement en laboratoire-séminaires : explication de la philosophie et des objectifs de la grille managériale ;

- le développement intragroupe : mise en pratique, en groupe, des différents styles de gestion ;

- le développement intergroupes : activités de résolution de problèmes ;

- la détermination des buts organisationnels : création d'un modèle d'organisation efficace pour établissement futur ; élaboration d'une stratégie idéale ;

- la poursuite des buts : définition des problèmes de l'entreprise, des tâches et des interventions possibles ; planification et accomplissement du modèle idéal ;

- la stabilisation et la critique systématique : évaluation des faiblesses et prise d'actions correctives.

La grille managériale permet aux participants d'identifier leur propre style de leadership et, éventuellement, d'y apporter les correctifs permettant une adaptation au style de gestion préconisé par l'entreprise. Toutefois, certains prétendent que le contenu préétabli de la grille managériale peut ne pas toujours correspondre aux besoins de l'organisation, puisque la méthode suggère qu'il n'existe qu'une seule bonne façon de gérer une entreprise, peu importe sa taille.

La **construction d'équipes** est une autre intervention caractéristique de la formation de groupe structuré. Ce processus est basé sur le principe que le rendement est supérieur grâce à la construction d'équipes (Dyer, 1977 ; Leibowitz et de Meuse, 1982). Le but de ce processus est de rendre un groupe de travail apte à produire efficacement, tout en améliorant les relations interpersonnelles des membres du groupe. Lorsqu'on parle d'un groupe, on fait allusion à la réunion d'un certain nombre d'individus voués à la réalisation d'une tâche commune et à l'atteinte d'objectifs communs. Les principaux objectifs de la construction d'équipes sont ceux-ci :

- le diagnostic du degré de fonctionnement du groupe ;

- l'analyse de la division des tâches et des responsabilités ;

- l'analyse des processus de leadership, de prise de décision et de communication ;

- l'analyse des relations interpersonnelles ;

- l'établissement des rôles et des responsabilités ;

• l'implantation d'un plan d'action.

Ce processus améliore la participation des employés, la communication, la résolution de problèmes et le climat. Il peut être très efficace lorsqu'il est utilisé en combinaison avec d'autres techniques.

Habituellement, la technique de construction d'équipes commence par une rencontre consacrée au diagnostic du fonctionnement du groupe. Pendant cette rencontre, le groupe est amené à reconnaître les forces et les faiblesses de chacun de ses membres par rapport à leur contribution au rendement du groupe. Cette étape permet à chacun des membres de mieux se connaître et d'être sensibilisé à la perception qu'ont de lui les autres membres du groupe. De plus, cette étape mène à la reconnaissance de problèmes partagés par l'ensemble du groupe.

Cette technique est particulièrement utile lorsque de nouveaux groupes sont constitués dans l'entreprise et qu'une certaine confusion existe quant aux rôles et aux responsabilités de chacun. L'effet espéré est non seulement une clarification de ces rôles et responsabilités, mais aussi une vision à plus longue échéance des objectifs visés et une amélioration des relations fonctionnelles et interpersonnelles.

L'utilisation de cette technique peut toutefois engendrer des situations conflictuelles et susciter une confrontation. Aussi, il est recommandé de confier l'animation de ces sessions à un spécialiste. La présence de celui-ci permet également de combiner cette démarche avec d'autres techniques, par exemple, le jeu de rôles et le modelage de rôles.

Les **jeux de rôles** sont souvent employés comme compléments à la formation d'équipes. Il s'agit de jeux spontanés où deux personnes ou plus simulent des situations réalistes, dans des conditions de laboratoire. Le processus est basé sur des techniques d'observation et de discussion. Cette technique est, en quelque sorte, l'opérationnalisation clinique du mime ironique. En effet, il est arrivé à tous de mimer le comportement d'une autre personne afin d'illustrer ses déficiences : le jeu de rôles est similaire. Il s'agit d'un instrument clinique qui permet à un individu de voir comment il se comporte dans certaines situations et, ainsi, de corriger sa perception.

Cette technique permet donc de déceler certains problèmes de comportement. Cependant, elle doit être combinée avec une seconde technique, soit le modelage de rôles, pour être plus constructive que destructive.

Le **modelage de rôles** consiste à démontrer comment envisager certains problèmes de comportement rencontrés régulièrement : comment motiver une personne qui connaît peu de succès, comment gérer l'absentéisme, comment refuser des demandes non raisonnables, comment présenter oralement un rapport, etc.

L'évaluation de ce processus révèle qu'il est aimé des participants, qu'il est utile pour les gestionnaires devant souvent établir des relations humaines. Par ailleurs, cette technique est efficace dans la mesure où l'on respecte certains principes de base de l'apprentissage (Bandura et Walters, 1963 ; Bandura, Jeffrey et Wright, 1974). Par exemple, il est de règle que l'apprentissage soit progressif et ne porte sur la modification que de quelques aspects du comportement à la fois, pour permettre à l'individu qui tente de modifier son comportement d'être encouragé par ses succès plutôt que démotivé par ses échecs.

Le processus de consultation

La méthode du processus de consultation est utilisée quand des conflits éclatent entre groupes ou entre membres d'un même groupe. La méthode consiste à amener les individus à comprendre les interactions et les processus individuels et du groupe tels que la compétition, la communication, le leadership, la coopération, etc. Les étapes du processus de consultation sont celles-ci :

- le contact initial entre individus ou groupes ;

- la définition des relations ;

- la sélection d'une méthode ;

- la collecte de données et le diagnostic ;

- les interventions : conseils, apprentissage des moyens pour régler les problèmes futurs, observation, rétroaction, suggestions, etc.

Cette méthode est importante dans la mesure où elle s'intéresse à un aspect primordial du comportement organisationnel, soit les relations interpersonnelles et intergroupes ; cependant, elle n'incite pas les participants au changement autant que pourraient le faire d'autres méthodes. Le processus est, de plus, assez long (deux à trois années d'engagement) et assez coûteux. Il a cependant un effet positif sur l'engagement des employés, l'efficacité du groupe et l'influence mutuelle des membres du groupe.

Le sondage d'entreprise

Le sondage d'entreprise consiste à recueillir des données auprès des employés au moyen d'interviews, de questionnaires, etc., portant sur leur perception de toutes sortes de questions. Cette méthode est apparue vers 1950, à l'Université du Michigan (Institute of Social Research), mais son utilisation ne s'est popularisée que dans les années 1970. Ses objectifs sont de vérifier l'efficacité des activités de gestion en ressources humaines, de guider l'élaboration de programmes jugés nécessaires, de vérifier l'efficacité des politiques et des programmes organisationnels, de faciliter la communication entre employeur et employés, d'amener le personnel à interpréter les données et à agir en conséquence, etc.

Toutefois, avant d'entreprendre le processus de collecte d'informations, il faut clairement déterminer quels répondants seront sélectionnés, puis décider si cette collecte d'informations se fera par l'utilisation de questionnaires, d'entrevues ou d'une combinaison des deux techniques et, finalement, préciser quelles questions seront posées. Le processus s'effectue en quatre étapes :

- les choix des mesures, des méthodes et des objectifs ;

- la collecte des données ;

- l'analyse des données ;

- la rétroaction.

L'évaluation de cette méthode a révélé qu'elle avait un effet favorable sur le répondant, sur ses attitudes et sur ses perceptions du problème étudié. Par ailleurs, la dernière étape du processus est importante, car les gens qui ont consenti à partager leurs opinions et leurs perceptions s'attendent à connaître, en retour, les résultats de la recherche. De plus, ces résultats créeront des attentes chez les participants, car ceux-ci estimeront qu'à partir du moment où la direction est au courant des facteurs problématiques de l'entreprise, elle se doit de les résoudre.

Les interventions sur le plan technostructurel

Comme il a été mentionné précédemment, les interventions technostructurelles tendent à modifier substantiellement la manière d'atteindre les objectifs en faisant porter le changement tant sur la nature des tâches et leur exécution que sur la structure de l'organisation et les relations entre les composantes de cette structure. Voyons tout d'abord un exemple d'intervention portant sur l'exécution des tâches.

La gestion par objectifs

La gestion par objectifs consiste en l'établissement d'objectifs dans une perspective de participation. Il s'agit d'une technique systématique utilisée pour favoriser l'établissement et l'accomplissement des objectifs organisationnels et individuels, tout en mettant l'accent sur l'épanouissement de l'employé (Druker, 1954 ; Odiorne, 1971).

L'individu est encouragé à participer à la mise en place de ses propres objectifs. Le processus se déroule selon les trois étapes suivantes :

- la rencontre du supérieur et du subordonné pour discuter des objectifs ;

- l'établissement conjoint d'objectifs réalistes pour le subordonné ;

- les rencontres à des dates déterminées afin d'apprécier le progrès par rapport aux objectifs fixés et de réévaluer, au besoin, les objectifs et les moyens d'évaluation.

La gestion par objectifs est basée sur le principe que si une personne participe à l'établissement de ses objectifs et si elle les croit réalistes, elle consentira à fournir les efforts nécessaires afin d'atteindre ces objectifs. L'établissement conjoint d'objectifs stimule la motivation intrinsèque tout en favorisant la perception d'une équité quant à l'évaluation de leur réalisation. Un des avantages de la gestion par objectifs est d'obliger le personnel des paliers hiérarchiques supérieurs à planifier en tenant compte des objectifs globaux de l'organisation. Un autre avantage réside dans l'accroissement des échanges entre supérieurs et subordonnés. Toutefois, pour être efficace, cette stratégie de gestion doit avoir l'appui de la haute direction afin que cette manière de procéder ne soit pas perçue comme une menace à l'autorité des supérieurs hiérarchiques.

Les autres interventions

Les autres interventions technostructurelles, soit la redéfinition des tâches, la pratique des ressources humaines, le design organisationnel et les approches plus intégrées, seront vues de manière plus générale dans le prochain chapitre. En effet, il s'agit la plupart du temps d'interventions majeures qui modifient parfois dramatiquement la nature des tâches (enrichissement ou élargissement des tâches), la pratique de la gestion des ressources humaines (centralisation ou décentralisation ; formation du personnel déjà au service de l'entreprise ou recrutement à l'extérieur de l'entreprise de personnel déjà formé) et le design de l'organisation (fusion, élimination et rationalisation de postes, de paliers hiérarchiques, de divisions administratives, etc.). Ces changements majeurs entraînent l'entreprise vers une nouvelle forme d'organisation.

11.4.4 Les avantages et les désavantages du développement organisationnel

La pratique du développement organisationnel a connu des hauts et des bas au cours des dernières années. Dans les années 1960, les organisations ont surtout mis l'accent sur les individus, alors que, dans les années 1970, il y a eu beaucoup de déception par rapport à ces interventions. Par conséquent, l'accent est passé des individus à la structure organisationnelle. Depuis le début des années 1980, cependant, le développement organisationnel s'applique simultanément à ces deux aspects. Toutefois, il ne doit pas être perçu comme une panacée ; il comporte, malgré ses avantages, de nombreuses limites.

Le tableau 11.2 montre quelques-unes des conséquences sur l'entreprise d'un développement organisationnel. Golembiewski, Prochl et Sink (1982) ont analysé les rapports de 574 interventions en développement organisationnel effectuées entre 1945 et 1982, et ils estiment que, dans plus de 80 % des cas, l'intervention a eu des effets positifs, alors qu'un effet négatif a été noté pour seulement 8 % des interventions. Donc, dans l'ensemble, on peut affirmer que le développement organisationnel a un effet positif dans une grande variété d'organisations.

TABLEAU 11.2
Les avantages et les désavantages du développement organisationnel

Avantages	Désavantages
Amène la planification des objectifs à tous les niveaux de l'organisation	Requiert beaucoup de temps et des frais substantiels
Apporte des changements	Impose des valeurs du haut de l'organisation vers le bas
Augmente la motivation, la satisfaction, la productivité et la qualité du travail	Peut se solder par un échec ; difficile d'en évaluer les résultats
Améliore les résultats d'un travail d'équipe, la résolution de conflits	Peut entraîner l'invasion de l'entreprise dans la vie privée de l'individu ; peut produire des malaises psychologiques
Rend l'employé responsable face à l'atteinte de ses objectifs	
Favorise la participation à l'atteinte des objectifs de l'entreprise	
Améliore la communication entre supérieurs et subordonnés	

CONCLUSION

Les concepts de changement et de développement organisationnel sont intimement liés. Le besoin ou l'obligation de changement survient par la force de certains facteurs internes ou externes à l'organisation, mais le changement s'opère toujours à l'intérieur même de l'entreprise, et ce par l'intermédiaire du développement organisationnel.

Quand une volonté de changement est décelée, elle mène potentiellement les individus à s'y opposer par le phénomène de la résistance au changement. Différentes causes créent ce phénomène et les moyens de lutte comme la formation ou la promotion, ou comme des méthodes d'implantation du changement plus participatives, réduisent les effets reliés à cette résistance. Pour effectuer avec succès le changement, la connaissance de son processus (dégel, transformation et gel) est nécessaire.

L'intervention en développement organisationnel qui sera appliquée en réponse aux forces de changement doit respecter des étapes d'implantation, et tenir compte des processus tant humains que technostructurels. Bien que ces interventions se veuillent une solution à un problème, elles ne comportent pas que des avantages sur les plans de la satisfaction, de la motivation, de la productivité, de la qualité de vie au travail, etc., mais entraînent aussi des coûts substantiels et un large investissement de temps et ne garantissent pas toujours le succès.

CHAPITRE

11 Questions de révision

1. Définissez ce qu'est un changement organisationnel et déterminez sa fonction en ce qui a trait à la survie de l'organisation.

2. Nommez les quatre catégories de facteurs causant la résistance aux changements. Commentez l'interrelation pouvant exister entre elles.

3. Dans le cas d'une innovation technologique visant l'informatisation d'un poste de travail, quels pourraient être les signes précurseurs d'une résistance à ce changement?

4. Décrivez le processus de changement défini par K. Lewin. L'efficience de ce modèle est-elle supérieure à celle des autres modèles présentés dans le chapitre?

5. Quelles sont les caractéristiques fondamentales du développement organisationnel et à quelle(s) dimension(s) de l'organisation s'attaque-t-il directement?

6. Quel est le lien unissant le changement organisationnel et le développement organisationnel? Est-il possible d'opérer un changement à l'extérieur d'un processus de développement organisationnel? Justifiez votre réponse.

CHAPITRE 11 Autoévaluation

Analysez votre perception du changement

Nous avons tous une perception différente du changement. Songez à une situation à laquelle vous devez actuellement faire face, à l'école, au travail ou sur le plan personnel, et qui vous oblige à modifier sensiblement votre attitude ou votre comportement. Évaluez vos sentiments à l'égard de ce changement à l'aide des échelles ci-après. Au numéro 1, par exemple, encerclez 0, 2 ou 4 s'il s'agit pour vous davantage d'une menace que d'une occasion à saisir.

1. Menace	0	2	4	6	8	10	Occasion à saisir
2. S'accrocher au passé	0	2	4	6	8	10	Se tourner vers l'avenir
3. Immobilisé	0	2	4	6	8	10	Stimulé à agir
4. Rigide	0	2	4	6	8	10	Polyvalent
5. Perte	0	2	4	6	8	10	Gain
6. Changement dont je suis une victime	0	2	4	6	8	10	Changement dont je suis un agent
7. Réactif	0	2	4	6	8	10	Proactif
8. Axé sur le passé	0	2	4	6	8	10	Axé sur l'avenir
9. Changement dont je suis séparé	0	2	4	6	8	10	Changement auquel je participe
10. Confus	0	2	4	6	8	10	Clair

Résultats

Faites le total des chiffres que vous avez encerclés pour obtenir votre résultat sur 100. Plus ce résultat est élevé, plus vous avez une vision positive du changement.

Source : Traduit et adapté de Woodward et Buchholz (1987), p. 110. Reproduit avec l'autorisation de John Wiley & Sons Inc.

Références

BANDURA, A., JEFFREY, R.W., et WRIGHT, C.L. (1974). « Efficacy of Participant Modeling as a Function of Response Induction Aids », *Journal of Abnormal Psychology*, n° 83, p. 56-61.

BANDURA, A., et WALTERS, R.H. (1963). *Social Learning and Personality Development*, Holt, Rinehart and Winston, New York.

BLAKE, R.R., et MOUTON, J.S. (1961). *The Managerial Grid*, Gulf Publishing Co., Houston.

DRUKER, P. (1954). *The Practice of Management*, Harper and Row, New York.

DYER, W.G. (1977). *Team Building : Issues and Alternatives*, Addison-Wesley, Reading, Mass.

FISCH, R., WEAKLAND, J.H., et SEGAL, L. (1983). *The Tactics of Change*, Jossey-Bass, San Francisco.

GOLEMBIEWSKI, R.T., PROCHL, C.W., et SINK, D. (1982). « Estimating the Success of O.D. Applications », *Training and Development Journal*, n° 36, p. 86-95.

GUEST, R.H., HERSEY, P., et BLANCHARD, K.H. (1986). *Organization Change through Effective Leadership*, Prentice-Hall, Englewood Cliffs.

LEIBOWITZ, S.J., et MEUSE, K.P. de (1982). « The Application of Team Building », *Human Relations*, vol. 1, n° 18.

LEWIN, K. (1948). *Resolving Social Conflicts*, Harper and Row, New York.

McRAE, K. (1984). « London Life », *The Human Resource*, octobre-novembre, p. 26-27.

ODIORNE, G.S. (1971). *Personnel Administration by Objectives*, Richard D. Irwin, Homewood, Ill.

WATZLAWICK, P. (1980). *Le langage du changement*, Éditions du Seuil, Paris.

WATZLAWICK, P., WEAKLAND, J.H., et FISCH, R. (1975). *Changements : paradoxes et psychothérapie*, Éditions du Seuil, Paris.

WOODWARD, H., et BUCHHOLZ, S. (1987). *Aftershock : Helping People through Corporate Charge*, John Wiley & Sons Inc., New York.

Les nouvelles formes
d'organisation du travail

Plan

CHAPITRE 12 Objectifs d'apprentissage

Dans ce chapitre, le lecteur se familiarisera avec :

— la distinction entre les objectifs économiques et les objectifs sociaux d'une nouvelle forme d'organisation du travail ;

— l'intégration nécessaire du concept de nouvelle forme d'organisation à l'intérieur du concept plus englobant qu'est la démocratie industrielle ;

— le lien étroit unissant la qualité de vie au travail et la productivité organisationnelle ;

— le fonctionnement ainsi que le processus d'intégration des nouvelles formes d'organisation du travail les plus fréquemment rencontrées dans les entreprises ;

— les avantages et les faiblesses de chacune des formes d'organisation ainsi que leur adéquation avec certains milieux organisationnels précis ;

— la logique sous-tendant la gestion par le biais de la qualité totale en fonction du changement de paradigme qu'elle impose ;

— la dynamique du juste-à-temps ainsi que les différentes techniques pouvant être utilisées afin de l'actualiser ;

— les distinctions entre les différentes approches « classiques » dans le domaine de la qualité totale ;

— l'importance de la dimension humaine dans le succès d'une philosophie de gestion axée sur la qualité.

D'UN GESTIONNAIRE

GÉRALD LAROSE,
président
Confédération des syndicats nationaux
(CSN)

Les entreprises et institutions au Québec font face à un immense défi. Plus que jamais la productivité, l'efficacité, la qualité des produits et des services apparaissent liées à une réorganisation en profondeur du travail, à des modifications substantielles des façons de faire de tous les acteurs dans les organisations.

La réorganisation du travail, la mise en place et l'expérimentation de nouvelles formes d'organisation du travail permettent de constater que la croissance économique et les progrès sociaux sont indissociables, que la démocratie au travail est un outil indispensable du développement.

Dans un monde en mutations profondes, cette tâche est urgente puisque, de cette dernière, dépend une bonne part de notre avenir collectif. En dépit des discours, des déclarations d'intention et des formules de marketing, les entreprises engagées dans des réorganisations sérieuses, conséquentes et durables sont encore malheureusement une minorité au Québec, le retard étant plus grave dans les secteurs public et parapublic que dans le secteur privé.

À la CSN, nous avons affirmé et répété depuis fort longtemps que le bon fonctionnement des entreprises était incompatible avec l'absence de respect des travailleuses et des travailleurs, que la fierté au travail était indispensable à la qualité des produits et services, que les droits de gérance absolus sur les objectifs du travail et son organisation ne favorisaient pas, bien au contraire, la productivité et l'efficacité.

Face aux défis du monde actuel, nous incitons les syndicats à prendre les devants dans l'organisation du travail, à s'engager dans des démarches conjointes, à acquérir de nouveaux droits pour assumer de nouvelles responsabilités.

Nous savons, parce que nous l'expérimentons actuellement dans de nombreux milieux de travail, qu'il s'agit de démarches difficiles et souvent fragiles, extrêmement exigeantes pour les acteurs en présence. Elles remettent en question des façons de faire implantées depuis de nombreuses décennies et des partages de pouvoirs qui étaient intangibles et concentrés au sommet. Les changements de valeurs et de comportements collectifs et individuels sont insécurisants, ils sont néanmoins indispensables.

Par-delà les modes, les débats d'écoles qui sont attachés aux nouveaux processus de gestion et d'organisation du travail, un certain nombre de conditions nous apparaissent essentielles pour des changements durables et en profondeur, pour des changements qui bénéficient à la fois à la

→

direction des entreprises et à l'ensemble des travailleuses et des travailleurs. Modifier l'organisation du travail signifie d'abord remettre en question les fondements du taylorisme et non pas seulement « humaniser » ce dernier, comme toute une tradition de la psychologie du travail a tenté de le faire. La division des tâches de conception et d'exécution n'est plus le « *one best way* ». Les travailleuses et les travailleurs ne doivent pas être simplement consultés. Ils doivent récupérer le droit de décider, ou seuls, ou conjointement, selon les sujets, dans le plus quotidien de leur travail, avoir plus d'autonomie pour utiliser leurs connaissances, leur sens critique, leur créativité. Ils doivent avoir les capacités de définir de nouvelles façons de coopérer, de travailler en équipe, de définir leurs besoins de formation, de choisir leurs responsables, etc.

D'autre part, l'accès à l'information, la transparence dans toutes ses dimensions, la qualité des processus démocratiques, le respect des personnes et des opinions sont aussi des facteurs déterminants.

Les syndicats ont un rôle de premier ordre à jouer dans ces démarches. De nombreuses études démontrent maintenant que l'existence d'un syndicat fort est un facteur important dans le succès d'une réorganisation du travail. Le syndicat peut être un acteur puissant de mobilisation de la compétence professionnelle des personnes. Il permet en tout premier lieu d'assurer, entre autres par la négociation, le minimum de sécurité et d'équité pour être en mesure de faire face aux changements. Il permet aux travailleuses et aux travailleurs de définir collectivement et conjointement avec l'employeur les objectifs de la réorganisation, la démarche à suivre, le partage des résultats, etc.

La réorganisation du travail ne remet pas en question seulement le rôle de celles et ceux qui étaient confinés à des tâches d'exécution. Elle remet aussi en question la répartition du pouvoir, la définition des rôles de ceux qui dirigent et qui exercent des fonctions de cadres : directeurs, ingénieurs, techniciens, contremaîtres, etc.

Il s'agit donc d'une véritable révolution. La CSN en fait une priorité maintenant depuis plusieurs années. Nous sommes déterminés à continuer d'assumer ce rôle fondamental pour l'avenir du Québec.

INTRODUCTION

Les nouvelles formes d'organisation du travail visent deux objectifs distincts soit, d'une part, l'augmentation du rendement de l'entreprise par la modification des paramètres de productivité et, d'autre part, l'humanisation des conditions de travail afin de favoriser l'émancipation individuelle et l'accomplissement personnel. On a toujours cru, à l'intérieur de la gestion traditionnelle, que ces deux objectifs organisationnels étaient diamétralement opposés, voire contradictoires. Ainsi, dans la conception d'antan, toute humanisation du travail avait pour conséquence une réduction inévitablement proportionnelle de la productivité.

Cependant, aujourd'hui, principalement grâce à l'avancement des connaissances dans le domaine de la psychologie et du comportement organisationnel, cette dualité entre productivité et humanisation est abolie et laisse place à une reconsidération du rôle de chacun des acteurs à l'intérieur de la sphère du travail. Cette reconnaissance du facteur humain dans l'atteinte des finalités de l'entreprise ravive, entre autres, la discussion sur les styles efficaces de gestion, sur le partenariat organisationnel et sur la primauté du bien-être des travailleurs.

Les nouvelles formes d'organisation du travail ne sont, en fait, que le prolongement d'un développement technostructurel des organisations. Comme le nom l'indique, elles s'attardent particulièrement à l'organisation du travail et, par conséquent, rejoignent directement la structure organisationnelle ainsi que son influence sur le comportement organisationnel.

Il demeure néanmoins que, dans la vision patronale, l'humanisation des conditions de travail constitue une dimension instrumentale pour atteindre une rentabilité optimale. En ce sens, et comme on le constate dans le texte de M. Larose (voir les pages précédentes), l'implication syndicale est nécessaire afin que ces gains de productivité soient accomplis non pas par une exploitation plus raffinée des travailleurs mais plutôt par une préoccupation accrue des besoins de ces derniers. L'intervention syndicale est de plus en plus présente en ce qui a trait à l'instauration des nouvelles formes d'organisation du travail. Les syndicats ont dorénavant une attitude plus positive et même parfois avant-gardiste en ce qui concerne ce type d'intervention afin d'améliorer la qualité de vie au travail (Paquet et Lapointe, 1994).

Compte tenu de l'importance que peuvent revêtir les nouvelles formes d'organisation du travail dans le monde industrialisé, nous présenterons dans ce chapitre une synthèse de la littérature portant sur ce sujet qui constituera, nous l'espérons, un guide et un texte de référence. Par une présentation détaillée des diverses innovations en ce domaine, et par l'illustration de ces formes d'organisation dans diverses entreprises, nous cernerons les enjeux réels de la redistribution des pouvoirs dans l'organisation en fonction de l'idéal démocratique.

12.1 LES CONCEPTS

12.1.1 Les nouvelles formes d'organisation du travail

Les nouvelles formes d'organisation du travail se définissent comme **toute forme d'organisation du travail constituant, en pratique, une détaylorisation de celui-ci, c'est-à-dire toute forme de travail qui favoriserait le contrôle des méthodes et des procédés d'exécution des tâches par le salarié lui-même**. De plus, ces innovations structurelles sont caractérisées par la flexibilité, l'enrichissement et la compétence qu'elles apportent aux travailleurs et cela par le biais d'une communication plus étroite entre les différents niveaux hiérarchiques.

Les nouvelles formes d'organisation du travail deviennent une réalité de plus en plus présente dans les entreprises nord-américaines, près des deux tiers des entreprises canadiennes ayant introduit une innovation quelconque dans l'organisation du travail entre 1980 et 1985 (Long, 1989). Face à une mondialisation des marchés et à des difficultés économiques importantes, ces organisations optent pour ce type d'innovation afin de reconquérir ou de stabiliser leur part du marché. Notons cependant que ces pratiques sont plus courantes et plus institutionnalisées dans les pays d'Asie (en particulier en Chine et au Japon) et d'Europe (en particulier en Suède et en Allemagne).

12.1.2 La structure organisationnelle

La structure organisationnelle est le reflet de la nature des relations qu'entretiennent les différents individus et services, d'une part, à travers leurs rôles et leurs fonctions à l'intérieur de l'entreprise et, d'autre part, avec l'environnement externe de l'entreprise. Puisque l'environnement évolue, il faut considérer la structure organisationnelle comme étant dynamique plutôt que statique et comme étant une réponse d'adaptation susceptible, elle aussi, de se modifier pour favoriser une plus grande efficacité organisationnelle. Mais qu'est-ce qu'une structure efficace ? Selon Koontz et O'Donnell (1980, p. 106), pour être efficace, une structure doit contribuer « à la réalisation des objectifs avec le minimum de ressources et de conséquences indésirables ». Ces mêmes auteurs ajoutent ceci :

> *Par rapport à l'employé, une organisation efficace permet de fonctionner sans gaspillage ou négligence, suscite la satisfaction au travail, définit clairement les champs d'autorité et de responsabilité, autorise une certaine participation au processus de résolution de problèmes, assure la sécurité d'emploi et une certaine position sociale et procure un niveau de salaire aussi élevé que possible.* (Koontz et O'Donnell, 1980, p. 196.)

Quatre concepts interreliés sont rattachés aux dimensions de la structure ; il s'agit du degré d'autonomie, de la formalisation, de la centralisation et de la complexité. Nous vous les présentons dans les pages qui suivent.

L'autonomie

Le degré d'autonomie se rapporte au nombre d'employés sous le contrôle d'un même supérieur. Plus ce nombre est grand, plus le degré d'autonomie d'un employé est étendu, et inversement. Un degré d'autonomie élevé correspond donc à une supervision moins directe de la part du supérieur.

Le degré d'autonomie se répercute directement sur la forme de la structure de l'organisation. En effet, si une entreprise privilégie l'autonomie de ses employés par opposition à la supervision directe de ceux-ci, la **structure** de l'entreprise sera de forme **aplanie**. Si le contraire se produit, la **structure** de l'entreprise sera alors **élevée**. Des avantages et des désavantages sont reconnus à l'une et l'autre de ces deux formes de structure. Entre autres, la structure aplanie favorise l'initiative personnelle et la responsabilisation des travailleurs. Pour ce qui est de la structure élevée, notons qu'elle facilite la supervision et permet des relations plus tangibles entre le supérieur et les employés.

La formalisation

La formalisation concerne la description par écrit des moyens et des fins du travail. Plus une entreprise est formalisée, plus ses rôles et ses tâches sont définis, et plus on y trouve des règles et des méthodes précises.

La formalisation entretient un lien étroit avec la standardisation et la spécialisation du travail. La formalisation, par le nombre des règles qu'elle entraîne, permet de réduire l'arbitraire et la diversité des comportements. Elle modèle les tâches et les rôles à partir d'un profil type, ce qui standardise les comportements de travail de différents individus dans un même poste pour les mêmes tâches. En décrivant précisément les activités, la formalisation amène la spécialisation des tâches et des individus de telle sorte qu'ils n'auront pas à accomplir des tâches non prévues dans leur description de tâches. Malgré des avantages évidents concernant le contrôle et la normalisation des actions, soulignons que la formalisation organisationnelle entraîne une réduction de l'autonomie des travailleurs, ce qui se traduit par une baisse de la motivation et de l'efficacité.

La formalisation peut dépendre de l'importance de l'organisation et de l'envergure de la technologie utilisée. En effet, il paraît plausible qu'une organisation de grande taille doive formaliser davantage sa structure pour en assurer un contrôle qu'elle ne pourrait envisager autrement. Aussi, une organisation employant une technologie routinière dans son processus de production aura inévitablement tendance à standardiser, à spécialiser et, donc, à formaliser ses activités. Des efforts supplémentaires devront alors être déployés pour contrer l'effet de la technologie ou de la taille de l'entreprise.

La centralisation

La centralisation concerne la distribution du pouvoir dans l'organisation. Plus le pouvoir de prise de décision est partagé, plus la structure est décentralisée ; à l'inverse, plus le pouvoir de prise de décision est concentré entre quelques individus, plus la structure est centralisée. Fayol (1950) a fait de la centralisation l'un de ses principaux principes d'administration.

La centralisation a un rapport direct avec la délégation d'autorité. Le partage de la prise de décision est évidemment associé à la délégation d'autorité à des niveaux inférieurs. Plus l'entreprise est décentralisée, plus il y a de niveaux hiérarchiques et d'individus investis d'une autorité plus ou moins grande. Il est à noter que même lorsqu'un cadre hiérarchique délègue une partie de son autorité à ses subalternes afin de favoriser leur participation à la prise de décision, il ne peut leur en confier en même temps la responsabilité. Il demeure en effet responsable des conséquences de sa délégation d'autorité aux yeux de ses propres supérieurs hiérarchiques. Au contraire, si l'entreprise est centralisée, c'est un noyau d'individus qui conserve l'autorité tout en partageant les responsabilités. Encore une fois, le choix de centraliser ou de décentraliser la prise de décision dépend des valeurs des gestionnaires et de leur perception des ressources humaines.

La complexité

La complexité fait référence au nombre de divisions de l'entreprise, de services, de groupes d'occupation et de postes différents. Plus l'entreprise comprend un nombre élevé de divisions, plus elle est complexe dans son administration, et inversement.

La division du travail est soit verticale, soit horizontale. La **division verticale du travail** correspond aux niveaux hiérarchiques et aux rangs. Trois niveaux se distinguent facilement : celui des gestionnaires supérieurs, celui des gestionnaires intermédiaires et celui des gestionnaires de premier rang ; chacun de ces niveaux correspond à un degré d'autorité formelle particulière. La **division horizontale du travail** correspond à la départementalisation, à l'établissement d'unités précises de travail. La distinction entre les cadres hiérarchiques et les cadres-conseils (*line/staff*) doit également être mentionnée ; les cadres hiérarchiques sont responsables d'activités dites centrales pour l'organisation, comme la production et le marketing, tandis que les cadres-conseils agissent à titre d'assistants ou d'experts dans des activités que l'on pourrait qualifier de soutien ou de services, comme les relations publiques et la comptabilité.

Les quatre dimensions composant la structure d'une organisation sont fortement interreliées. Par exemple, le degré d'autonomie influe sur la forme de la structure de l'entreprise qui influe à son tour sur la complexité de la division verticale. Les nouvelles formes d'organisation du travail définissent de nouveaux agencements structuraux permettant un meilleur épanouissement des travailleurs et de la productivité. En fait, de façon théorique, une nouvelle organisation du travail comporte inévitablement une redéfinition des paramètres de la structure organisationnelle.

12.1.3 La démocratie industrielle (la gestion participative)

La croissance d'une entreprise dépendra de plus en plus de sa capacité à maintenir de saines relations de travail. Dans cette optique, une politique valable consiste à faire de l'employé un partenaire à part entière, reconnu par la direction. En effet, lorsque les employés peuvent s'exprimer et participer aux décisions, les conflits tendent à se résoudre graduellement au gré de leur émergence. Ainsi, le principal constat qui se dégage des expériences touchant la démocratie industrielle consiste essentiellement dans l'avènement d'un climat de travail plus enrichissant et constructif.

La démocratie industrielle peut comprendre de nouveaux vouloirs (valeurs, culture, philosophie), de nouveaux savoirs (information, éducation), de nouveaux pouvoirs (décisionnel, conseil) et de nouveaux avoirs (profit, propriété) (Tarrab, 1983). Selon le niveau d'intégration, la démocratie industrielle qui prévaut dans une organisation peut toucher une partie plus ou moins importante de ces nouveaux vouloirs, savoirs, pouvoirs et avoirs. Par exemple, un employé appelé à accomplir un travail nouvellement enrichi devra recevoir de la formation et pourrait même éventuellement participer aux profits de l'entreprise. Naturellement, plus ces nouvelles dimensions organisationnelles sont intégrées, plus les valeurs nourrissant l'antagonisme travail/capital doivent être remises en question.

Le tableau 12.1 montre le système de classification qui a été élaboré en fonction de la participation des employés à la gestion, aux résultats et à la propriété. Les trois modalités de participation sont reliées à des variations en intensité, en positionnement structurel, en mode d'accès et en mode d'organisation.

Il ressort clairement de ce tableau que la démocratie industrielle peut épouser plusieurs formes, ou être appliquée à différents niveaux selon les entreprises. Par exemple, sur le continuum s'étendant du pôle de la simple participation des employés à la gestion de l'information au pôle de la participation à la gestion, aux résultats et à la propriété, de multiples façons d'opérationnaliser la démocratie industrielle sont possibles.

TABLEAU 12.1
Les paramètres de la démocratie industrielle ou gestion participative

	Gestion	**Résultats**	**Propriétés**
Intensité	Information Consultation Codécision Autocontrôle	Selon le pourcentage des profits distribués	Minoritaire Quasi paritaire Majoritaire Entière
Positionnement structurel	Stratégique Organisationnel Opérationnel	Profits liés à l'usine ou à l'atelier	Votante Non votante
Mode d'accès	Direct Indirect	Partage immédiat Partage différé Individuel Collectif	Paiement immédiat Paiement différé Individuel Collectif
Mode d'organisation	Institué Non institué Volontaire Obligatoire	Institué Non institué	Répartition égale Répartition inégale Institué Non institué

(Les colonnes Gestion, Résultats, Propriétés sont regroupées sous l'en-tête **Modalités**.)

Source: Commission consultative sur le travail et la révision du Code du travail (1986), p. 210.

La démocratie industrielle peut ainsi revêtir plusieurs formes :

- la participation de type consultatif ou décisionnel ;

- la participation à la gestion ou la participation financière à la propriété et aux profits ;

- la participation directe ou indirecte par voie de représentation de comités d'entreprise ;

- la participation conjointe à la gestion (cogestion) ou l'autonomie des travailleurs (autogestion).

Afin d'entrevoir toutes les facettes de ce nouveau type de gestion dite participative (démocratie industrielle), nous présentons à la figure 12.1 les principales distinctions entre l'ancien modèle et le nouveau modèle de gestion. Principalement caractérisé par l'intégration complète des travailleurs à la vie de l'organisation, ce nouveau style de gestion repose sur l'élément humain qui doit être mis à contribution d'une manière prioritaire, intelligente et originale (Lamoureux, 1988). Les directions des entreprises dites à succès se rendent compte que leur force réside principalement dans leur habileté à motiver leur personnel. L'entreprise redécouvre « l'homme au travail » et, plus particulièrement, les bienfaits de s'en préoccuper.

FIGURE 12.1
La distinction entre l'ancien et le nouveau modèle de gestion

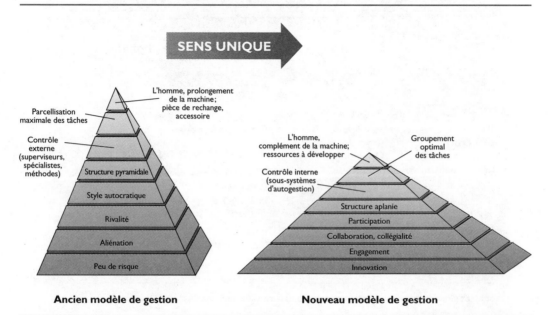

Dans les prochaines pages, nous traiterons des nouvelles formes d'organisation du travail les plus courantes. Cependant, il faut garder en mémoire que les nouvelles stratégies de gestion axées sur la participation peuvent varier à l'infini, selon les particularités de chaque milieu organisationnel.

12.2 LES LIENS ENTRE LA QUALITÉ DE VIE AU TRAVAIL, LA PRODUCTIVITÉ ET LES NOUVELLES FORMES D'ORGANISATION DU TRAVAIL

Le concept de la qualité de vie au travail est très large et peut s'actualiser par le biais de multiples éléments. Cependant, il est possible de le définir comme étant un programme misant sur le respect de soi, la prise de décision, l'autocontrôle et la qualité des relations interpersonnelles dans l'environnement de travail. Son but premier est d'humaniser cet environnement en mettant en pratique le principe selon lequel les ressources humaines doivent être cultivées plutôt qu'exploitées. Ainsi, on veut donner un sens au travail afin de promouvoir le bien-être tant physique que psychologique des travailleurs.

On a commencé à s'intéresser à la qualité de vie au travail (QVT) à la fin des années 1970. C'est sous l'initiative du gouvernement fédéral que fut créée en 1978 la section de la QVT à l'intérieur du ministère du Travail. Cette initiative n'est pas le fruit du hasard. En effet, la mise sur pied d'un organisme voué à la promotion de la qualité de vie n'avait pas pour seul objectif l'amélioration de l'environnement de travail des Canadiens. En fait, c'est à la suite de la reconnaissance du lien existant entre l'environnement de travail et la productivité que les entreprises se sont intéressées à cette dimension organisationnelle. Dès lors, tout a été mis en place pour modifier la gestion traditionnelle des ressources humaines dans le but d'humaniser tant les pratiques que les politiques touchant les travailleurs. Sachant que des employés heureux s'absentent moins, sont plus loyaux envers l'organisation, offrent un meilleur rendement, donc qu'ils sont plus productifs, les organisations ont élaboré divers programmes afin de satisfaire au maximum leurs employés.

On sait qu'une augmentation de la satisfaction des travailleurs entraîne inéluctablement une augmentation de l'efficacité organisationnelle. Mais quels sont les moyens les plus efficaces pour créer un environnement de travail de qualité qui permet de satisfaire les besoins des travailleurs? Les travailleurs étant tous différents les uns des autres et les organisations ayant chacune leur identité et leur environnement propre, la réponse à cette question tient plus du particulier que du général. Dans cette optique, plusieurs scénarios ont été créés au fil du temps, et ces scénarios représentent ce qu'on appelle les nouvelles formes d'organisation du travail. Ainsi, il n'existe pas de formule magique afin de satisfaire les travailleurs, mais plutôt plusieurs formules possibles qui doivent être choisies en fonction de chacun des contextes organisationnels. Chacune des nouvelles formes d'organisation a ses forces et ses faiblesses et cadre bien dans certains environnements et moins bien dans d'autres. Cependant, elles ont toutes comme but d'améliorer, chacune à leur façon, certains aspects de la qualité de vie au travail.

Comme l'illustre bien la figure 12.2, une bonne façon d'améliorer l'efficacité organisationnelle est de responsabiliser, d'intégrer, de mobiliser, d'intéresser et de respecter le travailleur. Le moyen ultime de provoquer un tel changement dans le mode de gestion est d'instaurer une nouvelle forme d'organisation du travail qui viendra redéfinir le jeu des acteurs dans le système organisationnel. Donc, le lien est clair : plus les travailleurs sont satisfaits et plus ils sont productifs. La satisfaction des travailleurs passe inévitablement par une modification des aléas de gestion, modification qui repose essentiellement sur l'instauration de nouvelles formes d'organisation du travail.

12.3 LES NOUVELLES FORMES D'ORGANISATION DU TRAVAIL : UN APERÇU

Comme nous l'avons déjà mentionné, les nouvelles formes d'organisation du travail utilisent principalement trois véhicules afin de promouvoir tant la qualité de vie au travail que le rendement organisationnel ; il s'agit de la participation à la gestion, de la participation aux résultats ainsi que de la participation à la propriété. Afin d'atteindre ces objectifs, l'entreprise doit souvent effectuer un réaménagement du travail pour intégrer davantage les travailleurs et pour leur permettre d'occuper la place qui leur revient dans l'organisation. Cette section du chapitre fera état des diverses innovations dans le domaine de l'organisation du travail, innovations permettant de réorganiser le travail de façon plus efficiente tant au chapitre des relations humaines qu'à celui de la productivité.

FIGURE 12.2
Les programmes d'amélioration de la qualité de vie au travail (QVT) et de la productivité

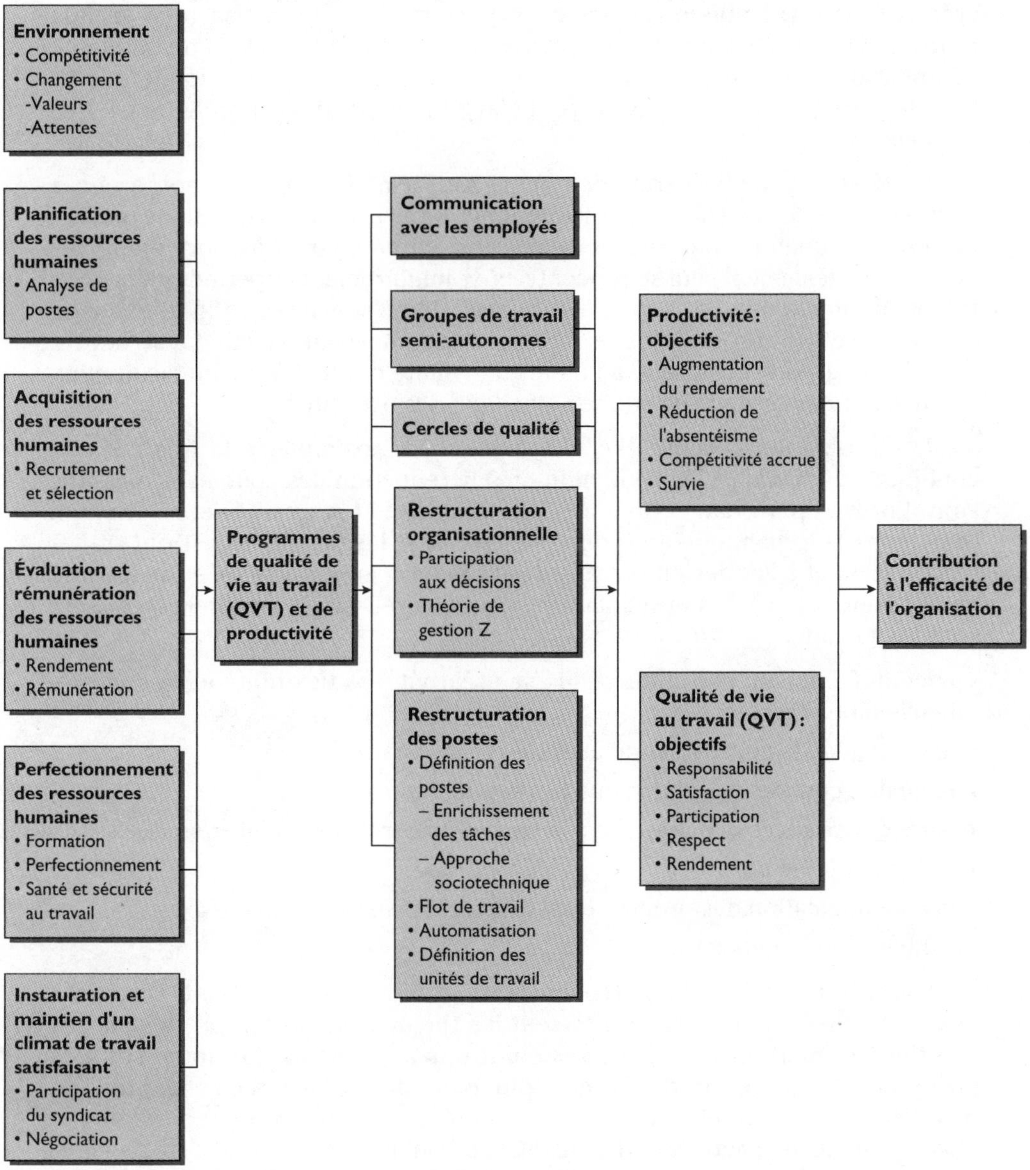

Source : Tiré de Dolan et Schuler (1995), p. 486. Reproduit avec l'autorisation des Éditions du Renouveau pédagogique.

12.3.1 Les cercles de qualité

Les cercles de qualité ont vu le jour au Japon il y a une trentaine d'années et se propagent en Amérique de Nord depuis environ quinze ans. Ces cercles sont constitués de petits groupes de travailleurs qui se réunissent régulièrement pour analyser et résoudre divers problèmes reliés à leur situation de travail.

Cette approche a le mérite de présenter une dynamique de participation efficace, éprouvée dans le temps. Les cercles de qualité exploitent une ressource qui a été longtemps négligée dans l'entreprise, soit l'intelligence et la créativité des travailleurs, ressource qui constitue de fait sa plus grande richesse. De plus, les cercles de qualité favorisent l'amélioration de la qualité des relations humaines, une meilleure circulation de l'information, une plus grande satisfaction au travail et l'élargissement des compétences des travailleurs.

En 1962, le premier cercle de qualité fut formé à la suite de conférences d'experts américains (par exemple, Deming, Juran) sur la gestion de la qualité. Le cercle de qualité est plus précisément constitué de trois à douze employés (sept à dix idéalement) qui se rencontrent volontairement et périodiquement, à raison d'une heure par semaine ou par deux semaines, afin d'exposer, d'analyser et de résoudre les problèmes rencontrés au travail. La structure formelle du groupe comprend au moins un comité d'orientation, un facilitateur, un animateur, un groupe de soutien ainsi que des membres.

Les problèmes discutés se rapportent, par exemple, à la qualité, aux conditions de travail, à la production ou à la réduction des coûts. Les objectifs sont d'ordre opérationnel (augmenter l'efficacité et la qualité) et relationnel (améliorer la dynamique de groupe, le climat et les échanges), et ont trait à l'intégration et à l'adhésion (créer un sentiment d'appartenance et de loyauté envers l'entreprise). Les principaux éléments de réussite d'un cercle de qualité sont les suivants :

- la compétence du coordonnateur : sa créativité, sa flexibilité et sa compréhension des cercles ;
- le soutien de la part du syndicat et des gestionnaires ;
- la qualité comme but, plutôt que la quantité ;
- la reconnaissance des principes de base d'un cercle de qualité ;
- la participation libre ;
- la communication des progrès et des résultats aux gestionnaires ;
- la liberté des sujets à traiter.

Concrètement, lors d'une rencontre du groupe, les participants discutent des problèmes rencontrés, choisissent les thèmes à analyser, proposent des solutions et mettent en œuvre ces solutions après les avoir soumises à la direction. À l'intérieur du cercle, plusieurs méthodes de résolution de problèmes peuvent être utilisées, notons entre autres la technique de l'histogramme, le diagramme de cause à effet, le diagramme de Pareto, la carte de contrôle et le remue-méninges (*brainstorming*). C'est la direction qui étudie les propositions et qui décide de les faire exécuter ou non par les services compétents. Cependant, l'efficacité de chacune des propositions doit être évaluée conjointement par la direction et les membres du cercle.

Exemples

Les pharmacies Jean Coutu appliquent une nouvelle forme d'organisation similaire aux cercles de qualité et appelée « groupes de progrès ». On y aborde des thèmes tels que le service à la clientèle, la rentabilité et la qualité de vie au

travail – mais pas la qualité des produits, puisque les pharmacies ne font que commercialiser des produits fabriqués ailleurs. La qualité de vie des employés englobe les aspects physiques des lieux de travail (espace, disposition, propreté, bruit, etc.), la nature du travail (autonomie, responsabilités, efforts, etc.), les politiques et les pratiques de gestion (bien que celles-ci soient rarement abordées puisque de tels changements toucheraient l'ensemble des employés de l'organisation). Rappelons que la plupart des employés de cette organisation sont non syndiqués. L'expérience, si on en croit les gestionnaires du siège social, semble très bien fonctionner.

En Ontario, la Thompson Product Division de la TRW Canada Limited a également tenté l'expérience des cercles de qualité dans le but de réduire les coûts, d'augmenter l'engagement des employés et d'améliorer la qualité du produit, la productivité, le travail d'équipe et la sécurité. Avant d'instaurer le programme, les dirigeants de l'entreprise ont mis sur pied un comité d'établissement afin de déterminer les règles des cercles de qualité. Ce comité a alors décidé que la participation y serait volontaire, que le nombre de membres d'un cercle n'excéderait pas quinze employés et que les membres du cercle de qualité se rencontreraient hebdomadairement. De plus, il fut établi que les cercles seraient autonomes et qu'ils obtiendraient l'appui indéfectible de l'entreprise. Un facilitateur de l'Institut des cercles de qualité de Californie fut invité à venir former les animateurs pendant une semaine. Le coût total du projet pour une année a été évalué à 33 000 $. Convaincus des avantages d'une telle expérience pour la résolution de problèmes, la reconnaissance, l'estime et l'engagement des travailleurs, les dirigeants de la TRW Canada Limited songent à implanter cette pratique dans les autres services de leur organisation.

Au Québec, on trouve également des cercles de qualité dans le secteur de l'enseignement et dans quelques entreprises telle CAMCO. Aux États-Unis, des entreprises comme Ford, General Motors, Packard Electric, Bethlehem Steel, Westinghouse Defense et Electronic System ont obtenu des résultats intéressants avec les cercles de qualité.

12.3.2 Les équipes de travail semi-autonomes

Le principe des équipes de traval semi-autonomes consiste à doter les travailleurs de l'autonomie nécessaire à l'autocontrôle ou à l'autorégulation du système de production.

Les membres d'une équipe semi-autonome ont pour fonction première de travailler ensemble afin de fabriquer un produit final donné. Les membres du groupe (généralement une quinzaine) possèdent un certain pouvoir au chapitre du contrôle du travail et de la régulation du système de production; ils organisent eux-mêmes le travail qu'ils ont à accomplir en se le répartissant. Ils peuvent également avoir un droit de regard au chapitre de la discipline, des salaires, de l'évaluation du rendement, de l'embauche et du congédiement. Afin qu'un groupe semi-autonome soit efficient, les travailleurs doivent posséder certaines aptitudes, soit:

* avoir les compétences reliées à l'emploi;
* pouvoir communiquer et prendre des décisions;
* être habiles à extraire l'information provenant de l'environnement (par exemple, des autres groupes);
* connaître la structure du travail;
* être capables d'effectuer certaines activités de gestion;
* savoir créer et maintenir une atmosphère de travail productive.

Ce principe sous-tend donc plus d'autonomie pour les travailleurs, un réaménagement des tâches, une modification du système de prise de décision, une formation adéquate, la mise sur pied d'un processus de consultation, etc.

Les conclusions qui ressortent de l'expérience des équipes de travail semi-autonomes indiquent que, pour qu'il y ait réussite, la structure organisationnelle doit demeurer très ouverte. Les changements de rôles semblent inévitablement entraîner une modification des statuts. L'expérience demeure toutefois une source intéressante de diagnostic des problèmes à l'intérieur de l'entreprise, et cela pour l'ensemble des gestionnaires. De plus, cette nouvelle forme d'organisation du travail a des répercussions intéressantes sur le fonctionnement de l'organisation (processus de communication), sur la satisfaction des employés (autonomie et responsabilisation) et sur la rentabilité de l'entreprise (diminution de l'absentéisme et du roulement, augmentation de la productivité).

Exemples

L'expérience des groupes semi-autonomes au Centre de produits surgelés de Steinberg à Dorval constitue un exemple typique. Même si l'entreprise, avant sa fermeture, avait décidé d'interrompre cette expérience, il est important de noter que, durant la période d'expérimentation, la productivité s'est accrue de 35 %, tandis que l'absentéisme diminuait sensiblement.

Air Canada, de son côté, a également su miser sur cette nouvelle forme d'organisation à la division des remboursements du Service des finances de Winnipeg. Cette division a elle aussi connu une hausse de rendement de 30 % tout en entraînant une plus grande satisfaction et plus d'enthousiasme chez les employés.

12.3.3 L'aménagement du temps de travail

Depuis les deux dernières décennies, le travail perd beaucoup du rôle central qui lui était propre auparavant. Ainsi, bien que le travail représente toujours l'activité prépondérante de la vie active, les individus s'entourent dorénavant d'une pléiade d'occupations qui ont peu ou aucune référence à leur sphère de travail. Entre autres, de plus en plus de temps est consacré aux loisirs, les activités familiales revêtent beaucoup d'importance, les tâches domestiques sont aussi plus accaparantes, et un désir marqué d'épanouissement oriente maintenant les gens vers des activités de formation continue. Donc, bien que le temps consacré au travail ait peu changé, plusieurs autres préoccupations meublent la vie des individus et les forcent à adopter une meilleure gestion du temps.

Naturellement, les horaires de travail traditionnels – par exemple, de 9 h à 17 h, du lundi au vendredi – limitent largement cette gestion du temps, et cela souvent au détriment de l'activité de travail. Ainsi, que ce soit pour un rendez-vous chez le médecin, pour une rencontre scolaire concernant les enfants ou pour un tournoi de golf débutant le vendredi, les travailleurs auront tendance à s'absenter du travail. Toutefois, ils ne peuvent se libérer à chaque occasion. Ainsi, lorsque le travail limite la participation à des activités qui sont valorisées, un sentiment d'insatisfaction face au travail naît.

Afin de remédier à cette «délinquance comportementale» et à l'insatisfaction des travailleurs, les organisations, conscientes de la rigidité des horaires traditionnels, instaurent différentes pratiques permettant aux travailleurs de modeler leur horaire de travail en fonction des exigences de leur vie personnelle. Ces nouvelles pratiques organisationnelles se définissent principalement non pas par une diminution du temps de travail, mais par une malléabilité de ce dernier. Trois innovations font figure de proue en ce domaine : ce sont l'horaire flexible de travail, la semaine de travail comprimée et le travail à la maison.

L'horaire flexible de travail

Présent dans près d'un quart des entreprises canadiennes, l'horaire flexible de travail comporte plusieurs avantages pour l'organisation et pour les travailleurs. Au chapitre des répercussions les plus importantes, citons la diminution de l'absentéisme, la baisse du roulement du personnel, l'élimination de certaines sources de stress, l'amélioration des relations entre l'employeur et les employés et l'augmentation de la satisfaction au travail.

L'horaire de travail flexible consiste en un agencement individualisé des heures de présence sur les lieux de travail. Ainsi, le cœur de cette pratique est constitué de la division de l'horaire global de travail en deux types de périodes, soit les **plages fixes** de travail – pendant lesquelles tous les employés doivent être présents au travail – et les **plages mobiles** – qui représentent le temps de travail qui peut être aménagé selon les besoins individuels.

Par exemple, l'Assurance-Vie Desjardins (maintenant Assurance vie Desjardins-Laurentienne), entreprise très innovatrice en ce domaine, offre ce type d'horaire depuis 1973. À l'intérieur du programme de travail, deux plages fixes sont établies, soit de 9 h 15 à 11 h 30 et de 14 h à 15 h 30. Ainsi, tous les travailleurs doivent obligatoirement être présents à leur poste de travail pendant ces deux périodes, et ceci durant toutes les journées ouvrables de l'entreprise (soit du lundi au vendredi). La journée de travail pouvant s'étendre de 7 h 30 à 18 h, les travailleurs profitent donc de trois plages mobiles pendant lesquelles ils peuvent s'absenter du travail. Ainsi de 7 h 30 à 9 h 15, de 11 h 30 à 14 h et de 15 h 30 à 18 h, la présence au travail des employés est facultative et est entièrement laissée à leur discrétion. La semaine de travail étant de trente-cinq heures, il appert que près de la moitié de l'horaire global de travail est flexible. De telles dispositions de travail permettent aux travailleurs de pouvoir adapter leurs contraintes personnelles à celles occasionnées par la réalité du travail. Entre autres aspects qui sont facilités par l'horaire flexible de travail, mentionnons l'accueil des enfants après l'école, les déplacements en automobile (permet d'éviter les embouteillages) et les rendez-vous (par exemple, chez le dentiste ou chez le médecin) en semaine.

Un tel programme procure aussi plusieurs avantages à l'organisation. Une enquête interne de l'Assurance-Vie Desjardins révèle que les horaires flexibles ont permis d'augmenter la satisfaction au travail, d'assurer un meilleur équilibre entre le travail et la vie personnelle, de réduire le taux d'absentéisme et de roulement. Plus précisément, une étude sur les entreprises canadiennes conclut que les horaires flexibles permettent d'augmenter la productivité, de réduire le taux d'absentéisme, de réduire les heures supplémentaires, d'éliminer les retards et de réduire le taux de roulement.

Cependant, malgré tous ses avantages, cette nouvelle gestion des horaires n'est pas dépourvue d'inconvénients. Soulignons, entre autres, l'obligation d'instaurer des mécanismes de surveillance afin de contrôler le nombre d'heures de travail effectuées par chaque employé. Une telle surveillance est souvent effectuée par le biais d'une horloge de pointage qui n'est pas sans soulever le mécontentement de certains travailleurs.

La semaine de travail comprimée

La semaine de travail comprimée permet au travailleur de réduire sa semaine de travail par l'augmentation du nombre d'heures travaillées quotidiennement. Donc, tout en maintenant constant le nombre d'heures travaillées par semaine, le travailleur a la possibilité de comprimer ces heures dans un nombre de jours plus restreint. La formule habituelle est la semaine de travail de quatre jours. Ainsi, le travailleur regroupe ses heures de travail à l'intérieur de quatre jours, ce qui lui permet de bénéficier d'une journée de «non-travail» supplémentaire. Un tel aménagement de l'horaire de travail permet à l'individu de consacrer plus de temps à sa famille ou de pratiquer des activités nécessitant une plus longue période de temps que les fins de semaine habituelles (rénovations, voyage, excursions, etc.).

La semaine de travail comprimée est actuellement offerte aux employés du Musée canadien des civilisations situé à Hull. Par exemple, un travailleur ajoutant quarante-cinq minutes de travail à sa journée normale peut bénéficier d'un vendredi ou d'un lundi de congé aux deux semaines. Naturellement, ceci n'est qu'une des modalités possibles, et plusieurs autres options sont envisageables.

Bien que moins exhaustif et moins malléable qu'un programme d'horaire flexible, ce programme de semaine de travail comprimée permet d'améliorer le climat organisationnel. Une étude menée par le ministère du Travail de l'Ontario démontre en fait qu'une telle organisation du travail est favorable tant pour les travailleurs que pour l'organisation. En ce qui concerne les entreprises recensées, l'étude fait ressortir les points suivants :

- 60 % des organisations observent une augmentation de la productivité ;
- 57 % des organisations, une réduction de l'absentéisme ;
- 47 % des organisations, une amélioration du moral des employés ;
- 6 % des organisations, une amélioration des communications ;
- 6 % des organisations, une réduction des heures supplémentaires.

Les travailleurs aussi évaluent positivement une telle innovation. On note en effet que 50 % d'entre eux estiment que leur vie familiale a été améliorée, 25 % ont une attitude plus positive face à leur travail et 40 % constatent une diminution des coûts liés au travail.

Bien qu'il demeure difficile de savoir si tous ces changements sont directement reliés à la seule cause de la semaine comprimée de travail, il est fort probable qu'elle n'y soit pas étrangère.

Le travail à la maison

Le travail à la maison constitue le transfert du bureau de travail de l'entreprise à la maison. Avec l'avancement des technologies informatiques et avec le développement accéléré des voies de communication (autoroute électronique), la centralisation des activités de travail à l'intérieur des murs de l'entreprise devient de moins en moins nécessaire. Ainsi, un travailleur peut avoir accès à toutes les installations et informations mises à sa disposition par l'entreprise chez lui par le biais d'un micro-ordinateur et d'un modem.

Plusieurs entreprises du secteur de la vente (immobilier et assurances) permettent d'ailleurs à leurs travailleurs d'opérer directement à partir de leur domicile. Le domicile des travailleurs devient ainsi ce qu'on peut appeler une « maison électronique » où un lien constant est maintenu avec l'entreprise et avec les clients par le biais de divers outils de communication (par exemple, le téléphone, le courrier électronique, le télécopieur).

La résidence d'un travailleur peut aussi devenir une « maison industrielle » lorsque ce dernier est intégré à l'intérieur d'une chaîne de production d'un bien. Ainsi, l'assemblage d'objets (jouets, pièces d'art) est une réalité qui est de plus en plus vécue en dehors de l'usine, à partir de la résidence même du travailleur.

Les gains potentiels du travail à la maison sont évidents. Œuvrant dans une atmosphère qui lui est propre, le travailleur est habituellement plus productif. En outre, une meilleure gestion des activités personnelles est possible, éliminant d'emblée les conflits travail-famille, travail-loisirs, etc. Par rapport aux programmes d'horaire flexible et de semaine comprimée de travail, le travail à la maison semble posséder, malgré le peu d'études sur le sujet, des avantages comparables.

12.3.4 La conception des tâches

Comme nous l'avons mentionné au sujet des modèles mécanistes, la simplification des tâches a été longtemps présentée comme un facteur favorisant l'efficacité d'une entreprise. Cependant, le rendement (productivité) n'était pas à son meilleur malgré les coûts moindres entraînés par la formation minimale à donner ou le salaire inférieur à verser à des travailleurs peu qualifiés. Il appert en effet que l'ennui et la monotonie des tâches traditionnelles sont largement responsables de l'absentéisme, du roulement des employés et des erreurs de production, tous des éléments nocifs à la productivité.

Conscientes de ces effets pervers, les organisations tentent maintenant d'inverser le processus en modifiant le contenu des tâches afin que ces dernières soient plus épanouissantes. Trois méthodes sont utilisées à cette fin, soit l'enrichissement des tâches, l'extension des tâches et la rotation de poste. Nous vous les présentons brièvement aux sous-sections suivantes.

L'enrichissement des tâches

Cette méthode reflète le principe qui veut que la productivité, l'efficacité, la satisfaction et l'adaptation aillent de pair avec l'autonomie, la variété et la rétroaction. L'enrichissement des tâches consiste à restructurer verticalement le travail, notamment en confiant à l'employé des responsabilités propres à un niveau supérieur, telles que la planification du travail, le choix des méthodes et le contrôle de la qualité.

Selon Herzberg *et al.* (1957), les principes de la méthode de l'enrichissement des tâches sont les suivants :

- le retrait du contrôle au gestionnaire et la délégation des responsabilités aux employés ;
- l'augmentation de l'autorité de l'employé sur son travail ;
- la responsabilité d'une unité complète de travail (module, aire, etc.) ;
- la présentation de rapports périodiques par l'employé plutôt que par le superviseur ;
- l'implantation de tâches nouvelles et plus nombreuses ;
- l'acquisition d'expertise pour des tâches précises.

L'élargissement des tâches

Il s'agit de la deuxième méthode permettant de réduire la monotonie et l'aliénation en redéfinissant les tâches à effectuer. Comme l'enrichissement, l'élargissement se veut une modification de l'étendue des tâches effectuées par un travailleur mais, cette fois-ci, il s'agit d'un déplacement horizontal plutôt que d'un déplacement vertical. Ainsi, l'élargissement des tâches consiste à augmenter la variété des tâches en regroupant ou en combinant un certain nombre d'actions connexes sous la responsabilité d'un même employé. Une telle pratique vient directement contrecarrer l'approche scientifique (taylorisme) qui prônait que l'efficacité passait par une fragmentation accentuée des tâches.

La rotation de poste

Contrairement aux deux approches précédentes, la rotation de poste ne change pas la nature de l'emploi mais exige plus de polyvalence des travailleurs. Ainsi, la rotation a pour effet d'augmenter la variété des tâches en permettant, selon un certain régime, l'échange des postes de travail entre les employés. Cette pratique favorise la flexibilité de l'entreprise et permet au travailleur de changer de poste à intervalles réguliers. Les travailleurs font donc face à des défis constants qui viennent briser la monotonie et qui leur permettent d'acquérir une connaissance plus globale de la dynamique organisationnelle. Notons que la rotation de poste facilite notamment l'engagement des travailleurs ainsi que la résolution de problèmes, puisque les travailleurs n'ont pas une connaissance limitée (un seul poste) mais une connaissance étendue de l'entreprise.

Lorsque les organisations appliquent ces méthodes de redéfinition de tâches, elles observent un accroissement des facteurs de motivation. Une plus grande variété des aptitudes de l'employé est donc mise à contribution, l'identification à l'organisation enrichie et l'importance relative du travailleur ainsi que son autonomie fonctionnelle augmentées. Il en résulte inévitablement une amélioration de la productivité et une diminution des coûts. De plus, les travailleurs étant plus satisfaits, le roulement du personnel, l'absentéisme et le nombre de griefs tendent à diminuer. Cependant, l'instauration de telles méthodes de reconception des tâches peut, dans certains cas, ne pas faire l'unanimité. Ainsi, certains travailleurs peuvent refuser un enrichissement des tâches, d'autres peuvent manquer de compétence ou encore exiger une modification de la rémunération. D'autres embûches potentielles à de telles pratiques sont, d'une part, le peu d'enthousiasme des syndicats face à de telles expériences et, d'autre part, les coûts engendrés en formation et en achat de nouvel équipement qui peuvent freiner la participation patronale.

12.3.5 L'approche sociotechnique

L'approche sociotechnique de l'organisation provient d'Angleterre. Dans le cadre général du taylorisme, l'homme était vu un peu comme une machine. Des psychosociologues tels que Mayo, Roethlisberger et Dickson ont alors démontré l'influence que les relations humaines exerçaient sur la productivité. Un point d'équilibre devait donc être atteint entre l'aspect technique et l'aspect social. L'approche sociotechnique vient donc réconcilier ces deux aspects par la conceptualisation de l'organisation comme un système et par l'agrégation des systèmes social et technique.

L'approche sociotechnique peut ainsi être considérée comme une application de l'analyse systémique à l'étude des organisations. Puisqu'on définit le système comme **l'ensemble des parties interreliées formant un tout cohérent et synergique**, l'analyse systémique vise la compréhension de la relation d'équilibre à l'intérieur du système, et ce compte tenu de ses échanges continus avec l'environnement. Comme le maintien de cet équilibre dépend davantage des interactions réciproques des parties que de leurs caractéristiques intrinsèques, les interactions constituent le principal objet d'étude de l'analyse systémique. Deux aspects doivent être privilégiés dans l'analyse systémique :

l'aspect structurel, qui étudie les composantes du système, leur nature, leurs relations, et l'aspect dynamique (fonctionnel), qui étudie les fonctions, les conditions de stabilité et de changement des systèmes.

L'approche sociotechnique vise donc l'optimalisation conjointe du système social et du système technique de l'entreprise. Cette approche permet de satisfaire aux exigences économiques et culturelles contemporaines en mettant l'accent sur l'adaptation et l'épanouissement personnel des membres de l'organisation. Elle insiste sur la jonction (intersection) des deux systèmes et sur l'adaptation de l'organisation à son environnement de façon que chaque employé puisse s'épanouir à travers l'accomplissement de ses tâches. Cette approche porte donc sur l'interaction entre l'homme et son travail.

Les étapes d'implantation d'un système sociotechnique sont les suivantes :

- l'étude préliminaire : les équipes, la structure, les intrants, les extrants, le système principal de transformation, les relations entre les services, les écarts dans le système (actuel et désiré) ;
- la description des unités d'opération : phases de la production ;
- la détermination des variables clés et leurs interrelations : matériaux, quantité, qualité, frais d'exploitation, coûts sociaux, etc. ;
- l'analyse du système social : rémunération, besoins psychologiques, flexibilité, rotation, etc. ;
- l'évaluation de la perception des employés, principalement en fonction de leur rôle ;
- l'analyse du système d'entretien et de son effet sur le système de production ;
- le balayage de l'environnement de l'entreprise : sa mission, son plan de développement, son environnement externe (occasions et contraintes) ;
- la proposition de changement.

L'approche provoque une augmentation de la production et de la satisfaction au travail et une diminution de l'absentéisme. Grâce à cette approche, le travail est plus varié (moins routinier), requiert plus d'autonomie, plus de responsabilités et plus de rétroaction de la part des gestionnaires. Par ailleurs, le rôle des travailleurs devient plus flexible et demande plus d'investissement, puisque, dans certains cas, il peut comprendre une part de contrôle sur le processus. Il s'agit toutefois d'une approche assez longue à implanter et coûteuse pour l'entreprise ; les résultats peuvent de plus tarder à se manifester.

12.3.6 La théorie Z

Afin de répondre aux faiblesses des systèmes de participation des travailleurs visant l'amélioration de la qualité de vie au travail (notamment les cercles de qualité et les groupes de travail semi-autonomes), W.G. Ouchi élabore en 1982 la théorie Z, permettant de combiner les modèles japonais et nord-américain de participation. Les principales caractéristiques de la théorie Z sont les suivantes :

- l'emploi à long terme ;
- la promotion lente et les périodes d'évaluation espacées ;
- le profil de carrière non spécialisé ;
- la prise de décision consensuelle et non individuelle ;
- un style de contrôle informel et implicite ;
- une vision et un intérêt globaux plutôt que séquentiels.

Le modèle Z suggère une forme d'organisation permettant simultanément la liberté individuelle et le travail de groupe. Dans une organisation de type Z, la prise de décision s'effectue selon une approche consultative, mais le chef hiérarchique détient le plein pouvoir décisionnel. L'emploi y est généralement assuré pour la vie, et les carrières tendent à être modérément spécialisées afin de faciliter la coordination interne et la loyauté envers l'entreprise. De plus, l'organisation Z fait preuve d'un intérêt élevé pour tous les aspects de la vie de l'employé.

Ce modèle sous-tend une approche culturelle plutôt que seulement sociotechnique. Les objectifs de formation face à la réussite misent sur les relations interpersonnelles, le développement à long terme (stratégique), les relations participatives et l'apprentissage de la tolérance.

Exemples

Plusieurs entreprises canadiennes utilisent un système de gestion comparable à la théorie Z. Selon une enquête effectuée par le *Financial Post* en 1986, parmi les 100 meilleures entreprises « où il fait bon travailler » (Purdie, 1990), plusieurs sont de type Z. En guise d'exemples, citons Canadian Tire, Northern Telecom, la chaîne d'hôtels Quatre Saisons, la compagnie d'assurances Great West Life et la Brasserie Labatt. Toutes ces organisations possèdent des caractéristiques fortement assimilables à la théorie Z. Notons, entre autres, la présence dans ces organisations d'une forte culture organisationnelle, d'une grande stabilité d'emploi, d'une direction continue, d'un cheminement de carrière progressif et d'un intérêt centré sur le bien-être des travailleurs.

12.4 UNE NOUVELLE APPROCHE : LA GESTION PAR LA QUALITÉ TOTALE

Les six nouvelles formes d'organisation du travail que nous avons esquissées à la section précédente se veulent ou peuvent être considérées comme des modifications partielles des paramètres organisationnels. Chacune de ces innovations de gestion ne concentre toutefois son action que sur une parcelle de l'organisation, négligeant d'emblée le caractère holistique de la dynamique d'une organisation (exception faite de l'approche sociotechnique). Afin de comprendre et d'actualiser la transformation globale des relations au sein de l'entreprise, la qualité totale se veut un jalon important de la redéfinition du jeu des acteurs. En fonction de la popularité de cette nouvelle forme d'organisation du travail, les prochaines pages seront consacrées à la compréhension théorique de la qualité ainsi qu'à la détermination des effets qu'elle peut engendrer sur les travailleurs.

Le concept de gestion par le biais de la qualité totale s'insère dans l'ensemble des pratiques et philosophies managériales ayant été importées du Japon. Ainsi, comme les cercles de qualité et la théorie Z d'Ouchi, la qualité totale se veut une adaptation, au contexte nord-américain, d'une vision managériale omniprésente au Japon depuis plusieurs années.

Face aux difficultés économiques de plus en plus présentes et devant une mondialisation accrue des marchés, plusieurs organisations nord-américaines (par exemple, Polaroïd, Coca-Cola, Procter & Gamble) ont opté pour l'avenue de la qualité, copiant ainsi un modèle de réussite : le modèle japonais. En proie à des chutes importantes de leur part de marché (tant nationale que mondiale), les entreprises s'inspirent de la gestion organisationnelle nippone afin de relancer et de restabiliser leurs activités. Il appert donc que, malgré des apparences d'innovation, ce nouveau modèle de gestion se veut fonda-mentalement une réaction à une nécessité d'adaptation.

12.4.1 La qualité totale : un mode de vie organisationnel

Depuis le début des années 1980, une quantité impressionnante d'articles et de livres sont consacrés à la connaissance de ce nouveau style de gestion. La qualité totale devient ainsi non plus une simple nouvelle forme d'organisation du travail, mais bien une nouvelle philosophie de gestion intégrant chacune des dimensions de l'organisation. Ce changement de paradigme (Hodgetts, Luthans et Lee, 1994) est global et peut être appliqué soit de façon parcellaire par le biais d'une gestion opérationnelle et technique, soit de façon intégrale par la gestion du processus. Toutefois, il est important de comprendre que la qualité totale est un modèle idéal que bien peu d'organisations réussissent à atteindre. Ce qui existe tient beaucoup plus d'une gestion « tendant vers » la qualité totale. Ce que l'on rencontre le plus fréquemment est une application d'une gestion de la qualité au système de production (conception parcellaire). Ainsi, c'est la production du bien ou du service offert qui jouit d'une attention visant la qualité. Étant principalement orientée vers la satisfaction des clients externes (directs), une telle vision « dure » (*hard*) de la qualité utilise divers instruments et techniques afin de gérer la conformité (selon des standards de qualité) et le coût de la qualité.

Parmi les différentes techniques utilisées, la plus populaire est sans contredit celle du juste-à-temps qui se veut un contrôle bilatéral des coûts d'entreposage, jumelé à la préoccupation de maintenir un niveau de qualité optimal. Ce contrôle bilatéral se définit par les objectifs « stock zéro », selon lequel il faut avoir une gestion serrée de la quantité de matières premières nécessaires, et « délai zéro », selon lequel il faut réduire la durée d'entreposage des produits finis, et ce sans nuire à la satisfaction des clients. De plus, contrairement à l'approche traditionnelle, le contrôle de la qualité ne se fait pas *a posteriori* (une fois le produit terminé) mais *a priori*, c'est-à-dire à l'intérieur même du processus de production. Principe central à l'intérieur de la logique de la qualité totale, le juste-à-temps permet, notons-le, de diminuer les stocks, de réduire les arrêts causés par les pannes, d'augmenter la surface disponible pour la production et d'augmenter la productivité, et tout cela sans jamais nuire à la qualité du produit. Ceci dit, voici quelques exemples de techniques utilisées afin d'atteindre l'objectif du juste-à-temps.

Le SMED   Le SMED (*single digit minute exchange or die*) est une technique permettant d'améliorer l'efficience de production (par la réduction des coûts) et de largement réduire les délais de livraison. En fait, il s'agit d'un principe prônant une flexibilité du processus de production par le biais d'une réduction du temps de transfert ou d'une reconfiguration de la mécanique productive. Une telle optique vise principalement la polyvalence en unissant et en agrégeant les étapes de production sur un même dénominateur commun, afin qu'elles puissent facilement et rapidement s'adapter à la demande de n'importe quel produit (dans la gamme des produits offerts). Sachant que les organisations diversifient leurs produits ou offrent différents modèles d'un même produit, le SMED réduit au minimum le temps non productif de transfert et permet ainsi, entre autres, de maximiser la satisfaction des clients par une réduction plus ou moins substantielle des délais de livraison.

Le « kanban »   Toujours à l'intérieur d'une gestion « dure » de la qualité, le « kanban » vient épauler la logique du juste-à-temps. Ainsi, afin de réduire au minimum les stocks et la production inutile, le principe du « kanban » inverse la direction des ordres de production. Traditionnellement, la production se veut ascendante, c'est-à-dire que ce sont les étapes en aval qui poussent la production vers les postes de travail se situant en amont (flux poussé). À l'inverse, le « kanban » prône un style de production par flux tiré. C'est donc l'étape de la finition du produit, dernière étape du processus, qui détermine la cadence de production en dictant à l'étape précédente la quantité de pièces dont elle a besoin. Un tel procédé diminue les excédents de production causés par une surproduction et permet un meilleur ajustement de l'offre du produit (productivité) à la demande de ce dernier.

Le « poka-yoke » et le contrôle statistique des procédés (CSP)   Comme nous l'avons précédemment mentionné, la qualité totale sous-tend un contrôle intégré des standards de conformité. Ainsi, c'est à chacune des étapes de la production que la qualité doit être vérifiée afin d'éliminer à la source les défectuosités ou les écarts aux normes. Le « poka-yoke » se veut ainsi une méthode permettant de détecter les erreurs avant même que ces dernières ne surviennent. Par la responsabilisation des travailleurs (opérateurs) et par une formation leur permettant de prévenir certaines anomalies de production, on tente de proagir sur les possibilités d'erreur plutôt que de réagir face à celles-ci. Même si la méthode du « poka-yoke » permet d'éliminer plusieurs erreurs potentielles, il demeure une certaine quantité d'erreurs ne pouvant être éliminées. Se concentrant sur cette quantité d'erreurs pouvant être qualifiée de marginale, le contrôle statistique des procédés détecte instantanément tout élément de production (à chacune des étapes) s'écartant anormalement de certains standards prédéterminés. L'erreur étant décelée dès son apparition, il est plus facile de la corriger rapidement et, par conséquent, les coûts y étant associés sont moindres.

Toutes les techniques que nous venons de présenter s'intègrent à la logique du juste-à-temps et visent une maximisation de la satisfaction des clients externes par le biais de l'augmentation de la qualité de la production (qualité du produit, réduction des défectuosités, réduction des délais de livraison, etc.). Bien qu'ils représentent l'essence même de la dynamique entrepreneuriale, les clients externes ne sont pas les seuls acteurs en demande de services de l'organisation. Il existe toute une catégorie de clients que l'on décrit comme étant internes et qui constituent une entité tout aussi importante dans le processus de la qualité totale.

La dynamique intra-organisationnelle visant les clients indirects (internes) doit ainsi être arrimée aux impératifs de la productivité (visant la satisfaction des clients externes) afin de créer un tout cohérent et congruent. Il devient aberrant de prôner la qualité d'un produit et d'un service lorsque les individus assurant cette qualité ne jouissent pas de conditions de travail axées sur une satisfaction optimale de leurs propres besoins. On peut difficilement produire de la qualité lorsque les intrants nécessaires à la production sont eux-mêmes dénués de qualité.

Donc, toute une facette de la qualité totale doit porter sur les services offerts aux travailleurs. Que l'on parle du système de rémunération, du traitement des demandes et griefs, de la communication, ou des relations inter-hiérarchiques, toutes les dimensions de la vie organisationnelle, tant sur les plans de la productivité que des relations humaines, doivent s'aligner sur une logique tendant vers la qualité totale.

12.4.2 Les approches de la qualité totale

On s'entend habituellement pour distinguer trois approches quant à l'explication et à la description de la dynamique sous-tendant la qualité totale. Directement associée aux trois « gourous » de cette nouvelle philosophie de gestion, chacune de ces approches se veut, plus ou moins, l'accumulation de mesures prescriptives afin d'atteindre l'objectif de la qualité. Les trois auteurs qui nous intéressent ici sont W.E. Deming, P.B. Crosby et J.M. Juran, tous, chacun à leur façon, des pionniers dans la détermination des paramètres de la qualité totale. Paradoxalement, ces auteurs sont tous trois d'origine américaine. Ainsi, bien que la qualité totale soit associée aux pratiques de gestion japonaise, il est important de souligner que se sont des Américains qui ont instauré ces pratiques au Japon dans les années 1950.

L'approche de Deming

Statisticien de formation, W.E. Deming instaure, dès 1920, le contrôle statistique de la production à la Western Electric Company. Fortement convaincu que la qualité représente une avenue indéniable dans l'amélioration de la productivité, il sera invité au Japon afin de communiquer ses principes et ses idées. Très réceptifs à cette nouvelle conception, les dirigeants japonais entreront à l'aube des années 1950 dans l'ère de la qualité totale, innovation qui est aujourd'hui grandement responsable de leur position avantageuse sur le marché mondial.

L'approche de Deming présente des concepts clairs, facilement compréhensibles. Cependant, la synergie et l'interdépendance des concepts proposés en complexifient la logique, condition néanmoins *sine qua non* à l'illustration de la réalité d'une gestion de la qualité totale.

Le cœur même de cette approche réside dans la réduction de l'incertitude et de la variabilité à l'intérieur du processus de manufacture. Pour Deming, les sources ultimes de la non-qualité du produit ou du service offert sont les écarts avec les standards établis. Ainsi, chaque écart engendre un produit ou un service de moindre qualité que celui que le client est en droit de recevoir. Une telle réalité entraîne de l'insatisfaction chez le client et ternit, par la même occasion, l'image de l'entreprise.

Imbriquée dans une logique d'amélioration continue, l'amélioration de la qualité est, selon Deming, l'instigatrice d'une réaction en chaîne (*chain reaction*) permettant au bout du compte la prospérité et la survie de l'organisation (voir la figure 12.3).

Afin d'en arriver à cette amélioration de la qualité, élément déclencheur de la réaction en chaîne, quatre éléments doivent être ajustés et fusionnés pour former ce que Deming appelle le « système de la connaissance fondamentale » (*system of profond knowledge*) ; ces éléments sont décrits ci-dessous.

Le système   Toute gestion tendant vers la qualité totale doit être intégrée dans une réalité systémique où « le tout est supérieur à la somme des parties ». Ainsi, c'est par le biais de la synergie entre les constituants (sous-systèmes) du système que la qualité pourra s'actualiser pleinement. Selon une telle vision, le

POINT DE VUE D'UN GESTIONNAIRE

JOHN McLENNAN,
président et chef de direction
Bell Canada

Les jalons de la qualité chez Bell Canada

Nombreux sont ceux et celles qui, depuis une vingtaine d'années, ont jeté les bases de la qualité totale à Bell. Dès 1974, par exemple, nous avons eu recours à des sondages auprès de la clientèle pour évaluer la qualité de notre service. C'était là reconnaître que la qualité trouve sa raison d'être dans le point de vue des clients et non pas dans notre seule perception de ce qui comble leurs besoins. Depuis l'adoption, en 1988, de notre mission « d'aider les gens à communiquer et à gérer l'information, et d'être à cet égard un chef de file mondial », c'est à un rythme accéléré qu'a progressé notre transformation. À la fin de 1990, Bell était résolument engagée dans la voie de la qualité lorsque notre équipe de direction a formellement déterminé d'intégrer en un processus global le foisonnement de projets et programmes lancés isolément dans l'entreprise.

De l'écoute à l'action

Dès le début de 1991, la haute direction de Bell s'est initiée aux fondements de la qualité totale au contact des grands spécialistes du domaine. Fruit de ces premiers pas, ont rapidement vu le jour une définition de la qualité totale et un modèle d'implantation de celle-ci.

À Bell Canada, la qualité totale est donc présentée et vécue comme « une approche des affaires qui reconnaît la primauté du client et la nécessité d'un ensemble intégré de processus pour permettre à nos employés d'offrir aux clients la meilleure valeur au coût le plus bas ».

Pour illustrer comment elle entend traduire les principes de base de la qualité en politiques et en méthodes de gestion, Bell a choisi pour modèle une roue à trois niveaux : planification stratégique, gestion des processus horizontaux et gestion quotidienne. Cette roue est axée autour de la notion de client, raison d'être de toutes les activités de l'entreprise. Le modèle de Bell préconise une profonde intégration tant verticale qu'horizontale.

Le plan de transformation

Outre une définition claire et un modèle réaliste, le virage « qualité » exige que nous nous donnions des moyens très concrets d'agir ; d'où l'établissement d'un plan de transformation échelonné sur cinq ans. Ce plan de transformation comporte quatre volets fondamentaux :

• réorienter nos comportements ;

• accroître notre performance ;

→

- bâtir l'infrastructure de l'avenir ;
- établir des ressources en qualité.

Réorienter nos comportements

La formation fait partie des moyens clés de réorientation de nos comportements. Notre Institut de formation professionnelle Bell a lancé, au début de 1993, un vaste programme de cours ouverts à tous et abordant spécifiquement les divers aspects de la qualité totale.

Il est essentiel que nos employés puissent mettre en pratique ce qu'ils auront appris dans le cadre de cours. Aussi bon nombre d'entre eux seront-ils invités à jouer un rôle au sein d'équipes, dont il s'est créé, depuis 1992, deux principales catégories.

Les équipes d'orientation, d'abord, réunissent des gens qui, peu importe leur niveau ou leur fonction, ont l'influence voulue pour mettre en branle des changements importants dans nos grands processus. Leur mandat consiste à identifier les questions prioritaires et les besoins d'amélioration horizontale dans un vaste domaine donné. Ces équipes appuient l'exécution de divers projets, dont se chargent des équipes d'amélioration constituées de spécialistes des processus en cause. Les participants exploitent une panoplie d'outils de planification et de gestion éprouvés en qualité totale.

Pour que tous avancent dans la même direction avec la même compréhension des objectifs à atteindre, Bell trouve essentiel de favoriser l'établissement d'une méthode d'amélioration normalisée faisant appel à une terminologie uniforme, d'où son choix de recourir systématiquement à la méthode dite « en sept étapes ».

Chapeautant notamment l'ensemble des projets « qualité », le conseil des présidents formule les objectifs clés de l'entreprise. Nos plans d'avenir s'élaborent non seulement à l'échelle de l'entreprise entière, mais à celle de toute l'industrie des télécommunications. Cette intégration prend également une dimension temporelle inédite : celle de plans stratégiques non plus annuels, mais portant sur quatre ans et témoignant d'une vision claire et cohérente non seulement de demain, mais aussi du moyen terme. De plus en plus, notre équipe de direction va faire appel à une méthode de planification stratégique très structurée connue sous le nom de Hoshin.

La réorganisation du travail compte sans contredit parmi les projets les plus déterminants au chapitre de l'évolution des comportements. À la lumière d'une étude qu'ils ont réalisée conjointement à l'automne 1993, Bell et le Syndicat canadien des communications, de l'énergie et du papier (SCEP) ont pris l'engagement formel d'apporter des changements fondamentaux à l'organisation du travail, notamment au niveau des relations patronales-syndicales, de la formation, des ressources, de la gestion de l'entreprise et des communications. La stratégie d'implantation de ces changements consiste à adopter une approche plus participative, axée sur la qualité et le travail d'équipe. En mai 1994, l'Association canadienne des employés du téléphone, l'autre syndicat qui représente des employés de Bell, a entrepris de concert avec l'entreprise sa propre étude sur la réorganisation du travail ; le groupe d'étude devrait formuler

→

ses recommandations avant le début des prochaines négociations collectives.

Accroître notre performance

Bien que la qualité totale vise l'amélioration de tous les processus dans l'entreprise, nous devons cerner en priorité certains processus d'envergure ayant un impact direct et considérable sur la satisfaction de nos clients : la fourniture du service téléphonique de base ou la facturation, par exemple. Cette démarche a commencé en 1993 et se poursuit de façon continue ; notre objectif ultime est de modeler toute la structure de l'entreprise sur nos grands processus plutôt que sur des spécialités fonctionnelles.

Autre initiative favorisant le processus : le remaniement en profondeur du programme de primes pour les suggestions des employés (PPSE). Ce programme est un puissant outil d'amélioration continue, car il met à profit les bonnes idées exprimées par des milliers d'employés qui constatent des façons de mieux faire, à petite ou à grande échelle.

Là où l'amélioration continue atteindra ses limites et dans certains cas où s'imposent des percées stratégiques, Bell compte par ailleurs exploiter judicieusement la réingénierie des processus. Un essai de réingénierie, amorcé à l'été de 1994 à Bell Québec, vise une partie du processus de fourniture des lignes téléphoniques.

Bâtir l'infrastructure de l'avenir

Si nous nous sommes employés, depuis une vingtaine d'années, à connaître le point de vue de nos clients, c'est surtout par sondage que nous l'avons fait. Or, en contexte de qualité totale, il faut aller au-delà des questions préétablies. C'est dans le cadre de rencontres en face-à-face avec des groupes de clients clés que nous entendons désormais recueillir tous les renseignements pertinents. Cette démarche, connue sous le nom de «déploiement de la fonction qualité», a fait l'objet d'essais très fructueux dans certains groupes depuis 1992 : le groupe Téléboutique, par exemple, et l'équipe responsable du Service Signature – taillé sur mesure pour nos très gros clients d'affaires.

Dès le début de 1993, nous avons également commencé à préparer le terrain pour l'introduction d'un nouveau système de gestion du rendement. Les employés ont été largement mis à contribution. Il y a notamment eu élimination des cotes de rendement dont nous nous servions depuis des années pour situer les employés les uns par rapport aux autres, ainsi que du système connexe de rémunération au rendement. Dans le nouveau contexte, le perfectionnement continu et la responsabilisation occuperont une place fondamentale.

Conscients que notre politique d'achat a une influence déterminante sur la qualité de nos produits et services, nous avons inscrit parmi nos priorités l'établissement de relations constructives à long terme avec nos fournisseurs clés. En outre, non seulement retenons-nous de plus en plus comme fournisseurs des entreprises accréditées en vertu de la série de

→

normes internationales de qualité ISO 9000, mais certains groupes de Bell sont eux-mêmes en voie d'obtenir l'accréditation ISO.

Afin de savoir, par ailleurs, où nous en sommes par rapport aux meilleures entreprises nord-américaines, nous ferons appel à une méthode de mesure normalisée par le ministère du Commerce des États-Unis : celle du Malcolm Baldrige Quality Award.

Comme la communication ouverte fait partie intégrante de toute démarche « qualité », Bell a aussi établi en 1992 un processus appelé « La parole en direct », grâce auquel les employés peuvent contacter le président de l'entreprise pour lui faire part de leurs questions, suggestions et observations les plus diverses. Chaque message fait l'objet d'une réponse personnalisée.

Établir des ressources de qualité

Tous les services de l'entreprise peuvent compter, depuis le début de 1992, sur l'assistance constante d'un conseiller en qualité, mandaté pour aider les employés à ancrer les principes de la qualité totale dans la réalité quotidienne et pour favoriser le changement de culture nécessaire.

Le virage est bien amorcé à Bell. Nous avons quitté la ligne de départ bien conscients qu'il n'y a pas de ligne d'arrivée. En contexte de qualité totale, un ultime objectif s'impose : celui de ne jamais nous arrêter.

FIGURE 12.3
La chaîne de réaction de Deming

Amélioration de la qualité

↓

Baisse des coûts

↓

Amélioration de la productivité

↓

Augmentation de la part du marché

↓

Survie organisationnelle

↓

Augmentation de l'offre d'emplois

↓

Retour sur l'investissement

Source : Traduit et adapté de Dean et Evans (1994), p. 39. Reproduit avec l'autorisation de West Publishing Co.

rôle de la direction est d'optimaliser la dynamique propre au système en prenant des décisions convenant à l'ensemble des acteurs de ce système. Toutes décisions favorisant un seul élément (matériel ou humain), sans préalablement en avoir estimé les répercussions, risque de court-circuiter la dynamique et l'efficience du système, et ainsi de favoriser la propagation de la non-qualité.

La variation   Comme nous l'avons précédemment mentionné, une cause importante de la non-qualité se trouve directement dans le processus de production. Dans cet ordre d'idées, toutes différences, aussi minimes soient-elles, entre les normes fixées et le produit réel portent le germe de la non-qualité. Afin d'éliminer ces différences, deux mesures complémentaires peuvent être privilégiées. Pour la première mesure, il est possible de diminuer les probabilités d'apparition des différences en en contrôlant les sources potentielles qui s'infiltrent soit par le biais de la technologie (« causes communes » de variations), soit par le biais des travailleurs (« causes spéciales » de variations). Notons que Deming soutient que les causes communes de variations sont responsables de plus de 80 % des écarts, imputant ainsi moins de 20 % de la responsabilité au facteur humain. La seconde mesure permettant d'éliminer les différences entre les normes et le produit réel est le contrôle de la qualité, par lequel on favorise le contrôle *a priori* au détriment du contrôle *a posteriori*. On peut souligner que cette mesure se veut plus coûteuse et par le fait même moins efficiente.

La théorisation   Pour Deming, l'expérience pragmatique est à elle seule insuffisante pour soutenir la nécessité d'amélioration perpétuelle sous-tendant la logique de la qualité totale. Bien que l'expérience permette de décrire formellement les processus, elle n'est d'aucune utilité lorsque vient le temps de prédire, puisque seul un cadre théorique permet d'établir des relations de cause à effet.

S'inscrivant fondamentalement dans une vision proactive où les gestionnaires ainsi que les travailleurs doivent éliminer les possibilités de non-qualité, la gestion de la qualité totale doit être imbriquée dans un corpus théorique solide. Selon une optique d'explication du pourquoi des événements, une conceptualisation théorique est la seule solution possible pour réduire et prédire l'influence de la contingence.

La compréhension   Au-delà d'une appréhension théorique de la réalité, une compréhension des interactions humaines ainsi que des besoins inhérents aux travailleurs est primordiale afin d'optimiser le système soutenant la qualité. Une des clés du succès de la qualité totale est l'application d'une gestion idiosyncratique (individualisée) des travailleurs. Chaque travailleur est unique en soi, et une gestion traditionnelle brime l'épanouissement de ces derniers par une normalisation des méthodes et des pratiques.

Par le biais d'une gestion différentielle, les gestionnaires favorisent le plein développement et la pleine utilisation des potentialités présentes. Une telle gestion des compétences et des habiletés rehausse la synergie systémique et permet d'optimaliser la valeur de chacune des composantes du système.

Les quatre éléments du système de la connaissance fondamentale que nous venons de définir constituent les lignes directrices de la conception de la qualité totale de Deming. Quoique très peu opérationnels, ces fondements viennent forger la philosophie devant supporter toute tentative de gestion axée sur la qualité. Afin de pragmatiser sa vision des choses, Deming propose quatorze points de références managériales afin de diriger la dynamique organisationnelle vers la qualité. Chacun de ces points est énuméré et brièvement défini au tableau 12.2.

L'approche de Crosby

Moins articulée que l'approche proposée par Deming, celle de Crosby stipule que la gestion de la qualité totale relève de la primauté de l'action managériale. Ainsi, la consultation et la participation des travailleurs sont en quelque sorte reléguées à l'arrière-plan, ce qui laisse toute la responsabilité de l'instauration des programmes de qualité à la direction.

TABLEAU 12.2
Les quatorze lignes directrices de la qualité totale

S'engager	Informer les travailleurs de la mission et des objectifs de l'organisation. Démontrer par l'action concrète (innovation, recherche, formation) l'engagement de la direction à l'égard de la mission.
Apprendre les rouages de la philosophie axée sur la qualité	La philosophie de gestion traditionnelle (taylorienne) est largement incrustée dans la mentalité des gens. Un apprentissage est donc nécessaire afin d'intégrer les nouveaux paramètres de gestion de la qualité, et cela tant pour les gestionnaires que pour les travailleurs.
Démythifier le rôle de l'inspection	Expliquer le rôle de l'inspection dans le processus visant la qualité. Les gestionnaires doivent comprendre que l'inspection est nécessaire mais insuffisante pour éliminer la non-qualité. Dans cet esprit, vaut mieux proagir (créer la qualité) que réagir (éliminer la non-qualité).
Réviser la politique d'achat	Traditionnellement, les organisations multipliaient le nombre de fournisseurs afin de réduire les risques d'arrêt d'approvisionnement. Il semble préférable d'entretenir des relations loyales et durables avec peu de fournisseurs. Cette façon de procéder permet, entre autres, de restreindre la variation de qualité de la matière première.
Favoriser l'amélioration continue	Ce principe d'amélioration est nécessaire afin de maintenir la satisfaction du client dans le temps. En s'améliorant de façon continue, l'organisation est à l'affût des modifications dans les attentes des clients et ouvre davantage la porte à l'innovation sur une base quotidienne.
Établir un programme de formation	Un programme de formation à la gestion de la qualité doit être établi. La fonction d'un tel programme est de former les travailleurs et la direction aux différentes techniques sous-tendant le processus de la qualité (par exemple, la planification, le contrôle, l'amélioration) et d'intégrer les acteurs dans la dynamique même de la qualité.
Soutenir le leadership	À l'intérieur d'une gestion efficace de la qualité, le rôle de la direction n'est pas de diriger et de superviser mais de soutenir et de guider. En ce sens, beaucoup d'importance doit être attribuée au style de leadership utilisé, ce dernier se devant d'être non pas répressif mais plutôt facilitateur afin de réduire les craintes et d'encourager l'effort collectif.
Éliminer les craintes par la création d'un climat de confiance	La qualité totale est une idéologie visant la coopération entre les acteurs organisationnels plutôt que la compétition. Ainsi, on doit éliminer plusieurs peurs entourant la gestion traditionnelle comme celles associées à la punition, à l'échec, à l'inconnu et au changement. De telles peurs encouragent le développement d'une atmosphère individualiste de travail, brimant inévitablement les objectifs synergiques d'amélioration continue de la gestion de la qualité.

→

Optimiser l'effort collectif	L'effort combiné de tous les acteurs est nécessaire afin d'atteindre les objectifs organisationnels. Ainsi, les barrières inter-individus et inter-services doivent être abolies afin que tous les efforts soient orientés vers la satisfaction des clients. Cela exige naturellement la participation de tous les travailleurs dans le processus, y compris celle de la partie syndicale lorsqu'elle est présente.
Modifier la dynamique motivationnelle	La motivation est un élément essentiel mais non suffisant dans le processus de qualité. Tout le système organisationnel est responsable des niveaux de qualité atteints. On ne doit pas faire reposer toute la responsabilité sur les épaules des travailleurs. Ainsi, les échecs (non-qualité) ne doivent pas être imputés aux travailleurs, mais doivent être perçus comme une réponse de l'ensemble du système.
Éliminer les quotas et la direction par objectifs	Les quotas et les objectifs de rendement s'insèrent dans une vision à court terme où seul le résultat ultime (extrants) est considéré. De telles mesures réduisent les possibilités d'amélioration continue en reléguant à l'arrière-plan toute la dimension du processus. Une élimination de ces derniers est donc nécessaire afin de concentrer l'attention sur la création de la qualité plutôt que sur la création de la quantité.
Éliminer les barrières de la fierté ouvrière	La gestion traditionnelle s'opérationnalise par le biais d'une taylorisation des processus de production. Dans un tel contexte, le travailleur représente une «commodité» et, par le biais du rapport salarial, est dénué de tout contrôle sur ses propres actions. Afin de créer de la qualité, il faut promouvoir la valorisation et la responsabilisation des travailleurs. C'est par le biais de la créativité et de l'innovation que l'entreprise actualisera le processus lui permettant d'atteindre certains standards de qualité. Il faut reconnaître les travailleurs comme étant une ressource et les gérer de façon à leur permettre de s'émanciper par le biais de leurs tâches.
Favoriser l'éducation	Alors que la formation vise ultimement l'acquisition d'habiletés de travail, l'éducation permet aux travailleurs de développer leur potentiel individuel. Par l'augmentation de la polyvalence et de la valeur de ses travailleurs, l'organisation s'acquitte de ses responsabilités sociales. De plus, l'éducation est un instrument puissant de motivation et de loyauté envers l'entreprise.
Agir concrètement	L'instauration d'une gestion par la qualité totale est une transformation importante demandant plusieurs adaptations tant en ce qui a trait à la philosophie de gestion qu'à la culture organisationnelle. Afin de réussir une telle transformation, la direction doit être proactive et agir avec ferveur afin d'intégrer tous les acteurs pour créer une atmosphère de collectivité propice à la qualité.

Source : Traduit et adapté de Dean et Evans (1994), p. 43. Reproduit avec l'autorisation de West Publishing Co.

Le cœur opérationnel de la conception de Crosby se situe à l'intérieur de ce qu'il appelle les «facteurs clés de la qualité» (*absolutes of quality management*) et les «éléments fondamentaux de l'amélioration» (*basic elements of improvement*). Nous discuterons à tour de rôle de ces deux principes afin de saisir la dynamique soutenant la vision de Crosby.

Les facteurs clés de la qualité

Les facteurs que Crosby propose sont des éléments incontournables afin de créer une potentialité permettant à l'organisation de produire des extrants respectant les normes de qualité visées. Ainsi, la qualité totale ne veut pas dire offrir un produit parfait mais plutôt un produit à la hauteur des attentes des clients.

Dans cet ordre d'idées, le mythe de l'excellence ne doit pas figurer à l'intérieur de l'idéologie de la qualité. C'est l'obligation de respecter et d'atteindre les standards de qualité fixés (peu importe la nature de ces derniers) qui doit être le leitmotiv de la gestion. De plus, la gestion de cette qualité doit être directement assumée par les intervenants de première ligne. Il s'agit en fait de personnifier la qualité en décortiquant cette dernière en fonction des différentes sources de non-qualité. Dans cette logique, la qualité n'est plus un concept intégratif mais un concept décentralisé qui doit s'actualiser dans les aspects manufacturier, comptable, décisionnel, etc. Cette segmentation de la responsabilité a comme principale fonction de diminuer le temps de réaction, ce qui réduit parallèlement le temps d'ajustement.

Le but ultime d'une organisation est d'atteindre le «défaut zéro». Bien que cet objectif puisse sembler illusoire, Crosby soutient que la plupart des erreurs de production sont causées par des négligences individuelles. Selon lui, l'expression «l'erreur est humaine» est tellement incrustée dans la mentalité des gens que ces derniers en viennent à se permettre une certaine marge d'erreur. Dans une organisation orientée vers la qualité, l'erreur ne doit pas être tolérée et le rendement doit toujours être évalué en fonction de l'atteinte de l'objectif «défaut zéro». Pour Crosby, une organisation qui prône la qualité ne se voit nullement contrainte ou limitée par les coûts associés à cette dernière, car la qualité est gratuite. C'est la non-qualité qui augmente les coûts de production, et il ne coûte jamais plus cher de bien produire du premier coup.

Finalement, à l'intérieur de ces facteurs cruciaux de la qualité, il faut mentionner que la seule évaluation pertinente de la qualité réside dans les coûts de non-conformité. Ainsi, plus ces coûts sont faibles et plus l'organisation domine sa situation par une production de qualité. Notons à titre d'exemple que la plupart des entreprises ont des pertes de non-conformité représentant de 15 % à 20 % de leur chiffre d'affaires ; une bonne gestion de la qualité peut permettre de faire diminuer ces pertes à 2,5 % du chiffre d'affaires.

Les éléments fondamentaux de l'amélioration

Trois éléments illustrent les conditions *sine qua non* à la mise sur pied et au maintien d'un programme de qualité totale. Ces trois éléments sont présentés à la page suivante.

La détermination Lorsqu'une organisation décide d'adopter un style de gestion orienté vers la qualité, sa décision ne doit pas être hasardeuse et dénuée de réflexion. Afin que la qualité permette d'améliorer la productivité organisationnelle, la participation totale de tous les paliers de direction est absolument nécessaire. Il doit donc exister un consensus entre les dirigeants, et ces derniers doivent être convaincus que l'option de la qualité représente une avenue importante, voire essentielle, dans l'amélioration de la rentabilité de l'entreprise. Une solide détermination est ainsi nécessaire afin d'atteindre des résultats appréciables, sans quoi le projet de qualité est souvent voué à l'échec dès le début.

L'implantation Le processus d'implantation d'une gestion de la qualité totale est une période difficile où plusieurs croyances et certitudes des gestionnaires sont remises en question. Pour cette raison, tous les gestionnaires doivent être intégrés à l'intérieur de ce processus et doivent bien comprendre la mécanique sous-jacente à cette gestion. Les gestionnaires représentent en quelque sorte la pierre angulaire de la qualité. Ils doivent absolument participer à la réalisation de cet objectif et comprendre la dynamique stratégique nécessaire à l'implantation d'une telle gestion. On ne devient pas une entreprise produisant de la qualité du jour au lendemain ; ce sont les gestionnaires qui sont donc responsables de la gestion quotidienne de cette métamorphose.

L'éducation Une diffusion de la philosophie ainsi que des concepts de base de la gestion de la qualité est primordiale afin d'atteindre les objectifs. Ne pouvant être gérée que par la haute direction de l'entreprise, une information accrue et continue doit être véhiculée à tous les acteurs de l'échelle hiérarchique. Comme on l'a vu plus tôt, un des éléments clés de la qualité est la décentralisation des contrôles. Pour ce faire tous les intervenants doivent connaître leurs propres responsabilités et être convaincus de l'importance de leur apport à la réussite. Afin d'en arriver à une telle prise en charge individuelle, l'éducation (formation) représente un instrument privilégié.

Comme on le constate, Crosby présente une vision très structurelle et rigide de la gestion par la qualité. Sa conception de la qualité est autocratique, et les travailleurs n'ont qu'un simple rôle d'exécutant. De plus, contrairement à Deming, Crosby fait porter tout le poids de la non-conformité sur les épaules des travailleurs. Pour lui, toute la dimension technologique de l'erreur et de la non-qualité a peu d'influence sur les résultats finaux. L'élément central est le travailleur, et la non-conformité est donc la responsabilité de ce dernier. Au-delà de cet aspect, Crosby propose peu de solutions et de mécanismes concrets. L'essence de son approche repose en somme principalement sur une idéologie abstraite et difficile à concrétiser.

L'approche de Juran

La conception de Juran se distingue de celles proposées par Crosby et Deming par une plus grande simplicité d'implantation et par une réduction des frictions lors du passage d'une gestion traditionnelle à une gestion par la qualité. Les forces de l'approche de Juran tiennent principalement à une meilleure description du processus instituant la qualité dans l'organisation et à une

---

The Grateful Dead surpasse les attentes de ses admirateurs

The Grateful Dead est, depuis un vingtaine d'années, l'un des groupes rock les plus populaires aux États-Unis. Il jouit d'une très grande fidélité de la part de ses admirateurs. L'attention qu'il leur porte est d'ailleurs évidente et se reflète grandement dans ses pratiques. Par exemple, au lieu de bannir les équipements d'enregistrement personnel des salles où il présente ses spectacles (ce qui est une pratique courante afin de protéger la vente des albums), il fait aménager une section réservée à cette fin. De plus, une attention spéciale est portée à la qualité de l'éclairage et du son lors de ses spectacles. Bien que le prix des billets soit inférieur au prix moyen du marché, chacun de ses spectacles a une durée moyenne de trois heures et demie, ce qui représente près du double de la durée des concerts rock habituels. Afin d'augmenter le nombre de spectacles offerts dans une même ville, aucune chanson n'est répétée d'un soir à l'autre. Ainsi, il est possible d'être présent à trois spectacles offerts dans une même ville et d'avoir l'impression d'assister à trois concerts différents.

En matière de services offerts aux admirateurs, il est important de noter que les billets de spectacles peuvent être obtenus par la poste, ce qui élimine les longues attentes dans des files interminables. Par ailleurs, avec son billet, l'acheteur reçoit une liste des hôtels, des restaurants et des installations de camping de la région dans laquelle se tient le spectacle.

Source : Traduit et adapté de Dean et Evans (1994), p. 8. Reproduit avec l'autorisation de West Publishing Co.

---

compatibilité fondamentale entre cette vision de la qualité et la culture préexistant dans les entreprises traditionnelles.

Définissant la qualité comme « l'aptitude à l'usage » (*fitness for use*), Juran épouse, comme Crosby et Deming, une logique selon laquelle une augmentation de la conformité entraîne directement une réduction des coûts associés à la non-qualité (rejets). Situant le cœur de la qualité à deux paliers distincts, soit la mission de l'organisation et la mission de chacun des services, Juran insère le processus de la qualité dans un continuum perpétuel. La rétroaction continuelle (comme dans la chaîne de réaction de Deming) se veut un élément crucial pour maintenir et reconduire les niveaux de qualité désirés.

Malgré les quelques analogies que nous venons de soulever, Juran se distingue des autres auteurs par la qualité prescriptive de son approche. Loin de seulement formuler des principes, des idéologies ou des lignes directrices, il soutient sa vision de la qualité par un processus d'implantation synthétique et clairement exprimé. Regroupé sous l'appellation « trilogie de la qualité » (*quality trilogy*), Juran expose clairement les trois étapes chronologiques essentielles à l'instauration d'une gestion par la qualité. Ces étapes sont présentées aux paragraphes suivants.

La planification Puisque la qualité du produit et des services se définit principalement par l'atteinte et le surpassement des attentes des clients (internes et externes), les gestionnaires doivent, à la phase de planification, circonscrire ces attentes ou besoins et orienter la conception des produits et des services directement sur ces derniers. Il est naturellement ici question de la conception de processus adéquats afin de créer la qualité et de la détermination d'objectifs à court et à long terme.

Le contrôle La phase du contrôle vise simultanément plusieurs objectifs. On doit, entre autres, déterminer les balises du contrôle, établir des unités objectives de mesure, définir des standards de qualité, mesurer la qualité et corriger les différences existant entre les standards et la qualité réelle. Cette deuxième phase se décrit essentiellement par l'opérationnalisation et la supervision du processus de la qualité.

L'amélioration L'amélioration est l'élément permettant de maintenir la dynamique du système et de réduire les possibilités de désuétude des processus de qualité. En ce sens, des projets de suramélioration de la qualité doivent être constamment mis en marche. On ne doit jamais se satisfaire de l'atteinte de certains standards ; il faut plutôt alors les rehausser. Une procédure constante visant l'amélioration doit être instaurée afin d'éviter l'érosion temporelle du système.

Comme on le constate, l'approche de Juran ne vient pas révolutionner le domaine de la qualité totale. Loin de se distancer des autres auteurs, Juran aborde des thématiques similaires, prône une philosophie comparable et prescrit des mécanismes et processus identiques. Cependant, l'articulation qu'il fait de cette forme particulière de gestion revêt une expression simplifiée et plus accessible à l'ensemble des praticiens du domaine organisationnel.

12.4.3 L'importance des déterminants humains dans l'efficacité de la gestion par la qualité

Une organisation n'est pas une entité dynamique en soi, elle n'est qu'une agrégation de réalités individuelles unies par des buts et des objectifs divers trouvant réponse à l'intérieur du cadre organisationnel. Ce sont les travailleurs, donc la dimension humaine de l'organisation, qui lui donnent vie et qui règlent ses actions ainsi que ses finalités. L'élément synergique de cette pluriréalité est ce qu'on nomme, à tort ou à raison, la culture organisationnelle. C'est donc par le biais de cette dernière que s'accentue la cohérence et se précise la direction des actions d'une entreprise.

La gestion par la qualité est bien plus qu'une simple nouvelle forme d'organisation du travail ; elle constitue une redéfinition des paramètres productifs nécessitant une modification profonde des valeurs, de la philosophie et de la visée de l'entreprise. Bien que, par tradition, la dimension humaine du processus de qualité soit confinée à l'arrière-plan, il appert maintenant qu'une des causes d'échec des programmes de gestion de la qualité totale est justement ce manque d'intérêt pour les ressources humaines (Sherwood et Hoylman, 1993). Donc loin d'être relégués derrière la primauté de la dimension technique, les travailleurs retrouvent aujourd'hui leur importance dans l'efficience de la qualité totale.

Trois déterminants doivent recevoir une attention spéciale concernant la mise sur pied et le maintien d'une stratégie axée sur la qualité. Ces trois éléments sont le style de leadership utilisé, l'efficacité de la communication et la motivation au travail; nous en parlons dans les pages qui suivent.

Le leadership

La qualité totale requiert des changements profonds au sein de l'organisation. Comme nous l'avons déjà mentionné, c'est la philosophie de gestion même qui doit être modifiée. Bien entendu, de telles modifications ne sont pas sans entraîner des résistances issues des craintes et des peurs entourant toute brisure s'effectuant avec ce qu'on peut appeler l'habituel. Et c'est à ce chapitre que se situe toute l'importance du leadership. Ainsi, il est primordial que la stratégie de changement soit claire et précise, et que cette dernière soit pleinement acceptée et diffusée par la haute direction. Cependant, contrairement aux changements s'opérant dans un cadre traditionnel, le style de leadership doit être, d'une part, convaincant et, d'autre part, axé sur l'intégration des travailleurs au processus. Plus précisément, cela signifie que les leaders de l'organisation doivent, d'une part, avoir assez de pouvoir afin de faire accepter le changement de cap (dimension autocratique) et, d'autre part, déléguer l'opérationnalisation du processus aux acteurs du système (dimension démocratique).

En fait, le rôle essentiel des leaders dans un tel contexte est de promouvoir la primauté des objectifs de qualité en favorisant l'alignement des subalternes sur ces buts, et cela sans pour autant leur dicter intégralement les avenues pouvant être empruntées afin d'y arriver. Une telle dynamique, appliquée aux différents postes de l'échelle hiérarchique, permettra d'intégrer tous les travailleurs dans le processus en les incitant à adopter une nouvelle méthodologie de travail. Donc, il s'agit, pour utiliser des termes stratégiques, d'une manœuvre poussée-tirée où la direction des changements est poussée vers la base et l'opérationnalisation tirée vers la tête.

Naturellement, une telle redéfinition du leadership, bien qu'elle puisse être paradoxale (Dwyer, 1994), se veut diamétralement opposée au style de leadership préconisé dans les modèles de gestion (traditionnels) axés sur les résultats quantitatifs. Le tableau 12.3 distingue les deux paradigmes en indiquant les différences les opposant.

La communication

Sans l'ombre d'un doute, la communication représente un des éléments cruciaux à l'intérieur d'une gestion orientée vers la qualité. Cependant, au-delà de son importance, c'est toute la dynamique «caméléon» de cette activité qui requiert la plus grande attention, c'est-à-dire l'adaptation du style de communication selon l'évolution du programme de qualité.

En matière de **communication externe** (avec les acheteurs et les fournisseurs), on observe peu de changement par rapport aux techniques traditionnelles. Évidemment, bien que les techniques soient similaires, le contenu et l'intensité sont largement différents. À l'externe, la communication a essentiellement pour fonction d'informer les clients de la qualité du produit

TABLEAU 12.3
Les lignes directrices des styles de leadership

Gestion traditionnelle	Gestion de la qualité
Contrôle rigoureux	Transfert du pouvoir et engagement
Répondre aux questions	Poser des questions
Diriger	Entraîner
Axée sur la performance individuelle	Axée sur la performance de groupe

Source : Traduit et adapté de Shandler et Egan (1994). Reproduit avec l'autorisation de l'Association for Quality and Participation.

offert et du souci de l'organisation quant à leur satisfaction. Une telle propagande publicitaire se fait habituellement par le biais d'annonces dans les journaux, dans les revues, à la télévision et par la distribution de dépliants expliquant les services offerts par l'organisation. Somme toute, la direction prise par la communication externe s'insère dans la stratégie de marketing et n'a que peu d'incidence sur les travailleurs (sauf en ce qui a trait à l'image de l'organisation).

Tout le défi de la communication se situe dans la réalité interne de cette activité, et c'est sur cette réalité que repose le fardeau de la réussite de la gestion de la qualité totale. La **communication interne** se veut la pierre angulaire de la qualité puisqu'elle représente le pivot entre la base et la tête de l'organisation. Selon une visée qualitative, la communication à l'intérieur de l'entreprise doit être multidirectionnelle afin de permettre le transfert de l'information dans toutes les strates décisionnelles. Ainsi, elle doit être descendante (de la tête à la base), ascendante (de la base à la tête) et latérale (inter-divisionnaire), formant ainsi une dynamique triangulaire.

La **communication descendante** permet de véhiculer la mission de l'organisation et le rôle central de la qualité à l'intérieur de cette dernière. Se transmettant par les lettres aux travailleurs, les rencontres organisationnelles, les réunions divisionnaires et le journal interne, les messages façonnés par la direction constituent un agent motivateur afin de faire adhérer les travailleurs à la nouvelle philosophie de gestion, et par la suite deviennent plus formellement une courroie de transmission de l'information permettant aux travailleurs de contrôler tant la qualité que les aléas de leurs tâches. Pour ce qui est de la **communication ascendante** et de la **communication latérale**, elles visent l'échange des expériences de travail pour le bénéfice des cadres hiérarchiques et des travailleurs des autres divisions. Pouvant s'actualiser par l'instauration de cercles de qualité, ces deux types de communication sont essentiels afin de soutenir l'amélioration continue sous-tendant la qualité totale.

Comme nous en avons brièvement discuté dans la section sur le leadership, la qualité totale nécessite l'engagement et la participation de tous. Dans un tel ordre d'idées, la communication interne devient l'instrument du transfert de l'information absolument nécessaire afin de décentraliser la prise de décision.

De plus, cette communication doit être adaptée aux différentes étapes du programme de qualité, les travailleurs devant être orientés au début du processus et devenant orienteurs par la suite.

La motivation

Le thème de la motivation au travail dans un contexte de qualité totale est encore un champ d'intérêt vague et peu documenté. Ainsi, les ouvrages sur cette thématique se font rares, ce qui oblige plus souvent qu'autrement à une expérimentation à tâtons. Cependant, il est clair que certains principes de motivation traditionnels s'appliquent difficilement dans un contexte de gestion par la qualité. Entre autres, la direction par objectifs quantitatifs (quotas) et la reconnaissance des performances individuelles se révèlent des instruments motivationnels désuets, ne permettant pas d'atteindre les idéaux qualitatifs. Il faut bien comprendre que la dynamique de la motivation au travail demeure la même. Cependant, l'opérationnalisation ou le choix des instruments motivationnels doivent être modifiés puisque le modèle de gestion par la qualité prend sa source dans les prémisses du rendement qualitatif et de la performance d'équipe.

Dans un tel contexte, la motivation des travailleurs doit passer par une démocratisation organisationnelle et, plus particulièrement, par une intégration à part entière des travailleurs dans le processus décisionnel. Cela entraîne un transfert des pouvoirs vers la base hiérarchique, permettant d'emblée une prise de contrôle par le travailleur de ses actions. Dans un tel ordre d'idées, la satisfaction des besoins intrinsèques des travailleurs doit être priorisée. La gestion par la qualité totale fait directement référence aux besoins supérieurs de la pyramide de Maslow, soit les besoins d'autonomie, d'affiliation et d'accomplissement. Cela nécessite obligatoirement la participation et l'engagement des travailleurs. Afin d'atteindre de tels objectifs « humains », l'organisation doit offrir un droit réel de parole (*voice*) aux travailleurs, et doit respecter leurs demandes ainsi que leurs interventions. Sans contredit, on doit passer d'une conception de la motivation instrumentale (extrinsèque) à une conception de la motivation fondamentale (intrinsèque).

Chaque organisation peut utiliser les avenues qu'elle veut afin de motiver ses travailleurs à offrir un rendement de type qualitatif. Cependant, afin d'être efficaces, les actions prises doivent viser une intégration accrue des travailleurs à la philosophie de gestion. Cette intégration doit non pas être artificielle, c'est-à-dire créée au moyen d'incitatifs matériels, mais réelle en ce sens qu'elle permette une meilleure satisfaction des besoins fondamentaux des individus œuvrant dans l'organisation.

Exemples

Les exemples d'entreprises utilisant une gestion axée sur la qualité sont nombreux. Le nombre ayant décuplé depuis le début des années 1970, tant les entreprises québécoises (par exemple, Agropur, Cascades, Hydro-Québec), canadiennes (par exemple, Motorola, Xerox) qu'américaines (par exemple, Kellogg, Federal Express) optent maintenant pour ce nouveau concept de gestion afin d'améliorer leur compétitivité et leur efficience. Bien que certaines expériences de qualité totale aient donné des résultats quelque peu mitigés (Sherwood et Hoylman, 1993), il demeure que plusieurs entreprises en récoltent des dividendes largement positifs.

Entre autres, Motorola Canada ltée, compagnie de plus de trois mille travailleurs installée au Canada depuis 1947, a effectué un virage radical vers la qualité en 1979. Afin d'actualiser sa volonté de promouvoir la qualité, cette entreprise a adopté une politique formelle permettant à ses cent succursales canadiennes d'instaurer des pratiques organisationnelles et techniques permettant d'accentuer la qualité de leurs produits. Cette politique que l'on nomme « les six sigmas » se veut une stratégie offensive afin d'atteindre les standards de qualité fixés. Ces directives visent principalement à définir la mission particulière de chacune des succursales, les besoins des clients externes, les besoins des travailleurs, les procédés permettant d'atteindre la qualité, et les stratégies d'amélioration favorisant l'atteinte des objectifs. Notons qu'afin d'atteindre ses objectifs de qualité, Motorola prône largement la formation de ses travailleurs. Son budget de formation frôle les 4 % de ses revenus annuels.

L'instauration et le maintien du programme de qualité totale ont eu des répercussions très bénéfiques pour cette organisation ; parmi les plus importantes, signalons :

- l'augmentation du volume des ventes ;
- des résultats financiers nettement supérieurs ;
- l'amélioration du sentiment d'appartenance ;
- une productivité accrue ;
- la possibilité d'offrir une garantie prolongée ;
- le maintien ou de très légères augmentations du prix de vente ;
- la possibilité d'offrir de nouvelles options grâce à une technologie améliorée ;
- une réduction radicale des délais de livraison.

CONCLUSION

Comme on peut le constater, l'ensemble des nouvelles formes d'organisation du travail que nous avons présentées vise directement ou indirectement l'amélioration de la qualité de vie au travail. Qu'elles se définissent par une réorganisation partielle ou plus intégrée du travail, les nouvelles formes d'organisation du travail permettent théoriquement d'adapter ou de réajuster certains éléments du travail à la réalité intrinsèque des travailleurs.

Néanmoins, la manipulation est facile, et comme nous le mentionnions en début de chapitre, ces transformations organisationnelles peuvent occasionnellement cacher une volonté de raffiner l'exploitation des travailleurs. Utilisant les nouvelles formes d'organisation du travail comme un leurre motivationnel, une telle stratégie patronale comporte naturellement plus d'effets pervers que de réelles améliorations pour l'organisation. Que l'on parle d'un cercle de qualité vide de pouvoir décisionnel, d'un assouplissement inapplicable de l'horaire de travail ou d'une gestion strictement technique de la qualité, rien de cela ne permet d'accéder à l'humanisation des conditions de travail des employés.

Afin que les innovations en matière d'organisation du travail puissent pleinement s'actualiser, elles doivent être insérées dans une logique de souci du travailleur. L'intégrité d'une nouvelle forme d'organisation du travail peut être évaluée par ses répercussions positives sur la qualité de vie au travail, et ceci constitue le seul gage de l'amélioration du rendement organisationnel.

CHAPITRE 12 Questions de révision

1. Définissez ce qu'est la démocratie industrielle en décrivant l'apport potentiel des nouvelles formes d'organisation du travail à l'atteinte de cette dernière.

2. Expliquez la relation étroite existant entre les nouvelles formes d'organisation du travail et la productivité organisationnelle.

3. Distinguez les similitudes et les différences entre les cercles de qualité et les groupes semi-autonomes du point de vue du pouvoir décisionnel.

4. Énumérez les avantages de l'horaire flexible et de l'horaire comprimé en précisant lequel est le plus avantageux pour les travailleurs.

5. Définissez la notion du juste-à-temps en mentionnant quelles techniques sont utilisées pour l'actualiser.

6. Parmi les trois approches axées sur la qualité totale (soit celles de Deming, de Crosby et de Juran), dites laquelle intègre le mieux la dimension humaine de la gestion de la qualité.

7. Sachant que la communication traditionnelle dans l'organisation est bidirectionnelle (ascendante et descendante), justifiez l'importance de la communication multidirectionnelle à l'intérieur de la gestion par la qualité totale.

CHAPITRE **12** Autoévaluation

La société Galaxie

La société Galaxie compte cinq mille employés et dix usines à travers le pays. Sa production consiste principalement en une gamme de matériaux d'emballage utilisés par divers clients dont des constructeurs d'automobiles, des fabricants de matériel de bureau et des organisations militaires. La plupart des employés de production de Galaxie sont membres d'un syndicat international. Sous l'impulsion d'une concurrence accrue et de frais généraux trop élevés, l'entreprise vient de mettre à pied 10 % de son personnel.

Galaxie se spécialise dans la production de matériaux que ses clients utilisent pour emballer divers articles en vue de leur distribution interne ou externe. Elle fabrique également une gamme d'appareils capables d'emballer automatiquement les colis à l'aide de matériaux obtenus de Galaxie ou d'un autre fournisseur. L'entreprise détient une part importante de son marché principal, celui des matériaux d'emballage. Cette part de marché allait même en augmentant jusqu'à tout récemment. Le chiffre d'affaires et les bénéfices générés par les appareils d'emballage sont par contre décevants. C'est d'ailleurs le personnel du service chargé de leur production qui a fait l'objet de la plus importante réduction.

Depuis peu, les clients de Galaxie exigent que les produits respectent des normes de qualité toujours plus strictes. Ils ont en outre commencé à se plaindre que les prix offerts par l'entreprise étaient trop élevés. Un important contrat militaire a par ailleurs récemment échappé à Galaxie, surtout parce que ses appareils n'ont cessé de tomber en panne lors d'une démonstration en présence d'officiers.

Le président de la société Galaxie, I.M. Astor, est convaincu que l'entreprise ne pourra redresser la situation sur le plan de la qualité et des coûts que si les employés de production prennent davantage part à la résolution des problèmes et à la prise des décisions à l'intérieur même des ateliers. C'est pourquoi il a demandé à la vice-présidente aux ressources humaines, Deborah B. Green, d'examiner divers moyens d'amener la participation des employés. « Trouvez une méthode qui donnera des résultats et mettez-la en pratique le plus tôt possible », lui a-t-il dit. En raison des problèmes de qualité que connaît Galaxie et de la situation embarrassante attribuable aux pannes survenues lors de la démonstration mentionnée, M. Astor désire que l'on implante ce processus de participation des employés dans le service chargé de la production des appareils d'emballage.

Ce que craint le plus M. Astor en recourant à la participation des employés est de susciter inutilement chez ces derniers de trop grands espoirs. M. Astor croit en outre que l'on ne peut faire confiance aux cadres du service des appareils d'emballage et que le service de la gestion des ressources humaines devrait par conséquent diriger le programme de participation des employés.

Bien que le personnel de production de Galaxie soit syndiqué, M. Astor ne veut pas que le syndicat prenne part aux discussions initiales sur la participation des employés. «Nous dirons au syndicat ce que nous avons l'intention de faire après avoir pris une décision, a-t-il déclaré, puis nous lui demanderons de nous appuyer pour sauvegarder les emplois de ses membres.»

Mme Green a effectué une analyse du climat actuel et des systèmes en place à Galaxie. Il en ressort ce qui suit:

- Galaxie présente une structure traditionnelle établie suivant les fonctions. Ses divers services sont respectivement chargés de la production, des ventes et de la commercialisation, de la conception de produits, du contrôle de la qualité, des finances et de la planification, des appareils d'emballage et de la gestion des ressources humaines;

- On compte neuf niveaux hiérarchiques entre un opérateur du service des appareils d'emballage et le président de l'entreprise;

- La production au service des appareils d'emballage s'effectue à l'aide d'une chaîne de montage traditionnelle. Chaque poste se caractérise par une structuration poussée du travail et un quota bien déterminé. Les emplois de production sont pour la plupart routiniers et fragmentaires. Ils font chacun l'objet d'une description de tâches très détaillée;

- Les contremaîtres sont pour la plupart issus de la masse des employés de production rémunérés à l'heure et ne possèdent qu'une formation secondaire. La majorité d'entre eux croient que les employés de production ne font pas autant d'efforts qu'ils le pourraient dans le but d'améliorer la qualité et de réduire les coûts;

- Le système de récompense en place met l'accent sur la quantité produite, en particulier au service des appareils d'emballage;

- De tout temps, on a insisté pour que les chaînes de production demeurent en activité à n'importe quel prix ou presque. On suppose en outre que le service du contrôle de la qualité découvrira tout problème en matière de qualité et y remédiera ;

- L'employé de production type du service des appareils d'emballage est un homme de race blanche de quarante-cinq ans possédant un diplôme d'études secondaires ;

- Selon un récent sondage, la satisfaction des employés du service des appareils d'emballage est à son plus bas. En effet, l'an dernier, 70 % des employés de production de ce service se disaient satisfaits ou très satisfaits de leur emploi, contre 54 % cette année ;

- Galaxie a récemment consacré des sommes importantes à de nouveaux moyens techniques qui devaient permettre de rationaliser la production des appareils d'emballage, mais qui n'ont pas apporté les résultats escomptés. De fait, les coûts et le réusinage ont augmenté depuis la mise en place de ces nouveaux systèmes ;

- Le fournisseur de ce matériel en a brièvement expliqué le fonctionnement aux contremaîtres du service de production des appareils d'emballage, qui devaient ensuite enseigner aux employés comment les utiliser. On avait cependant averti les contremaîtres que les objectifs de production demeuraient inchangés durant la période de formation et que cette dernière devait être aussi courte que possible.

Le questionnaire présenté ici a pour but de déterminer jusqu'à quel point une organisation est prête à établir une forme quelconque de participation des employés et dans quelle mesure elle possède des systèmes congruents. Il peut aider les cadres et les professionnels de la gestion des ressources humaines à poser un diagnostic sur l'état actuel d'une organisation et à planifier l'intervention appropriée au chapitre de la participation des employés. On peut dire que les systèmes en place sont congruents lorsque les résultats obtenus se ressemblent d'une section à l'autre. Si tel n'est pas le cas, le plan d'action élaboré devra comporter certaines mesures visant à rendre les systèmes organisationnels congruents, et ce en plus de la démarche axée sur la participation des employés ou même en préparation à celle-ci.

Pour chacun des éléments énumérés ci-après, encerclez le chiffre qui traduit le mieux, selon vous, la situation actuelle à Galaxie, et ce d'après les renseignements fournis. Rappelez-vous que si les résultats obtenus varient d'une section à l'autre, les systèmes de l'entreprise ne sont pas congruents.

I. Les caractéristiques des employés

Les employés n'agissent que si on leur indique quoi faire et de quelle manière.	1 2 3 4 5 6	Les employés sont prêts à assumer la responsabilité de ce qui doit être fait et à le faire.
Les employés laissent volontiers d'autres personnes se charger de la plupart des décisions qui influent sur leur travail.	1 2 3 4 5 6	Les employés protestent lorsqu'ils ne sont pas consultés au sujet de toute question qui influe sur leur travail.
Les employés ne peuvent accomplir qu'un nombre limité de tâches.	1 2 3 4 5 6	Les employés sont à même d'effectuer un travail qui les oblige à réaliser des tâches diverses.
Les employés acceptent que leur travail soit ennuyeux.	1 2 3 4 5 6	Les employés exigent que leur travail soit intéressant.
Les employés présentent des aptitudes et des connaissances relativement limitées.	1 2 3 4 5 6	Les employés présentent des aptitudes et des connaissances relativement étendues.
Les employés font mieux leur travail lorsque quelqu'un d'autre en établit le rythme.	1 2 3 4 5 6	Les employés font mieux leur travail lorsqu'ils en établissent eux-mêmes le rythme.

Total : _____

Analyse des résultats

Un résultat égal ou inférieur à 15 dans cette section indique qu'il pourrait être nécessaire de former les employés de Galaxie avant la mise en place d'un programme de participation et qu'il convient d'opter pour un système de suggestions parallèle. Si le résultat obtenu est compris entre 16 et 26, on peut s'attendre à ce qu'une stratégie d'engagement au travail porte fruit. Un résultat égal ou supérieur à 27 révèle pour sa part que l'on doit plutôt adopter un régime de travail axé sur une participation poussée des employés.

II. La structure actuelle des emplois et du travail

Les emplois sont clairement définis, structurés et stables.	1 2 3 4 5 6	Les emplois sont flexibles et permettent la résolution des problèmes en groupe.
On remarque une chaîne de commandement clairement définie.	1 2 3 4 5 6	On remarque une certaine délégation de l'autorité aux employés qui exécutent le travail.
Ce sont surtout des éléments financiers (rémunération, bénéfices, etc.) qui apportent une motivation.	1 2 3 4 5 6	Ce sont surtout des éléments non financiers (défis à relever, travail d'équipe, etc.) qui apportent une motivation.
Les méthodes de travail sont établies par des spécialistes.	1 2 3 4 5 6	Les méthodes de travail sont laissées à la discrétion de l'individu ou du groupe.
Les objectifs de production sont établis par la direction.	1 2 3 4 5 6	Les objectifs de production sont laissés à la discrétion des employés.
Les employés ne reçoivent que l'information dont ils ont besoin pour accomplir leur travail.	1 2 3 4 5 6	Les employés ont aisément accès à toute information qu'ils jugent pertinente.
On note une surveillance et des mesures de contrôle poussées de même qu'une discipline imposée avec fermeté.	1 2 3 4 5 6	On note une gestion démocratique, un contrôle externe limité et une autodiscipline.

Total : _____

Analyse des résultats

Un résultat égal ou inférieur à 17 dans cette section indique que les tâches et le travail sont très fragmentés et qu'il convient d'opter pour un système de suggestions parallèle. Si le résultat obtenu est compris entre 18 et 31, on pourrait mettre en place un système d'engagement au travail. Un résultat égal ou supérieur à 32 suggérerait quant à lui l'adoption d'un régime de travail axé sur une participation poussée des employés.

III. La situation de l'organisation

La prise de décision s'effectue à l'échelon supérieur de l'organisation.	1 2 3 4 5 6	La prise de décision s'effectue à tous les niveaux de l'organisation.
Les mécanismes de contrôle en place visent surtout à établir qui doit rendre des comptes lorsque survient une erreur.	1 2 3 4 5 6	Les mécanismes de contrôle en place mettent l'accent sur le contrôle de toute activité par la personne qui l'effectue et sur la résolution des problèmes.
Les cadres ne se préoccupent guère de développer les ressources humaines de l'entreprise.	1 2 3 4 5 6	Les cadres ont pleinement conscience de la nécessité de développer les ressources humaines de l'entreprise.
Les attitudes à l'égard de l'organisation sont surtout défavorables.	1 2 3 4 5 6	Les attitudes à l'égard de l'organisation sont surtout favorables.
Les contremaîtres et leurs subordonnés ne se font guère confiance.	1 2 3 4 5 6	Les contremaîtres et leurs subordonnés se font grandement confiance.
Les contremaîtres ne pressent pas leurs subordonnés d'exprimer leurs idées et leur opinion.	1 2 3 4 5 6	Les contremaîtres pressent leurs subordonnés d'exprimer leurs idées et leur opinion.

Total : _____

Analyse des résultats

Un résultat égal ou inférieur à 15 dans cette section dénote une organisation axée sur le contrôle et ne permettant aucune modification directe du profil des emplois, de la structure organisationnelle ou des rôles attribués aux employés et au personnel cadre. Il faudra donc amener la participation des employés à l'aide d'un système de suggestions parallèle. Si le résultat obtenu est compris entre 16 et 26, on pourrait accroître l'engagement au travail par l'enrichissement des tâches ou par une stratégie axée sur le travail d'équipe. Un résultat égal ou supérieur à 27, enfin, indique que l'on est en présence d'une organisation axée sur l'engagement et qu'il convient d'opter pour un régime de travail exigeant une participation poussée des employés.

Source : Traduit de Bernardin et Russel (1993), p. 565-570. Reproduit avec l'autorisation de McGraw-Hill Inc.

Références

BERNARDIN, H.J., et RUSSEL, J.E.A. (1993). *HRM: An Experiental Approach*, McGraw-Hill, Toronto.

COMMISSION CONSULTATIVE SUR LE TRAVAIL ET LA RÉVISION DU CODE DU TRAVAIL (1986). *La participation des travailleurs dans l'entreprise: l'état de la situation*, Les Publications du Québec, Québec.

DEAN, J.W., et EVANS, J.R. (1994). *Total Quality*, West Publishing Co., New York.

DOLAN, S.L., et SCHULER, R.S. (1995). *Gestion des ressources humaines. Au seuil de l'an 2000*, Éditions du Renouveau pédagogique, Montréal.

DWYER, E. (1994). « Seven Paradoxes of Leadership », *Journal for Quality and Participation*, mars, p. 46-48.

FAYOL, E. (1950). *Administration industrielle et générale*, Dunod, Paris.

HERZBERG, F., MAUSNER, B., PETERSON, R., et CAPWELL, D. (1957). *Job Attitudes: Review of Research and Opinion*, Psychological Services, Pittsburgh.

HODGETTS, R.M., LUTHANS, F., et LEE, S.M. (1994). « New Paradigm Organizations: From Total Quality to Learning to World-Class », *Organizational Dynamics*, vol. 22, nº 3, p. 5-18.

KOONTZ, H., et O'DONNELL, C. (1980). *Management: principes et méthodes de gestion*, McGraw-Hill, Montréal.

LAMOUREUX, G. (1988). « Modèles d'évolution des services de ressources humaines », Document de recherche nº 12, École des relations industrielles, Université de Montréal.

LONG, R. (1989) « Factors Affecting the Introduction of Workplace Innovations », Rapport du XXVIᵉ Congrès de l'ACRI, Québec.

NADEAU, M., BEAUPRÉ, D., et ARCAND, M. (1993) « Essai sur les différents aspects de la qualité totale notamment celui de la gestion des ressources humaines », *Les Cahiers du travail*, nº 2, p. 9-40.

OUCHI, W.G. (1982). *Théorie Z*, Inter-Éditions, Paris.

PAQUET, R., et LAPOINTE, P.-A. (1994). « Les syndicats et les nouvelles formes d'organisation du travail », *Relations industrielles*, vol. 49, nº 2, p. 281-302.

PURDIE, J. (1990). « Better Office Means Greater Productivity », *The Financial Post*, 26 novembre, p. 35.

SHANDLER, M., et EGAN, M. (1994) « Leadership for Quality », *Journal for Quality and Participation*, mars, p. 66-71.

SHERWOOD, J.J., et HOYLMAN, F.M. (1993). « The Total Quality Paradox », *Journal for Quality and Participation*, mars, p. 98-105.

TARRAB, G. (1983). *La psychologie organisationnelle au Québec*, Presses de l'Université de Montréal, Montréal.

Glossaire

Absentéisme : Fréquence des absences exprimée en heure-personne, en jour-personne ou en pourcentage dans un groupe donné.

Acceptation de la décision : Attitude des employés qui dépend étroitement de leur degré de participation à la prise de décision. Selon Vroom et Yetton, plus le degré de participation des subordonnés est élevé, plus il y a de chances qu'ils acceptent la décision, ce qui en favorise par le fait même l'application.

Accidents du travail : Accidents subis par des travailleurs du fait de leur activité de travail et susceptibles d'occasionner, par exemple, la perte de membres, de l'ouïe, de la vision ou même de la vie.

Accomplissement : Sentiment de satisfaction personnelle accompagnant le travail accompli, le problème résolu et la vision des résultats de l'effort. La définition renvoie également à son opposé : l'échec, l'absence d'accomplissement.

ACTH : Hormone qui peut être sécrétée par l'hypophyse antérieure en réponse à des signaux en provenance d'autres régions du cerveau. L'ACTH, de l'anglais « *adreno-cortico-tropic hormone* », agit à distance sur la partie corticale de la glande surrénale où elle stimule la production d'autres hormones, les glucocorticoïdes.

Ambiguïté de rôle : Incertitude quant à ce qui est attendu d'une personne ayant un rôle à jouer dans un système quel qu'il soit.

Aménagement des horaires de travail : Mode d'aménagement du temps qui consiste à autoriser des heures et des jours de travail qui diffèrent de l'horaire traditionnel.

Analyse systémique : Analyse visant la compréhension de la relation d'équilibre du système, compte tenu de ses échanges continus avec l'environnement. Comme le maintien de cet équilibre dépend davantage des interactions réciproques des parties que de leurs caractéristiques intrinsèques, les interactions constituent le principal objet d'étude de l'analyse systémique.

Ancienneté : Nombre d'années de service d'une personne au sein d'une organisation.

Appariement des emplois : Programme de jumelage des emplois et des travailleurs qui consiste à harmoniser les compétences, les connaissances et les habiletés des travailleurs, de même que leur personnalité, leurs intérêts et leurs préférences, avec les exigences et les caractéristiques des postes vacants.

Apprentissage : Formation basée sur l'acquisition de connaissances par la pratique pendant une période suffisamment longue.

Approche axée sur la situation : Approche selon laquelle l'efficacité du leader n'est pas seulement déterminée par son comportement, mais aussi par le contexte environnemental dans lequel il évolue.

Approche axée sur les clients : Approche consistant à concevoir, à structurer et à orienter le service des ressources humaines d'une organisation pour l'adapter aux besoins de la clientèle, constituée en particulier des cadres hiérarchiques et des employés.

Approche axée sur les comportements : Approche comportementale selon laquelle l'aspect le plus important du leadership ne se rapporte pas aux caractéristiques du leader, mais bien à son style et à sa façon de réagir dans différentes situations.

Approche axée sur les traits : Approche qui postule l'existence de caractéristiques individuelles utilisables afin de distinguer un leader efficace d'un leader inefficace.

Approche comportementale : Voir Approche axée sur les comportements.

Approche ergonomique : Étude scientifique des postes de travail ayant pour but d'adapter le plus efficacement possible l'environnement physique à l'activité de travail. Il s'agit d'obtenir des titulaires de postes un rendement optimal tout en exigeant d'eux un minimum d'efforts et de fatigue.

Approche rationnelle : Approche qui propose au décideur un processus logique lui permettant d'analyser toutes les composantes du problème. C'est une méthode de prise de décision rigoureuse incluant un processus analytique complet.

Approche scientifique : Méthode d'organisation du travail connue sous le nom de taylorisme ayant pour but d'accroître la productivité par l'utilisation maximale des ressources humaines et physiques et par la réduction des habiletés requises des travailleurs. Il en résulte des tâches simples et répétitives. Cette approche repose sur l'analyse des tâches réalisée à l'aide de l'étude des temps et des mouvements.

Approche situationnelle : Voir Approche axée sur la situation.

Approche sociotechnique : Approche qui vise l'optimisation conjointe du système social et du système technique de l'entreprise. Cette approche permet de satisfaire aux exigences économiques et culturelles contemporaines, en mettant l'accent sur l'adaptation et l'épanouissement personnel des membres de l'organisation. Elle insiste sur l'importance des interrelations entre les systèmes social et technique, c'est-à-dire entre l'organisation et son environnement, pour que chaque employé puisse s'épanouir dans l'accomplissement de ses tâches. Dans cette approche, on s'intéresse donc aux échanges entre l'homme et son travail.

Aptitudes : Ensemble des qualités physiques et intellectuelles, ou encore pouvoir ou capacité, permettant à une personne d'accomplir une tâche ou une fonction. Dans le domaine de la gestion des ressources humaines, « aptitudes », « capacités », « habiletés » et « compétence » sont généralement synonymes.

Arbitrage des conflits d'intérêts : Arbitrage des conflits potentiels portant sur la durée et les dispositions de la convention collective.

Arbitrage des griefs : Arbitrage portant sur un grief présenté par l'une ou l'autre des parties pendant la durée de la convention collective en ce qui concerne l'interprétation ou l'application d'une clause de cette convention.

Aspect dynamique : Étude des fonctions et des conditions de stabilité et de changement des systèmes.

Aspect structurel : Étude des composantes du système, de leur nature et de leurs relations.

Attente : Tendance d'un individu à agir selon son interprétation de la réalité. La tendance peut également correspondre à la croyance qu'une augmentation des efforts provoquera une amélioration du rendement ou de la productivité (théorie de l'expectative).

Attitude : Impression, sentiment ou croyance stable qu'une personne éprouve envers autrui, un groupe, une idée, une situation ou un objet. Les attitudes sont des prédispositions stables qui guident les comportements.

Augmentation horizontale des tâches : Accroissement du nombre de tâches relatives à un poste par l'inclusion de tâches similaires aux précédentes requérant du titulaire de poste une compétence, des connaissances et des habiletés identiques.

Augmentation verticale des tâches : Accroissement du nombre de tâches relatives à un poste par l'inclusion de tâches différentes des précédentes requérant du titulaire de poste une compétence, des connaissances et des habiletés nouvelles.

Autonomie : Degré de liberté, d'indépendance et de latitude dont jouit un employé au travail, ou possibilité pour un employé d'exercer un contrôle sur son propre travail.

Autorité : Représentation de l'aspect formel du pouvoir.

Avantages sociaux : Partie de la rémunération globale qui comprend les vacances, les congés divers, les régimes de retraite et d'assurances collectives.

Béhaviorisme : Modèle à l'intérieur duquel on postule que le comportement est fonction de ses conséquences. L'individu adopte automatiquement les comportements qui ont entraîné des conséquences heureuses dans le passé et il évite, un peu par réflexe, les comportements qui ont entraîné des conséquences malheureuses. Ainsi, le comportement serait conditionné par les stimuli issus de l'environnement. Cette école de pensée définit la psychologie comme étant l'étude du comportement strictement observable ou de la relation stimulus-réponse.

Besoin : Déficience physiologique, psychologique ou sociale qu'un individu ressent ponctuellement. Les déficiences, qui agissent isolément ou en combinaison, incitent l'individu à avoir une attitude ou un comportement particulier. Elles constituent donc la force ou la pression qui motive l'individu à adopter une conduite particulière.

Besoin d'actualisation : Besoin qu'éprouve une personne de réaliser ses aspirations, de se perfectionner et de créer, au sens le plus large du terme.

Besoin d'affiliation : Désir d'établir et de maintenir des relations d'amitié avec d'autres personnes.

Besoin d'appartenance : Besoin d'amitié, d'affiliation et d'amour manifesté entre autres par le désir de travailler en équipe et de nouer de nouvelles relations avec son entourage.

Besoin d'autonomie : Désir des gestionnaires de prendre des décisions, d'établir des objectifs et de travailler de façon autonome, sans supervision.

Besoin de croissance : Besoin satisfait lorsqu'un individu parvient à créer ou à produire des contributions significatives tout en ayant le sentiment qu'il utilise et augmente son potentiel en habiletés et en réalisations concrètes.

Besoin de pouvoir : Désir d'influencer les personnes de son entourage.

Besoin de réalisation : Désir d'exceller dans les activités dans lesquelles s'engage un individu. C'est un besoin qui incite le travailleur à faire plus avec moins, qui l'incite à l'efficience et à l'accomplissement.

Besoin de sécurité : Besoin de l'individu d'assurer sa protection immédiate et future.

Besoin de sociabilité : Besoin satisfait lorsqu'un individu établit des relations inter-personnelles significatives. Le besoin de sociabilité peut appartenir à trois catégories : le besoin social, le besoin de sécurité interpersonnelle et le besoin d'affiliation. Ce sont ces besoins qui poussent une personne à établir des relations avec son entourage et à rechercher la reconnaissance et l'estime.

Besoin d'estime : Besoin qui peut appartenir à deux catégories. Il y a d'abord les besoins qui concernent l'estime de soi, c'est-à-dire les besoins de confiance en soi, d'indépendance, d'épanouissement, de compétence et de savoir. Il y a ensuite les besoins qui touchent à la reconnaissance de la compétence de la part des collègues et de l'organisation. Cette reconnaissance peut se manifester par la considération, le respect, les promotions et la valorisation des titres professionnels.

Besoin d'existence : Besoin primaire satisfait, d'une part, par la nourriture, l'air et l'eau et, d'autre part, par le salaire, les avantages sociaux et les conditions de travail. Cette catégorie correspond aux besoins de base d'une personne sur les plans physiologique et matériel.

Besoin physiologique : Besoin qui se trouve à la base de la pyramide des besoins de Maslow et qui prime sur tout autre type de besoin. Comme exemples de ce type de besoin, mentionnons la nourriture, le repos, l'exercice et la sexualité.

Biofeedback : Technique qui, à l'aide de détecteurs placés sur différentes régions ou divers organes du corps humain, permet à l'individu de percevoir par la vue ou par l'ouïe des signaux en provenance de son corps. Le fait de percevoir ces signaux entraîne l'individu à maîtriser une fonction qui, normalement, échapperait à son contrôle volontaire.

Bureaucratie : Organisation rationnelle du travail caractérisée par l'objectivité du processus décisionnel.

Carrière : Suite d'attitudes et de comportements associés à des expériences de travail se déroulant au cours de la vie d'une personne.

Centralisation : Regroupement de tous les moyens d'action, de contrôle, de décision et de pouvoir sur un même objet sous la responsabilité d'une personne ou d'un groupe.

Cercle : Moyen par lequel les membres du réseau de communication peuvent échanger avec les deux personnes adjacentes.

Cercle de qualité : Nouvelle conception de la gestion fondée sur le principe selon lequel la main-d'œuvre constitue la ressource la plus précieuse d'une entreprise. Le cercle de qualité est un groupe restreint d'employés effectuant des tâches similaires et qui se réunissent régulièrement avec leur superviseur pour analyser et résoudre des problèmes reliés au travail, comme la qualité du travail, l'amélioration du rendement et la sécurité du travail.

Cercueils dorés (*golden coffins*) : Avantages financiers accordés aux cadres supérieurs d'une organisation lors du décès de membres de leur famille, consistant dans le remboursement des frais funéraires et autres dépenses connexes.

Chaîne : Réseau de communication de type hiérarchique traditionnel, où chaque individu doit communiquer l'information à la personne adjacente.

Changement organisationnel : Toute altération modifiant l'environnement de travail. Il peut donc être applicable aux buts et aux stratégies de l'entreprise, à sa technologie, à la division de ses tâches, à sa structure, ainsi qu'à ses ressources humaines.

Cheminement de carrière : Processus comprenant l'analyse de la compétence des employés, des objectifs professionnels qu'ils poursuivent, de leurs forces et de leurs faiblesses (planification de carrière), ainsi que l'accessibilité pour les employés à un ensemble d'expériences de travail les aidant à satisfaire leurs besoins (étapes de carrière).

Coalition : Alliance dans le but de réduire les incertitudes.

Cogestion : Système de gestion selon lequel les employés et les gestionnaires participent aux décisions d'une organisation par le biais de représentants syndicaux siégeant au conseil d'administration de celle-ci.

Communication : Processus bilatéral d'échange et de compréhension de l'information entre au moins deux personnes ou deux groupes : une personne ou un groupe qui transmet une information (émetteur) et une personne ou un groupe qui reçoit l'information (récepteur). Par ailleurs, il faut, pour qu'une communication s'établisse, que l'information perçue ait une signification pour le récepteur.

Communication bidirectionnelle : Communication complète consistant en un échange bidirectionnel d'informations : une fois que le message est reçu et compris par le récepteur, celui-ci retransmet un message à l'émetteur afin de s'assurer d'avoir bien compris. Ainsi, non seulement la compréhension du message est-elle vérifiée, mais l'échange est de ce fait enrichi. La communication bidirectionnelle nécessite donc la rétroaction.

Communication horizontale : Modèle de communication qui permet des échanges entre les membres d'un même service ou entre les différents services de l'organisation. Ces échanges s'effectuent principalement entre les individus qui occupent le même niveau hiérarchique.

Communication informelle : Communication qui émerge tout naturellement des interactions sociales entre les membres d'une organisation.

Communication non verbale : Voir Langage non verbal.

Communication unidirectionnelle : Communication où le récepteur ne peut intervenir directement dans le processus de la communication. Dans ce contexte, il est impossible de vérifier si le message a bel et bien été compris puisqu'il s'agit d'un simple transfert d'information.

Communication vers le bas : Modèle de communication qui sert à transmettre l'information d'un niveau hiérarchique supérieur de l'entreprise vers un niveau hiérarchique inférieur. Le principal objectif de ce modèle de communication est de transmettre de l'information axée sur la tâche afin de faciliter la coordination entre les différents paliers hiérarchiques.

Communication vers le haut : Modèle de communication qui permet de transmettre l'information d'un niveau hiérarchique inférieur de l'entreprise vers un niveau hiérarchique supérieur.

Complémentarité (ou loi de la fermeture) : Tendance à compléter les objets confus afin d'obtenir une image claire et stable.

Complexité : Nombre de divisions de l'entreprise, de services, de groupes d'occupation et de postes différents. Plus l'entreprise comprend un nombre élevé de divisions, plus elle est complexe dans son administration, et inversement.

Comportement : Geste que l'être humain exécute pour s'adapter à une situation qui l'influence.

Compromis : Attitude qu'adopte un individu et qui consiste à consentir à faire des sacrifices considérables. Cette attitude ne permet pas de satisfaire entièrement ni les intérêts des uns ni les intérêts des autres. On cherche donc une solution mitoyenne qui sera partiellement satisfaisante pour chacune des parties.

Conception moderne des tâches d'équipe : Ensemble d'approches de la conception des tâches favorisant l'aménagement des postes en fonction d'équipes de travail par l'établissement d'un lien entre un groupe de postes.

Conception moderne des tâches individuelles : Ensemble d'approches de la conception des tâches favorisant l'aménagement des postes en fonction des caractéristiques des titulaires des postes. Ces approches visent à accroître la motivation et la satisfaction des employés au travail.

Conciliation : Attitude qu'ont tendance à adopter les individus engagés dans un conflit lorsqu'ils sont persuadés de ne pouvoir satisfaire leurs besoins. Autrement dit, en situation de conflit, ces individus permettent aux autres de satisfaire leurs intérêts au détriment des leurs.

Conditions de travail : Environnement physique du travail, incluant la quantité de travail, la facilité d'exécution, la lumière, la température, les outils, l'espace, la ventilation et l'apparence générale du lieu de travail.

Conflit : Situation qui découle des relations entre les individus. Le conflit émane aussi des attentes incompatibles des individus ou des groupes ainsi que des différences entre les tâches de chacun. En entreprise, le conflit se rapporte généralement à une incompatibilité totale, partielle, réelle ou perçue entre les rôles, les buts, les objectifs, les intentions et les intérêts d'un ou de plusieurs individus, groupes ou services. Par ailleurs, la notion de conflit renvoie à d'autres notions telles que la mésentente, la dispute, le différend et le désaccord.

Conflit de rôle : Présence simultanée de deux ou de plusieurs ensembles d'exigences qui sont tels qu'en se soumettant à l'un, il devient, par définition, difficile de se soumettre à l'autre ou aux autres.

Conflit entre cadres hiérarchiques et cadres-conseils : Conflit qui surgit entre les individus qui occupent un poste de direction dans la ligne hiérarchique et ceux qui occupent un tel poste dans la ligne-conseil. Ce type de conflit s'explique par le fait que les individus sont amenés à travailler en étroite relation, mais aussi par les différences qui caractérisent chacun de ces postes.

Conflit horizontal : Conflit qui survient entre les employés ou entre les groupes d'un même niveau hiérarchique.

Conflit intergroupes : Conflit entre deux groupes.

Conflit interpersonnel : Conflit qui survient lorsque deux individus vivent une mésentente au sujet des buts à poursuivre, des moyens à prendre, des valeurs, des attitudes ou des comportements à adopter.

Conflit intragroupe : Conflit ressemblant, à bien des égards, au conflit interpersonnel. La principale différence réside dans la polarisation de la mésentente autour de plusieurs personnes d'un même groupe plutôt qu'entre deux individus.

Conflit intra-individuel : Situation dans laquelle un individu est en conflit avec lui-même. Généralement, ce type de conflit suppose que l'individu est en présence d'une certaine incompatibilité de buts ou d'une dissonance cognitive qui le perturbe.

Conflit intra-organisationnel : Conflit qui éclate à l'intérieur d'une organisation. Il en existe trois types : le conflit vertical, le conflit horizontal et le conflit entre les cadres hiérarchiques et les cadres-conseils.

Conflit vertical : Conflit relatif aux problèmes ou aux mésententes susceptibles de se produire entre les membres ou les groupes de différents niveaux hiérarchiques dans une entreprise.

Congédiement : Renvoi d'un employé qui peut s'expliquer par une entorse à la discipline.

Considération : Reconnaissance du travail bien fait ou de l'accomplissement personnel. La source de gratification peut être le superviseur, quelqu'autre individu de l'administration, l'administration comme force impersonnelle, un client, un pair, des subordonnés, un collègue professionnel ou le public en général.

Construction d'équipes : Processus basé sur le principe que le rendement est supérieur grâce à la construction d'équipes. Le but de ce processus est de rendre un groupe de travail apte à produire efficacement, tout en améliorant les relations interpersonnelles des membres du groupe.

Consultation individuelle : Consultation sur le plan personnel touchant autant les sujets de planification de carrière et de vie que les problèmes comportementaux, les conseils et les avis donnés sur divers autres sujets.

Continuité : Capacité de percevoir les objets de façon continue ou uniforme. La continuité est donc cette capacité de rattacher chaque élément à celui qui le précède et à celui qui le suit de manière qu'on les perçoive comme des configurations continues.

Contrat : Entente négociée entre deux ou plusieurs parties pour une période généralement déterminée.

Cool cat : Trait de la personnalité qui représente un individu non compétitif et autonome. Le *cool cat* est celui qui perçoit le moins les deux sources de stress extrinsèques et intrinsèques, mais qui réagit aux deux : le stress intrinsèque le rend agressif, alors que le stress extrinsèque le rend anxieux et provoque chez lui des symptômes cardiovasculaires et digestifs.

Cool dog : Trait de la personnalité qui représente un individu non compétitif et hétéronome. Le *cool dog* est plus sensible au contexte qu'au contenu de la tâche. Le stress intrinsèque le laisse indifférent, mais le stress extrinsèque lui cause à peu près tous les symptômes psychiques et somatiques possibles et le porte à prendre du poids. Son côté non compétitif fait que tout conflit le rend malade, alors que son côté hétéronome le porte à réagir très peu aux exigences du contenu de la tâche.

Coopérative : Résultat d'une association de personnes qui assument la copropriété d'une entreprise au moyen de mises de fonds sous forme de parts sociales.

Cooptation : Absorption d'un groupe par un autre afin de réduire les incertitudes créées par le premier groupe.

Coordination : Façon de combiner les différentes parties d'un tout entre elles. De nombreux modes de coordination sont possibles, certains répondant davantage à la division du travail, d'autres à la départementalisation des activités.

Croissance : Apprentissage de nouvelles habiletés et acquisition de nouvelles connaissances augmentant la possibilité d'avancement à l'intérieur d'une spécialité.

Culture : Ensemble des valeurs qui conditionnent les comportements et les attitudes acceptables ou non des membres d'une société.

Décentralisation : Augmentation des pouvoirs et de l'indépendance des autorités administratives subordonnées, rapprochant ainsi celles-ci des lieux d'exécution.

Décision : Démarche déterminant le choix d'une solution parmi plusieurs et visant l'atteinte d'un objectif.

Décision non programmée : Décision inhabituelle à propos de problèmes nouveaux pour lesquels aucune procédure préétablie n'existe. Il peut s'agir soit de cas spéciaux, soit de cas complexes présentant un grand niveau de risque.

Décision programmée : Modes d'action précis et formels adoptés par l'organisation dans le but de faciliter et d'accélérer la prise de décision portant sur des problèmes répétitifs et routiniers. En guise d'exemples, mentionnons les règlements et les politiques de l'entreprise.

Définition de poste : Ensemble des buts, des tâches et des responsabilités associés à tous les postes qui dépendent des caractéristiques de l'organisation et des individus.

Degré d'autonomie : Nombre d'employés sous la direction d'un même superviseur. Plus le nombre d'employés sous un superviseur est grand, plus le degré d'autonomie d'un employé est étendu, et inversement. Un degré d'autonomie élevé correspond donc à une supervision moins directe de la part du supérieur.

Délégation : Processus par lequel un superviseur confie certaines tâches et responsabilités à ses subordonnés.

Démocratie industrielle : Politique accordant un certain pouvoir aux employés dans les décisions qui sont prises à l'intérieur de l'organisation et qui sont susceptibles de les toucher.

Densité sociale : Quantité d'individus qualifiés disponibles dans un secteur géographique. La densité sociale se rapporte indirectement à la distance physique qui sépare les membres d'un groupe.

Départementalisation : Procédé permettant d'établir des unités organisationnelles distinctes.

Départementalisation divisionnelle : Regroupement des employés selon le type de produits qu'ils fabriquent, l'emplacement géographique ou la clientèle qu'ils desservent. La coordination d'une même division est assurée par le chef de division.

Départementalisation fonctionnelle : Regroupement des employés dans différents services (par exemple, la production, le marketing, les finances) sur la base de leur compétence. La coordination est assurée par des gestionnaires de niveau supérieur (par exemple, le vice-président).

Dernière impression : Voir Effet de la dernière impression.

Description de poste : Description des principales tâches et responsabilités associées à un poste.

Développement organisationnel : Stratégie d'intervention à longue échéance visant à permettre un changement planifié et global dans l'organisation.

Différenciation : Segmentation du système en sous-systèmes, chacun tentant de répondre à l'environnement particulier qui l'entoure. Par exemple, les services de marketing, de production et de recherche et développement ne font pas face aux mêmes environnements.

Dimension de la considération : Dimension d'où émerge un style de leadership orienté vers l'employé, et qui incite le leader à créer un climat de travail où la confiance, le respect mutuel, l'amitié et le soutien occupent une place importante. Un tel leader se soucie de la sécurité sociale et du bien-être des employés.

Dimension structurelle : Dimension regroupant les comportements visant l'accomplissement de la tâche. Par conséquent, le leader qui favorise cette dimension met l'accent sur la définition et la répartition des tâches à accomplir, sur l'établissement d'un réseau de communication formel dans le groupe ainsi que sur l'organisation et la direction des activités du groupe.

Direction par objectifs : Voir Gestion par objectifs.

Discrimination au travail : Traitement inégal de personnes résultant de pratiques ou de décisions d'embauche, de promotions ou de congédiements. La discrimination au travail peut se fonder sur le sexe, l'âge, la situation de famille, la race, les croyances religieuses ou toute autre caractéristique n'ayant aucun lien direct avec le rendement au travail des employés.

Discrimination systémique : Politique en apparence neutre mais comportant un effet défavorable pour les membres des groupes désignés dans la législation sur les droits de la personne.

Distinction entre cadre hiérarchique et cadre-conseil (*line/staff*) : Différence entre le cadre hiérarchique qui est responsable d'activités dites centrales pour l'organisation (par exemple, la production) et le cadre-conseil qui agit à titre d'assistant ou d'expert dans des activités que l'on pourrait qualifier d'activités de soutien ou de services (par exemple, les relations publiques). En résumé, on pourrait parler de tâches d'exécution (*line*) et de tâches-conseils (*staff*).

Division combinée ou changeante : Type de départementalisation divisionnelle qui oscille entre l'une et l'autre des divisions possibles. Elle combine plusieurs types de divisions ou réoriente constamment ses choix.

Division géographique : Type de division entreprise parce qu'une coordination centralisée s'avère difficile à réaliser. On préfère alors assigner toutes les activités d'une région à un gestionnaire responsable des opérations.

Division horizontale du travail : Type de départementalisation ou mode d'établissement d'unités précises de travail.

Division par clientèles : Type de division qui vise à améliorer le service pour chacune des clientèles visées.

Division par produits : Type de division qui assure une grande flexibilité et une grande adaptabilité lors de changements dans la production de produits ; ce type de division entraîne la structuration autour de certaines gammes de produits préférablement à d'autres éléments ; elle suscite donc la croissance et la diversité de ces produits et de ces services.

Division verticale du travail : Division qui correspond aux niveaux hiérarchiques et aux rangs. On distingue trois niveaux de division verticale du travail : les gestionnaires supérieurs, les gestionnaires intermédiaires et les gestionnaires de premier niveau ; chacun de ces niveaux correspond à un degré d'autorité formelle précise.

Effet de halo : Tendance à se baser sur un trait particulier de la personnalité d'un individu pour se former une impression, négative ou positive, de son comportement général. L'impression favorable ou défavorable qui s'en dégage influence le jugement de l'évaluateur et est source de distorsion ou d'erreur.

Effet de la dernière impression : Effet d'ordre causé par la tendance de l'intervieweur à accorder à la dernière information reçue ou à l'information récente un poids excessif par rapport aux autres éléments d'information. L'intervieweur se rappellera ainsi avec plus de netteté le rendement des derniers candidats évalués que celui des premiers et son évaluation pourra en être influencée.

Effet de la première impression : Effet d'ordre causé par la tendance de l'intervieweur à accorder une importance primordiale à l'information initiale qu'il a reçue ou à ses premières impressions, au détriment de l'information subséquente. L'intervieweur peut ainsi être porté à évaluer les candidats en s'appuyant sur cette information initiale.

Effet Pygmalion : Déformation liée au fait que les personnes auxquelles on prédit le succès à partir d'un score supérieur qu'elles ont obtenu à un test bénéficient d'un préjugé favorable et sont souvent mieux encadrées au travail que les personnes dont les résultats sont plus faibles ; ces personnes réussissent donc effectivement mieux que les autres employés. On le désigne également sous le nom d'effet de l'anticipation de l'expérimentateur ou d'effet de la prophétie exaucée.

Efficacité : Mesure indiquant dans quelle mesure les objectifs sont atteints.

Effort : Force ou énergie physique ou psychologique fournie par un individu dans la poursuite de ses objectifs.

Élargissement des tâches : Technique de définition de poste par laquelle on restructure horizontalement le travail en augmentant la variété des tâches à un poste pour combiner un certain nombre d'actions connexes sous la responsabilité d'un même travailleur.

Émetteur : Personne qui transmet un message.

Enrichissement des tâches : Technique de définition de poste par laquelle on restructure verticalement le travail, notamment en confiant à l'employé des tâches réalisées à un niveau supérieur, telles que la planification du travail, le choix des méthodes et le contrôle de la qualité.

Entrevue en situation de stress: Entrevue au cours de laquelle l'intervieweur cherche intentionnellement à contrarier ou à embarrasser le candidat pour apprécier sa résistance au stress et ses réactions en situation de stress.

Environnement physique de travail: Ensemble constitué de l'édifice, du mobilier, de l'équipement, des machines, de l'éclairage, du bruit, de la chaleur, des produits chimiques, des toxines et autres éléments qui sont associés aux accidents du travail et aux maladies professionnelles.

Environnement psychosociologique de travail: Ensemble constitué des aspects non matériels de l'environnement, à savoir les relations avec les superviseurs, les politiques de l'entreprise, la structure de l'organisation, les changements organisationnels, l'incertitude, les conflits et les relations avec les collègues de travail.

Épuisement professionnel: Ensemble de symptômes précis causés par un stress chronique ou grave relié directement aux activités professionnelles et non aux problèmes personnels des travailleurs. Les symptômes de cette maladie sont les suivants: fatigue chronique, perte d'énergie, irritabilité et attitude négative à l'égard du travail et de soi.

Équipes de travail semi-autonomes: Mode d'aménagement du travail selon lequel des groupes de travailleurs assument collectivement toutes les étapes de la fabrication d'un produit.

Équité: Propriété du traitement que reçoit un individu lorsque son rapport intrants-extrants correspond à celui de la personne ou du groupe auquel il se compare.

Équité salariale: Équité entre la contribution au travail d'un employé et le salaire gagné par rapport à la contribution et au salaire des autres employés.

Établissement des objectifs: Détermination d'objectifs clairs et précis, qui a pour effet de favoriser l'accélération de l'apprentissage des employés et l'amélioration de leur rendement.

Étapes de carrière: Effort systématique déployé par une organisation pour relier les besoins professionnels de ses employés à ses besoins pratiques en précisant les attentes professionnelles des employés et les besoins et les possibilités de l'organisation.

Étoile: Moyen qui permet aux membres d'un réseau de communication d'échanger directement avec toutes les personnes du groupe.

Étude du temps et des mouvements: Étude du temps et des mouvements nécessaires à l'accomplissement d'une tâche.

Évaluation du rendement: Système consistant à mesurer, à évaluer et à modifier les caractéristiques, les comportements et le succès d'un employé au travail ainsi que son niveau d'absentéisme, afin de déterminer son niveau de rendement actuel.

Évitement: Réaction caractérisée par le refus de discuter d'une situation conflictuelle. Ainsi, les personnes qui adoptent cette stratégie préfèrent ne pas s'engager, même si elles sont conscientes que cette attitude ne permet pas de résoudre le problème.

Exigences du poste: Aptitudes, connaissances pratiques et théoriques et compétence nécessaires afin de satisfaire aux exigences précises du poste.

Extinction d'un comportement: Technique qui s'explique par l'omission de renforcer positivement ou négativement un comportement qu'on désire voir disparaître. Privé d'un renforcement positif ou négatif, un comportement tend à disparaître.

Facteur de changement: Facteur qui peut engendrer le besoin de changement dans l'organisation, et qui peut appartenir à deux catégories: les forces externes, qui ne sont pas sous le contrôle des gestionnaires, et les forces internes, qui proviennent de l'entreprise.

Facteur d'hygiène (ou facteur de conditionnement): Facteur agissant selon un continuum où les extrémités sont l'insatisfaction et la non-insatisfaction. Les éléments du travail inclus dans cette catégorie ne réussissent pas à satisfaire ou à motiver les individus, mais s'ils répondent aux besoins de ces derniers ils parviennent à créer un état de non-insatisfaction. Les politiques et l'administration de l'entreprise, les aspects techniques de la supervision, le salaire, les relations interpersonnelles, les conditions de travail, le statut et la sécurité sont des facteurs d'hygiène.

Facteur motivationnel : Facteur qui peut créer un état de non-satisfaction chez les employés lorsqu'il ne parvient à répondre aux besoins de ces derniers. Toutefois, le facteur de motivation peut également créer un état de satisfaction, et donc de motivation, lorsqu'il réussit à répondre aux besoins des individus. La réussite, la considération, le travail en soi, les responsabilités et les promotions sont des facteurs de motivation.

Filtration d'information : Manipulation de l'information de manière que le récepteur la perçoive de façon positive.

Fonctionnalisme : École de pensée qui met l'accent sur l'aspect fonctionnel et pratique des processus mentaux. Le fonctionnalisme est axé sur l'expérience et la façon dont celle-ci permet à l'individu de fonctionner plus efficacement dans son environnement.

Force externe de changement : Force de changement appartenant à une catégorie qui regroupe essentiellement les facteurs sociologiques, économiques et juridiques face auxquels l'entreprise doit continuellement s'adapter afin de maintenir une certaine stabilité dans un contexte dynamique d'intégration des intrants de l'environnement et de leur transformation en extrants qui retournent dans l'environnement externe de l'entreprise.

Force interne de changement : Force de changement appartenant à une catégorie constituée des différents membres de l'organisation qui contribuent à la réalisation des produits ou des services, à la division des tâches et aux responsabilités dans un cadre fonctionnel et hiérarchique, à la gestion de l'entreprise et, enfin, aux techniques et aux modes de production des biens et des services.

Force propre à la situation : Force correspondant au type d'organisation dans lequel les individus évoluent, à l'efficacité du groupe, à la nature du problème ou au temps alloué pour prendre la décision.

Force propre au leader : Force correspondant au système de valeur du leader, à ses antécédents, à ses connaissances, à son expérience, au degré de confiance qu'il accorde à ses subordonnés, à sa préférence pour un style donné et à son degré de confiance en lui.

Force propre au subordonné : Force correspondant au désir d'indépendance du subordonné, à sa volonté d'assumer des responsabilités et de participer au processus de décision, à son degré de tolérance face à l'ambiguïté, à son intérêt au travail, à son niveau de compréhension des objectifs organisationnels et à ses attentes face à la participation.

Formalisation : Description écrite des moyens et des fins du travail. La formalisation entretient un lien étroit avec la standardisation et la spécialisation du travail. Elle permet de modeler les tâches et les rôles à partir d'un profil type, ce qui standardise les comportements de travail de différents individus dans un même poste pour les mêmes tâches.

Formation : Processus qui consiste à transmettre aux employés des connaissances et des compétences nécessaires à l'accomplissement de leur travail.

Formation en milieu de travail : Programmes de formation réalisés au poste de travail ou sur le lieu de travail des employés, ayant pour but de faciliter le transfert des connaissances acquises par ceux-ci dans le cadre des activités de l'organisation.

Formation et perfectionnement : Activités visant à accroître le rendement actuel ou futur des employés par l'amélioration de leurs connaissances, de leur compétence ou par la modification de leurs attitudes.

Formule coopérative : Formule qui rejoint la dimension des avoirs en démocratie industrielle, c'est-à-dire des avoirs ayant trait à la propriété de l'organisation ; il s'agit de bénéficier de gains ou d'avantages économiques en supplément des salaires par la détention d'actions de l'entreprise. La formule comportant l'achat de parts sociales peut être volontaire ou obligatoire ; elle peut inclure une certaine participation à la gestion.

Gel : Étape dans le processus de changement organisationnel où les comportements acquis deviennent des comportements types nouveaux ; c'est la stabilisation des nouveaux comportements, des nouvelles attitudes, processus et méthodes.

Gestion anémique : Type de gestion où le leader démontre un intérêt minimal pour la production et l'individu. Le leader qui favorise ce type de gestion évite donc d'établir des relations avec ses subordonnés et prend peu de décisions ; on a donc une gestion de type 1-1. Pour pallier les faiblesses reliées à cette situation dans l'entreprise, il y a souvent émergence de leaders informels.

Gestion centrée sur la tâche : Type de gestion où le leader démontre un intérêt maximal pour la production (9) et un intérêt minimal pour l'individu (1), soit une gestion de type 9-1.

Gestion centrée sur l'individu : Type de gestion où le leader démontre un intérêt minimal pour la production (1) et un intérêt maximal pour l'individu (9), soit une gestion de type 1-9.

Gestion de type intermédiaire : Type de gestion où le leader adopte une attitude de compromis en démontrant un intérêt moyen pour la production (5) et un intérêt moyen pour l'individu (5). Il fixe des objectifs nécessitant peu d'effort et exige un travail qui se situe juste à un niveau acceptable. C'est un type de gestion qui convient à celui qui ne recherche pas l'excellence, mais qui est prêt à fournir un effort raisonnable en échange d'une reconnaissance raisonnable, soit une gestion de type 5-5.

Gestion de type laisser-faire : Voir Gestion anémique.

Gestion du conflit : Méthode permettant au gestionnaire de résoudre les conflits.

Gestion par le travail d'équipe : Mode de gestion qui accorde beaucoup d'importance aux objectifs. C'est probablement le style de gestion qui correspond le mieux à la conception idéale du leadership. En effet, le leader démontre un intérêt maximal pour les deux dimensions ; il s'agit donc d'une gestion de type 9-9.

Gestion par objectifs : Mode de gestion par lequel les gestionnaires de tous les niveaux hiérarchiques de l'organisation se fixent des objectifs communs, se partagent les responsabilités et évaluent régulièrement leurs résultats en les comparant aux objectifs visés et en appréciant la contribution de chacun.

Gestion participative : Mode de gestion qui permet aux travailleurs d'exercer une influence sur le fonctionnement de l'entreprise à l'intérieur d'une dynamique à trois composée du patron, des salariés et du syndicat.

Gestion scientifique du travail : Voir Approche scientifique.

Gestion selon la théorie Z : Philosophie contemporaine de gestion des ressources humaines représentant une synthèse adaptée au contexte organisationnel nord-américain d'approches américaines traditionnelles et d'approches japonaises classiques.

Glucocorticoïdes : Hormones stéroïdes qui agissent sur le métabolisme des hydrates de carbone (sucres) et qui ont la propriété de bloquer les réactions de défense de l'organisme telles que l'inflammation et la production d'anticorps.

Grève : Moyen de pression économique utilisé par les travailleurs d'une organisation contre l'employeur, qui consiste à refuser totalement ou en partie d'effectuer leur travail habituel.

Grève sauvage : Grève illégale déclenchée par les travailleurs d'une organisation en violation des dispositions de la convention collective de travail et sans l'accord préalable du syndicat.

Grille managériale (ou grille de gestion) de Blake et Mouton : Modèle de gestion qui vise à convevoir et à élaborer un style de leadership approprié aux besoins de l'entreprise. Le principe de base qui soutient ce modèle est que l'excellence peut être atteinte par la découverte d'un intérêt commun, le maintien d'un climat psychologique sain au travail et un rendement élevé. Deux dimensions du leadership sont à distinguer, soit l'intérêt pour la production et l'intérêt pour les individus.

Groupe : Système organisé composé d'individus qui partagent des normes, des besoins et des buts, et qui interagissent de manière à influer mutuellement sur leurs attitudes et leurs comportements. C'est un organisme dynamique qui, tout comme une personne, évolue au fil du temps.

Groupe d'amitié : Voir Groupe d'intérêts.

Groupe de tâche ou de projet : Groupe établi dans une entreprise dans le but d'exécuter une tâche particulière.

Groupe d'intérêts (ou groupe d'amitié) : Groupe formé de personnes qui partagent des caractéristiques, des valeurs, des croyances, des objectifs ou des besoins semblables.

Groupe fonctionnel : Groupe ressemblant au groupe formel en ce sens que la direction le structure par l'organisation des tâches et des responsabilités. Ce groupe est relativement permanent et représente une fonction organisationnelle. Les membres d'unités administratives telles que le service des finances et le service des achats appartiennent à des groupes fonctionnels.

Groupe formel : Groupe qui a pour mandat d'exécuter les tâches et les services commandés par la direction en conformité avec des objectifs précis déjà établis. Afin de favoriser l'atteinte de ces objectifs, la direction détermine également des normes de rendement et le rôle des membres à l'intérieur des différents groupes.

Groupe informel : Groupe constitué spontanément au fil du temps et des interactions des membres de l'organisation. Ainsi, les membres d'un groupe informel partagent généralement des idées, des valeurs, des croyances et des besoins sociaux semblables.

Groupe semi-autonome : Groupe dont les membres ont pour fonction première de travailler ensemble à un produit final. Les membres du groupe possèdent un certain pouvoir sur les plans du contrôle du travail et de la régulation du système de production. Les membres de ces groupes organisent eux-mêmes le travail qu'ils ont à accomplir en se le répartissant. Ils peuvent également avoir voix au chapitre au sujet de la discipline, des salaires, de l'embauche et du congédiement, par exemple.

Horaire annuel flexible : Système d'organisation du travail en vertu duquel les employés ont la possibilité d'aménager leurs temps de travail en fonction d'un horaire flexible annuel, en répartissant leurs heures de travail sur une base mensuelle.

Horaire flexible : Formule d'aménagement du temps de travail dans laquelle on élimine l'obligation de commencer ou de terminer la journée de travail à une heure précise. Le cœur de cette pratique est constitué de la division de l'horaire global de travail en deux types de périodes, soit les plages fixes de travail et les plages mobiles.

Hormone stéroïdienne : Hormone sécrétée par la glande surrénale ; stéroïde agissant sur le métabolisme des sucres, des minéraux, des graisses et des protéines sous la commande de l'hypophyse.

Hot cat : Trait de la personnalité qui représente un individu compétitif et autonome. Le *hot cat* domine toujours la situation. Il perçoit très bien les deux sources de stress (intrinsèques et extrinsèques), mais il inhibe l'expression de leurs conséquences par son volet compétitif, car il n'y a pas de défi qu'il ne puisse relever, et par son volet autonome, car il n'y a rien qui puisse lui faire perdre le contrôle.

Hot dog : Trait de la personnalité qui représente un individu compétitif et hétéronome. Le *hot dog* perçoit également les deux sources de stress mais gère les conséquences plus difficilement. Le stress intrinsèque lui donne des troubles digestifs et musculo-squelettiques, mais aucun symptôme psychologique n'est apparent. Quant au stress extrinsèque, il le rend agressif plutôt qu'anxieux.

Identité d'un poste : Degré auquel les tâches sont reliées à la fabrication d'un produit fini et identifiable.

Incertitude : Élément inhérent au travail du gestionnaire. L'incertitude provient non seulement d'un manque d'information par rapport aux activités ou aux événements futurs, mais également du fait de ne pas savoir choisir la solution la plus appropriée dans une situation précise.

Indices non verbaux : Comportement d'une personne, excluant la parole. On peut citer à titre d'exemples les mouvements du corps, les gestes, les poignées de main, les regards et l'apparence physique.

Individu de type A : Individu caractérisé par une ambition intense et un esprit de compétition. Pour l'individu de type A, l'emploi idéal accorde des responsabilités et une autonomie élevées, à la condition, bien sûr, qu'il soit doté de la compétence nécessaire à l'accomplissement de ses tâches.

Individu de type B : Individu qui préfère laisser aux autres le soin de définir les exigences au travail pour s'y adapter par la suite.

Influence : Processus qui permet de modifier le comportement d'un individu.

Iniquité : Situation qui résulte d'un déséquilibre entre le rapport intrants-extrants d'un individu et le rapport intrants-extrants de l'individu ou du groupe avec lequel il se compare.

Inputs : Voir Intrants.

Institutionnalisation du changement : Action qui consiste à faire accepter le changement comme un état permanent, récursif ; c'est choisir, aussi, une structure organisationnelle qui permet l'évolution vers le changement.

Instrumentalité : Voir Valeur instrumentale.

Intégration : Processus qui consiste à accomplir un effort d'unité entre les différents sous-systèmes ; différentes intégrations sont possibles, soit par des règles, par la planification, par un leadership important, etc. En effet, pour arriver à concevoir, à produire et à vendre un produit, les différents services doivent collaborer et coordonner leurs efforts.

Intensité : Force d'émission d'un stimulus perceptuel ; plus un stimulus est intense, plus il attire l'attention.

Interventions technostructurelles : Interventions qui modifient certaines composantes formelles de l'entreprise, allant d'une tâche à la structure même.

Intrants : Matériel brut provenant de l'environnement externe, puis transformé ou modifié, pour être finalement retourné à l'environnement externe sous forme d'extrants ou de produits finis. Bien qu'il y ait plusieurs types d'intrants pour une organisation (énergie, matière brute, information, etc.), les ressources humaines représentent l'ingrédient de base de toutes les organisations, et les relations sociales constituent le facteur de cohésion qui lie les intrants.

Intuition : Sentiment que ressent le décideur de devoir agir d'une certaine façon sans trop savoir pourquoi.

Jeu de rôles : Processus souvent employé comme complément à la formation d'équipes. Il s'agit d'un jeu spontané simulant une situation réaliste mettant en présence deux personnes ou plus, dans des conditions de laboratoire. Des techniques d'observation et de discussion sont utilisées. Il s'agit d'un instrument clinique qui permet à un individu de voir comment il se comporte dans certaines situations et, ainsi, de corriger sa perception.

Jugement : Décision prise en fonction de l'expérience passée du gestionnaire.

Langage non verbal : Actions corporelles et gestuelle globale qui, prises isolément ou en combinaison avec l'information verbale, transmettent un message. Essentiellement, le langage non verbal comprend le regard, la voix (tonalité et timbre), l'odeur, la posture, la distance, le mouvement, les gestes et le toucher.

Leader : Individu qui influence le comportement, les attitudes et le rendement des employés. Un leader efficace adopte un style de comportement qui incite les individus ou les groupes à prendre les moyens nécessaires pour atteindre les objectifs organisationnels en favorisant également une meilleure productivité et la satisfaction des employés.

Leader formel : Leader qui exerce une influence en raison de l'autorité que lui procure sa position hiérarchique dans l'organisation.

Leader informel: Leader dont l'influence provient d'un statut relatif à une compétence particulière indépendante de sa position hiérarchique ou de la reconnaissance des autres membres de l'organisation.

Leadership: Capacité d'influencer d'autres personnes en vue d'atteindre les objectifs organisationnels. Le leadership représente l'aspect informel du pouvoir.

Leadership autocratique: Attitude qu'adopte le leader lorsque les employés connaissent mal la tâche à accomplir et qu'ils semblent peu disposés à l'effectuer. Face au travail à accomplir, le leader doit donc émettre des directives précises à ses subordonnés.

Leadership de délégation: Style de leadership pratiqué lorsque les employés connaissent le travail à effectuer et s'y appliquent avec attention.

Leadership de motivation: Style de leadership adopté par le superviseur afin d'établir des relations harmonieuses avec les membres du groupe et de fournir le soutien professionnel à ceux qui connaissent mal les exigences du travail mais qui sont très motivés.

Leadership de participation: Style de leadership où le supérieur favorise la participation des employés à la prise de décision, et ce afin de les motiver à accomplir un travail pour lequel ils possèdent les connaissances requises.

Leadership de soutien: Style de leadership où le leader s'attarde à établir des relations interpersonnelles harmonieuses et à créer un climat de travail plaisant et amical. Ce type de comportement est identique à celui de la dimension de la considération identifiée par les chercheurs de l'Université de l'Ohio.

Leadership directif: Style de leadership où le leader consacre ses énergies à planifier, à organiser, à coordonner et à évaluer du travail. Ce type de comportement est identique aux comportements de la dimension structurelle identifiée par les chercheurs de l'Université de l'Ohio.

Leadership orienté vers les objectifs: Style de leadership où le leader encourage ses subordonnés à fournir un rendement très élevé afin d'atteindre des objectifs difficiles mais réalisables.

Leadership participatif: Style de leadership où le leader favorise la participation des employés et se fait un point d'honneur de les consulter et d'échanger des informations avec eux dans le but de faciliter l'atteinte des objectifs organisationnels.

Lock-out: Moyen de pression économique utilisé par l'employeur contre les travailleurs et consistant à leur refuser l'accès au lieu de travail.

Loi de fermeture: Voir Complémentarité.

Maturité: Capacité de se fixer des buts élevés mais réalistes, et volonté d'assumer des responsabilités et d'acquérir de la formation et de l'expérience.

Maturité face au travail: Maturité d'un individu qui se définit en fonction de la pertinence de son expérience et de ses connaissances par rapport au travail à effectuer.

Maturité psychologique: Maturité qui se définit comme la capacité et la volonté d'un individu de bien accomplir le travail.

Mauvaise qualité de vie au travail: Dimension psychosociologique du milieu de travail caractérisée par une communication unilatérale de l'employeur avec ses employés, par un manque de respect de celui-ci pour les droits des employés, par la faible qualité du personnel et par des politiques engendrant des conditions et des résultats défavorables.

Médiation: Procédure fondée sur l'intervention d'un tiers dont le rôle consiste à aider les négociateurs du syndicat et de l'employeur à parvenir à un accord lors de la négociation de la convention collective. On l'utilise principalement pour les conflits importants. Les recommandations du médiateur sont publiques.

Médullosurrénale: Partie la plus interne de la glande surrénale, ainsi désignée parce qu'elle se trouve située au-dessus de chacun des reins. La médullosurrénale sécrète une série d'hormones appelées globalement les catécholamines (dont l'adrénaline).

Menottes dorées (*golden handcuffs*): Avantages financiers considérables faisant partie de la rémunération indirecte et visant à décourager les cadres supérieurs de quitter l'organisation. Les options d'achat d'actions et les régimes de retraite sont les formes les plus courantes de ce type de rémunération.

Mentorat: Méthode non structurée de formation en milieu de travail en vertu de laquelle un employé oriente la carrière d'un autre employé et lui apporte un appui dans ses fonctions.

Méthode scientifique: Méthode qui a pour but de trouver la meilleure façon de travailler. On effectue des mesures de temps et de mouvement afin d'établir des standards de production. Ensuite, une stratégie doit être élaborée pour en favoriser le dépassement.

Mission: Raison d'être d'une organisation.

Modelage de rôles: Méthode qui consiste à enseigner par démonstration comment envisager certains problèmes de comportement.

Modèle contingent: Modèle qui se définit par le choix d'une structure organisationnelle en fonction de l'environnement interne et externe de l'entreprise.

Modèle de contingence de Fiedler: Modèle selon lequel un leader efficace est capable de modifier les facteurs situationnels en fonction de son propre style de leadership. En fait, selon ce modèle, il est possible de former un leader de façon qu'il apprenne à contrôler les variables situationnelles, rendant ainsi une situation donnée plus appropriée au style de leadership préconisé.

Modèle de Porter: Modèle qui permet de postuler que les gestionnaires sont motivés par la satisfaction de cinq catégories de besoins: les besoins de sécurité, les besoins sociaux, les besoins d'estime, les besoins de réalisation et les besoins d'autonomie.

Modèle de Vroom et Yetton: Modèle qui a pour postulat de base qu'aucun style de leadership n'est assez adéquat pour s'appliquer à toutes les situations et que, par conséquent, les gestionnaires doivent être assez flexibles pour changer leur style de leadership en fonction des particularités des diverses situations qui se présentent. Pour ces auteurs, le choix d'un style de leadership équivaut essentiellement à décider si l'on doit recourir à la participation des employés et dans quelle mesure.

Modèle directif de changement: Modèle dans lequel le changement est imposé par une force externe, la haute direction, des lois ou des pressions autres que l'environnement.

Modèle du cheminement critique de House: Modèle qui prend son fondement dans la théorie de l'expectative et qui vise à circonscrire des variables situationnelles qui inciteraient les leaders à choisir un style de leadership plutôt qu'un autre. Ce modèle part du principe qu'un leader est efficace dans la mesure où il influence les employés à travailler dans le sens des objectifs organisationnels et dans la mesure où il leur procure un sentiment de satisfaction immédiate et ultérieure.

Modèle participatif de changement: Modèle dans lequel les connaissances sont apportées à un individu ou à un groupe dans l'espoir qu'une attitude naîtra en réponse aux idées lancées.

Modèle unidimensionnel de Tannenbaum et Schmidt: Modèle de leadership qui suggère que l'efficacité d'un groupe de travailleurs dépend de la situation et des caractéristiques du leader.

Modèle Z: Voir Théorie Z.

Motivation: Ensemble des forces incitant l'individu à s'engager dans un comportement donné. Ce concept décrit les facteurs internes et externes qui entraînent un individu à adopter une conduite particulière. En entreprise, on s'entend pour dire qu'une personne motivée persiste à fournir les efforts requis pour effectuer sa tâche et qu'elle adopte des attitudes et des comportements cohérents avec les objectifs organisationnels, qui lui permettent, cependant, d'atteindre ses objectifs personnels.

Motivation extrinsèque: Motivation essentiellement reliée à un rapport utilitaire, c'est-à-dire que l'individu s'engage dans une tâche pour bénéficier d'avantages concrets ou pour éviter des conséquences désagréables. L'individu accepte de travailler pour recevoir un salaire et pour bénéficier d'avantages sociaux intéressants.

Motivation intrinsèque : Motivation essentiellement reliée au fait de travailler pour le plaisir que procure l'accomplissement de la tâche. Ainsi, l'individu est intrinsèquement motivé par les défis qu'il relève et par les sentiments de réalisation et d'accomplissement personnel que lui procure le travail accompli.

Négociation collective : Processus par lequel les représentants des employés et de l'employeur négocient les conditions de travail.

Négociation continue : Processus de négociation se déroulant entre des représentants du syndicat et de l'employeur sur une base régulière et planifiée et portant sur des questions d'intérêt mutuel.

Norme : Standard de comportement auquel se réfère l'individu quant à ses attitudes, à ses conduites et à ses opinions.

Nouvelle forme d'organisation du travail : Toute forme d'organisation du travail constituant, en pratique, une détaylorisation de celui-ci, c'est-à-dire une forme de travail qui favoriserait le contrôle des méthodes et des processus d'exécution des tâches par le salarié lui-même. Cette nouvelle forme de travail peut se réaliser de façon individuelle ou collective. De plus, elle est caractérisée par la flexibilité, l'enrichissement et la compétence qu'elle procure aux travailleurs et cela par le biais d'une communication plus étroite entre les employés de mêmes ou de différents niveaux hiérarchiques.

Objectif : Résultat qu'on vise à atteindre.

Obstacle à la communication : Tout facteur nuisant à la compréhension d'un message.

Organigramme : Document présentant les liens qui existent entre les diverses unités organisationnelles.

Organisation : Ensemble des ressources humaines, matérielles, financières et informationnelles, organisées en fonction d'un but. C'est un système de transformation des intrants en extrants.

Orientation ou accueil : Programme mis au point par l'employeur pour accueillir les nouveaux employés au sein de l'organisation, pour les initier à leur travail et les aider à se familiariser avec leur milieu de travail et la culture de l'organisation.

Parachutes dorés (*golden parachutes*) : Avantages financiers considérables offerts aux cadres supérieurs, généralement sous forme d'indemnités de départ, qui visent à assurer à ceux-ci une sécurité financière dans l'éventualité d'un licenciement pouvant survenir lors d'une fusion d'entreprises ou de l'acquisition de l'entreprise par une autre.

Paradoxe : Technique qui tente de modifier le comportement des individus en encourageant l'intensification des conduites jugées inadaptées. Dans les conditions souhaitées, on s'attend à ce que l'individu, trouvant la proposition exagérée, réagisse dans le sens contraire.

Partage du travail : Programme comportant une distribution aussi équitable que possible du travail disponible entre l'ensemble des travailleurs en cas de ralentissement de la production ou de réduction de l'horaire de travail consécutif à des licenciements.

Perception : Processus de sélection et d'organisation des stimuli provenant de l'environnement et conférant un sens au vécu.

Persistance : Qualité de persévérance et de constance dont fait preuve un individu lorsqu'il adopte un comportement ou qu'il accomplit une tâche particulière.

Personnalité : Ensemble des traits d'origines héréditaire et sociale qui sont relativement stables chez l'adulte et qui déterminent les particularités et les différences d'attitude et de comportement.

Plafonnement de carrière : Situation dans laquelle les étapes de carrière se réduisent et les perspectives de promotion diminuent ; cette situation représente une carrière sans avenir.

Plage fixe: Dans le cadre d'un programme d'horaire flexible, période de la journée pendant laquelle la présence au travail de tous les employés est obligatoire. La plage fixe peut varier selon les postes, les catégories professionnelles ou les services.

Plage mobile: Dans le cadre d'un programme d'horaire flexible, période de la journée pendant laquelle les employés peuvent choisir librement leurs heures de travail. La plage mobile se situe à l'extérieur de la plage fixe.

Planification de carrière: Activités mises sur pied par l'organisation pour aider les employés à découvrir leurs forces et leurs faiblesses, leurs objectifs précis et le genre de postes qu'ils souhaiteraient obtenir.

Plan Scanlon: Plan qui comporte deux volets: un aspect social (par exemple, le cercle de qualité, la boîte à suggestions) et un aspect économique (soit l'intéressement aux bénéfices). La structure du plan Scanlon comporte un comité de production, un comité de révision, trois représentants patronaux et trois représentants syndicaux.

Politique: Ligne de conduites régissant les prises de décision.

Politique administrative: Catégorie de politique qui inclut les événements reliés à un aspect global de l'entreprise, soit la pertinence ou l'inadéquation de la procédure formelle et informelle de l'organisation.

Politique de promotion interne: Pratique et politique consistant à combler les postes vacants par l'attribution de promotions à des employés de l'organisation plutôt que par l'embauche de candidats de l'extérieur.

Pouvoir: Capacité que possède un individu d'en influencer un autre. Le pouvoir est donc fonction des caractéristiques personnelles et des caractéristiques liées à la position dans l'organisation qui permettent d'inciter un ou plusieurs individus à poursuivre les objectifs de l'entreprise.

Pouvoir de coercition: Type de pouvoir qui appuie le pouvoir légitime. Il correspond à la capacité de pénaliser les employés qui ne suivent pas les directives. Ainsi, lorsqu'un individu détient un pouvoir de coercition, il peut réprimander ou rétrograder un employé, lui refuser une promotion, le congédier ou encore exercer une surveillance accrue de ses activités.

Pouvoir de récompense: Pouvoir qui est utilisé pour renforcer le pouvoir légitime en ce sens qu'il donne le droit à un individu de distribuer des récompenses à ceux qui se sont distingués dans l'accomplissement de leurs tâches. Ce pouvoir se manifeste par la capacité d'octroyer des augmentations de salaire, des promotions ou des ressources supplémentaires.

Pouvoir de référence: Type de pouvoir qui repose sur les caractéristiques d'une personne qui amène les autres à vouloir imiter ses comportements. Autrement dit, les personnes acceptent de subir son influence, car elles l'idéalisent.

Pouvoir d'expert: Caractéristique individuelle qui est liée à l'acquisition de compétences techniques ou scientifiques peu communes ou à la connaissance des processus administratifs acquise par une longue expérience dans la même fonction ou la même entreprise.

Pouvoir d'information: Pouvoir qui se rapporte à la capacité d'un individu d'accéder à de l'information précise et privilégiée. Autrement dit, lorsqu'une personne a accès à des informations dont les autres ont besoin, elle détient un pouvoir d'information.

Pouvoir du leader: Pouvoir qui renvoie au degré d'autorité que possède le leader. Le pouvoir peut être élevé ou faible selon le degré d'influence du leader sur l'embauche, les congédiements, la discipline, les promotions, les augmentations salariales, etc.

Pouvoir légitime: Capacité d'une personne d'en influencer une autre en raison de la position qu'elle occupe au sein de l'entreprise. Ce type de pouvoir correspond donc très étroitement à la notion d'autorité et à la position hiérarchique établies à l'intérieur de l'organigramme de l'entreprise.

Première impression: Voir Effet de la première impression.

Prise de décision: Processus qui permet au gestionnaire de choisir parmi différentes options celle qui est la plus appropriée en fonction de la situation.

Processus décisionnel : Mécanisme facilitant le choix d'une solution parmi d'autres.

Processus de consultation : Méthode utilisée quand des conflits éclatent entre groupes ou entre membres d'un même groupe. Elle consiste à amener les individus à comprendre les interactions et les processus individuels et de groupe tels que la compétition, la communication, le leadership, la coopération, etc.

Processus humain : Processus qui se rapporte aux composantes informelles de l'organisation, comme les caractéristiques individuelles et de groupe, les normes de groupes, les interactions, etc.

Productivité : Rapport entre les extrants — ou biens et services produits par un individu, un groupe ou une organisation — et les intrants — ou facteurs utilisés pour produire ces biens ou services. Les extrants s'expriment en unités de production ou en valeur de la production. La productivité du travail s'obtient en divisant la production par le nombre total d'heures de travail effectuées dans une entreprise, une industrie, etc. On détermine par un procédé similaire la productivité des autres intrants.

Profil du poste : Sommaire du contenu d'un poste. On y trouve les principales indications relatives à la façon d'exécuter le travail et aux exigences du poste en ce qui a trait à la formation et aux aptitudes.

Programme de consultation (ou d'aide aux employés) : Programme conçu pour venir en aide aux employés aux prises avec des difficultés personnelles aiguës ou chroniques (par exemple, des problèmes conjugaux ou des problèmes d'abus d'alcool) ayant des répercussions sur leur rendement et leur présence au travail.

Programme de développement de carrière : Programme conçu par une organisation pour aider les employés à harmoniser leurs aspirations, leurs compétences et leurs buts personnels avec les perspectives actuelles et futures d'avancement offertes par l'organisation.

Programme de gestion de carrière : Programme conçu par une organisation pour aider les employés à planifier leur carrière. Il vise à établir une adéquation entre, d'une part, les compétences des employés et les demandes de personnel et, d'autre part, les besoins des employés et la rémunération associée à ces postes.

Programme de qualité de vie au travail : Programme misant sur le respect de soi, la prise de décision, l'autocontrôle et la qualité des relations interpersonnelles dans l'environnement de travail. Son but premier est d'humaniser cet environnement en mettant en pratique le principe selon lequel les ressources humaines doivent être cultivées plutôt que seulement exploitées. Ainsi, on veut donner un sens au travail afin de promouvoir le bien-être tant physique que psychologique des travailleurs.

Programme de renforcement positif : Programme incitatif qui se base sur le principe qu'il est possible de comprendre et de modifier le comportement des travailleurs à partir des conséquences qui en résultent pour ceux-ci. Ce programme, qui ne comporte aucune rémunération en espèces, consiste à communiquer aux employés une appréciation de leur rendement par rapport aux objectifs visés et à récompenser leurs progrès par des éloges et des marques de reconnaissance.

Programme de restructuration cognitive : Programme qui vise essentiellement à apprendre aux personnes à désamorcer les automatismes inconsciemment provoqués par les contraintes environnementales. Pour ce faire, les sujets doivent verbaliser leur pensée, en prendre le contrôle cognitif et remplacer la réaction automatique par des attitudes et des comportements susceptibles de leur redonner le contrôle de leur environnement.

Projection : Tendance à attribuer à autrui ses propres fautes.

Promotion : Facteur qui désigne restrictivement le changement de position vers le haut de l'échelle hiérarchique.

Proximité : Tendance à organiser ses perceptions en regroupant les objets qui sont les plus rapprochés les uns des autres.

Psychanalyse : Discipline qui définit, entre autres, trois types de structures chez l'individu : le ça (*id*), qui représente les pulsions, le moi (*ego*), qui représente la conscience, et le surmoi, qui représente le système de valeurs. Ces trois structures représentent des luttes internes continues chez l'individu. Cette approche insiste sur l'importance des motifs et des conflits inconscients dans la détermination du comportement. L'accent est mis sur les mécanismes inconscients de l'esprit.

Psychologie du travail: Discipline qui intègre la sociologie, les sciences politiques, la médecine, les sciences juridiques, les sciences économiques, etc. Elle cherche à analyser les divers comportements des individus dans leur milieu de travail et leur origine. Ainsi, le postulat de base de la psychologie du travail est qu'on peut à la fois améliorer la satisfaction des travailleurs et augmenter leur rendement au travail.

Psychologie humaniste: Approche qui accorde de l'importance à la personne humaine et à son épanouissement. Elle est issue de la tradition introspective. Cette école de psychologie insiste sur l'importance de la conscience humaine, de la connaissance de soi et de l'aptitude à faire des choix libres des contraintes apportées par le béhaviorisme et la psychanalyse. Donc, cette approche ne met pas l'accent sur l'influence qu'ont les événements de l'environnement (stimuli) sur le comportement, ni sur l'influence qu'ont les pulsions inconscientes sur l'individu. L'insistance est mise sur le présent, l'ici-et-maintenant, plutôt que sur les déterminants internes ou externes du passé. Dans cette perspective, l'être humain est fondamentalement bon et tend à s'accomplir, c'est-à-dire à se réaliser et à actualiser son potentiel.

Psychologie moderne: École de psychologie qui englobe plusieurs disciplines dont la psychologie clinique, la psychologie psychométrique, la psychologie de l'apprentissage, la psychologie expérimentale, l'ergonomie, la psychologie industrielle et organisationnelle, auxquelles viennent s'ajouter quelques nouvelles sphères inhérentes à la société moderne, comme la psychologie du sport, la psychologie féminine et la gérontologie.

Punition: Procédé par lequel on peut augmenter la probabilité de fréquence d'un comportement en réduisant celle de l'apparition d'un autre comportement. La punition s'exerce soit en n'accolant plus une conséquence positive à un comportement, soit en appliquant une conséquence désagréable à la personne qui a le comportement qu'on veut voir disparaître.

Qualité de la décision: Particularité d'une décision qui se définit par l'effet qu'elle aura sur le fonctionnement du groupe.

Qualité de vie au travail: Expression qui se rapporte à l'humanisation du travail. Les aspects principaux qui influencent la qualité de vie au travail sont le poste lui-même, l'environnement physique et l'environnement social de travail, les relations interpersonnelles au travail, le système de l'organisation et les relations entre la vie au travail et à l'extérieur.

Recadrage: Technique qui consiste à se demander s'il y a d'autres façons de présenter la situation à laquelle on veut apporter un changement. Cette façon de faire ne modifie pas le problème, mais modifie la signification rattachée à celui-ci.

Règlement: Norme régissant les comportements des individus en fonction des situations dans lesquelles ils évoluent.

Relation interpersonnelle: Interaction humaine entre le superviseur et son équipe, ou entre pairs: amitié, honnêteté, réceptivité aux suggestions, reconnaissance du travail accompli, etc.

Relation leader–membres: Variable qui correspond à l'acceptation du leader par le groupe. Fiedler la décrit comme étant une bonne ou une mauvaise atmosphère au sein du groupe, ou comme le niveau de confiance et de respect des employés envers leur leader.

Rendement au travail: Production ou résultat du travail effectué par un employé.

Renforcement négatif: Méthode utilisée dans le but d'augmenter la fréquence d'un comportement désiré en éliminant les conséquences désagréables associées à ce comportement.

Renforcement positif: Renforcement par présentation d'un stimulus qui vise à augmenter la fréquence d'un comportement désiré. Il s'explique par les conséquences heureuses qu'entraîne pour un individu l'adoption d'un comportement particulier.

Réseau de communication centralisé : Réseau dans lequel l'information est invariablement dirigée vers une ou deux personnes. Ce type de réseau permet généralement d'identifier la personne centrale comme étant le leader du groupe. Ce réseau met l'accent sur la rapidité d'exécution et sur la précision, plutôt que sur la satisfaction et sur la participation des membres.

Réseau de communication décentralisé : Réseau où il est impossible d'identifier un leader formel puisque les membres détiennent un statut équivalent et que l'information n'est dirigée vers aucune personne particulière.

Réseau de communication formel : Réseau qui correspond à tous les réseaux officiels établis lors de la structuration de l'organisation, et dont l'objectif est de canaliser les mouvements d'information à l'intérieur et à l'extérieur de l'entreprise.

Réseau de communication informel : Réseau qui permet d'assurer une plus grande coordination entre les diverses unités de l'entreprise situées à un même niveau hiérarchique ou entre des personnes situées à des niveaux hiérarchiques différents mais n'ayant aucun lien d'autorité entre elles. Le réseau informel est aussi celui des « potins », soit des propos contenant des informations — fondées ou non fondées — reliées, la plupart du temps, à la vie personnelle des employés.

Résistance au changement : Attitude individuelle ou collective, consciente ou inconsciente, qui se manifeste dès lors que l'idée d'une transformation est évoquée. Elle représente donc une attitude négative adoptée par les employés lorsque des modifications sont introduites dans le cycle normal de travail.

Résolution de problème : Procédé permettant de redresser une situation problématique.

Responsabilité : Contrôle de l'employé sur son travail, et pouvoir d'autorité sur celui des autres. L'employé travaille sans supervision ; il est responsable de son effort ainsi que de celui d'autrui.

Rétroaction : Information en vue d'évaluer la réussite ou l'échec d'une activité ou d'un programme.

Réussite au travail : Bien-être de l'individu et de l'organisation. L'émergence de ce concept peut s'expliquer par les mutations culturelles dans le monde du travail, qui ont fait ressortir aux yeux de tous les intervenants l'importance de la notion de qualité de vie au travail.

Rôle : En contexte de travail, les rôles correspondent aux fonctions occupées par les membres d'un groupe. Plus concrètement, les rôles attribués à une personne correspondent aux comportements qu'on attend d'elle. Dans une entreprise, la description de tâches et les directives précisent les rôles des individus.

Rotation des postes : Déplacement du personnel d'un poste à un autre, afin de favoriser l'apprentissage de diverses tâches et d'augmenter la diversité des expériences de travail.

Roue : Réseau de communication qui structure les rapports entre les individus de façon que l'information soit toujours dirigée vers l'individu du centre.

Salaire : Ensemble des éléments de la rémunération, soit les gains et les hausses de salaire.

Sécurité : Présence de signes objectifs de sécurité d'emploi.

Sélection : Action de choisir, parmi un groupe de candidats présélectionnés et en fonction de critères précis, celui que l'on embauche.

Sélectivité : Processus par lequel l'individu divise son expérience entre ce qui est central et ce qui est périphérique.

Semaine de travail comprimée : Mode d'aménagement des horaires de travail qui permet au travailleur de réduire le nombre de jours de travail par semaine par l'augmentation du nombre d'heures travaillées quotidiennement.

Service : Produit intangible. Aussi, unité organisationnelle.

Similarité : Principe d'organisation perceptuelle selon lequel un groupement d'objets est perçu comme un ensemble uniforme en raison de la ressemblance relative des objets individuels.

Socialisation : Processus visant l'intégration des employés à l'organisation et la transmission à chacun d'eux des normes, valeurs et compétences.

Sondage d'entreprise : Technique qui consiste à recueillir des données auprès des employés, au moyen d'entrevues, de questionnaires, etc., portant sur toutes sortes de questions.

Sources extrinsèques de stress : Caractéristiques qui font partie du contexte de la tâche, plutôt que son contenu.

Sources intrinsèques de stress : Caractéristiques qui sont inhérentes au contenu même de la tâche.

Spécialisation : Répartition des tâches en fonction de leur nature.

Statut : Rang ou position d'un employé dans l'organisation. Cette notion s'applique aussi à l'ensemble du groupe, car le rang ou la position du groupe dans l'organisation peuvent grandement favoriser son influence et son efficacité.

Stéréotype : Idée préconçue et non fondée au sujet d'un individu, d'un groupe ou d'une population. Il s'agit d'une simplification du processus perceptuel qui consiste à évaluer un individu ou à porter un jugement sur lui en se servant de facteurs prédominants généralisés à l'ensemble d'un groupe. Le stéréotype ne tient pas compte des différences individuelles et prête aux individus des croyances, des attitudes et des comportements généralisés, en se basant sur des caractéristiques telles que l'âge, le sexe, la profession ou la nationalité.

Stéréotypes sexuels associés à un poste : Processus consistant à établir une association entre des postes et des rôles. On considère traditionnellement, par exemple, que le secrétariat est un domaine d'emploi strictement féminin.

Stratégie autocratique : Stratégie de résolution de conflit employée par les individus qui ont la ferme intention de satisfaire leurs propres intérêts au détriment des intérêts des autres. Il n'y a pas l'ombre d'un doute dans leur esprit : la situation exige qu'une partie sorte gagnante et ce sera la leur. Ils utiliseront leur autorité et leur pouvoir afin d'imposer leur point de vue.

Stratégie démocratique : Stratégie de résolution de conflit où les personnes cherchent une solution qui permettra de satisfaire pleinement les besoins des deux parties concernées par le conflit.

Stress : Discordance entre les aspirations d'un individu et la réalité de ses conditions de travail. Il y a stress quand un individu est incapable de répondre de façon adéquate ou efficace aux stimuli en provenance de son environnement, ou quand il n'arrive à le faire qu'au prix d'une usure prématurée de son organisme. Le stress occupationnel est la réaction individuelle du travailleur à une situation menaçante reliée à son travail. Le stress occupationnel provient, par conséquent, d'une mésadaptation entre l'individu et son milieu de travail.

Structure : Manière dont une organisation combine ses différentes dimensions en un tout cohérent.

Structure de la tâche : Variable qui renvoie à la clarté et à la précision de la tâche à exécuter ainsi qu'aux moyens de l'accomplir. Selon Fiedler, la tâche peut être structurée ou non structurée ; elle peut être définie avec rigidité ou avec souplesse.

Structure du groupe : Normes qui régissent un groupe, les rôles et les statuts des membres de ce groupe. C'est la structure qui dynamise les relations entre les membres et qui incite le groupe à diriger ses actions vers l'atteinte des objectifs organisationnels.

Structure libre : Structure qui permet à la direction de s'orienter vers la facilitation, l'adaptation en situation de changement. Dans ce cas, la structure interne des entreprises ne se solidifie jamais ; la structure tout entière est orientée vers les résultats. On y mise beaucoup sur la participation, l'initiative, le jugement, la communication, l'autocontrôle.

Structure matricielle : Type de départementalisation qui canalise temporairement la compétence technique et les talents. Sa caractéristique est de comporter une chaîne de commande double ; en effet, les employés y ont deux superviseurs plutôt qu'un seul.

Structure par projets: Type particulier de départementalisation qui est créé quand, pour un temps défini, pour un projet particulier, la direction décide de combiner talents et ressources (comme pour la matrice).

Subalterne: Employé qui possède moins d'autorité qu'un autre ou qui n'en possède pas s'il se situe à la base de la hiérarchie de l'organisation.

Substitut du leadership: Personne qui s'interpose entre les subordonnés et leur leader, et qui altère l'influence de ce dernier. En milieu de travail les subordonnés dépendent du leader pour être dirigés, soutenus, influencés ou récompensés. Cette relation de dépendance peut toutefois être affaiblie lorsque intervient le substitut. Les substituts prennent différentes formes et affaiblissent l'habileté ou la capacité du leader à influencer ses subordonnés en ce qui a trait tant à leur satisfaction qu'à leur rendement.

Substitution: Capacité d'un individu à fournir les ressources et les services dont un autre individu ou un groupe a besoin pour atteindre ses objectifs. La substitution constitue une source de pouvoir reliée à la situation.

Supérieur: Titre d'une personne ayant un poste d'autorité sur d'autres employés.

Superviseur: Personne dont la tâche consiste à assurer, à coordonner et à contrôler l'exécution des tâches dans une unité de travail.

Supervision: Indication de la compétence ou de l'habileté technique du superviseur; elle est dissociée de l'aspect des relations interpersonnelles. Le superviseur peut être disposé ou non à former son personnel, à déléguer des responsabilités, à être juste ou injuste.

Suppression d'un comportement: Voir Extinction d'un comportement.

Syndicalisation: Résultat de l'adhésion à un syndicat de travailleurs.

Syndicat: Association de travailleurs qui a pour but la défense de leurs intérêts communs.

Système: Ensemble de parties interreliées formant un tout cohérent et synergique.

Système conflictuel: Vision des relations du travail selon laquelle l'employeur et les employés sont engagés dans un conflit perpétuel lié à la poursuite de buts incompatibles.

Système de coopération: Vision des relations du travail selon laquelle l'employeur et le syndicat collaborent à la résolution de problèmes réciproques, procèdent à l'échange d'informations et poursuivent des buts communs.

Système nerveux parasympathique: Système qui prépare le soma pour le repos ou le retrait. L'énergie est emmagasinée plutôt que mobilisée. Les hormones stimulées par le système parasympathique ont, en gros, des effets opposés à celles stimulées par le sympathique.

Système nerveux sympathique: Système qui est activé lors des réactions de lutte ou de fuite. Il prépare l'organisme à l'action. Il commande la sécrétion de toute une série d'hormones qui, à leur tour, mobilisent d'autres systèmes qui sont nécessaires à l'exécution des gestes de lutte et de fuite.

Tâche: Travail que quelqu'un doit accomplir. Un poste comprend généralement plusieurs tâches.

Technologie: Ensemble des techniques, méthodes, procédés, outils, machines et matériaux utilisés pour la production de biens et de services.

Test d'aptitude: Test servant à mesurer les aptitudes physiques et intellectuelles d'une personne afin de prédire son rendement dans l'exercice de certaines fonctions. Le test d'intelligence est un test d'aptitude.

Test de compétence interpersonnelle: Test servant à mesurer les aspects de l'intelligence d'une personne qui sont reliés à sa capacité de comprendre les indices non verbaux exprimés dans le cadre des relations interpersonnelles ainsi que l'information à caractère social.

Test de compétence personnelle: Test visant à vérifier l'aptitude d'une personne à prendre des décisions personnelles au moment opportun et à fournir l'effort nécessaire à cet effet. Il permet de prédire si une personne est susceptible d'avoir du succès dans un poste ou dans l'exécution d'une tâche.

Test de performance : Test visant à mesurer le rendement d'une personne à partir de ses connaissances, c'est-à-dire son aptitude à exécuter une ou plusieurs tâches. Ce test peut comprendre un test d'exécution et un test écrit.

Test de personnalité : Test mesurant les traits ou caractéristiques de la personnalité des candidats. À titre d'exemples de test de personnalité on peut mentionner le California Psychological Inventory et le Minnesota Multiphasic Personality Inventory.

Test de préférences : Test de sélection utilisé pour apparier les préférences des employés relatives au travail et les caractéristiques du poste et de l'organisation.

Test d'intérêts : Genre de test de personnalité, d'intérêts et de préférences. Ce test ne constitue pas nécessairement un prédicteur du rendement au travail ; il fournit néanmoins des indications précieuses sur le poste convenant le mieux aux caractéristiques personnelles d'un candidat.

Test du détecteur de mensonges : Examen réalisé à l'aide d'un détecteur de mensonges ayant pour but d'évaluer, au cours du processus de sélection, la propension d'une personne au mensonge et au vol ou d'autres caractéristiques de sa personnalité.

T-Group : Méthode de perfectionnement par laquelle un groupe non structuré d'individus échange des idées et des impressions sur le « présent immédiat », plutôt que sur le « futur éloigné ».

Théorie de contenu : Théorie qui tente de cerner les besoins et leurs rôles quant au démarrage d'un cycle de motivation. Elle permet d'énumérer, de définir et de classifier les différentes forces ou pulsions qui incitent un individu à adopter une attitude ou un comportement particulier. Elle met donc en évidence les facteurs internes qui dynamisent le comportement.

Théorie de l'équité : Théorie qui postule qu'un individu, dans une relation d'échange avec d'autres personnes ou avec une organisation, évalue l'équité des gains qu'il retire de cet échange en comparant son rapport intrants-extrants à celui de ses collègues de travail ou à celui de toute personne ou groupe avec qui la comparaison est possible et logique.

Théorie de l'expectative : Théorie qui postule que l'individu effectue un choix conscient et délibéré des moyens lui permettant d'atteindre ses objectifs de telle sorte que les efforts individuels ne sont pas consentis de manière routinière, mais plutôt selon une approche coûts-bénéfices. Ainsi, les individus choisissent rationnellement les comportements qu'ils estiment les plus appropriés pour atteindre leurs objectifs plutôt que d'adopter automatiquement des comportements déclenchés par l'activation d'un besoin qui cherche satisfaction.

Théorie de McClelland : Théorie qui définit trois catégories de besoins pour expliquer la motivation des individus : les besoins de réalisation, les besoins d'affiliation et les besoins de pouvoir.

Théorie de processus : Théorie qui tente d'expliquer de quelles manières les forces interagissent avec l'environnement pour amener l'individu à adopter un comportement plutôt qu'un autre. Ainsi, tout en considérant les besoins et autres forces internes, la théorie de processus s'attarde davantage aux aspects situationnels et à l'interrelation entre les besoins et les divers aspects de l'environnement afin d'expliquer la motivation au travail.

Théorie des attentes : Voir Théorie de l'expectative.

Théorie des besoins de Maslow : Théorie qui propose cinq catégories de besoins apparaissant selon une graduation successive, en commençant par les besoins physiologiques, suivis des besoins de sécurité, des besoins d'appartenance sociale, des besoins d'estime de soi et, finalement, des besoins d'actualisation. Ces besoins sont ressentis successivement selon un ordre bien déterminé.

Théorie des deux facteurs de Herzberg : Théorie selon laquelle il y a chez l'homme deux catégories de besoins : premièrement, le besoin d'éviter les situations pénibles et la douleur et, deuxièmement, le besoin de s'épanouir psychologiquement. Ainsi, deux types de facteurs expliquent la motivation des individus : les facteurs d'hygiène (ou de conditionnement) et les facteurs motivationnels.

Théorie des objectifs : Théorie qui met en évidence la capacité de l'être humain à choisir les buts ou les objectifs qu'il désire atteindre, tout en stipulant que les objectifs adoptés influencent fortement ses cognitions et ses comportements. Une fois que l'individu a accepté les objectifs fixés, il consentira à fournir les efforts requis pour y parvenir.

Théorie des procédés : Théorie fonctionnelle qui explique les processus dynamiques de changement en précisant les variables contrôlables, les résultats attendus, les étapes, les recommandations, etc.

Théorie des stratégies : Théorie qui décrit certaines perspectives générales au sujet de la façon d'approcher la tâche d'accomplissement du changement.

Théorie ESC d'Alderfer : Théorie qui permet de classer les besoins selon trois ensembles comprenant les besoins d'existence (E), les besoins de sociabilité (S) et les besoins de croissance (C), d'où l'appellation ESC.

Théorie technique : Théorie qui se concentre sur l'une des étapes du processus de changement : le diagnostic, l'intervention, la planification ou l'évaluation.

Théorie X : Théorie qui postule que les gens en général n'aiment pas le travail, n'ont pas d'ambition et fuient les responsabilités.

Théorie Y : Théorie qui postule que les gens aiment travailler. Ainsi, le repos, le jeu et le travail sont aussi plaisants l'un que l'autre.

Théorie Z : Modèle qui suggère une forme d'organisation permettant simultanément la liberté individuelle et le travail de groupe. Dans une organisation de type Z, la prise de décision s'effectue suivant une approche de consultation, mais le chef hiérarchique détient le pouvoir décisionnel.

Transformation : Période d'acquisition de nouvelles habitudes et compétences. On y conçoit et y implante le changement en stimulant, chez les employés, l'intériorisation de la motivation et du désir de changement, ou par l'identification des employés à de nouveaux modèles (par apprentissage).

Transition de mi-carrière : Période survenant entre l'âge de 45 ans et 55 ans, au cours de laquelle les travailleurs procèdent au réexamen de leurs réalisations quant aux objectifs professionnels initiaux qu'ils s'étaient fixés.

Travail en soi : Contenu actuel du travail ainsi que ses effets positifs ou négatifs sur l'employé. Ce sont les aspects gratifiants de la tâche en eux-mêmes, avec ou sans accomplissement et considération, c'est-à-dire un travail créatif, varié, qui relève du défi et qui donne l'occasion d'exécuter le travail du début jusqu'à la fin.

Type A : Voir Individu de type A.

Type B : Voir Individu de type B.

Unité de direction : Unité de départementalisation fonctionnelle.

Valence : Mesure de l'attrait ou de la valeur que l'individu attribue à la récompense ou aux conséquences finales. La valence est déterminée par la croyance qu'a l'individu que les conséquences finales sauront répondre aux besoins qu'il cherche à combler en adoptant un comportement particulier.

Valeur instrumentale : Estimation de la probabilité que le rendement visé produira des conséquences ou des résultats. Plus simplement, il s'agit d'évaluer quelles sont les chances de l'individu d'obtenir une récompense s'il améliore son rendement.

« Y » : Type de chaîne où le processus de communication est centralisé. La principale distinction entre la chaîne et le « Y » est que ce dernier place deux membres égaux au niveau supérieur. Toutefois, il est possible d'inverser le « Y » afin d'obtenir une seule personne au sommet et deux membres égaux au niveau inférieur.

Index des auteurs cités